DE DROOMFABRIK

Harold Robbins

DE DROOM-FABRIKANTEN

roman over de filmwereld

Uitgeverij J. H. Gottmer - Haarlem

Oorspronkelijke titel: *The Dream Merchants*
Nederlandse vertaling: *A. L. K. Menning–Koop*
Ontwerp omslag: *Robert Nix*

ISBN 90 257 0033 0
Vijfde druk: 1974

MAANDAG 1938

Op Rockefeller Plaza stapte ik uit de taxi. Het was winderig, zelfs voor begin maart, en mijn overjas flapperde om mijn broekspijpen, terwijl ik de chauffeur betaalde. 'Laat maar zitten,' zei ik, hem een dollarbiljet in de hand stoppend.
Ik lachte toen hij me uitbundig bedankte. De meter wees maar dertig cent! De motor sloeg aan en het wagentje reed rammelend weg. Ik bleef nog even staan om diep adem te halen voordat ik het gebouw binnen ging. De lucht was fris en zuiver, want het was nog vroeg en de autobussen op de halte bij de hoek hadden nog geen kans gehad de atmosfeer met hun benzinestank te verontreinigen. Ik had me in lang niet zo opgewekt en prettig gevoeld.
Ik ging het gebouw binnen en kocht de 'Times' aan mijn gewone boekenstalletje bij de Chase Bank en liep toen de trappen af naar de passage, waar de kapperssalon was.
Zemmler is onder de kappers wat Tiffany onder de juweliers is. De deur ging al open toen ik hem alleen nog maar naderde. Achter die deur stond een kogelrond Italiaantje. In zijn donkere gezicht flitsten zijn witte tanden.
'Goedenmorgen, mijnheer Edge, u bent vroeg vandaag.'
Ik keek onwillekeurig op de klok. Inderdaad – het was pas tien uur. 'Je hebt gelijk, Joe,' antwoordde ik, terwijl hij mijn overjas aannam, 'is Rocco er nog niet?'
'Zeker, mijnheer Edge,' grinnikte hij, 'hij is zich aan het verkleden. Met een minuutje is hij hier.'
Ik legde de krant op de toonbank, deed mijn jasje uit en maakte mijn das los. Joe haastte zich alles van mij aan te nemen.
Rocco kwam uit de kleedkamer en liep regelrecht naar zijn stoel. Joe scheen hem op een of andere manier op mij opmerkzaam te maken, want hij keek plotseling op en glimlachte.
'Rocco kan u meteen helpen, mijnheer Edge,' zei Joe tegen me en zich omkerend riep hij Rocco toe: 'Okay, nummer zeven!'
Ik nam mijn krant en liep naar de stoel. Rocco stond er naast en grinnikte tegen me. Ik ging zitten en hij sloeg me een laken om, duwde een reep vloeipapier in mijn hals en zei: 'Vroeg vandaag, Johnny.'
Ik knikte hem lachend toe. 'Ja.'
'Een grote dag voor je! Vannacht zeker geen oog dicht gedaan?'
'Nee,' antwoordde ik, nog steeds lachend. 'Ik kon niet in slaap komen.'

Hij liep naar de wastafel voor de stoel en begon zijn handen te wassen. Hij keek me over zijn schouder heen aan en zei: 'Nou, ik geloof dat ik ook niet zou kunnen slapen als ik een baan van duizend dollar per week had gekregen.'
Ik schoot in de lach. 'Nog vijfhonderd er bij, Rock, om nauwkeurig te zijn.'
'Wat is vijfhonderd per week als je zo'n mooie cent verdient?' grinnikte hij, zijn handen afdrogend en op me toe tredend. 'Zakgeld.'
'Weer mis, Rock. Als je eenmaal zo ver bent, dan is het geen kwestie van geld meer – dan is het prestige.'
Hij nam zijn schaar uit zijn zak en begon mijn haar te knippen. 'Prestige – dat is net zo iets als een dik buikje: het boezemt een zeker ontzag in. 'Dat is een knaap, die het goed gaat,' zeggen de mensen. Maar in je hart schaam je je er voor en zou je eigenlijk maar liever weer een magere jongen zijn, zoals de meesten.'
'Zijn de druiven zuur, Rock?' vroeg ik. 'Ik voel me er best bij, hoor!'
Hij gaf geen antwoord en knipte verder. Ik vouwde mijn krant open. Pagina een, twee, drie – allemaal nieuws dat me niet interesseerde. Ik sloeg de bladen snel om totdat ik vond wat ik zocht. Het stond met vetgedrukte letters onder 'Filmnieuws' en het besloeg twee kolommen: 'John Edge president van Magnum Pictures.' Daarop volgde het gewone relaas. De geschiedenis van de maatschappij – mijn geschiedenis. Ik fronste even de wenkbrauwen. Zelfs het feit dat ik getrouwd was geweest met de beroemde actrice Dulcie Warren hadden ze niet voor zich kunnen houden. Rocco keek over mijn schouder heen in de krant. 'Je gaat ze zeker uitknippen nu je een groot-mogol ben geworden, Johnny?'
Die opmerking maakte me wat kregel. Ik had even het onaangename gevoel dat hij dwars door me heen gekeken had. Ik probeerde niet boos te worden en bracht met enige moeite een glimlach te voorschijn. 'Doe niet zo idioot, Rock, ik ben nog altijd dezelfde. Ik heb alleen een andere baan gekregen, maar verder is er niets veranderd.'
'O nee?' snoof hij. 'Je had jezelf maar eens moeten zien binnenkomen – Rockefeller in eigen persoon!'
Nu begon ik toch werkelijk uit mijn humeur te raken. Ik strekte mijn arm uit en bekeek mijn hand. 'Roep de manicure,' zei ik. Het meisje kwam meteen aanlopen en begon mijn handen te bewerken. Rocco verstelde de stoel en begon mijn gezicht in te zepen. Ik kon nu niet meer lezen en daarom liet ik de krant op de grond vallen.
Ik onderging alle bewerkingen – scheren, haarwassen, hoogtezon, alles. Toen ik eindelijk opstond, kwam Joe al aanlopen met mijn das. Ik ging voor de spiegel staan en strikte hem om. Bij wijze van uitzondering lukte

het meteen en hoefde ik het niet opnieuw te proberen. Ik haalde een vijfdollarbiljet uit mijn zak en gaf het aan Rocco.
Hij stak het achteloos in zijn borstzak, met een gezicht alsof hij mij een gunst bewees door het aan te nemen. Onze ogen ontmoetten elkaar. Plotseling vroeg hij: 'Heb je al van de oude baas gehoord? Wat zegt hij er van?'
'Neen,' zei ik nors, 'en 't kan me niet verdommen ook. Laat hem barsten.'
Hij schudde verwijtend het hoofd. 'Zo moet je niet praten, Johnny. Het is en blijft een beste kerel, zelfs al heeft hij je niet mooi behandeld. Hij hield van je alsof je zijn eigen zoon was.'
'Maar je moet toch toegeven dat hij me als een stuk vuil heeft behandeld, is het niet?' bracht ik er kwaadaardig tegen in.
Rocco's stem bleef zacht en vriendelijk. 'Dat is waar – maar wat wil je? Hij is een oude man en hij was ziek en moe en wanhopig en hij wist dat hij al zijn kruit verschoten had.' Hij zweeg even om de sigaret aan te steken, die ik in mijn mond gestoken had. Zijn gezicht was vlak bij het mijne toen hij vervolgde: 'Dat alles heeft hem in de war gemaakt en hij verhaalde het op jou. Maar toch, Johnny – je kunt de dertig jaren die daarvóór liggen niet zo maar uitwissen. Je kunt jezelf niet wijsmaken dat ze er niet zijn geweest, omdat ze er nu eenmaal wél zijn geweest.'
Ik keek hem aan. Hij had zachte, bruine ogen en ik las er deernis in – met mij? Ik wilde iets zeggen, maar deed het niet. Ik wendde me van hem af, trok mijn jasje aan, nam mijn overjas over mijn arm en ging weg.
De toeristen waren alweer present. Er hingen zeker al twintig van die lummels rond in de passage, wachtend op een gids die hen rond zou leiden. Ze zagen er met hun stomme koppen net zo uit als meer dan dertig jaar geleden de bezoekers van het circus – opgewonden, vol verwachting, met hun mond een eindje open, alsof ze meenden daardoor nóg meer te kunnen zien.
Ik liep hen voorbij en ging via de roltrap naar de straatverdieping; daar stapte ik meteen in de lift die regelrecht naar de dertigste verdieping ging. De liftboy drukte zonder iets te vragen knop 32 in.
'Goede morgen, mijnheer Edge.'
'Goede morgen.'
De lift zette zich in beweging en ik had even het bekende weeë gevoel in mijn maag. Toen schoten we omhoog naar het dak. De deur ging weer open en ik stapte uit.
Het meisje van de receptie glimlachte tegen me.
'Goede morgen, mijnheer Edge.'
'Goede morgen, Mona,' zei ik, terwijl ik de corridor in liep. Over de dikke rode loper stapte ik naar mijn kantoor. Eens was het het zijne. Nu stond

mijn naam op de deur. 'Mr. Edge', stond er in gouden letters. Het was een zonderling gezicht, deze naam in plaats van de zijne. Ik bracht mijn ogen vlak bij de letters om te zien of er nog een spoor van zijn naam was overgebleven. Hij was volledig uitgewist. Ze hadden hun werk grondig gedaan en toch was het in een ogenblik gebeurd. Zelfs al had je naam duizend jaar op een deur gestaan, dan waren er toch maar een paar minuten nodig om hem uit te wissen.

Ik legde mijn hand op de deurknop, maar draaide hem niet om. Het was allemaal maar een droom. Het wàs mijn naam niet – het was de zijne. Opnieuw bekeek ik hem nauwkeurig.

'Mr. Edge', herhaalden de gouden letters.

Ik schudde mijn hoofd. Rocco had gelijk. Dertig jaren waren niet uit te wissen.

Ik opende de deur en trad het kantoor binnen. Dit was het vertrek van mijn secretaresse; het mijne was achter de volgende deur.

Jane legde juist de telefoon neer toen ik binnenkwam. Ze stond op, nam mijn overjas aan en hing hem in een kleine kast. 'Goede morgen, mijnheer Edge.'

'Goede morgen, juffrouw Andersen,' antwoordde ik glimlachend. 'Wat zijn we vormelijk vanmorgen!'

Jane lachte. 'God bewaar me, Johnny, je bént nu ten slotte de baas. Iemand zal toch moeten beginnen met je de eer te geven die je toekomt.'

'Laat iemand anders dat dan doen, Jane, niet jij,' antwoordde ik, mijn kantoor binnentredend.

Ik bleef even in de open deur staan, als om er aan te wennen. Dit was de eerste keer dat ik het vertrek zag sedert het opnieuw was ingericht. Ik was tot vrijdagavond in de studio geweest, was zondagavond naar New York gevlogen en nu was het maandagmorgen.

Jane stond vlak achter me. 'Tevreden?'

Ik keek rond. Tevreden – wie zou er niet tevreden zijn met een kantoor dat er uit zag alsof het met zuiver goud was bemuurd? Het vertrek lag op een hoek van de verdieping. Het had tien vensters, vijf aan elke kant. De binnenmuren waren met een kostbare houtsoort gelambrizeerd. Aan de langste muur hing een enorme luchtopname van de studio. In de korte muur was een open haard gebouwd, compleet met braadspeten, roosters en haardstoelen. Hier en daar in het vertrek stonden nog meer stoelen, grote clubs van donkerrood leer en mijn schrijftafel was van prachtig gepolijst mahoniehout, terwijl het blad door een groot vel dik, rood leer werd beschermd. In het midden daarvan waren mijn initialen in haut-reliëf aangebracht, ook van leer, maar in een even contrasterende kleur. Het vertrek was zo groot dat het gemakkelijk voor balzaal gebruikt zou kun-

nen worden en dan zou er altijd nog ruimte genoeg over zijn om even apart te zitten.
'Tevreden, Johnny?' herhaalde Jane haar vraag.
Ik knikte: 'En of!' Ik liep op mijn schrijftafel toe en ging er achter zitten.
'Dat is allemaal nog niets!' zei ze. Ze ging naar de haard en drukte op een knopje in de muur. De haard begon te draaien en verdween in de muur en er kwam een complete bar te voorschijn.
Ik floot tussen mijn tanden.
'Aardig, vind je niet?' vroeg ze trots.
'Ik ben sprakeloos,' antwoordde ik.
'Dat is nog niet alles!' Ze drukte weer op de knop en de haard kwam terug. Toen drukte ze op een tweede knopje, ditmaal in de langste muur. Een gedeelte van de muur begon voor mijn verbaasde ogen opzij te schuiven en door de opening zag ik een met glanzende tegels beklede badkamer. 'Wat zeg je hiervan?'
Ik stond op, trad op haar toe, sloeg mijn armen om haar heen en gaf haar een stevige zoen. 'Jane, je hebt me tot de gelukkigste man van de wereld gemaakt. Hoe heb je ooit kunnen vermoeden dat mijn enigste wens een eigen w.c. was?'
Ze lachte een beetje verlegen. 'Ik ben erg blij dat je het mooi vindt, Johnny, ik zat er wel een beetje over in.'
Ik liet haar los en stak mijn hoofd door de deur van de badkamer. Alles compleet, douche, toilet, alles. Ik wendde me weer tot haar. 'Tob maar niet meer, kind, papa is tevreden.'
Ik liep terug naar de schrijftafel en ging zitten. Het was me allemaal nog zo vreemd. Toen dit Peters kantoor nog was, was het eenvoudig, ouderwets, zoals hijzelf. Het kantoor van de baas geeft de mening weer, die zijn secretaresse van hem heeft, zeggen ze wel eens. Ik vroeg me af wat Jane over mij dacht.
De telefoon in Jane's kamer begon te bellen en ze haastte zich weg. Zodra de deur achter haar dichtviel, voelde ik me eenzaam. Belachelijk eenzaam.
Vroeger, toen ik Peters assistent was, was mijn kantoor op dit uur van de dag altijd vol mensen. De lucht was dan blauw van de rook en er was een hevig, prettig rumoer van lachende en pratende mannen. Ze kwamen van alles met me bespreken – de verkoop, de reclame, nieuwe ideeën voor een film. We staken de gek met elkaar, we kritiseerden en argumenteerden en de meningen liepen soms sterk uiteen, maar alles was gebaseerd op een genoeglijke kameraadschap, die ik van nu af nooit meer zou kennen.
Wat had Peter ook weer eens gezegd? 'Als je de baas bent, Johnny, dan ben je alleen. Je hebt geen vrienden, alleen maar vijanden. Als de mensen

aardig tegen je zijn dan vraag je je af waarom. Je vraagt je af wat ze van je willen. Je luistert geduldig naar wat ze zeggen en probeert ze op hun gemak te stellen, maar het lukt je nooit. Ze vergeten geen ogenblik dat je de baas bent en dat één woord van jou hun hele leven op z'n kop kan zetten. Baas zijn is een eenzaam bestaan, Johnny, een heel eenzaam bestaan.'

Ik had er toen om gelachen, maar nu begon ik het te begrijpen. Ik moest me er maar niet te veel in verdiepen, vond ik. Ik had ten slotte niet om het baantje gevraagd. Er lag een hoge stapel post op mijn bureau en ik besloot daar dan maar mee te beginnen. Ik wilde de eerste brief opnemen, maar mijn hand bleef halfweg steken. Of had ik er soms wel om gevraagd? Die gedachte flitste door me heen en was meteen weer verdwenen. Ik begon de eerste brief te lezen. Het was een gelukwens. En gelukwensen waren alle brieven en telegrammen die daar lagen. Iedereen in de industrie zond me zijn beste wensen en beloofde me zijn medewerking. De grote mannen en de kleine. Dat was nu eenmaal zo bij de film. Als er iets gebeurde schreef iedereen je. Het was alsof je tot een grote familie behoorde, waarin de een altijd precies wist hoe het de ander ging. En zelf kon je ook altijd precies weten wat de mensen van je dachten, namelijk door het tegenovergestelde te lezen van wat ze je bij belangrijke gebeurtenissen schreven.

Ik was bijna door de stapel heen toen Jane mijn kantoor binnenkwam met een grote bos bloemen.

Ik keek haar verbaasd aan. 'Wie heeft die gestuurd?'

Ze zette de bloemen in een vaas op een tafeltje en wierp een kleine envelop op mijn bureau. Uit haar houding begreep ik van wie ze kwamen, nog voordat ik de initialen D.W. op de envelop had gezien. Ik opende de envelop en haalde er een wit kaartje uit. Er stond iets op in een kriebelig, bekend handschrift.

'De gelukkige loopt alles mee, Johnny,' stond er. 'Het ziet er naar uit dat ik me vergist heb. Dulcie.'

Ik wierp de kaart in de papiermand en stak een sigaret op. Dulcie. Dulcie was een duivelin. Maar ik was met haar getrouwd omdat ik gedacht had dat ze een engel was. Ook omdat ze mooi was. En omdat ze je kon aanzien op een manier die je deed denken dat je de meest begeerlijke man van de wereld was. Wat kan een man zich toch laten beetnemen. Toen ik dat eindelijk ook had begrepen, liet ik me van haar scheiden.

'Is er nog opgebeld, Jane?'

Terwijl ik het briefje las, had ze me bezorgd staan aankijken. Nu klaarde haar gezicht op. 'Ja,' antwoordde ze. 'Eén keer maar, vlak voor je kwam. George Pappas. Hij vroeg of je terug wilde bellen als je tijd had.'

'Okay, bel hem maar.'
Ze verliet het vertrek. George Pappas was een beste kerel. Hij was president van Borden Pictures en we kenden elkaar al heel lang. Hij was de man die Peters kleine nickelodeon had gekocht toen Peter besloten had zelf films te gaan maken.
De zoemer ging. Ik nam de hoorn van de haak en hoorde Jane's stem: 'Hier is mijnheer Pappas.'
'Verbind hem maar door.' Ik hoorde een klik en meteen George's stem:
'Hallo, Johnny?' Zijn J was als gewoonlijk onhoorbaar.
'George – hoe maak jij het!'
'Goed, Johnny, en jij?'
'Heb niet te klagen.'
'Wat doe je met de lunch?'
'Blij dat daar tenminste iemand aan denkt,' antwoordde ik. 'Ik was al bang dat ik alleen zou moeten eten.'
'Waar zien we elkaar?' vroeg hij.
Ik kreeg een ingeving. 'George, je komt hier naar toe. Je moet mijn kantoor zien.'
'Ziet er zeker wel aardig uit, Johnny?' Ik hoorde hem zachtjes lachen.
'Aardig? Het lijkt wel de ontvangkamer van een voornaam Frans bordeel! Maar kom kijken en oordeel zelf.'
'Om één uur ben ik bij je, Johnny.'
Ik riep Jane en verzocht haar alle afdelingschefs in mijn kantoor te roepen. Het werd zo langzamerhand tijd dat ze iets van me hoorden. En bovendien, wat had het voor nut om baas te zijn als je de hele dag niemand zag over wie je de baas kon spelen?
De vergadering duurde tot bijna één uur. Het was de gebruikelijke vertoning: gelukwensen, beloften van medewerking. Ik zei hun dat de maatschappij er niet al te best voorstond en dat het hoog tijd werd dat we met ernst en toewijding aan het werk gingen, want anders zouden we al gauw voor het verrassende feit staan dat we niet meer behóéfden te werken. Ik schaamde me eigenlijk een beetje toen ik dat zei. Het kwam me wel enigszins misplaatst voor om iets dergelijks te beweren in een kantoor, dat net voor 15000 dollar opnieuw was ingericht, maar dat drong blijkbaar tot geen van de aanwezigen door. Ze waren merkbaar onder de indruk. Voordat ik de vergadering sloot, deelde ik hun nog mee, dat ik nog diezelfde week van elke afdeling een overzicht verwachtte, waarin vermeld stond wie en wat we eventueel zouden kunnen missen. We moesten de grootst mogelijke spaarzaamheid en efficiency betrachten als we deze economische crisis wilden doorstaan. Daarop zei ik hun dat ze konden gaan lunchen. Ze verlieten glimlachend het vertrek, maar desondanks zag ik aan hun

gezicht dat niet één van hen in staat zou zijn om te eten.
Toen de deur achter de laatste was dichtgegaan, liep ik naar de schouw en zocht naar het knopje. Ik kon het niet vinden. Ik stak mijn hoofd om Jane's deur.
'Ik kan die verdomde knopjes niet vinden,' mopperde ik.
Ze keek me een ogenblik niet begrijpend aan en stond toen vlug op.
'Ik zal het je laten zien.'
Ik volgde haar naar de muur en zag haar nu het knopje voor de bar indrukken. Ik verzocht haar een drank voor me te mixen, terwijl ik naar beneden, naar het toilet ging. Ik liep zonder verder nadenken naar de deur, maar ze hield me tegen.
'Je hebt er nu toch zelf een!' Ze drukte op een ander knopje en de badkamer opende zich geruisloos.
Ik zei niets, maar stapte naar binnen. Toen ik mijn kamer weer binnentrad zat George al op me te wachten. Hij zat met een vol glas in de hand verbaasd om zich heen te kijken. We schudden elkaar hartelijk de hand.
'En, wat zeg je er van, George?'
Hij glimlachte eens, dronk zijn glas leeg en zette het op de bar.
'Een stuk of wat foto's van naakte dames aan de muur en dan geloof ik dat je vergelijking nog niet zo gek was, Johnny.'
Ik dronk het glas, dat Jane voor me had neergezet, leeg en daarna gingen we lunchen. We besloten de English Grill te nemen. Ik hield niet van Shor omdat het er altijd zo druk was en hij zag er tegen op om naar de Rainbow Room te gaan, omdat die zo hoog lag. De English Grill lag in de passage van de RCA Building en zag uit op de waterpartij. Het was nog koud genoeg voor de ijsbaan en vanaf ons tafeltje bij het raam keken we een tijlang zwijgend naar de schaatsers.
De kelner kwam. Ik bestelde gegrilleerde lamskoteletten en George nam een slaatje. Hij moest dieet houden, verklaarde hij. Daarna keken we weer enige tijd naar de schaatsers.
Eindelijk slaakte George een diepe zucht. 'Als je dat ziet zou je graag weer jong zijn, Johnny.'
'Ja.' Ik zuchtte eveneens.
Ik voelde dat hij me een ogenblik scherp opnam. 'Neem me niet kwalijk, Johnny, ik dacht er niet aan.'
Ik knikte hem glimlachend toe. 'Het geeft niets, George. Ik denk er zelf niet eens meer aan, en zelfs al deed ik dat, dan zou ik je nog gelijk geven.'
Hij antwoordde niet, maar ik wist waar hij aan dacht. Het was mijn been. Mijn rechter been. Ik was het in de oorlog kwijt geraakt. Maar ik had nu de nieuwste prothese en iemand die het niet wist zou nooit vermoeden,

dat het mijn eigen been niet was. Ik wist plotseling weer precies hoe ik me gevoeld had op die dag dat Peter me in het hospitaal op Staten Island was komen opzoeken. Ik was verbitterd en vol haat. Ik was nog geen dertig jaar en ik had mijn been verloren. Nu zou ik de rest van mijn leven in een hospitaal doorbrengen. Maar Peter had gezegd: 'Je hebt dus je been verloren, Johnny. Maar je hoofd zit nog op je schouders, is het niet? Het doet er niet veel toe op welke manier een mens over deze aarde rondscharrelt, het gaat alleen maar om wat hij tussen zijn twee oren heeft. Doe dus niet langer zo dwaas, Johnny; kom terug, ga aan het werk en je bent alles in minder dan geen tijd vergeten.'
Zo ging ik dus weer aan het werk en Peter had gelijk. Ik vergat mijn been – tot die nacht dat Dulcie mij voor een hinkepoot uitschold. Maar Dulcie was een duivelin, en na verloop van tijd vergat ik zelfs dat.
De kelner bracht onze bestelling en we begonnen te eten. We waren al halverwege de maaltijd toen ik het woord nam. 'George,' zei ik, 'ik ben blij dat je me hebt opgebeld. Als jij het niet had gedaan, dan zou ik jou gebeld hebben. Ik wilde je spreken.'
'Waarover?'
'Zaken. Je kent de hele kwestie van haver tot gort. Je weet waarom ik tot president ben gekozen. Omdat Ronsen denkt dat ik een waarborg ben voor zijn dollars.'
'En is dat niet zo?'
'Dat nu niet bepaald,' antwoordde ik eerlijk, 'maar je weet hoe het gaat. Als je dertig jaar lang hebt meegeholpen om iets op te bouwen, dan gooi je het bijltje er niet zo gauw bij neer. En bovendien – het is een baan.'
'En je hebt die baan hard nodig, is het niet?' vroeg hij met een ondeugend lachje.
Ik moest ook lachen. Een baan was een van de dingen waar ik beslist niet om verlegen zat. Ik was een kwart miljoen dollar waard. 'Dat wil ik niet zeggen, maar ik ben nog te jong om te lanterfanten.'
Hij nam een hap van zijn slaatje. 'En wat moet ik nu voor je doen?' vroeg hij kauwende.
'Ik zou graag hebben dat je de 'Terrible Ten' van me kocht.'
Hij vertrok geen spier van zijn gezicht, zodat ik er niet uit kon opmaken of mijn verzoek hem verraste of niet. De 'Terrible Ten' waren volgens de vaklieden de tien slechtste films die er ooit gemaakt waren en er was al heel wat vrolijkheid over geweest.
'Is het je bedoeling mijn bioscopen te sluiten, Johnny?' vroeg hij zacht.
'Zo slecht zijn ze niet, George, en ik zal je een voordelige koop bieden. Je kunt ze net spelen zoals je wilt, verkort of onverkort, elk voor vijftig dol-

lar per dag; je garandeert me er vijfhonderd en voor de rest doe je maar wat je wilt.'
George gaf geen antwoord.
Ik stak het laatste hapje kotelet in mijn mond, leunde achterover in mijn stoel en stak een sigaret aan. Ik had hem geen slecht voorstel gedaan. George had bijna negenhonderd theaters; dat betekende dat hij ze in vierhonderd bioscopen vrij kon spelen.
'Ze zijn niet zo slecht als de kranten beweren,' voegde ik er aan toe. 'Ik heb ze gezien en ik moet zeggen dat er nog heel wat slechter zijn.'
'Zeg maar niets meer, Johnny,' zei hij zacht, 'ik heb ze al gekocht.'
'En dan is er nog iets, George,' vervolgde ik. 'We moeten het geld meteen hebben.'
Hij aarzelde een halve seconde voordat hij antwoordde: 'Okay, Johnny, voor jou doe ik het.'
'Dank je, George, je bespaart me een hoop kopzorg.'
De kelner kwam de tafel afruimen. Ik bestelde koffie met appelgebak en George nam zwarte koffie.
Terwijl wij onze koffie dronken vroeg George me of ik Peter de laatste tijd nog gesproken had. Ik schudde het hoofd. Ik had juist een mondvol appeltaart, die ik tegelijk met zijn vraag verwerkte voordat ik antwoordde. 'Ik heb hem in bijna zes maanden niet gezien.'
'Waarom bel je hem niet eens op, Johnny? Ik denk dat hij het heel prettig zou vinden nu iets van je te horen.'
'Hij kan mij opbellen,' antwoordde ik kortaf.
'Nog altijd boos, Johnny?'
'Boos is het woord niet. Gegriefd. Hij denkt dat ik in het complot heb gezeten, dat hem er uit heeft gewerkt. De antisemieten noemt hij ze.'
'Maar je denkt toch zeker niet dat hij dat nóg gelooft?'
'Hoe voor de donder kan ik weten wat hij gelooft of niet gelooft? Hij gooide me uit zijn huis op de avond, waarop ik hem vertelde dat hij zich uit moest kopen of anders alles zou verliezen. Hij beschuldigde me er van dat ik een spion van Ronsen was en tot het komplot behoorde, dat er op uit was hem te ruïneren. Hij wierp de schuld van alle rampen op mij. De dingen die híj deed had ík volgens hem moeten tegenhouden. Nee, George, ik heb het lang geslikt, maar dat was voor mij het einde.'
George nam een grote sigaar uit zijn koker, stak hem bedachtzaam in zijn mond en hield er een lucifer bij. Onderwijl keek hij me onderzoekend aan. Toen de sigaar eindelijk naar zijn zin brandde, vroeg hij: 'En hoe staat het met Doris?'
'Ze gaf er de voorkeur aan bij haar vader te blijven. Ook van haar heb ik niets meer gehoord.' Mijn eigen woorden deden me pijn – wat was ik

bijna dertig jaar lang toch een vervloekte dwaas geweest. En toen ik eindelijk verstandig werd, liep ineens alles verkeerd.
'Wat had je dan anders verwacht?' vroeg George. 'Ik ken haar. Dacht jij dat zij de oude baas in de steek zou laten op het moment dat hij dacht, dat iedereen zich tegen hem keerde? Daar is ze de vrouw niet naar.'
Hij zei gelukkig niets over mijn levenslange stommiteit ten opzichte van haar en ik was hem er dankbaar voor.
'Dat verlangde ik ook helemaal niet van haar. Al wat ik verlangde was met haar te trouwen.'
'En hoe zou Peter dat hebben opgevat?'
Ik gaf hierop geen antwoord. Er was geen antwoord op. We wisten beiden maar al te goed wat dat voor Peter geweest zou zijn, maar ik had er toch ook onder geleden en dat deed ik nog. Ieder had zijn eigen leven te leven en Doris en ik hadden hem meer dan genoeg van het onze gegeven.
George vroeg om de rekening. De kelner bracht hem en George betaalde. We liepen de passage weer in en aan het eind daarvan bleef George staan en stak me de hand toe. Zijn handdruk was krachtig en bemoedigend.
'Bel hem op,' zei hij. 'Het zal jullie allebei goed doen.'
Ik gaf geen antwoord.
'En veel succes, Johnny,' voegde hij er aan toe. 'Je zult het best klaarspelen. Ik ben blij dat jij president bent geworden en niet Farber. En ik verwed er wat onder dat Peter er net zo over denkt.'
Ik bedankte hem en stapte in de lift. Terwijl ik naar de bovenste verdieping suisde, moest ik maar aldoor aan George's woorden denken. Peter opbellen? Maar toen ik de tweeëndertigste verdieping bereikt had, had ik tot 'neen!' besloten. Voor de duivel, als hij me wilde spreken, dan kon hij mij bellen!
Jane was niet in haar kantoor. Ze was zeker nog aan de lunch. Er lag weer een nieuwe stapel post op mijn bureau, die daar was neergelegd terwijl ik weg was. Hij was tamelijk hoog en er stond een presse-papier bovenop om het zaakje bij elkaar te houden.
Die presse-papier kwam me bekend voor. Ik nam hem op. Het was een borstbeeldje van Peter. Ik woog het eens op mijn hand en ging er mee zitten. Een paar jaar geleden was Peter op de gedachte gekomen dat een beeltenis van hemzelf zijn employés wel eens tot harder werken zou kunnen inspireren en daarom had hij een beeldhouwer opgezocht, die hem duizend dollar had laten neertellen voor dit kleine beeldje. Hij had er metalen afgietsels van laten maken en weldra stond het beeldje op elk bureau van de maatschappij.
Het was nogal geflatteerd. Het gaf hem meer haar dan hij bij mijn weten ooit gehad had, een vierkanter kin en een geprononceerder arendsneus dan

waarmee hij geboren was, en een kalme vastberadenheid, die hij evenmin bezat als het mannetje in de maan. En daaronder, aan de voet van het beeldje, stonden de woorden: 'Niets is onmogelijk voor de man die bereid is tot werken – Peter Kessler.'
Ik stond op met het beeldje in de hand, liep er mee naar de badkamer en drukte op de knop. Terwijl de muur zich opende, draaide ik het om en om in mijn hand. Toen stapte ik de badkamer binnen. Rechts van me waren een paar plankjes voor flesjes en andere spullen. Ik zette Peter voorzichtig midden op de bovenste plank en deed toen een stap achteruit om nog eens naar hem te kijken.
Het gezicht, dat Peters gezicht niet was en toch Péter, keek me rustig aan. Ik ging mijn kantoor weer binnen en sloot de badkamerdeur. Daarop nam ik een paar brieven en begon te lezen. Maar ik kon me niet concentreren. Ik moest maar steeds aan Peter denken en aan de manier waarop hij me had aangekeken toen ik hem op die plaats zette.
Boos stond ik op, ging weer naar de badkamer en nam het beeldje mee. Weer in mijn kamer gekomen keek ik rond naar een plaats waar ik het zou kunnen neerzetten zonder dat het me verder stoorde. Ik besloot tot de schouw. Daar stond het beter. Het was bijna alsof hij tegen me glimlachte en zei: 'Zo is het beter, jongen, veel beter.'
'O ja, ouwe brombeer?' zei ik hardop. Ik ging weer achter mijn bureau zitten en nu kon ik mijn gedachten wel bij mijn werk houden.
Precies om drie uur stapte Ronsen mijn kamer binnen. Zijn ronde gezicht grijnsde me aan en achter de vierkante lorgnetglazen keken zijn ogen zelfgenoegzaam rond.
'Al gewend, Johnny?' vroeg hij met zijn verrassend krachtige stem. Als je hem voor het eerst hoorde spreken verbaasde je je er over dat zo'n krachtige, bevelende stem uit zo'n genoeglijk rond lichaampje kon komen. Maar dan herinnerde je je plotseling dat dit Laurence G. Ronsen was. Mensen van zijn stand wérden met een diepe, bevelende stem geboren. Ik wed dat hij, toen hij nog een baby was, niet om zijn moeders borst huilde, maar haar eenvoudig beval hem deze te geven. Misschien had ik het ook wel verkeerd en hadden moeders van deze stand geen borsten.
'Dat gaat best, Larry,' beantwoordde ik zijn vraag. Er was nog een reden waarom ik hem liever niet zag dan wel. Als hij in de buurt was voelde ik me altijd gedwongen een vrijwel volmaakt Engels te spreken en dat was me van nature onmogelijk.
'Hoe is je onderhoud met Pappas afgelopen?' Hij vuurde zijn vraag op me af. Je spionnen verrichten goed werk, dacht ik. Hardop antwoordde ik: 'Niet onbevredigend. Ik heb hem de 'Terrible Ten' verkocht voor een kwart miljoen dollar.'

Zijn gezicht klaarde op. Ik vergrootte mijn triomf nog een beetje. 'Bij vooruitbetaling. Morgen hebben we het geld.'
Hij wreef zich in de handen, kwam op me toe en gaf me een stevige klap op m'n schouder. Ook zijn hand was verrassend zwaar en ik herinnerde me dat hij als student in de Amerikaanse kampioensploeg niet onverdienstelijk base-ball had gespeeld. 'Ik wist wel dat jij het zou klaarspelen, Johnny! Ik wist het wel!'
Even snel als zijn blijdschap over dit succes door zijn gereserveerdheid was heengebroken, kroop hij er ook weer achter weg. 'Nu zijn we op de goede weg,' vervolgde hij, alsof hij het succes had behaald. 'Het kan niet missen. We ruimen de oude rommel op, reorganiseren het hele bedrijf en weldra zijn we er bovenop.'
Ik begon hem nu te vertellen over de vergadering van die morgen en ik zei hem wat ik de afdelingschefs verzocht had te doen. Hij luisterde aandachtig en knikte goedkeurend toen ik de verschillende dingen die ons te doen stonden nog eens nadrukkelijk opsomde.
Toen ik uitgesproken was, merkte hij op: 'Ik zie wel dat je heel wat te doen zult hebben.'
'Dat heb ik zeker,' stemde ik in. 'Ik blijf de eerstvolgende drie maanden waarschijnlijk in New York om het oog op alles te houden.'
'Dat lijkt me een heel goed idee,' vond hij. 'Als je de boel hier niet voortdurend controleert, dan kunnen we de zaak wel sluiten.'
Juist op dat ogenblik ging de telefoon. Ik hoorde Jane's stem: 'Doris Kessler belt op uit Californië!'
Eén seconde aarzelde ik. 'Verbind haar door.'
Ik hoorde de bekende klik en toen Doris' stem: 'Hallo, Johnny!'
'Hallo Doris,' antwoordde ik, me afvragend waarom ze belde – haar stem klonk zo vreemd.
'Papa heeft een attaque gehad, Johnny. Hij heeft naar je gevraagd.'
Onwillekeurig keek ik naar het beeldje op de schouw. Ronsen volgde mijn blik en zag het daar staan. 'Wanneer is het gebeurd, Doris?'
'Ongeveer twee uur geleden. Het is verschrikkelijk – eerst kregen we een telegram dat Mark in Spanje gesneuveld is. Papa trok het zich ontzettend aan. Hij viel flauw. We legden hem in bed en riepen de dokter. Hij zei dat het een attaque was en dat hij niet kon zeggen hoe lang papa nog te leven had. Misschien een dag, misschien nog twee. Toen opende papa zijn ogen en zei: 'Haal Johnny, ik wil Johnny spreken!' Ze begon te huilen. Het duurde maar één seconde en toen hoorde ik mezelf zeggen: 'Niet huilen, Doris. Vannacht ben ik bij jullie – wacht op me.'
'Ik zal wachten, Johnny.' Ik legde de telefoon op de haak en nam hem meteen weer af. Ik moest de haak eerst nog een paar maal indrukken

voordat ik Jane weer kreeg. 'Bezorg me een kaartje voor het eerstvolgende vliegtuig naar Californië. Bel me zodra je het hebt. Ik vertrek van hier uit.' Ik hing de hoorn op zonder haar antwoord af te wachten.
Ronsen stond op. 'Wat is er aan de hand, Johnny?'
Ik stak een sigaret op. Mijn handen beefden. 'Peter heeft een beroerte gehad. Ik ga er heen.'
'En hoe moet dat met de zaken hier?'
'Dat moet maar een paar dagen wachten.'
'Maar Johnny,' – hij hief kalmerend de hand op – 'ik begrijp hoe dit je heeft geschokt, maar het bestuur zal het er niet mee eens zijn. En bovendien – wat kun je voor hem doen?'
Ik keek hem een ogenblik strak aan en stond toen eveneens op. 'Het bestuur kan naar de hel lopen,' antwoordde ik.
Hij was het bestuur en hij wist dat ik me dat heel goed bewust was. Zijn lippen werden een rechte lijn. Hij keerde zich om en verliet zonder nog één woord te zeggen het vertrek.
Ik keek hem na. Voor het eerst sedert ik besloten had de functie te aanvaarden, die Ronsen mij die avond had aangeboden, had ik vrede met metzelf.
'En loop jij ook naar de hel,' zei ik tegen de gesloten deur. Wat wist die ellendeling van onze dertig jaren.

DERTIG JAREN 1908

Johnny stond met zijn overhemd in zijn hand naar het slaan van de kerkklok te luisteren. Elf uur. Nog maar veertig minuten om de trein te halen, dacht hij, zich haastig weer over zijn koffer buigend. Hij stopte nijdig de kledingstukken die nog op de grond lagen in de koffer en gooide hem met een klap dicht. Met één knie op een hoek van de deksel drukte hij deze naar beneden en snoerde de riem er omheen. Ziezo, dat was klaar. Hij richtte zich op, nam de koffer van het bed en droeg hem de kamer uit, naar het zaaltje er voor. Vlak bij de straatdeur zette hij hem op de grond.
Nu keek hij een ogenblik stil om zich heen. Het leek wel of de toestellen die daar stonden en waarvan hij de omtrekken vaag onderscheidde, hem in het schemerdonker spottend aankeken en zeiden: 'Het is je dus toch niet gelukt.' Hij beet zich op de lippen en liep terug naar de kleine achterkamer. Hij had nog één ding te doen – het onaangenaamste van de hele naargeestige geschiedenis. Hij moest een briefje achterlaten voor Peter,

waarin hij hem verklaarde waarom hij er zo in het holst van de nacht vandoor ging.
Dat zou gemakkelijk genoeg zijn geweest als Peter niet zo goed voor hem was geweest. Als ze niet allemáál zo vervloekt goed voor hem waren geweest. Esther, die hem bijna elke avond te eten vroeg, de kinderen, die hem 'Oom Johnny' noemden. Hij kreeg een brok in zijn keel toen hij aan de tafel ging zitten om te schrijven. Dit was het soort gezin dat altijd zijn ideaal was geweest in de lange, eenzame jaren in het circus. Hij nam een stuk papier en een potlood uit zijn zak en begon te schrijven. 'Beste Peter.' Verder kwam hij niet. Hij bleef peinzend naar de letters zitten staren. Hoe bedank je mensen die zo goed voor je zijn geweest? Schrijf je maar heel gewoon: 'Tot ziens, ik ben blij dat ik jullie heb leren kennen en wel bedankt voor alles,' en vergeet ze dan?
Hij beet nijdig op zijn potlood, legde het neer en stak een sigaret op. Na een paar minuten nam hij het potlood weer op en begon te schrijven.
'Je had gelijk – ik had die vervloekte zaak nooit moeten openen.'
Hij dacht aan de dag dat hij hier gekomen was. Hij was negentien jaar, had vijfhonderd dollar in zijn zak en een hoofd vol wijsheid. Hij had zijn hele leven in het circus gewerkt en nu was hij van plan zich te vestigen. Iemand die hij kende had hem een tip gegeven: in Rochester was een volledig ingerichte amusementszaal, een penny arcade, zoals ze dat noemden, over te nemen.
Diezelfde dag nog had hij met Peter Kessler kennis gemaakt. Peter was de eigenaar van het gehele pand, dat uit een ijzerwinkel en de penny arcade bestond. Peter voelde zich direct tot Johnny aangetrokken. Hij was slank en bijna zes voet lang, had dik, zwart haar, blauwe ogen en regelmatige, witte tanden, die zichtbaar werden als hij lachte en dat deed hij veel. Kortom, hij maakte een vlotte, prettige indruk. Het speet Peter om de jongen, nog voordat hij hem de zaak had verhuurd. Hij was zo enthousiast, zo vol goede moed.
Peter sloeg Johnny gade terwijl deze de spelen en de automaten nauwkeurig bekeek. Eindelijk kon hij zich niet langer inhouden. 'Mijnheer Edge!'
Johnny keerde zich naar hem om. 'Ja?'
'Mijnheer Edge, het zijn misschien mijn zaken niet, maar gelooft u eigenlijk wel dat dit zo'n geschikte buurt is voor een penny arcade?'
Het kwam er nogal aarzelend uit en in stilte schold hij zichzelf een dwaas. Hij was ten slotte toch de eigenaar! Het enige belang dat hij in deze jongen behoorde te stellen was, dat hij de huur zou betalen, maar –
Er kwam een harde blik in Johnny's ogen. Als je negentien jaar bent valt het niet mee om te erkennen dat je je wel eens zou kunnen vergissen.

'Waarom vraagt u dat, mijnheer Kessler?' vroeg hij koeltjes.
Peter begon een beetje te stotteren. 'Wel, ja – de twee laatste lui hier – hun zaken gingen niet zo goed.'
'Misschien wisten ze niet hoe ze dit soort bedrijf moesten aanpakken. En bovendien – u hebt gelijk: het is uw zaak niet.'
Peter verstarde. Hij was een gevoelig mens, ofschoon hij er altijd zijn best voor deed het niet te laten merken. 'Neemt u me niet kwalijk, mijnheer Edge, ik wilde u niet beledigen,' zei hij kortaf. 'Ik acht het echter, gezien mijn ervaring met vroegere huurders van deze zaak, noodzakelijk drie maanden huur vooruit te vragen bij wijze van waarborg.'
Dat zou hem wel afschrikken, dacht Peter.
Johnny rekende snel uit: honderdentwintig dollar van de vijfhonderd – dan bleven er driehonderdentachtig over. Dat was genoeg. Hij nam het geld uit zijn zak, telde de biljetten uit en gaf ze Peter.
Peter schreef een kwitantie. Hij gaf hem aan Johnny en stak hem meteen de hand toe. 'Het spijt me dat ik zo'n onbescheiden indruk maakte, maar ik meende het goed.' Hij lachte verlegen. Johnny keek hem scherp aan en, ziende dat hij het blijkbaar werkelijk goed bedoeld had, drukte hij de hem toegestoken hand. Peter liep naar de deur, maar draalde toch nog even voor hij het zaaltje verliet. 'Als u soms iets nodig hebt, mijnheer Edge, zegt u het dan vooral. Ik ben altijd hiernaast in de winkel.'
'Ik denk het niet, mijnheer Kessler. Dank u wel.'
'Veel succes!' riep Peter nog. Johnny stak zijn hand op.
Peters gezicht stond ongewoon ernstig toen hij zijn winkel weer binnentrad. Esther, zijn vrouw, die de klanten geholpen had terwijl hij met Johnny bezig was, kwam hem tegemoet. 'Heeft hij het genomen?'
Peter knikte peinzend. 'Ja – hij heeft het genomen, de arme sloeber. Ik hoop dat hij het redt.'

Johnny stak een tweede sigaret op en begon weer te schrijven.
'Het spijt me niet om het geld dat ik er mee kwijt ben geraakt, maar wel om het geld dat ik jou gekost heb. Mijn oude baas, Al Santos, zal mij mijn baantje in het circus teruggeven en zodra hij mij betaald heeft zal ik je een gedeelte van de achterstallige huur zenden.'
Hij had helemaal geen zin naar het circus terug te gaan. Niet omdat hij een hekel aan het werk had, maar omdat hij de Kesslers zo zou missen. Hij herinnerde zich niet veel van zijn eigen ouders. Ze waren bij een ongeluk in het circus om het leven gekomen, toen hij nog maar tien jaar was. Al Santos had hem toen onder zijn hoede genomen, maar Al had het altijd erg druk en Johnny was daardoor grotendeels op zichzelf aangewezen. Hij was altijd alleen geweest, want er waren geen kinderen van

zijn leeftijd in het circus en de Kesslers hadden een leegte in zijn leven gevuld, die hij zich heel goed bewust was. Hij dacht aan de vrijdagavondmaaltijden bij Peter. Hij rook bijna de kip die dan in haar eigen aftreksel stond gaar te sudderen en de geur van de matses of *'knedloch'*, zoals Esther ze noemde. Hij dacht ook aan de zondagen: hij nam de kinderen dan altijd mee naar het park. Wat hadden ze altijd een plezier gehad en wat was hij trots geweest als ze hem 'Oom Johnny' noemden. Het waren beste kinderen. Doris was bijna negen en Mark was drie.

Neen, hij verlangde er helemaal niet naar, naar het circus terug te gaan, maar hij kon niet eeuwig op Peter blijven teren. Hij was hem nu drie maanden huur schuldig en als Esther hem niet zo dikwijls te eten had gevraagd, zou hij vaak met een hongerige maag naar bed zijn gegaan.

Weer begon het potlood over het papier te krassen.

'Het spijt me dat ik op deze manier moet vertrekken, maar morgen komen er een paar schuldeisers en daarom lijkt dit me het beste.'

Hij zette zijn naam er onder en las het nog eens door. Het zag er zo leeg uit. Nee, zo nam je geen afscheid van vrienden. Plotseling begon hij weer te schrijven, onder zijn naam.

'P.S. Zeg tegen Doris en Mark dat ze, als het circus in de stad komt, alle voorstellingen voor niets mogen bijwonen. Nog eens bedankt voor alles. Oom Johnny.'

Zo was het beter. Hij stond op en zette het briefje tegen een leeg glas op de tafel. Toen keek hij nog eens rond. Hij mocht niets vergeten, want dat kon hij zich niet veroorloven. Hij had niet genoeg geld om zich nieuw aan te schaffen voor wat hij mocht laten staan. Nee, alles was in orde. Hij keek nog eens naar het briefje op de tafel, strekte zijn arm uit naar de lamp en draaide haar uit. Daarop verliet hij het vertrek en deed de deur zacht achter zich dicht. Hij zag niet dat het papiertje door de tocht van de dichtgaande deur van de tafel fladderde en op de grond viel. Langzaam liep hij het zaaltje door en liet zijn ogen nog eens over alles gaan.

Rechts van hem stonden de poppen, de muntautomaten en de stereoscoop met ondeugende Franse prentbriefkaarten. Een paar stappen verder de behendigheidsspelen – het base-ball-toestel, met de batsman en de negen poppen, die hem strijdlustig aankeken. Het spel met de boksers met de metalen knoppen op hun kaken. Links van hem stond de rij banken, die hij daar had neergezet voor de nieuwe projectielantaarn. Hij had hem besteld, maar hij was nog niet gekomen en hij had geen tijd meer er op te wachten en dát nog eens te proberen. Het moest overigens wel iets heel bijzonders zijn. En bij de deur stond 'Opoe', de waarzegster.

Hij bleef staan en keek door het ruitje heen naar Opoe. Haar hoofd was met een witte sjaal bedekt, waaraan zonderling gevormde munten en

symbolische figuurtjes bungelden. Het leek in het halfduister bijna alsof ze leefde en hem met haar geschilderde ogen vragend aankeek.
Hij viste een muntstuk uit zijn zak, stopte het in de gleuf en draaide aan de hendel. 'Vertel me eens wat jij er van denkt, oudje.'
Er klonk geknars van raderen, ze hief een arm op en haar dunne ijzeren vingers gleden tastend over de keurige rijen witte kaartjes vóór haar. Het lawaai van de machine werd nog heviger toen ze een kaart uitzocht en zich moeizaam vooroverboog om die in de gleuf te leggen. Toen ze zich weer had opgericht en hem aankeek werd het weer stil. De kaart kwam uit de gleuf vlak voor hem. Hij nam hem er uit en hoorde op hetzelfde moment een trein fluiten.
'Hemel! Ik zal moeten rennen!' Haastig stopte hij de kaart in zijn jaszak, greep zijn koffer en liep de straat op.
Hij keek omhoog naar Peters vensters. Alle lichten waren uit. Ze sliepen. Hij vond het plotseling koud. Hij deed zijn overjas aan, zette zijn kraag op en stapte haastig naar het station.

Boven, in haar bedje, werd Doris even wakker. Ze opende haar ogen; de kamer was donker. Een beetje verdrietig keerde ze zich om, met haar gezichtje naar het raam. In het licht van de straatlantaren zag ze een man de straat uit lopen. Hij droeg een koffer. 'Oom Johnny,' mompelde ze, terwijl ze teruggleed in de slaap. 's Morgens was ze het vergeten, maar haar kussen was vochtig, alsof ze in haar slaap had gehuild.

Johnny stond al op het perron toen de trein binnenreed. Hij tastte in zijn zak naar een sigaret en vond de kaart. Hij nam hem er uit en las:
'U gaat een reis maken waarvan u denkt nooit terug te keren, maar u komt terug. Eerder dan u denkt. Opoe weet alles.'
Johnny schoot in de lach en stapte in de trein. 'Je hebt het deze keer aardig bij het rechte eind, oudje. Maar wat mijn terugkeer betreft, vergis je je!' Hij wierp de kaart weg in de donkere nacht.
Maar het was Johnny, die het mis had – Opoe zou gelijk krijgen.

Peter opende zijn ogen. Hij bleef nog een poosje stil naar de zolder liggen kijken en het duurde geruime tijd voordat het tot hem doordrong dat het alweer morgen was. Zijn rechter hand betastte de holte in de matras waar Esther gelegen had. Die was nog warm van haar lichaam. Plotseling hoorde hij haar in de keuken tegen Doris praten. Doris moest opschieten,

anders kwam ze te laat op school. Hij was meteen klaar wakker. Hij sprong uit bed en liep naar de stoel waar zijn kleren lagen. Zijn lange nachthemd sleepte hem na.
Hij trok zijn nachthemd uit en schoot in zijn kleren. Daarop ging hij op de stoel zitten om zijn sokken en schoenen aan te trekken en liep vervolgens naar de badkamer. Hij liet water in de wasbak lopen, nam zijn scheerkroes van de plank en begon zijn zeep klaar te maken. Onderwijl neuriede hij een oud Duits liedje, dat hij zich nog uit zijn jeugd herinnerde.
Mark kwam de badkamer binnendribbelen. 'Papa, ik ga een plasje doen.'
Zijn vader keek goedkeurend op hem neer. 'Wel, ga je gang, je bent al een grote man.'
Mark deed zijn werk en keek toen zijn vader, die zijn mes stond aan te zetten, vragend aan. 'Moet ik vandaag geschoren worden, papa?'
Peter bekeek hem ernstig. 'Wanneer ben je het laatst geschoren?'
Mark streek met zijn hand over zijn gezicht zoals hij zijn vader zo dikwijls zag doen en zei: 'Eergisteren – maar mijn baard groeit erg hard.'
'Uitstekend,' zei Peter, die klaar was met inzepen. Hij gaf Mark de scheerkroes en de kwast. 'Zeep je in, dan zal ik me intussen scheren.'
Mark bedekte zijn gezichtje met schuim en wachtte toen geduldig totdat zijn vader klaar was. Hij zei geen woord terwijl zijn vader zich schoor, want hij wist dat scheren een gewichtige bezigheid was en dat je je best in je hals kon snijden als je werd gestoord.
Eindelijk was al het schuim van zijn vaders gezicht verdwenen en keerde deze zich naar hem om.
'Klaar?'
Mark knikte. Hij durfde zijn mond niet open te doen, want hij had hem helemaal met schuim bedekt en hij voelde er niets voor om dat binnen te krijgen – het smaakte bitter.
Peter ging op zijn knieën zitten. 'Houd je hoofd opzij,' beval hij. Mark gehoorzaamde en kneep zijn ogen stijf dicht. 'Snij je me niet?'
'Ik zal oppassen,' beloofde zijn vader. Peter begon met de rug van het scheermes het schuim van Marks gezicht te strijken. Het was in een paar minuten gebeurd en Peter kwam weer overeind. 'Je bent klaar.'
Mark deed zijn ogen open en streek met zijn hand over zijn gezicht.
'Mooi glad,' prees hij.
Terwijl hij zijn scheermes schoonspoelde, keek Peter glimlachend op de dreumes neer. Hij legde het scheermes in het etui en spoelde de kroes en de kwast af. Toen hij ook nog de laatste restjes schuim van zijn gezicht had gewassen, tilde hij Mark op en zette hem met een zwaai bovenop zijn schouders. 'Nu gaan we eten.'

Hij schreed plechtstatig met zijn last de keuken in, waar hij Mark op zijn stoel zette. Daarop nam hij zelf plaats.
Doris kwam hem een kusje brengen. 'Goede morgen, papa,' zei ze met haar helder stemmetje.
Hij kneep haar in de wang. *'Gut' Morgen, liebe Kind, zeese Kind.'* Dat was zo zijn gewone manier van spreken tegen haar. Mark was zijn lieveling en diep in zijn hart schaamde hij zich daar een beetje voor. Daarom haalde hij Doris sedert Marks geboorte veel meer aan dan voor die tijd.
Doris ging braaf weer op haar stoel zitten. Peter keek zijn dochtertje opmerkzaam aan. Een lief, knap ding, dacht hij trots. Het goudblonde haar lag in dikke vlechten om haar hoofdje, haar blauwe ogen waren zacht en warm en er lag een gezonde blos op haar wangen. Peter voelde zich plotseling blij gestemd. Ze was een heel teer kindje geweest, dat altijd ziek was en daarom waren ze uit de dichtbevolkte buurten van Oost-New York naar Rochester verhuisd.
Esther trad met een dampende schaal op de tafel toe. Hij was tot de rand toe gevuld met eieren, gerookte zalm en uien, alles tezamen in de boter gesmoord, met een snippertje knoflook. Peter snoof met een verrukt gezicht.
'Knoflook! Hoe kom je dááraan, Esther?'
Ze lachte trots. Knoflook was een artikel dat in Rochester niet te krijgen was, maar haar nicht had haar wat uit New York gezonden. 'Rachel heeft het me gestuurd,' vertelde ze hem.
Hij keek naar haar terwijl ze hem opschepte. Ze was een jaar jonger dan hij en nog altijd slank. Ze zag er goed uit, met haar kalme, donkere schoonheid, die hem al direct bekoord had toen hij in de ijzerwinkel van haar vader kwam werken, vlak nadat hij naar Amerika was gekomen. Het dikke, zwarte haar lag in een glanzende wrong tegen haar achterhoofd en de bruine ogen in het zachte, ronde gezicht hadden een kalme, heldere blik. Ze schepte nu Mark op.
'Ik heb me laten scheren,' vertelde Mark.
'Dat zie ik,' prees ze, met de rug van haar hand over zijn wang strijkend. 'Erg netjes.'
'Wanneer kan ik me zélf scheren?'
Doris schoot in de lach. 'Je bent nog veel te klein. Je hoeft nog helemaal niet geschoren te worden!'
'Welles!' stoof hij op.
'Houd je stil en eet,' beval Esther.
Toen ze eindelijk zat, was Peter bijna klaar. Hij nam zijn horloge uit zijn vestzak, wierp er een blik op en goot haastig zijn koffie naar binnen. Zonder verder nog iets te zeggen snelde hij naar beneden om de winkel open

te doen. Zijn plotseling verdwijnen verbaasde niemand: Papa was altijd een beetje laat.
De morgen ging langzaam voorbij. Er kwamen niet veel klanten; het was veel te warm voor de tijd van het jaar en de hitte weerhield de mensen ook maar iets meer te doen dan strikt nodig was.
Tegen elf uur kwam een vrachtrijder de winkel binnen. 'Hoe laat gaat de zaak hiernaast open?' vroeg hij Peter, met zijn duim in de richting van Johnny's verblijf wijzend.
'Tegen twaalven,' antwoordde Peter. 'Waarom?'
'Ik moet er een filmprojector brengen, maar de boel zit dicht en ik kan niet terugkomen.'
'Klop op de deur. Hij slaapt achter de zaal, misschien hoort hij je wel.'
'Dat heb ik al gedaan, maar ik krijg geen antwoord.'
'Wacht even,' zei Peter en nam een sleutel onder de toonbank vandaan. 'Ik zal je er in laten.'
De vrachtrijder volgde hem naar buiten. Peter klopte ook nog eens op de deur. Alles bleef stil. Hij keek door het raam, maar zag niets bijzonders. Daarop stak hij de sleutel in het slot en deed de deur open. Zij traden het zaaltje binnen en Peter liep recht door naar de achterkamer. De deur zat dicht. Peter klopte zacht. Geen antwoord. Toen deed hij de deur open en keek naar binnen. Geen spoor van Johnny. Hij keerde zich om naar de vrachtrijder.
'Ik zou het hier maar neerzetten,' zei hij. 'Ik denk dat Johnny even weg is.'
Peter bleef er bij staan, terwijl de vrachtrijder het toestel van zijn wagen tilde. Hij bekeek het nieuwsgierig. Zoiets had hij nog nooit gezien.
'Wat is dat voor een ding?'
'Een toestel waar je bewegende plaatjes mee kunt maken,' antwoordde de vrachtrijder. 'Het maakt plaatjes op een wit scherm en die bewegen dan.'
Peter schudde het hoofd. 'Wat zullen ze vandaag weer uitvinden?' vroeg hij zich hardop af. 'Zou dat werkelijk hiermee gaan?'
De vrachtrijder zette een hoge borst op. 'Ja, ik heb het zelf gezien – in New York.'
Toen het apparaat binnen was, tekende Peter voor ontvangst, sloot de deur en vergat het hele voorval meteen weer, tot halfvier, toen Doris uit school kwam.
'Papa, waarom is oom Johnny nog niet open?'
Hij keek haar enigszins verschrikt aan. 'Ik weet niet –'
Samen liepen zij de straat op en keken naar de penny arcade. Peter gluurde nog eens door het raam naar binnen. Geen spoor van Johnny te be-

kennen. De krat, die de vrachtrijder die morgen had afgeladen, stond nog op dezelfde plaats. Hij keerde zich om naar Doris. 'Loop naar boven en zeg tegen mama dat ze even beneden komt.'
Hij bleef in de straat staan totdat Esther beneden was. 'Johnny heeft alles nog dicht!' riep hij haar toe. 'Blijf even in de winkel, dan ga ik eens kijken wat er aan de hand is.'
Hij maakte de deur weer open en liep naar de achterkamer. Ditmaal ging hij de kamer echter binnen en vond het briefje op de grond. Hij nam het op en las het. Langzaam ging hij naar de winkel terug en gaf het Esther.
Ze las het eveneens en keek hem toen vragend aan. 'Is hij weg?' Er was schrik in haar ogen. Hij scheen haar vraag niet te horen. 'Het is mijn schuld, ik had het hem niet moeten laten huren.' Ze begreep onmiddellijk wat hij bedoelde. Ook zij was van Johnny gaan houden. 'Jij kunt het niet helpen, Peter. Je hebt nog geprobeerd hem er van terug te houden.'
Hij nam haar het briefje uit de hand en las het nog eens. 'De jongen had toch maar niet zo moeten weglopen – hij had het me toch kunnen zeggen.'
'Ik denk dat hij zich een beetje schaamde,' meende Esther.
Peter schudde het hoofd. 'Ik kan het me nog niet begrijpen. We waren toch vrienden.'
Plotseling begon Doris, die al die tijd met een ernstig gezichtje had geluisterd, te huilen. Haar ouders keken haar verschrikt aan.
'Komt oom Johnny nooit meer terug?' jammerde ze.
Peter tilde haar op. 'Ja hoor, hij komt terug,' zei hij. 'Hij zegt in dit briefje dat hij terug komt met het circus en dat je dan alles mag zien.'
Doris hield op met huilen en keek haar vader doordringend aan. Haar ogen waren groot en rond. 'Echt?'
'Echt,' antwoordde Peter, terwijl hij over het hoofd van het kind heen zijn vrouw aankeek.

De vreemdeling wachtte geduldig totdat Peter klaar was met de klant, die hij bezig was te helpen. 'Is Johnny Edge thuis?' vroeg hij, zodra de klant weg was.
Peter keek hem nieuwsgierig aan. Dit was beslist niet een van de schuldeisers over wie Johnny het in zijn briefje had; Peter kende trouwens de meeste wel. 'Op het ogenblik niet,' antwoordde hij. 'Maar misschien kan ik u helpen. Ik ben de eigenaar van het pand.'
De vreemdeling stak hem glimlachend de hand toe. 'Ik ben Joe Turner

van de Graphic Picture Company. Ik kwam om hem de projector te leren bedienen, die hier gisteren is bezorgd.'
Peter drukte de hem toegestoken hand. 'Blij u te leren kennen. Maar ik vrees dat u een vergeefse reis hebt gemaakt. Johnny is eergisteren vertrokken.'
Turner keek hem teleurgesteld aan. 'Kon hij het niet bolwerken?'
Peter schudde het hoofd. 'De zaken gingen slecht. Hij is naar zijn oude baas teruggegaan.'
'Naar Santos?'
'Ja,' antwoordde Peter. 'Kent u Johnny?'
'We hebben allebei bij Santos gewerkt. Het is een beste jongen. Wat jammer, dat hij het niet nog een paar dagen heeft kunnen uitzingen. De film, zo noemen ze de nieuwe uitvinding, zou hem uit alle moeilijkheden hebben gehaald.'
'In Rochester zeker,' smaalde Peter.
Turner keek hem ernstig aan. 'Waarom niet? Rochester is net als alle andere plaatsen en de film is momenteel jé van hèt op amusementsgebied en dat wordt met de dag beter. Hebt u het wel eens gezien?'
'Nee,' zei Peter, 'ik had er zelfs nog nooit van gehoord voordat uw bode het ding hier gisteren bezorgde.'
Turner nam een sigaar uit zijn zak, beet de punt er af en stak hem aan. Hij blies een dikke rookwolk uit en keek Peter peinzend aan.
'U lijkt me een eerlijk man, mijnheer Kessler, en daarom wil ik u een voorstel doen. Ik moet bij mijn baas borg staan voor Johnny's projector totdat hij betaald is en als ik hem terug moet laten halen dan draai ik voor de vervoers- en installatiekosten op. Dat is altijd nog een honderd dollar. Nu had ik zo gedacht: u laat mij vanavond een demonstratie geven en als het u bevalt dan geeft u een voorstelling en probeert hoe het gaat.'
Peter schudde het hoofd. 'Niets voor mij. Ik handel in ijzer en ik weet niets van die moderne dingen af.'
Maar Turner gaf het zo gauw niet op. 'Dat doet er niet toe – het is een heel nieuw bedrijf. Twee jaar geleden begon een zekere Fox een nickelodeon, zo heeft hij het genoemd en het gaat hem best. Een zekere Laemmle deed hetzelfde. Alles wat u te doen hebt is het toestel laten draaien. De mensen betalen graag om de voorstelling te kunnen zien. Er zit toekomst in.'
'Niet voor mij,' hield Peter vol. 'Ik heb een goede zaak en voel niets voor allerlei kopzorgen.'
'Kijk nu eens hier, mijnheer Kessler. Het kost u niets om het eens te zien. De projector staat hier al. Ik heb een paar rol film bij me en weet met mijn tijd geen raad. Laat mij u een voorstelling geven en dan kunt u zelf

oordelen. Als het u niet lijkt laat ik het toestel onmiddellijk weghalen.'
Peter dacht even na. Hij wilde die bewegende prenten eigenlijk best eens zien. De paar woorden, die de bode er gisteren over gezegd had, hadden op zijn verbeelding gewerkt. 'Goed,' zei hij, 'ik wil het zien. Maar ik beloof niets.'
Turner lachte triomfantelijk en stak Peter de hand toe. 'Dat zeggen ze allemaal – totdat ze het gezien hebben. Maar ik zeg u, dat u al in het filmbedrijf zit, mijnheer Kessler.'
Peter nodigde Turner die avond op het eten. Toen hij hem aan Esther voorstelde, keek deze wel een beetje verbaasd, maar ze zei niets. Hij haastte zich het haar te verklaren: 'Mijnheer Turner zal ons vanavond wat van die bewegende plaatjes laten zien.'
Turner ging onmiddellijk na het eten naar beneden om alles in gereedheid te brengen. Peter ging met hem mee. In de penny arcade keek Turner nieuwsgierig om zich heen. 'Wat jammer dat Johnny er tussen uit is gegaan. Dit was nu juist wat hij nodig had.'
Peter vertelde hem waarom Johnny was weggegaan. Turner maakte intussen de projector klaar voor de voorstelling. Toen Peter uitgesproken was, zei hij: 'Hoe dan ook, mijnheer Kessler, u behoeft u niet ongerust te maken over het geld dat Johnny u schuldig is. Als hij gezegd heeft dat hij u zal betalen, dan doet hij het ook.'
'Daar maak ik me ook niet bezorgd over,' antwoordde Peter. 'We mochten de jongen graag. Het was net of hij bij ons hoorde.'
Turner glimlachte. 'Ja, zo is Johnny. Ik weet nog goed dat zijn ouders verongelukten. Hij was toen tien jaar. Santos en ik bespraken wat we met hem zouden doen. Hij had verder geen familie, zodat hij naar een weeshuis zou moeten. Maar Santos besloot hem bij zich te houden en het duurde niet lang of hij beschouwde hem als zijn eigen kind.'
Turner werkte nu zwijgend verder en Peter ging naar boven om Esther te halen. Toen ze beneden kwamen, waren alle lichten in de zaal uit. Turner wees hun een plaats op een van de banken. Ze zaten wat onwennig naast elkaar op de lange, lege bank. In stilte verheugde Peter zich op de voorstelling, maar hij was toch maar blij dat er niet veel mensen op straat waren. Hij had liever niet dat ze hem zo zagen zitten.
'Klaar?' vroeg Turner.
'Ja.'
Plotseling kwam er een felle lichtbundel uit de projector, die precies op het witte scherm viel, dat Turner voor in de zaal had neergezet. Er verscheen een aantal gedrukte woorden, eerst vaag, maar weldra duidelijk leesbaar, toen Turner de projector instelde. Nog voordat ze tijd hadden gehad ze te lezen, waren ze alweer van het doek af en kwam daar in de

verte een trein aanrijden, met een langgerekte rookpluim uit de locomotief. Eerst was hij klein en reed hij in een hoek van het scherm, maar hij werd al groter en groter en kwam in razende vaart op hen toe. Toen was hij bovenop hen en sprong zo van het scherm in hun gezicht.
Esther slaakte een kreet en drukte haar gezicht tegen Peters schouder. Haar hand klemde zich krampachtig om de zijne. Peter hield haar stevig vast. Zijn keel was kurkdroog en zijn gezicht nat van het zweet.
'Is het voorbij?' kwam Esthers stem dof van zijn schouder.
'Het is voorbij,' antwoordde Peter plechtig. Hij verbaasde zich dat hij kón spreken.
Nog voordat hij zijn zin voltooid had, waren ze op het strand en een paar meisjes in badkostuum liepen lachend op de zee toe; en toen waren ze weer op de veerboot in New York Harbor en de bekende gebouwen zagen er zo echt uit dat zij bijna hun hand hadden uitgestoken om ze aan te raken; maar voordat ze dat konden doen waren ze op de harddraverijen in Sheepshead Bay en de paarden draafden en de toeschouwers schreeuwden en één paard, dat verschrikkelijk hard liep, was het eerst bij de eindstreep en toen was het voorbij. Een helder wit licht flitste weer over het doek zodat ze hun ogen dicht moesten knijpen.
Peter ontdekte tot zijn verbazing dat Esthers hand nog in de zijne lag en hij hoorde Turners stem, die zei: 'En, hoe vond u het?'
Peter stond op. Hij zag dat Turner triomfantelijk tegen hem glimlachte en hij streek zich met de hand over de ogen.
'Als ik het niet zelf gezien had, zou ik het niet geloven.'
Turner lachte nu hardop. 'Dat zeggen ze allemaal.' Hij draaide het licht weer aan.
Toen pas zag Peter de mensen. Ze stonden in de straat, vaag en onherkenbaar, maar de gezichten van de eerste rij waren plat tegen de ruiten gedrukt en Peter zag sprakeloze verbazing in hun ogen. Hij wendde zich tot Esther. 'Wat denk jij er van?'
'Ik weet niet wat ik er van denken moet. Ik heb nog nooit zo iets gezien.'
De deur vloog open en het volk stroomde binnen. Peter herkende er nu verscheidenen. Ze praatten allemaal door elkaar.
'Wat is dat?' vroeg een van hen.
'Een film noemen ze het. Het komt uit New York,' hoorde Peter Turner verklaren.
'Gaan jullie het hier vertonen?'
'Ik weet het niet,' antwoordde Turner. 'Dat hangt van mijnheer Kessler af.'
De mensen keken Peter vragend aan.

Peter stond een ogenblik voor zich uit te staren, nog geheel vervuld van hetgeen hij had gezien. Plotseling hoorde hij zichzelf zeggen: 'Zeker, zeker gaan we het hier vertonen. We openen zaterdagavond.'
Esther greep hem bij de arm. *'Bist du meshuggeh?* Dat is overmorgen!'
'Of ik gek ben?' fluisterde hij opgewonden. 'Met al die mensen, die graag willen betalen om de prentjes te zien?'
Daar kon ze niets op zeggen.
Peter voelde zich plotseling een groot man. Zijn hart bonsde. Zaterdagavond opende hij zijn bioscoop – zo had hij het Turner horen noemen. Esther had ten slotte niet 'nee' gezegd.

Een kleine zes weken later kwam Johnny terug. Met zijn koffer in zijn hand liep hij de straat in naar de penny arcade. Plotseling bleef hij stokstijf staan. De ijzerwinkel was er nog, maar de penny arcade bestond niet meer. Het grote uithangbord was er af gehaald en nu hing er een ander: 'Kesslers nickelodeon.'
Het was nog vroeg en er waren nog geen mensen op straat. Johnny stond wel een minuut lang naar het uithangbord te kijken. Toen nam hij de koffer in zijn andere hand en stapte Peters winkel binnen. Het was er donker en hij bleef even in de deur staan.
Peter snelde op hem toe. 'Johnny!'
Johnny zette haastig zijn koffer neer en greep Peters handen.
'Je bent dus gekomen!' riep Peter blij. 'Ik zei het al tegen Esther. Ze dacht dat je het misschien niet zou willen, maar ik zei: 'We sturen hem in elk geval een telegram en dan zien we het wel.'
Johnny lachte verlegen. 'Ik begreep niet waarom je me vroeg terug te komen – zeker niet na de manier waarop ik er tusenuit kneep. Maar –'
Peter liet hem niet uitspreken. 'Geen gemaar –. We zijn vergeten wat er gebeurd is. Dat is voorbij.' Hij keek om zich heen of hij Doris ook zag. Ze stond in de deur achter in de winkel. 'Doris, ga naar boven en vertel mama dat Johnny er is.' Hij pakte Johnny bij zijn mouw en trok hem verder de winkel in.
'Ik voelde dat je terug zou komen. Dit was een idee van jou – jij hebt er in zekere zin ook recht op.' Plotseling kreeg hij Doris weer in het oog. Ze stond daar nog altijd in de deur en staarde Johnny aan. 'Ik zei je toch dat je naar boven moest gaan en moeder waarschuwen?' beet hij haar in zijn opwinding toe.
'Ik wou zo graag eerst oom Johnny gedag zegggen,' antwoordde ze verdrietig.
'Nou dan, zeg oom Johnny gedag en dan als de weerlicht naar mama.'
Doris trad ernstig op Johnny toe en legde haar handje in de zijne.

'Dag oom Johnny.'
Johnny lachte vrolijk, tilde haar op en drukte haar tegen zich aan.
'Dag lieve kind, ik heb je gemist.'
Ze kreeg een kleur, wrong zich los en rende naar de trap. 'Ik ga het mama vertellen!'
Johnny keek Peter aan. 'Vertel me nu eens wat er gebeurd is.'
'De dag nadat je wegging kwam hier een zekere Joe Turner en voordat ik het wist zat ik in het filmbedrijf . . .' Peter glimlachte bij de herinnering. 'Maar ik wist toen nog niet dat er zoveel bij kwam kijken. Het is te veel voor mij alleen. Esther heeft aan de kassa gezeten, maar als ik de hele dag in de winkel heb gestaan dan ben ik 's avonds te moe om ook nog plaatjes te draaien. Daarom besloten we jou te vragen terug te komen. Zoals ik al in het telegram zei, krijg je honderd dollar per maand en tien procent van de winst.'
'Dat leek me best,' zei Johnny. 'Ik heb al heel wat van die nickelodeons gezien en het wordt een bloeiend bedrijf.'
Wat later gingen ze samen een kijkje nemen in het nickelodeon. Johnny keek verbaasd om zich heen. De behendigheidsspelen waren weggehaald en er waren rijen banken voor in de plaats gekomen. Alleen Opoe, de waarzegster, stond nog in haar hoekje bij de deur.
Johnny trad op haar toe en klopte tegen het ruitje. 'Het ziet er naar uit dat je toch gelijk had, oudje.'
'Waar heb je het over?' Peter keek hem verwonderd aan.
'Dit oudje voorspelde mij de toekomst op de avond dat ik wegging. Ze zei dat ik terug zou komen. Ik dacht dat ze het mis had, maar ze wist meer dan ik.'
Peter keek hem scherp aan. 'Wat zijn moet, moet zijn,' zeggen wij in het Jiddisch.'
Johnny keek nog eens om zich heen. 'Ik kan het nog bijna niet geloven.'
Hij dacht aan het ogenblik waarop hij Peters telegram had gekregen. Hij had het Al Santos ook laten lezen.
'Ik begrijp niet dat hij me terug wil hebben nadat ik er met drie maanden huurschuld vandoor ben gegaan,' had hij gezegd.
'Twee maanden,' had Al verbeterd. 'Je hebt hem op de laatste betaaldag één maand huur gestuurd.'
'Dat is wel zo – maar ik kan er toch nog altijd niet bij.'
'Ik denk dat hij je graag mag,' had Al gezegd. 'En wat doe je nu?'
Johnny had hem verbaasd aangekeken. 'Teruggaan. Wat anders?'
Johnny nam zijn hand van de automaat af. 'Hoeveel voorstellingen geef je per dag?'
'Eén,' antwoordde Peter.

'Van nu af geven we er drie,' besliste Johnny. 'Eén middag- en twee avondvoorstellingen.'
'Waar halen we de bezoekers vandaan?'
Johnny keek Peter eens aan om te zien of hij schertste. Toen hij zag dat deze in volle ernst sprak, antwoordde hij: 'Peter, je hebt nog een massa te leren omtrent het filmbedrijf. Maar ik zeg je dat dit de manier is. We laten op alle aanplakborden in de stad en daarbuiten reclamebiljetten plakken en we adverteren in de kranten. We zijn de enige bioscoop in de hele omtrek. De mensen zullen er best een reis voor over hebben om het te zien, als we ze maar laten weten dát er wat te zien is. En bovendien kost het ons geen cent meer, of we de film nu drie keer per dag laten draaien of één keer. We betalen toch maar één keer huur.'
Peter keek Johnny met een zeker ontzag aan. 'Die knaap heeft gezond verstand – hij heeft het nog maar amper gezien of hij rekent me al voor dat we driemaal zoveel zaken kunnen doen,' dacht hij opgelucht. Hij begon te beseffen dat hij zich, nu Johnny terug was, geen zorgen meer over het nickelodeon behoefde te maken.
'Een goed idee, Johnny,' zei hij hardop, 'een prachtig idee.'
Hij lag er nog tot diep in de nacht over na te denken. Driemaal zoveel zaken!

George Pappas stond 's avonds tegen halfacht aan de overkant van de straat naar de menigte te kijken, die Kesslers nickelodeon binnenstroomde. Na enige tijd keek hij op zijn horloge en schudde zuchtend het hoofd. Die nieuwe uitvinding bracht zelfs verandering in het verkeer in de stad. Vroeger, voordat het nickelodeon er was, zag je na zevenen geen mens meer op straat. Nu was het al bij achten en de straat was nog vol volk. En het waren niet alleen mensen uit de stad zelf. Van heinde en ver kwamen ze naar het nickelodeon om de bewegende prentjes te zien. Die Johnny Edge, die Kessler in zijn zak had, was een pientere jongen. Hij had de hele stad en zelfs de dorpen er omheen vol reclame hangen.
George Pappas slaakte weer een zucht. Het was gek, maar een stem in zijn binnenste zei hem dat hij hier nog wat moest blijven staan. Toen hij een paar dagen geleden het nickelodeon was binnengestapt en de bewegende plaatjes had gezien, had hij al een gevoel gehad dat er een heel belangrijke gebeurtenis in zijn leven plaatsgreep en dat had hem sindsdien niet losgelaten. Hoe en waarom dat wist hij nog niet, hij wist alleen dat het zo was.

Hij had een ijssalonnetje ongeveer vijf blokken verderop. Om zeven uur sloten zijn broer en hij de zaak en gingen naar huis om te eten. Er waren anders 's avonds toch geen zaken te doen, behalve op zaterdag. Maar nu was het dinsdag en er waren nog meer mensen op straat dan vroeger op zaterdagavond. Hij zuchtte weer en vroeg zich af hoe hij het klaar zou spelen om een gedeelte van dat volk naar zijn ijssalon te lokken. Peinzend liep hij in de richting van zijn huis. Plotseling bleef hij echter staan – hij had het gevonden! Het was in het Grieks bij hem opgekomen. Het ging zo plotseling dat hij het nog niet eens helemaal begreep voordat hij het in gedachten in het Engels had vertaald. Toen was het zo vanzelfsprekend dat hij meteen rechtsomkeert maakte en terugliep naar het nickelodeon.
Bij de ingang bleef hij staan. Esther zat aan het loket en nam het entreegeld in ontvangst. 'Goedenavond, mevrouw Kessler.'
Esther had het druk en antwoordde zonder op te zien: 'Goedenavond, George.'
'Is mijnheer Kessler hier?' vroeg hij met zijn grappig Grieks accent.
'Hij is binnen,' antwoordde zij.
'Ik zou hem graag even willen spreken.'
Nu keek ze hem aan. De opwinding in zijn stem trok haar aandacht.
'Hij is met een paar minuten klaar. De voorstelling gaat zo beginnen. Kan ik iets voor je doen?'
George schudde het hoofd. 'Ik wacht wel even. Ik heb iets met hem te bespreken.'
Hij vatte post vlak naast de deur van het zaaltje. Esther keek nog even naar hem en vroeg zich af wat hij met Peter te bespreken kon hebben. Maar ze had het druk met de kijkgrage menigte en met een paar seconden was ze hem vergeten.
George had het ook druk: hij telde de mensen die naar binnen gingen. Hij telde er die korte tijd zeker veertig en toen hij naar binnen keek, zag hij dat het zaaltje stampvol was. Rij aan rij zaten ze, dicht tegen elkaar aan gedrukt en ze praatten opgewonden met elkaar, in gespannen verwachting van wat ze te zien zouden krijgen. Sommigen hadden fruit meegebracht, dat ze nu opaten. George schatte dat er meer dan tweehonderd man in de zaal was. Toen kwam Peter naar buiten en sloot de deur. De straat was echter nog vol mensen, die zich naar het nickelodeon haastten.
Peter stak de hand op. 'Over een uur is er een tweede voorstelling!' riep hij het volk toe. 'De zaal is vol, maar als u wacht kunt u het allemaal zien!'
Er klonk een gemompel van teleurstelling, maar ze namen het blijkbaar toch nog al goed op. De meesten bleven wachten en voor degenen die weggingen kwamen talloze nieuwe bezoekers in de plaats. Geleidelijk

vormde er zich een rij, die de hele straat uitliep.
Peter stak zijn hoofd om de deur. 'Alles klaar, Johnny, je kunt beginnen!'
De lichten in de zaal gingen uit en de toeschouwers klapten opgetogen in de handen; toen werd het doodstil, want het eerste plaatje flitste op het doek.
Peter stak juist een sigaar op toen George op hem toetrad.
'Goedenavond, mijnheer Kessler.'
' 'n Avond, George, hoe staan de zaken?' groette Peter opgeruimd terug.
'Het gaat wel, mijnheer Kessler,' antwoordde George beleefd. Hij keek eens om zich heen.
'Er is geen gebrek aan belangstelling,' merkte hij op.
Peter glunderde. 'Zeker niet, George. Iedereen wil de plaatjes zien. Heb jij ze al gezien?' George knikte.
'Er zit muziek in.'
'Dat geloof ik ook, mijnheer Kessler. U hebt een goede neus voor wat het publiek wil.'
Peter straalde van genoegen over dit complimentje. Hij tastte in zijn vestzak. 'Hier, George, neem een sigaar.'
George nam hem met een ernstig gezicht aan. Ofschoon hij niet tegen roken kon en helemaal niet van sigaren hield, hield hij hem met het gezicht van een kenner bij zijn neus en rook er aan. 'Goeie sigaar.'
'Ik laat ze speciaal uit New York komen,' vertelde Peter. 'Zes cent per stuk.'
'Als het u hetzelfde is, mijnheer Kessler, dan zal ik hem na het eten roken. Dan geniet ik er des te meer van.'
Peter knikte verstrooid – hij had zijn gedachten alweer bij de lange rij mensen voor de kassa.
George merkte dit heel goed, maar hij wist niet hoe hij met zijn voorstel voor de dag moest komen. Eindelijk kwam het er uit: 'Mijnheer Kessler, ik zou hier wel een ijsbuffet willen openen.'
Peter keerde met een schok bij hem terug. 'Een ijsbuffet? Hier? Waarom?'
Nu raakte George helemaal in de war. Hij werd vuurrood en zocht naar zijn woorden. Zijn toch al vrij onbeholpen Engels was nu bijna onbegrijpelijk. 'Dit volk,' hakkelde hij, 'goed voor zaken. IJs, koeken, fruit.'
Peter, die hem glimlachend had aangezien, werd plotseling ernstig.
'Geen slecht idee, George, maar waar moeten we dat doen? Er is hier geen ruimte voor.'
Als door een hogere macht geleid vond George nu ineens de woorden die hij wilde zeggen. Hij sprak nu vlug en zonder aarzelen en zette Peter in duidelijke bewoordingen uiteen hoe weinig ruimte zij er voor nodig had-

den en hoe zij het 't best zouden kunnen aanpakken. Maar wat zijn argumenten de meeste kracht bijzette, was zijn aanbod huur te betalen, plus een deel van de winst.

Ofschoon de zaken in het nickelodeon goed gingen, was het bedrijf niet zonder problemen. Peter was met Graphic overeengekomen dat hij om de drie weken een nieuwe serie films zou krijgen. De eerste week wilde iedereen de voorstelling zien, maar gedurende de volgende twee weken werd de belangstelling steeds minder. Iedereen had de plaatjes al gezien. Peter sprak er met Johnny over en ze besloten Joe Turner bij zijn eerstvolgend bezoek te vragen of hij niet meer films voor hen had.
Ongeveer twee weken nadat George zijn buffet geopend had, kwam Joe zijn maandelijks bezoek afleggen. Hij stond in de kleine vestibule en keek naar George en zijn broer, die druk bezig waren achter de toonbank. Na een tijdje ging hij het nickelodeon binnen en zocht Johnny op. De middagvoorstelling was juist ten einde en Johnny was bezig de film terug te winden voor de volgende voorstelling.
'Wie is er op dit idee gekomen?' vroeg Joe.
'Peter,' loog Johnny. 'Wat denk je er van?'
Joe knikte goedkeurend. 'Goed bekeken. Ze zullen het in de stad beslist ook gaan doen, als ik het daar vertel.'
Johnny had de hele film nu teruggewonden en hij bracht de filmrol op zijn plaats, zodat alles klaar was voor de volgende voorstelling. Hij sprong van de verhoging waar de projector stond opgesteld.
'Kom mee, – eerst wat drinken,' inviteerde hij.
Ze liepen naar het buffet en bestelden koffie. Johnny stelde Turner aan George en zijn broer voor. Ze slurpten enige minuten nadenkend de hete koffie en toen nam Johnny het woord. 'Heb je nog niet wat films voor ons? Het begint de mensen te vervelen als ze drie weken lang hetzelfde voor hun neus krijgen.'
Joe schudde het hoofd. 'Er is niet veel te krijgen, maar we hebben net een nieuw filmpje van één rol gemaakt, dat we jullie wel kunnen sturen.'
'Wat hebben we nu aan één rol als we een hele voorstelling moeten hebben?'
Joe keek Johnny onderzoekend aan. 'Ik weet misschien een oplossing, maar er mag beslist niet over gepraat worden.'
'Ik ben zo gesloten als een oester.'
Joe glimlachte. 'Je zult wel gehoord hebben dat de grote maatschappijen een soort combinatie hebben gevormd om het filmbedrijf te controleren?'
'Ja.'
'Nu denk ik dat een van de redenen daarvoor is, dat een hele massa klei-

nere producenten hun, ondanks het feit dat ze minder geld hebben, toch lelijke concurrentie aandoen. Nu hebben ze de koppen bij elkaar gestoken om de bioscoopeigenaars te dwingen hun films van hén te betrekken, ofschoon ze heel korte voorstellingen maken – daar verdienen ze namelijk meer aan. Ze zijn nu al zover dat ze alle films controleren; en de producenten, die zich niet bij hen hebben aangesloten, weten ze het op allerlei manieren onmogelijk te maken films te produceren.'
'En wat zou dat? Ik begrijp nog altijd niet hoe we dan aan meer films kunnen komen.'
'Dat zal ik je vertellen. Graphic behoort ook tot die combinatie en ik ga er weg. Ik ga naar een van de zelfstandige producenten, die zoveel films willen maken dat er elke week een nieuwe voorstelling gegeven kan worden.'
'Dat klinkt niet zo gek. Maar hoe leggen we dat aan? Volgens ons contract mogen we alleen Graphic-films vertonen.'
'Een hele massa bioscoopexploitanten zijn van mening dat wat niet weet, niet deert,' verklaarde Joe. 'Kijk eens – je bent verplicht hun films voor drie weken te nemen, maar je behoeft ze geen drie weken te draaien als je er geen zaken mee kunt doen.'
'Ik begrijp het,' zei Johnny en dronk zijn kop leeg. 'Kom mee, dan spreken we er met Peter over.'
Op weg naar de ijzerwinkel verklaarde Turner aan Johnny dat hij slechts naar New York behoefde te gaan om een contract af te sluiten.
'Wie is die knaap, voor wie je gaat werken?'
'Bill Borden,' antwoordde Joe. 'De grootste zelfstandige producent.'
'En wat ga je daar doen? Films voor hem verhuren?'
Joe schudde het hoofd. 'Vast niet – daar heb ik genoeg van. Ik ga zelf films maken. Ik vertelde Borden dat hij iemand nodig had, die wist wat de bioscoopeigenaars wensten en omdat ík wist wat ze wensten, was ík de man die hij nodig had.'
Johnny schoot in de lach. 'Je bent nog niets veranderd!'
Joe lachte ook. 'In alle ernst, kerel, het wordt een interessante strijd. En ik zou jou daar ook graag in zien.'

Johnny draalde even met binnengaan. In de keuken hoorde hij Esthers stem. Ze praatte met Peter.
'Maak wat voort – ben je nu nog niet aangekleed? Je zou vandaag met Doris en Mark naar het park gaan!'
Johnny grinnikte. Hij hoorde Peter iets antwoorden, maar hij kon niet

verstaan wat het was. Het klonk lui en brommerig. Het was zondag en Peter bracht graag de morgen door met zijn voeten op een bankje en de krant op zijn knieën. Johnny stapte de keuken binnen.
Esther keek verbaasd van hem naar de klok. 'Je bent vroeg op, Johnny!' Op het fornuis achter haar stond een grote ijzeren pot te pruttelen. Hij glimlachte. 'Ik ben zo weer weg. Ik kom Peter vragen of ik nog iets voor hem moet meebrengen uit New York.'
'Ga je vandaag naar New York?'
Hij knikte. Ze scheen een beetje uit haar humeur te zijn en hij vroeg zich af waarom.
Peter kwam uit de slaapkamer. 'Ga je naar New York?' herhaalde hij Esthers vraag. Hij was in hemdsmouwen en de riem van zijn broek was los. Hij kreeg een aardig buikje, dacht Johnny. Maar waarom ook niet. De zaken gingen goed.
'Ik heb Joe beloofd bij hem te komen om die nieuwe films te zien,' antwoordde hij. 'Ik ben morgen op tijd terug voor de avondvoorstelling.'
Peter haalde de schouders op. 'Als jij acht uur in de trein wilt zitten om een paar filmpjes te zien, dan ga je je gang maar – ik doe niet mee.'
Johnny glimlachte. Als je dat wel deed, dacht hij, dan zou je misschien gaan begrijpen wat ik je nu al maanden lang probeer uit te leggen – dat dit bedrijf iets groots gaat worden. Hardop zei hij: 'Ik doe het graag. Het geeft je een idee van wat er al zo op dit gebied te koop is.'
Peter keek hem scherp aan. Er was iets fanatieks in Johnny's ogen. De film had hem te pakken. Hij at, sliep en droomde film. Sinds hij naar New York was geweest om er een contract af te sluiten met Borden, had zijn mond er niet over stilgestaan. Peter dacht na over wat Johnny gezegd had toen hij uit de stad terugkwam.
'Die Borden heeft het gevonden. Hij maakt een of ander kort verhaal en daar maakt hij een film van. En dan gebruikt hij twee rollen in plaats van één. En zo zijn er meer. Fox en Laemmle doen het ook. Ze zeggen dat er toekomst in zit en dat er binnenkort speciale theaters voor films zullen zijn, zoals je die nu voor toneel hebt.'
Peter had zijn schouders eens opgehaald, maar hij was toch onder de indruk. Ze konden ten slotte best gelijk hebben. Hij had hun films gezien. Ze waren inderdaad beter dan die van de Combinatie.
Hij had zich al wel eens voorgesteld hoe het zijn moest om een theater te hebben waarin alleen films werden vertoond, maar hij had de gedachte meteen verworpen. Zonde er je tijd aan te verspillen. Het zou nooit zijn geld opbrengen – zo was hij beter af.
Doris kwam de keuken binnenspringen, gevolgd door Mark. Ze hief een stralend gezichtje naar Johnny op. Ze had zijn stem in de andere kamer

gehoord. 'Gaan we naar het park, oom Johnny?'
Hij keek glimlachend op haar neer. 'Vandaag niet, liefje. Oom Johnny moet voor zaken naar New York.'
Ze keek teleurgesteld naar de grond. 'O,' klonk het bijna onhoorbaar.
Esther keek Peter aan. Deze begreep haar blik en nam Doris bij de hand.
'Papa gaat met jullie mee, *Liebchen.*' Hij wendde zich tot Johnny.
'Wacht even tot we klaar zijn, dan brengen we je naar het station.'
Hij liep naar de slaapkamer om zijn jas te halen.
'Een kop koffie, Johnny?' vroeg Esther.
'Nee, dank je wel,' glimlachte hij. 'Ik heb net ontbeten.'
Peter kwam de keuken weer binnen. 'Al klaar, *Kinder*,' zei hij, terwijl hij zijn jasje dichtknoopte. 'We kunnen gaan.'
Op straat trok Mark aan Johnny's hand.
'Paardje!' vleide hij met zijn hoge stemmetje.
Johnny tilde de peuter op zijn schouders.
'Hu paard!' vuurde Mark aan.
Ze waren al halfweg het station toen het pas tot Peter doordrong dat Doris aan de andere kant van Johnny was gaan lopen en haar handje in de zijne had gelegd. Hij glimlachte. Het was een goed teken als kinderen van je hielden.
'Hoe maakt Joe het?' vroeg hij. Hij had hem niet meer gezien sinds hij bij de Combinatie was weggegaan en voor Borden was gaan werken.
'Best,' antwoordde Johnny. 'Borden zegt dat hij zijn beste operateur is.'
'Dat doet me genoegen. Is hij zelf tevreden?'
'Hij vindt het mooi werk, maar hij is nog niet helemaal tevreden.'
Johnny probeerde zijn haar uit Marks vingertjes te bevrijden. Mark kraaide van pret. Peter keek hem bestraffend aan. 'Laat oom Johnny's haar los of ik zeg hem dat hij je neer moet zetten.' Mark gehoorzaamde en Peter vervolgde: 'Wat wil hij dan?'
Johnny deed zijn best om zijn stem onverschillig te laten klinken.
'Hij zegt dat hij zélf zaken wil gaan doen. Er zit veel geld in, beweert hij.'
'En wat denk jij er van?' Het klonk gretiger dan Peter zelf wilde.
Johnny gluurde van terzijde naar de uitdrukking van zijn gezicht. Er was niets op te lezen, maar zijn ogen verrieden hem. 'Hij kon wel eens gelijk hebben,' zei Johnny langzaam. 'We hebben het uitvoerig besproken. Een film van één rol kost ongeveer driehonderd dollar, de afdrukken meegerekend. Je maakt ongeveer honderd afdrukken van elk negatief. Je verhuurt elke afdruk minstens tweemaal, voor tien dollar per keer. Dat brengt je dus tweeduizend dollar voor elke film op. Het kan niet missen.'
'Wat weerhoudt hem dan?'

'Het geld. Hij heeft minstens zesduizend nodig voor camera's en verdere inrichting.'
Ze hadden het station bereikt en Johnny zette Mark op de grond. 'Ik geloof eerlijk gezegd dat het voor ons ook niet zo gek zou zijn,' waagde hij.
Peter schoot in een luide lach. 'Ik zou je danken. Ik ben geen *schlemiel*. Ik weet hoever ik gaan kan. Wat gebeurt er als je je films niet kwijtraakt?' Hij beantwoordde zijn eigen vraag. 'Dan ga je naar de kelder.'
'Ik denk er anders over. Kijk maar eens naar ons. We kopen alle films die we krijgen kunnen en we hebben er nog altijd niet genoeg. Nee, het kan niet missen.' Hij haalde een sigaret uit zijn zak en stak hem in zijn mond. 'En alle exploitanten, die ik in New York gesproken heb, zitten in hetzelfde schuitje. Ze schreeuwen allemaal om meer films.'
Peter moest weer lachen, maar ditmaal klonk het minder overtuigd. Johnny wist wel dat het idee al vat op hem had. 'Ik ben geen geldwolf. Laat anderen de kopzorgen maar hebben. Ik ben heel tevreden.'
Even later rolde de trein binnen. Johnny bleef op het balkon staan en wuifde naar hen toen de trein vertrok. Ze wuifden terug. Johnny lachte vergenoegd. Hij kende Peter nu al goed genoeg om te weten dat hij het zaad van een nieuw idee in zijn geest had geplant. Nu moest hij het een poosje de tijd laten om te ontkiemen en er dan nog weer eens een paar woordjes bijdoen. Op een gegeven moment zou het omhoog schieten. De trein maakte een bocht en het perron verdween uit het gezicht. Hij liep de coupé binnen om een plaatsje te zoeken. Daar haalde hij een krant uit zijn zak en begon te lezen. Van tijd tot tijd speelde er een glimlach om zijn lippen. Misschien – als Joe eenmaal gereed was, misschien was Peter dan ook zover.
Op het lege perron begon Doris plotseling te huilen. Peter keek haar verwonderd aan. 'Waarom huil je, *Liebchen*?'
Ze snikte nog harder. 'Ik vind het zo naar als er iemand met de trein weggaat.'
Peter krabde zich verbaasd achter het oor. Voor zover hij wist had zij nog nooit iemand met de trein zien vertrekken. 'Waarom?' vroeg hij.
Haar mooie blauwe ogen stonden vol tranen. 'Ik – ik weet het niet, papa,' zei ze zacht. 'Ik moest wel huilen. Misschien komt oom Johnny wel niet meer terug.'
Peter stond haar een ogenblik zwijgend aan te zien. Toen nam hij haar bij de hand. 'Wat een onzin – kom mee, we gaan naar het park.'

Het was nog donker toen Johnny wakker werd. Hij was in een vreemde kamer en hij had een ontzettende hoofdpijn. Hij kreunde en rekte zich. Naast hem in bed bewoog iets. Hij schrok toen zijn uitgestrekte hand warm, zacht vlees raakte. Hij draaide zijn hoofd naar die richting.
In het donker kon hij amper het gezicht zien van het meisje dat slapend naast hem lag. Ze lag op haar zij, haar ene arm onder het kussen. Langzaam ging hij overeind zitten en probeerde zich te herinneren wat er de vorige avond was gebeurd.
Hij herinnerde zich dat Joe meer wijn had besteld. Ze begonnen langzamerhand dronken te worden. Het stond hem nu weer pijnlijk helder voor de geest.
Hij was omstreeks vijf uur in de studio gekomen. Joe had hem verteld dat er gewerkt moest worden, omdat dit de enige dag was waarop de meisjes die hij gehuurd had vrij waren. Door de week werkten zij in cabarets en hier hadden ze een kans een paar dollars extra te verdienen.
Toen Johnny binnenkwam was Joe midden in een vurig debat met een van de meisjes. Ze was hevig opgewonden en gilde iets tegen hem. Johnny kon er niet direct uit opmaken waar het over ging, maar al gauw begreep hij dat het over de kleren, die zij aan had, was.
Bill Borden stond er met een bezorgd gezicht bij. Joe wachtte rustig totdat het meisje uitgeraasd was en Johnny bleef bij de deur staan. Niemand had zijn binnenkomst opgemerkt.
Eindelijk bedaarde het meisje wat. Joe keek haar nog een ogenblik strak aan en wendde zich toen tot Borden. 'Stuur haar weg, Bill,' zei hij kalm. 'We kunnen hier geen driftkoppen gebruiken.'
Borden gaf geen antwoord, maar zijn gezicht werd nog zorgelijker. Het meisje begon opnieuw. 'Dat kún je niet!' gilde ze tegen Joe. 'Ik zou de hoofdrol in deze film spelen! Mijn agent zal je er voor aanspreken!'
Joe bleef haar nog even kalm aanzien, maar toen barstte ook hij los: 'Wie voor de donder zou jij mij willen laten aanspreken en waarom? Wat bliksem – wij betalen je hier voor één dag meer dan je anders in een hele week verdient om met je billen te wiegen met een heel stel andere grieten! Spreek ons maar aan – maar ik bezweer je dat je in heel New York voor geen film meer zult spelen!' Hij ging vlak voor haar staan en zwaaide zijn vinger dreigend voor haar neus heen en weer: 'Nu, als jij de hoofdrol in deze film wilt spelen, trek dan die verdomde jurk uit en laat je hemd zien. En neem me niet in de maling met dat preutse gedoe. Ik heb je op het toneel van de Bijou gezien in je nakende niksie en dat was de reden waarom ik je aannam!'
Het meisje zei niets op deze onverwachte uitval. Ze keek hem een paar tellen peinzend aan en zei toen: 'Goed, jij je zin. Maar er is wel één

kleinigheidje!' Met een plotselinge beweging deed ze een paar stappen terug, trok haar jurk over haar hoofd en gooide die Joe voor zijn voeten. Johnny snakte naar adem. Het meisje droeg absoluut niets onder haar jurk. Vlug raapte Joe het japonnetje op en rende op het meisje toe om haar te bedekken. Borden sloeg zijn handen voor zijn gezicht en kreunde. Het meisje glimlachte vriendelijk tegen Joe. 'Je zult me een hemdje moeten lenen,' zei ze lieftallig. ' 'Was te heet om er een te dragen.'
Joe begon te lachen. 'Had dat dan meteen gezegd, baby,' kon hij eindelijk uitbrengen. 'Dan hadden we ons een hoop moeite kunnen besparen.'
Een paar minuten later had het meisje een hemd aan en de camera begon te draaien. Plotseling kreeg Joe Johnny in het oog. Hij trad glimlachend op hem toe. 'Zie je wat ik moet meemaken?' zuchtte hij.
Johnny lachte. 'Ja, nogal door de wol geverfd, hè?'
Joe lachte mee. ' 't Is geen grapje,' zei hij. 'Die schatjes zijn stapel. Je weet nooit wat je te wachten staat.'
Johnny grinnikte weer. 'Te oordelen naar wat ik zo gezien heb viel er nergens over te klagen.'
Joe greep hem bij de arm en duwde hem voor zich uit. 'Ga naar het projectielokaal en bekijk die films, ongevoelig stuk mens,' zei hij hartelijk. 'We zullen wel ongeveer tegelijk klaar zijn en dan gaan we eten.'
'Okay!' Johnny liep naar de deur die Joe hem aanwees. Maar Joe riep hem nog eens terug: 'Ik bedenk daar juist – het zou misschien wel aardig zijn als we een paar van de dames uitnodigden. Dat saaie leven in Rochester is beslist niet goed voor je.'
'Aardig van je dat je je zo bezorgd over mij maakt,' hoonde Johnny. 'Vermoedelijk kun jij het wel zonder vrouwen stellen.'
Joe glimlachte zelfgenoegzaam. 'Al naar het uitkomt. Ik heb er altijd genoeg bij de hand. Maar ik herinner me een keer dat jij een jaar of zestien was en zo heet werd op die acrobate dat Santos je werk bij de voorstelling moest overnemen en je moest laten opsluiten.'
Johnny kreeg een kleur. Hij wilde juist Joe van repliek dienen toen Borden op hem toekwam en hem haastig meenam naar het projectielokaal. Toen hij daar weer uitkwam stond Joe al met twee meisjes op hem te wachten.
Joe stelde hen aan elkaar voor. Een van de twee was het meisje waarmee Joe een uur geleden nog ruzie had gehad. Ze heette May Daniels en uit de manier waarop ze Joe's arm nam, begreep Johnny dat ze oude vrienden waren. Het andere meisje, een aardig blondje, heette Flo Daley. Ze glimlachte tegen Johnny. 'Wees maar een beetje aardig tegen hem, Flo,' lachte Joe. 'Hij is een van onze beste klanten.'
Ze dineerden bij Churchill. Joe was in een beste stemming – hij had die

middag een hele film opgenomen. Toen ze klaar waren met eten stak hij een sigaar op en zette zich tot praten.
'Heb je al met Peter gesproken?' vroeg hij Johnny.
'Ik heb hem eens gepolst en ik vermoed dat hij wel toe zal happen.'
'Dat hoop ik van harte.' Hij boog zich voorover om meer nadruk op zijn woorden te leggen. 'Borden is met een nieuwe studio in Brooklyn bezig en je moet zorgen dat je Peter zover hebt tegen de tijd dat Borden zijn oude studio verkoopt. Het zou ons heel wat moeite en zorgen besparen.'
'Dat komt best in orde,' zei Johnny vol vertrouwen. 'Ik weet zeker dat hij zal zwichten.'
'Prachtig.' Joe blies een enorme rookwolk naar het plafond.
May keek hem verwijtend aan. 'Moeten jullie mannen nu beslist altijd over zaken praten?' pruilde ze. 'Kun je nu niet eens één avond echt plezier maken?'
Joe kneep onder de tafel in haar knie. Hij had net genoeg gedronken om zich kiplekker te voelen. 'Kindje, je hebt gelijk – laten we de blommetjes eens buiten zetten!' Hij riep de kelner. 'Nog een fles!'
Het was al erg laat toen ze eindelijk Joe's kamers bereikten. Ze hadden het laatste half uur hevig geredetwist over de vraag hoeveel theaters Johnny bezat. Joe beweerde dat het er eenentwintig waren en Johnny hield vol dat het er maar twintig waren.
Flo verbaasde zich er over dat Johnny, die toch beslist nog heel jong moest zijn, al zoveel had bereikt en Joe verzekerde haar met een dubbelslaande tong dat Johnny een genie was en niet eens tijd had om zich te herinneren hoeveel theaters hij had.
Ze strompelden Joe's kamer binnen. Johnny keek zijn gastheer eens aan. 'Je hebt teveel op, Joe – je kunt beter gaan slapen.' Met veel moeite brachten ze hem naar zijn slaapkamer. Hij stribbelde hevig tegen, maar ten slotte plofte hij op het bed neer, waar hij meteen in slaap viel.
Ze probeerden hem zijn kleren uit te trekken maar opeens zei May dat ze veel te moe was en dat het haar niets kon schelen. Ze ging naast Joe liggen en maakte aanstalten onder zeil te gaan.
Johnny en Flo keken elkaar aan en grinnikten. 'Die kunnen niet tegen 'n borreltje,' verzekerde hij haar plechtig. Gezamenlijk stommelden ze de kamer uit naar de andere slaapkamer.
Toen hij de deur achter hen dicht deed keerde ze zich naar hem toe. Er lag een glimlach op haar gezicht en ze strekte haar armen naar hem uit. 'Hou je een beetje van me, Johnny?' vroeg ze.
Hij keek op haar neer. Vreemd, ze leek nu lang niet zo dronken als daarnet. 'Natuurlijk,' zei hij.
Haar ogen keken hem strak aan en haar lippen glimlachten nog steeds.

'Waar wacht je dan op?' vroeg ze met lage, hese stem.
Even stond hij doodstil, toen kuste hij haar. Hij voelde hoe haar lichaam zich tegen hem aandrong. Zijn hand vond de lage uitsnijding van haar hals en glipte naar binnen. Haar borst voelde warm en opwindend aan. Hij drong haar naar het bed.
Ze lachte. 'Wacht even, Johnny,' zei ze. ' 't Is helemaal niet nodig dat je de kleren van mijn lijf trekt.'
Hij liet haar los en keek hoe ze haar kleren uitdeed. 'Joe had gelijk,' dacht hij opgewonden. 'Dat leven dat ik geleid heb, was niet normaal.' Maar een ander deel van zijn hersens hield hardnekkig vol dat hij niet genoeg tijd had voor dit soort dingen èn voor al het andere dat hij wilde doen.
Haar kleren lagen op de vloer om haar heen toen ze op hem toe kwam. 'Zie je wel,' glimlachte ze, 'zo gaat 't veel beter.'
Hij antwoordde niet, maar trok haar naar zich toe en hun lippen ontmoetten elkaar. Haar lichaam werd levend vuur onder zijn handen en hij zette alle gedachten van zich af en gaf zichzelf over aan het nu.

Zijn hoofd bonsde hevig. Hij ging uit bed, pakte zijn kleren van een stoel en trok ze moeizaam aan. Na een paar onzekere stappen in de richting van de badkamer draaide hij zich om naar het bed. Hij keek neer op het meisje, boog zich toen voorover en sloeg het dek iets terug.
Het meisje bewoog zich en keerde zich naar hem toe. 'Johnny,' mompelde ze in haar slaap. Ze had niets aan.
Herinneringen aan haar lichaam, warm tegen het zijne, stroomden door hem heen. Hij liet het laken vallen en strompelde naar de badkamer.
Hij sloot de deur en draaide het licht aan. Het deed pijn aan zijn ogen. Hij liep naar de wastafel en draaide de koudwaterkraan open. De bak liep snel vol. Hij boog zich voorover, aarzelde even en dompelde toen zijn hoofd in het koude water.
Eindelijk begon hij zich wat beter te voelen. Hij greep een handdoek en droogde zich af. Hij keek in de spiegel boven de wastafel en streek met zijn hand over zijn gezicht. Hij moest zich eigenlijk scheren maar hij had geen tijd. Hij ging terug naar de slaapkamer, kleedde zich verder aan en verliet toen zachtjes het huis zonder iemand wakker te maken.
De morgenlucht was fris en opwekkend. Hij keek op zijn horloge – halfzeven. Hij moest voortmaken als hij de eerste trein naar Rochester wilde halen.

Johnny kwam de keuken binnen. Het grote kolenfornuis snorde en het was er warm en gezellig. 'Waar is Peter?' vroeg hij meteen.
Esther legde het deksel op de soeppan en keerde zich om. 'Hij is een eindje gaan wandelen.'
Hij keek haar verbaasd aan. 'In dit weer?' Hij liep naar het raam en keek naar buiten. De sneeuwvlokken dwarrelden onafgebroken neer. In de portieken en tegen de huizen lagen hele bergen, die de wind daar naar toe had geveegd. Johnny keerde zich weer om. 'Er ligt bijna drie voet sneeuw!'
Ze maakte een hulpeloos gebaar. 'Dat heb ik hem ook gezegd, maar hij ging toch. Hij is de laatste tijd zo rusteloos.'
Johnny knikte begrijpend. Hij had Peters onrust ook opgemerkt. Het was begonnen toen ze drie dagen geleden het nickelodeon hadden moeten sluiten wegens de hevige sneeuwval. Ze hadden de afgelopen zomer goed verdiend, maar de eerste sneeuw dwong hen de zaak te sluiten.
Esther keek hem aan, maar hij zag dat haar gedachten bij Peter waren.
'Ik weet niet wat hem de laatste tijd bezielt,' zei ze half tegen zichzelf. 'Zo is hij nooit geweest.'
Johnny liet zich in een stoel vallen en fronste peinzend het voorhoofd. 'Hoe bedoel je dat?'
Ze keek hem recht in de ogen, alsof ze het antwoord op haar vraag daar meende te vinden. 'Hij is veranderd sedert hij met het nickelodeon begonnen is,' peinsde ze hardop. 'Vroeger trok hij het zich nooit zo aan als de zaken eens wat minder goed gingen, maar nu staat hij elke morgen voor het raam en vervloekt de sneeuw. 'Dat kost geld,' zegt hij dan.'
Johnny moest er om lachen. 'Zo erg is het toch niet. In het circus wisten we ook maar al te goed dat de zon niet elke dag kan schijnen. Dat moet je op de koop toe nemen.'
'Ik zei ook al tegen hem dat we toch niet mochten klagen – we hebben tot nu toe veel geluk gehad. Maar hij deed net of hij het niet hoorde en ging weg.'
Ze ging tegenover Johnny zitten en vouwde haar handen in haar schoot. Zo zat ze enige tijd, met gebogen hoofd, en toen ze eindelijk opkeek stonden haar ogen vol tranen. 'Het is bijna alsof hij een vreemde is geworden. Ik moet de laatste weken dikwijls aan de tijd denken dat we nog in New York woonden en Doris nog 'n baby was. Ze was altijd ziek. De dokter zei dat ze alleen maar beter kon worden als we uit de stad weggingen. Zonder een ogenblik te aarzelen verkocht Peter zijn zaak en trok hier naar toe. Ik begin me nu af te vragen of hij zo iets weer zou doen, als dat nodig was.'
Johnny wist niet goed of hij iets moest zeggen of maar liever zou zwijgen.

'Hij heeft erg hard gewerkt,' zei hij na enige tijd zacht. 'Het is niet zo eenvoudig twee zaken tegelijk te drijven.'
Ze lachte door haar tranen heen. 'Probeer me dat maar niet wijs te maken, Johnny, ik weet wel beter. Sedert jij terug bent heeft hij geen hand naar het nickelodeon hoeven uit te steken.'
Johnny kreeg een kleur. 'Maar hij heeft toch de verantwoordelijkheid,' protesteerde hij zwakjes.
Ze greep zijn hand. 'Het is lief van je, dat je dat zegt, Johnny, maar iedereen weet wel beter.'
De soep op het fornuis achter haar begon te koken; ze liet Johnny's hand los om in de pan te roeren. 'Nee, dat is het niet,' vervolgde ze. 'Hij piekert ergens over en ik heb geen flauw vermoeden wat het kan zijn.' Haar stem klonk dof. Peter leek zo heel ver weg.
Ze dacht aan de tijd dat Peter in haar vaders winkel was gekomen. Ze was toen veertien jaar en hij was ongeveer een jaar ouder. Hij kwam zo van de boot en hij had een brief bij zich van de broer van haar vader, die een zaak in München had. Hij was toen nog een echte kwajongen, met zijn te grote handen een heel eind onder de mouwen van zijn te kleine jasje uit. Haar vader had hem in de kleine ijzerwinkel in Rivington Street een baantje gegeven en hij was naar de avondschool gegaan. Zij had hem geholpen met zijn Engelse lessen.
Het was zo vanzelfsprekend geweest dat ze van elkaar gingen houden. Ze wist nog goed dat hij naar haar vader ging om toestemming te vragen met haar te mogen trouwen. Ze stond stiekem achter de deur van de achterkamer. Peter stond bedremmeld en slungelachtig voor haar vader, die op een hoge kruk achter de toonbank, met zijn kleine, zwarte yamalka op het hoofd, de joodse krant zat te lezen. Zijn lorgnetje stond voor op zijn neus. Eindelijk, na een heel lange, benauwende stilte, had Peter zijn mond open gedaan. 'Mijnheer Greenberg.'
Haar vader keek hem over zijn brilleglazen heen aan. Hij zei niets, want hij was een zwijgzaam man.
Peter was zichtbaar zenuwachtig. 'Eh – ik wou zeggen – eh, Esther en ik, we wilden graag trouwen.'
Haar vader bleef hem nog een poosje aan zitten kijken en ging toen zonder een woord te zeggen verder met zijn krant. Haar hart bonsde zo luid dat zij bang was dat ze het in de winkel zouden horen. Ze hield haar adem in.
Peter begon weer te spreken. Zijn stem klonk nu hees. 'Mijnheer Greenberg –'
Haar vader keek hem weer aan en zei in het Jiddisch: 'Nu, ik hoor je wel. Ben ik soms doof?'

'Maar – maar u gaf me geen antwoord,' stotterde Peter.
'Ik zei toch niet 'nee', is het wel?' zei mijnheer Greenberg, weer in het joods. 'En ik ben ook niet blind, zodat ik niet zien kon wat je kwam vragen.' Hij ging verder met zijn krant.
Peter stond daar een ogenblik als met stomheid geslagen. Toen stormde hij de winkel uit om het Esther te vertellen. Ze had nog net tijd om van de deur weg te glippen voordat hij met zijn nieuws de kamer binnenviel.
Toen haar vader gestorven was, had Peter de zaak overgenomen. Hun kleine Doris was in de kamer er achter geboren. Het was een zwak, ziekelijk kindje en de dokter had gezegd dat ze, als ze haar gezond wilden hebben, uit de stad moesten wegtrekken. Daarom waren ze naar Rochester gegaan. Een paar jaar later werd Mark geboren.
Peters ongedurigheid van de laatste dagen verontrustte haar. Ze was niet gewend dat hij lang voor haar verzweeg wat er in hem omging en ze had nu het gevoel dat hij haar willens en wetens buiten zijn gedachten sloot.
De deur ging open en Peter kwam de keuken binnen. Hij stampte met zijn voeten en klopte de sneeuw van zijn kleren.
Johnny herademde. Esthers langdurig stilzwijgen begon hem te benauwen en hij was blij dat Peter kwam. 'Slecht weer,' merkte hij volkomen overbodig op.
Peter knikte nors. 'Het ziet er naar uit dat we morgen ook nog gesloten zullen zijn,' mopperde hij. 'Het klaart maar niet op.' Hij trok zijn overjas uit en gooide hem op een stoel. De smeltende sneeuw vormde weldra een plasje op de vloer.
'Daar ben ik ook bang voor,' zei Johnny. 'Ik heb er over zitten denken om naar New York te gaan en eens een kijkje te gaan nemen bij Joe. Ga je met me mee?'
'Wat heeft dat voor nut?' snauwde Peter. 'Ik heb je al gezegd dat het me niet interesseert.'
Esther hief met een ruk het hoofd op. Ze hoorde aan de klank van zijn stem dat dit het nu juist was wat hem bezig hield. Ze wierp Johnny een blik van verstandhouding toe. 'Wat moet hij daar doen?' vroeg ze.
Johnny had plotseling het gevoel dat hij een bondgenoot had gekregen. 'Bill Borden heeft onlangs een nieuwe studio geopend in Brooklyn en hij gaat zijn oude verkopen. Ik zou graag willen dat Peter meeging naar New York om hem eens te bekijken. Als het hem wat lijkt dan zouden hij en Joe en ik hem samen over kunnen nemen.'
'Om zelf films te maken?' vroeg ze met een zijdelingse blik op Peter.
'Ja – om zelf films te maken. Er is dik geld mee te verdienen en het wordt met de dag beter.' Johnny begon haar opgewonden te vertellen over de mogelijkheden die hij er in zag.

Esther luisterde aandachtig, maar Peter liet zich met een verveeld gezicht in zijn stoel vallen. Esther zag echter heel goed dat hij zich maar een houding gaf en er in stilte druk mee bezig was.
Onder het eten vertelde Johnny aan één stuk door en zijn woorden maakten diepe indruk op Esther. Peter nam geen deel aan het gesprek en scheen er nauwelijks naar te luisteren.
Tegen negenen ging Johnny naar beneden en de Kesslers gingen naar bed. Het sneeuwde nog steeds en het was koud in de slaapkamer. Esther wachtte totdat Peter zich had uitgekleed. Hij ging meteen met zijn rug naar haar toe liggen, maar ze wilde beslist eerst met hem praten.
'Waarom ga je niet mee om eens te kijken?' begon ze.
Hij bromde wat en draaide zich om. 'Wat heeft dat voor nut? De jongen maakt zich druk over niets.'
'Hij heeft het toch ook goed gehad met die projector.'
Peter kwam plotseling overeind. 'Dat is heel iets anders. Het nickelodeon is een nieuwtje. Als dat nieuwtje er af is houden we er mee op. We hebben er niets bij verloren omdat we met niets begonnen zijn. Maar dit vereist kapitaal en het is toch op dezelfde nieuwigheid gebaseerd. En als de nickelodeons ophouden te bestaan, waar blijven dan de studio's met al het geld dat er in gestoken is? Als we het nickelodeon moeten sluiten dan kunnen we er alleen maar aan verdiend hebben, zodat het ons geen slapeloze nachten behoeft te kosten.'
Esther bleef aandringen. 'Maar Johnny meent dat het een groot bedrijf wordt. Hij zegt dat er ongeveer twintig nickelodeons per week geopend worden.'
'Des te sneller zullen ze ook weer verdwijnen,' voorspelde Peter somber.
Plotseling ging hem een licht op. 'Waarom stel je ineens zoveel belang in wat Johnny beweert?'
'Omdat jij er belang in stelt,' antwoordde ze kalm. 'Ik loop alleen niet naar verontschuldigingen te zoeken voor het feit dat ik iets nalaat wat ik toch graag zou willen doen.'
Peter zei niets. Ze heeft gelijk, dacht hij, ik durf de kans niet te wagen. Daarom ga ik niet met Johnny mee. Ik ben bang dat ik zien zal dat hij gelijk heeft en het dan toch zal doen.
Ze lagen enige tijd zwijgend naast elkaar. Peter was op het punt in slaap te vallen toen ze weer begon. 'Ben je nog wakker?'
'Ja,' klonk het knorrig.
'Peter, ik heb zo'n gevoel dat het toch wel eens een goed idee van Johnny zou kunnen zijn.'
'Ik heb ook een gevoel,' foeterde hij. 'Ik heb een gevoel dat ik wel zou willen slapen.'

'Nee, Peter,' nu was het haar beurt om overeind te komen, 'ik meen het. Weet je nog dat de dokter tegen ons zei dat we uit New York weg moesten en wat ik toen zei over Rochester?'
Hij tuurde in het donker naar haar. Hij wilde het niet toegeven, maar hij had een heilig ontzag voor haar intuïtie. Ze had het al vaak bij het rechte eind gehad. In dat geval met Rochester had hij ergens anders heen willen gaan. Maar hij had haar raad opgevolgd en het was hun goed gegaan, terwijl de man, die de andere zaak had overgenomen, na korte tijd failliet was gegaan.
'En wat zou dat?' vroeg hij.
'Wel, ik geloof dat dit nu juist een van de redenen is waarvoor we hier zijn gekomen en dat het nu tijd voor ons is naar New York terug te keren. Ik heb nooit iets gezegd, omdat we hier waren terwille van het kind, maar dat is nu Goddank gezond en sterk en ik voel me eenzaam. Ik mis mijn vriendinnen en mijn familie. Ik zou Mark zo graag naar de synagoge zien gaan waar mijn vader ook altijd ging bidden en ik verlang er naar weer Jiddisch te horen en met mijn kinderen voor de matses-bakkerij in Rivington Street te staan en de geur van de warme matses te ruiken, zoals ik dat met mijn vader deed. Ik weet plotseling heel zeker dat nu de tijd gekomen is om naar huis te gaan. Toe, Peter, ga toch eens kijken. Als het je niets lijkt, dan doe je het niet, maar ga in elk geval kijken.'
Het was voor haar doen een heel betoog; ze was anders bijna even zwijgzaam als haar vader en Peter was diep onder de indruk. Hij trok haar hoofd tegen zijn schouder. Haar wangen waren nat. Hij streek haar zacht over het loshangende haar. 'Goed dan,' zei hij eindelijk in het Jiddisch, 'ik zal gaan kijken.'
Ze keerde haar gezicht naar hem toe. 'Morgen meteen?'
'Morgen meteen,' antwoordde hij en in het Engels overgaand voegde hij er aan toe: 'Maar ik beloof niets.'
Esther lag nog lange tijd naar Peters rustige ademhaling te luisteren. Wat kostte het soms toch een moeite om een man er toe over te halen te doen wat hij wílde doen, dacht ze.

De volgende middag om drie uur stonden ze voor Bordens studio. Met het air van iemand die alles weet ging Johnny Peter voor. Joe stak de hand op toen hij hen in het oog kreeg. 'Zoek een stoel en kijk wat er gebeurt,' schreeuwde hij boven het rumoer in de studio uit. 'Ik kom zo bij jullie!'
Het duurde toch nog bijna een uur voordat Joe zich bij hen voegde. In-

tussen keek Peter de studio eens rond. Het enthousiasme van allen die daar werkten maakte een prettige indruk op hem. In de ruime zaal waren drie verhogingen gebouwd, waar drie verschillende gezelschappen voor de camera optraden. Johnny verklaarde hem dat die verhogingen 'stages' heetten, net als het toneel in de theaters. De spelers maakten een trotse, zelfbewuste indruk, alsof ze er van doordrongen waren dat hun werk van het grootste belang was.

Peter sloeg Joe gade. Deze was aan het repeteren met een groep personen, waarvan hij een opname wilde maken. Telkens en telkens weer liet hij hen de scene herhalen, totdat ze eindelijk elke beweging precies maakten zoals hij dat wilde. Het herinnerde Peter aan zijn jeugd, toen hij zijn vader altijd zijn koffie bracht in het concertgebouw in München. Zijn vader speelde daar tweede viool. Het orkest repeteerde elke morgen. Op een gegeven moment riep de maestro de spelers iets toe en dan werd het heel stil in de zaal, want het stuk zou voor de allerlaatste keer vóór het avondconcert gespeeld worden. Als het uit was knikte de maestro altijd goedkeurend en zei: 'Goed zo, kinderen, jullie kunnen nu desnoods voor de koning zelf spelen.'

En datzelfde deed Joe nu ook. Hij liet hen een scene telkens en telkens herhalen en als die dan eindelijk naar zijn zin ging, nam hij hem op. Want hier was de camera koning. Peter voelde een eigenaardige ontroering terwijl hij naar dit alles keek. Zijn vader had hem dag in dag uit laten oefenen op de viool, want het was zijn wens dat zijn zoon eens naast hem in het orkest zou spelen. Peter wist wat het zijn vader gekost had om hem naar Amerika te sturen toen *der Kaiser* alle jongemannen begon op te roepen om dienst te nemen in zijn leger.

Toen Joe eindelijk klaar was, kon Peter zich niet voorstellen dat zij al meer dan een uur hadden gewacht.

'Zo, je bent dus toch gekomen?' glimlachte Joe.

Peter was op zijn hoede. 'Ik had toch niets beters te doen, met die sneeuw.'

'En hoe lijkt het je?'

'Heel aardig,' antwoordde Peter luchtig.

Joe wendde zich tot Johnny. 'Ik geloof dat ik straks de baas zag binnenkomen. Ga Peter aan hem voorstellen, dan neem ik intussen nog een scene op.'

'Uitstekend,' stemde Johnny in.

Peter volgde hem naar het kantoor. Het was een groot vertrek en er zaten verscheidene mannen en meisjes aan schrijftafels te werken. Achteraan werd een deel van de ruimte afgescheiden door een soort balustrade en daar stond een groot cilinderbureau, waarachter een klein mannetje vrij-

wel geheel schuil ging. Toen Johnny en Peter hem naderden, keek de kleine man op. 'Mijnheer Borden,' zei Johnny, 'dit is mijnheer Kessler, mijn baas. Mag ik u aan hem voorstellen?'
Borden sprong op en keek Peter onderzoekend aan. Toen stak hij hem verheugd de hand toe. 'Peter Kessler!' riep hij met een hoog stemmetje. 'Hij is het! Herinner je je mij niet meer?'
Peter keek hem scherp aan. Waar had hij die man toch eerder gezien? Plotseling wist hij het weer. 'Willie – Willie Bordanov!' riep hij opgewonden. 'Dat is ook zo – je vader had . . .'
'Zo is het,' grinnikte Borden, 'de handkar in Rivington Street, voor de ijzerwinkel van Greenberg. Jij bent met zijn dochter getrouwd – Esther, als ik me goed herinner. Hoe gaat het met haar?'
De twee mannen begonnen terstond een geanimeerd gesprek en daarom ging Johnny terug naar de studio om naar Joe te kijken. Nu Peter en Bill elkaar van vroeger bleken te kennen, had hij alle reden om optimistisch te zijn en bovendien was Borden de beste zakenman van het hele filmbedrijf. Toen Peter hem wat later kwam vertellen, dat zij de avondmaaltijd bij Borden thuis zouden gebruiken, was hij er al vrijwel zeker van dat de zaak gewonnen was.

Maar pas na het eten, toen zij rond het fornuis in Bordens keuken zaten, kwam het gesprek eindelijk op het door Johnny zo vurig gewenste onderwerp. De twee mannen hadden tot zijn ergernis niets anders gedaan dan oude herinneringen opgehaald en nu was de avond al bijna om. Maar eindelijk gelukte het hem toch Borden op zijn stokpaardje, de Combinatie, te brengen en hem de verklaring te ontlokken dat er beslist meer zelfstandige producenten moesten komen, want dat de Combinatie dan op den duur het veld wel zou moeten ruimen.
Johnny knikte nadrukkelijk. 'Dat heb ik Peter ook gezegd, maar hij meent dat de ijzerhandel safer is.'
Borden keek van de een naar de ander. 'Het kan zijn dat de ijzerhandel safer is, maar de filmindustrie biedt oneindig veel meer mogelijkheden. Die biedt een gouden toekomst voor hen die de moed hebben het pionierswerk te verrichten. Kijk maar eens naar mij. Drie jaar geleden begon ik met vijftienhonderd dollar. Over een paar weken staat er in Brooklyn een studio gereed, die behalve de inrichting vijftienduizend dollar heeft gekost. Ik verkoop mijn films in het hele land en heb een omzet van achtduizend dollar per week. Volgend jaar om deze tijd zal die tweemaal zo groot zijn.'
Dat sloeg in. 'Hoeveel zou het op het ogenblik kosten om zo'n bedrijf op poten te zetten?' vroeg Peter.

Borden keek hem scherp aan. 'Lijkt het je iets?'
Peter haalde de schouders op en wees op Johnny. 'Mijn jonge vriend hier achtervolgt me al zes maanden lang met het voorstel samen met hem in het filmbedrijf te gaan. En als er geld in zit, waarom zou ik het dan niet proberen?'
Borden keek Johnny met een zeker ontzag aan. 'Daarom nam je dus de baan niet, die ik je aanbood. Je had je eigen plannen.' Hij wendde zich weer tot Peter. 'Ik heb Johnny al wel twaalf keer gevraagd voor mij te komen werken en even zoveel keren heeft hij geweigerd. Nu weet ik waarom.'
Peter was ontroerd. Johnny had dus al herhaalde malen een voordelig aanbod afgeslagen om bij hem te kunnen blijven. En hij had het hem zelfs niet eens verteld! 'Johnny is een goede jongen,' zei hij. 'Het is alsof hij mijn eigen zoon is.'
Johnny keek verlegen naar de grond. 'Hoeveel zou het kosten, mijnheer Borden?'
De twee oudere mannen lachten eens tegen elkaar en daarop leunde Borden met een gewichtig gezicht achterover in zijn stoel. 'Met een tienduizend dollar zou je dunkt me wel kunnen beginnen,' zei hij na enig nadenken.
'Dan is er voor mij geen denken aan,' zei Peter. 'Zoveel heb ik niet.'
'Maar ik krijg daar ineens een idee,' vervolgde Borden. Hij stond op en ging vlak voor Peter staan. 'Als je er werkelijk zin in hebt, dan wil ik je een voorstel doen.'
'En?'
'Zoals ik al zei,' antwoordde Borden, 'zal ik over een paar weken een studio in Brooklyn openen. Ik was van plan om de inrichting van deze studio te verkopen omdat ik voor mijn nieuwe studio alles nieuw heb.' Hij boog zich over Peter heen en liet zijn stem dalen. 'Voor zesduizend dollar kun je mijn oude inrichting overnemen. Het is een koopje.'
'Willie –,' Peter stond eveneens op en keek Borden doordringend aan, 'je bent nog niets veranderd sedert de tijd dat je me aan je handkar tweecents-schoenveters voor een nickel probeerde te verkopen. Ik mag dan weinig op de hoogte zijn van dit soort zaken, ik ben toch niet zo dom als je denkt. Denk je dat ik niet weet in welke staat je oude inrichting verkeert? Ik ben niet voor niets al zoveel jaren in de ijzerhandel. Als je drieduizend dollar had gezegd, dan zou ik er oren naar gehad hebben, maar hier lach ik om.'
Johnny hield de adem in. Was Peter nu helemaal gek geworden? Wist hij dan niet dat er nergens camera's en andere voor het bedrijf noodzakelijke dingen te krijgen waren – dat de Combinatie alles controleerde en dat er

genoeg mensen waren, die deze gelegenheid om een volledige studio over te nemen met beide handen zouden aangrijpen?
Bordens antwoord verbaasde Johnny nog meer. 'Peter,' zei hij ernstig, 'de enige reden waarom ik je een dergelijk aanbod doe, is omdat ik jou in het bedrijf wil zien. Maar ik zal je nog een voorstel doen. Jou, maar dan ook enkel en alleen jou, laat ik dit bedrijf voor drieduizend dollar à contant en drieduizend op afbetaling. Ik heb zoveel vertrouwen in je dat ik het aandurf je de rest pas te laten betalen als je geld hebt.'
Nu had de handelsgeest Peter te pakken. 'Maak er vijfduizend van, twee contant en de rest afbetaling, en dan zal ik er over denken. Dan zal ik er zelfs met Esther over praten.'
Dat was weer een verrassing voor Johnny. Hij begreep niet waarom Peter daar met zijn vrouw over moest praten. Waar was dat voor nodig – zij had toch niet het minste verstand van geldzaken!
Maar Borden scheen het helemaal niet te verbazen. Peter en hij keken elkaar een ogenblik zwijgend aan. Toen gaf Borden Peter een vriendschappelijke duw tegen de schouder: 'In orde, landgenoot. Als Esther er mee instemt doen we zaken.'

Tijdens de terugreis was Peter opvallend stil. Johnny zei maar niet veel tegen hem, want hij zag wel dat hij met rust gelaten wilde worden. Toen ze eindelijk weer in Rochester waren, waadden ze zwijgend door de kniehoge sneeuw naar huis. Pas toen ze het huis bijna hadden bereikt, begon Peter te spreken.
'Het is allemaal niet zo makkelijk als het lijkt, Johnny. Ik heb een massa te regelen voordat ik er ook maar aan kan denken om naar New York te gaan en met die studio te beginnen.'
Johnny voelde wel dat Peter eigenlijk meer tot zichzelf sprak dan tegen hem en daarom gaf hij geen antwoord.
'Ik kan de boel hier maar niet zo in de steek laten,' vervolgde Peter. 'Daar heb je mijn twee zaken en het huis, dat ik zal moeten verkopen om aan contanten te komen. De ijzerhandel gaat op het ogenblik niet zo best en ik zit met een grote voorraad, die ik in het voorjaar had willen opruimen.'
'Maar zo lang kunnen we niet wachten,' protesteerde Johnny. 'Je kunt niet van Borden verlangen dat hij tot het voorjaar met die verkoop wacht.'
'Dat begrijp ik,' gaf Peter toe, 'maar wat moet ik doen? Je hebt zelf gehoord dat hij minstens tweeduizend dollar contant wil zien en die heb ik

op het ogenblik niet. En ik weet ook nog niet of het wel zo verstandig is er aan te beginnen. 't Is een riskant bedrijf. Wat moeten we als we de films niet kwijt kunnen? Ik weet niets van de produktie af.'
'Joe komt bij ons en hij weet hoe hij ze moet maken. Zijn films zijn de beste die Borden produceert. Het kan niet missen.'
'Misschien heb je wel gelijk,' mompelde Peter, terwijl hij de voordeur opende, 'maar wie geeft me de zekerheid?'
Peter ging naar boven en Johnny trad het nickelodeon binnen.
'Hallo, Johnny,' begroette George hem van achter zijn buffet.
'Hallo, George.' Johnny liep op het buffet toe en hees zich op een kruk. George zette koffie voor hem neer. 'Goede reis gehad?'
Johnny slurpte dankbaar zijn hete koffie en begon zijn overjas los te maken. 'Ja – tamelijk goed,' antwoordde hij. 'Tenminste, dat zou ik kunnen zeggen als Peter maar niet zo vervloekt bang was,' voegde hij er peinzend aan toe. 'Ik had niet gedacht je hier te zien,' merkte hij plotseling op. 'Niemand zal zich met dit weer buiten wagen om naar de film te gaan.'
'Zou je denken?' lachte George. 'Je had hier gisteravond maar eens moeten zijn! Als het maar even ophoudt met sneeuwen staan ze alweer te wachten of de boel nog niet opengaat.'
'Wát zeg je, zijn er gisteravond mensen geweest – met al die sneeuw?'
'Jazeker.'
'Heb je gezegd dat we vanavond open waren?'
'Ik heb iets veel beters gedaan,' klonk het trots. 'Ik ben naar mevrouw Kessler gegaan en heb haar verteld dat er mensen waren en toen is ze meteen mee naar beneden gegaan. We hebben goede zaken gedaan.'
'Wel verduiveld!' bromde Johnny. 'Maar wie heeft de projector dan bediend?'
'Ik!' George straalde van trots. 'Mevrouw Kessler gaf de kaartjes en mijn broer stond achter het buffet. De film is maar tweemaal gebroken.'
Tweemaal gedurende een voorstelling was niets. 'Wie heeft je dan geleerd de projector te bedienen?'
'Ik heb naar jou gekeken. Het is niet zo moeilijk.' Hij keek Johnny kinderlijk opgetogen aan. 'Dat noem ik nog eens zaken doen! Je stopt de film aan de ene kant in de machine en aan de andere kant komen er dollars uit.'
Johnny had nog nooit zo'n goede definitie gehoord. Hij dronk zijn kop leeg en liep naar zijn kamer, achter het zaaltje.
George riep hem echter terug.
'Mevrouw Kessler zei dat Peter naar New York was. Wil hij zelf films gaan maken?'

'Misschien.'
George liep opgewonden op Johnny toe en legde zijn hand op diens arm. 'Als hij dit hier verkoopt – zou hij het dan aan mij willen verkopen?'
Johnny keek hem even onderzoekend aan voordat hij antwoordde.
'Als hij er toe besluit het te verkopen en als jij het geld hebt, dan zou ik niet weten waarom niet.'
George keek naar de grond. Zijn gezicht werd rood. Het Engels kwam moeizaam over zijn lippen. 'Je weet dat ik als jongen van vijftien jaar hierheen kwam. Ik ben een Griek. We zijn arm, mijn broer Nick en ik; maar we zijn zuinig geweest – om misschien nog eens naar ons land terug te kunnen keren. Maar misschien gaan we nu wel niet zo gauw terug. Misschien kunnen we het geld gebruiken om een theater te kopen.'
'Hoe kom je op dat idee?' vroeg Johnny verrast.
'Ik lees in de kranten dat er overal theaters komen – in New York zijn theaters waar alleen maar films worden gedraaid.' George sprak langzaam, want hij wilde niet in de war raken bij de keuze van zijn woorden.
'Als Peter mij het gebouw verkoopt, dan hef ik de ijzerwinkel op en maak er een echt theater van, net als ze in New York doen.'
'Van het hele pand?' Johnny kon zijn oren niet geloven.
'Van het hele pand,' bevestigde George. 'Als Peter tenminste niet teveel geld vraagt,' voegde hij er voorzichtig aan toe.

Peter had Esther juist in den brede uiteengezet waarom het onmogelijk was Bordens voorstel aan te nemen, toen Johnny de trap op kwam rennen.
'Peter, we zijn er! We zijn er!'
Peter keek hem aan alsof hij een spook zag. 'Waar zijn we –'
Johnny kon niet stilstaan. Hij sloeg zijn armen om Esther heen en draaide wild met haar rond. Peter staarde hem met open mond aan. 'De zaak is opgelost!' jubelde Johnny. 'George wil het kopen! Het hele pand!'
Zijn opwinding werkte aanstekelijk. Peter greep hem ruw bij de schouder en brulde: 'Sta stil, idioot! Wat bedoel je met 'George wil het kopen'! Waar haalt hij het geld vandaan?'
Johnny grijnsde breed. 'Hij heeft het geld en hij wil het hele pand kopen.'
'Je bent gek,' besliste Peter. 'Dat is onmogelijk.'
'Onmogelijk?' schreeuwde Johnny. Hij rende naar de deur en rukte hem open. 'Hé, George!' daverde het door het huis. 'Kom eens boven!' Hij hield de deur wijd open.
Ze hoorden voetstappen op de trap. Eerst klonken ze wat aarzelend, maar naarmate ze hoger kwamen, werden ze flinker. George kwam de kamer binnen. Zijn gezicht was vuurrood en hij keek verlegen naar de grond.

'Is het waar, wat Johnny vertelt?' vroeg Peter.
George probeerde iets te zeggen, maar hij kon geen woord uitbrengen. De moeilijke Engelse woorden wilden niet over zijn lippen komen. Hij slikte een paar maal en keek hulp zoekend om zich heen.
Esther kreeg medelijden met hem. Ze begreep zijn verwarring en trad op hem toe. 'Ga zitten, George,' zei ze, hem bij de hand nemend. 'Ik zal een kopje koffie zetten, dan kunnen jullie rustig praten.'

Een week later had George de ijzerwinkel en het nickelodeon gekocht voor twaalfduizend dollar, zesduizend contant en zesduizend op afbetaling. Verder wist Peter de inventaris van de ijzerwinkel over te doen aan de enige ijzerhandelaar in de buurt, die de koning te rijk was, omdat hij het veld nu vrij kreeg. De volgende dag ondertekende Peter zijn koopcontract met Borden en een uur later huurde hij het gebouw waarin de inventaris zich bevond, waardoor hij zich tevens van de studio verzekerde.
Toen alle papieren ondertekend waren, wendde Borden zich met een tevreden glimlach tot Peter. 'Nu moet je nog mensen hebben, die de films voor je maken. Ik ken er een paar, die volkomen met het bedrijf op de hoogte zijn. Zal ik ze eens naar je toesturen?'
Peter schudde glimlachend het hoofd. 'Ik denk niet dat ik ze nodig heb.'
'Maar je moet toch mensen hebben, die er alles van weten!' protesteerde Borden. 'Je weet in de verste verte niet hoe je ze moet maken!'
'Dat is waar,' moest Peter erkennen, 'maar ik heb iemand op het oog met wie ik het eerst eens wil proberen.'
'Mij best,' zuchtte Borden, 'maar ik ben bang dat het je ondergang is.'
Ze zaten om een grote tafel bij Luchow in de Veertiende straat, Borden en zijn vrouw, Peter, Esther, Johnny en Joe. Borden stond op om te toosten. Hij hief zijn glas champagne op. 'Op Peter Kessler en Esther, zijn vrouw. Dat ze geluk en voorspoed mogen hebben bij de produktie van ...' hij hield midden in zijn toespraak op.
'Daar schiet me iets te binnen,' zei hij op minder plechtige toon. 'Jullie hebben nog geen naam voor je nieuwe bedrijf. Hoe wil je het noemen, Peter?'
Peter keek onthutst van de een naar de ander. 'Daar heb ik nog helemaal niet aan gedacht. Ik wist niet dat het ook een naam moest hebben.'
'Dat is toch heel belangrijk,' verzekerde Borden hem. 'Hoe moeten de klanten anders weten dat het jouw films zijn?'
'Ik weet iets,' zei Esther.
Allen keken haar vol verwachting aan. Ze bloosde er van. 'Peter,' zei ze, zich tot haar man wendend, 'hoe noemde de kelner die grote fles champagne, die je besteld hebt?'

'Magnum,' antwoordde Peter.
'Juist,' glimlachte ze. 'Noem het dan Magnum Pictures.'
Allen applaudisseerden.
'Dat is dus afgesproken,' zei Borden, zijn glas opheffend. 'Op Magnum Pictures! Dat ze tezamen met Borden Pictures op elk doek in Amerika en alle landen ter wereld mogen verschijnen!'
Allen dronken en toen stond Peter op. Hij keek de tafel rond en hief zijn glas op. 'Op Willie Borden, wiens tegemoetkomendheid ik nooit zal vergeten.'
Weer werd er gedronken. Toen ze hun glazen hadden neergezet, stond Peter echter nog. Hij kuchte voordat hij verder ging. 'Dit is een grote dag in mijn leven. Vanmorgen ben ik tot de filmproduktie overgegaan, vanavond gaf mijn vrouw het nieuwe bedrijf een naam. Nu zou ik graag het een en ander bekend willen maken.'
Hij trok een gelegenheidsgezicht en vervolgde: 'Ik maak bekend dat ik de heer Joe Turner heb aangesteld als studio- en produktieleider van Magnum Pictures.'
In plaats van naar Joe keken allen naar Borden, om te zien hoe deze dit opvatte. Het scheen hem echter niet al te zeer te verrassen. Hij reikte Joe over de tafel heen de hand. 'Geen wonder dat Peter niemand van me nodig had,' zei hij quasi-verwijtend. 'Hij heeft me maar mooi onder mijn duiven geschoten.'
Iedereen lachte opgelucht. In zijn hart had Peter het wel een beetje pijnlijk gevonden Borden zijn beste kracht af te nemen. Hij wist niet dat Johnny en Joe er enige tijd geleden al met Borden over hadden gesproken.
'Wacht even,' vervolgde hij, 'ik heb nog iets.'
Ze keken hem vol verwachting aan. Hij hief opnieuw zijn glas op.
'Op mijn compagnons, Johnny Edge en Joe Turner.'
Joe's mond viel open van verbazing. Hij slikte krampachtig, maar kon geen woord uitbrengen.
Johnny sprong op en staarde Peter verbijsterd aan. Zijn ogen werden vochtig.
'Peter,' stamelde hij, 'Peter . . .'
Peter lachte. 'Wind je niet zo op, Johnny, jullie krijgen ieder maar tien procent.'

DINSDAG 1938

Je installeert je zo gemakkelijk mogelijk in je stoel en je probeert een gezicht te zetten alsof je het heel gewoon vindt. De druk in je oren wordt sterker en sterker en je krijgt een gevoel in je maag alsof je een steen hebt ingeslikt. De lichten in je cabine zijn getemperd en je gluurt stiekum naar je medereizigers om te zien hoe die zich houden. Dan raken de wielen de grond. Zonder dat je het je bewust bent geweest, heb je steeds harder op je kauwgum gebeten en nu smaakt het plotseling bitter.
Ik nam een vloeipapiertje uit de houder, wikkelde het kauwgum er in en gooide het weg. Het vliegtuig huppelde nog een tijdlang over de grond en stond ten slotte stil. De stewardess trad op me toe en gespte de riem, waarmee ik aan mijn stoel gebonden zat, los.
Ik stond op en rekte me uit. Mijn spieren waren stijf van het zitten en de spanning van de laatste minuten. Ik kon er niets aan doen, maar ik was nu eenmaal bang in een vliegtuig. Hoe dikwijls ik ook al gevlogen had, ik bleef bang.
Het geronk van de motoren stierf weg, maar bleef nagonzen in mijn oren. Ik wachtte totdat ook dat ophield, want ik wist uit ervaring dat ik dan pas weer volkomen normaal was.
Vóór mij zaten een man en een vrouw, die hun gesprek tijdens het dalen rustig hadden voortgezet. Zolang de motoren ronkten had ik hun stem nauwelijks kunnen horen, maar nu klonk die door de hele cabine. 'Ik vind nog altijd dat we hem hadden moeten laten weten dat we komen, want . . .'
De vrouw bleef midden in haar zin steken en keek verschrikt achterom. Ik keek een andere kant uit en ze hervatte het gesprek op zachter toon.
De stewardess kwam de cabine weer in.
'Hoe laat is het?' vroeg ik haar.
'Negen uur vijfendertig, mijnheer Edge,' antwoordde ze accuraat. Ik zette mijn horloge gelijk en liep naar de staart van het vliegtuig. De deur was al open en ik ging de trap af. De startbaanlichten deden me pijn aan de ogen en ik bleef even staan. Ik begon het koud te krijgen en was blij dat ik mijn overjas aan had. Ik zette mijn kraag op en liep naar de uitgang van het vliegveld. Andere mensen haastten zich langs me heen, maar ik liep langzaam. Onder het lopen stak ik een sigaret op en inhaleerde diep. Er stonden veel mensen aan de andere kant van het hoge hek, die op de aankomst van het vliegtuig hadden gewacht en ik keek of Doris zich onder hen bevond.

En daar was ze. Ik bleef wel een minuut lang staan om naar haar te kijken. Ze zag mij niet. Ze deed korte, nerveuze trekjes aan haar sigaret en haar gezicht was doodsbleek in het felle licht van de booglampen. Er waren donkere kringen onder haar ogen en haar mond verried de spanning waarin ze verkeerde. Ze had een korte, kameelharen mantel over de schouders en haar linkerhand speelde opgewonden met de revers.
Toen zag ze me. Haar hand ging omhoog alsof ze wilde wuiven, maar plotseling was het alsof een onzichtbare draad die tegenhield. Ze staarde me aan. Haar blik liet me niet los, terwijl ik de laatste tientallen meters die ons scheidden aflegde en door het open hek op haar toetrad.
Ik zag dat ze haar opwinding bijna niet meester was. 'Kindje!' riep ik. Toen lag ze in mijn armen, met haar hoofd tegen mijn borst. Ze snikte. 'Johnny! Johnny!'
Haar hele lichaam schokte. Ik gooide mijn sigaret weg en streek haar over het haar. Spreken kon ik niet. Het had ook geen zin iets te zeggen. Mijn gedachten herhaalden steeds weer die ene zin: 'Als ik groot ben ga ik met je trouwen, oom Johnny.'
Ze was nog geen twaalf toen ze dat zei en ik stond op het punt met de eerste film die we in Hollywood hadden gemaakt naar New York terug te keren. Peter gaf de avond voor mijn vertrek een diner in zijn woning en we waren allemaal blij en angstig tegelijk. We wisten nog niet wat er zou gaan gebeuren – de film, die daar in zijn trommel lag te wachten, kon onze overwinning of onze ondergang zijn en daarom deden we allemaal ons best om te schertsen en opgewekt te zijn en elkaar niet te laten merken hoe bang we eigenlijk waren.
Op een gegeven moment zei Esther lachend tegen me: 'Pas maar op dat in de trein niet een of ander lief meisje je tot een huwelijk verleidt, zodat je de hele film vergeet.'
Ik bloosde een beetje. 'Maak je maar niet ongerust. Er is niet één meisje, dat met me zou willen trouwen.'
En toen sprak Doris. Haar gezichtje stond heel ernstig en het blauw van haar ogen was nog dieper dan gewoonlijk. Ze trad op me toe, nam mijn hand en keek naar me op.
'Als ik groot ben ga ík met je trouwen, oom Johnny.'
Ik weet niet meer wat ik daarop antwoordde, maar iedereen lachte. Doris bleef echter mijn hand vasthouden en naar me opzien met een blik van laat-ze-maar-lachen in haar ogen.
Nu drukte ik haar hoofd dicht tegen mijn borst en hoorde in gedachten steeds weer die woorden. Ik had haar moeten geloven. Ik had ze niet moeten vergeten, dan zou er minder verdriet in ons beider leven zijn geweest.

Het schokken van haar lichaam werd geleidelijk minder. Ze drukte zich nog even dicht tegen mij aan en deed toen een stap achteruit. Ik nam mijn zakdoek en veegde de tranen van haar wangen. 'Is het nu beter, lieveling?'
Ze knikte.
Ik vond nog een paar sigaretten in mijn zak en gaf er haar een van. Toen ik de lucifer weggooide, viel mijn oog op de twee sigaretten, die we hadden laten vallen. Ze lagen daar dicht bij elkaar. De hare, die met het even rode mondstuk, raakte bijna de mijne. Ik nam ook een nieuwe sigaret en stak haar aan. 'We werden in Chicago opgehouden door het slechte weer,' verklaarde ik.
'Ik weet het – ik heb je telegram ontvangen.'
Ze nam mijn arm en we verlieten het vliegveld.
'Hoe gaat het met hem?' vroeg ik.
'Hij slaapt nu. De dokter heeft hem een injectie gegeven en hij zal tot morgenochtend blijven slapen.'
'Is hij wat beter?'
Ze maakte een hulpeloos gebaar. 'De dokter kan er nog niets van zeggen.'
Ze zweeg plotseling en keek me met grote ogen aan. 'Het is verschrikkelijk, Johnny. Hij wil niet langer leven, het kan hem niets meer schelen.'
Ik nam haar hand in de mijne. 'Moed houden, liefste, hij komt er wel weer boven op.'
Ze keek me onderzoekend aan en glimlachte toen – haar eerste glimlach sedert ons weerzien. Ze zag er lief uit met die glimlach, zelfs al moest zij zichzelf er toe dwingen. 'Ik ben blij dat je er bent, Johnny.'
Ze vergezelde mij naar mijn kamers en wachtte in mijn zitkamer, terwijl ik een bad nam, me schoor en andere kleren aantrok. Ik had de bedienden een paar weken vrijaf gegeven omdat ik voorlopig niet terug dacht te komen en het zag er leeg en ongezellig uit.
Toen ik terugkwam in mijn zitkamer speelde de grammofoon. Sibelius – zachte, droefgeestige muziek. Ik sloeg haar stil gade. Alleen de bureaulamp naast haar stoel brandde en wierp een zachte glans over haar gezicht en haar schouders. Haar borst ging kalm op en neer. Ze voelde dat ik naar haar stond te kijken en opende haar ogen.
'Zullen we eerst wat gaan eten?' stelde ik voor. 'Je hebt misschien ook wel trek.'
'Een beetje,' antwoordde ze. 'Ik heb praktisch niet gegeten sedert het is gebeurd.'
'Mooi zo,' antwoordde ik, 'dan gaan we naar Murphy en bestellen een fijn souper.'

Ik ging nog even de slaapkamer in om mijn jas te halen en juist op dat ogenblik ging de telefoon. 'Luister jij even, lieveling!' riep ik door de open deur. Ik hoorde haar opstaan en de hoorn opnemen. Even later riep ze me. 'Het is Gordon – hij wil je spreken.'
Gordon was onze camera-regisseur.
'Vraag hem of het niet tot morgenochtend kan wachten. Dan ben ik in de studio.'
Ik hoorde haar mijn verzoek overbrengen, maar even later riep ze weer: 'Het kan niet wachten, hij moet je beslist vanavond spreken.'
Ik liep naar de telefoon in de slaapkamer. 'Ik spreek zelf wel even!' riep ik haar toe. Ik hoorde de klik toen ze de hoorn neerlegde.
'Johnny?'
'Ja, – wat is er aan de hand?'
'Ik kan het niet telefonisch behandelen. Ik moet je persoonlijk spreken.'
Dat was typisch Hollywood. Er mogen nog zulke zware straffen op het aftappen van telefoondraden staan, iedereen is toch altijd bang dat hij afgeluisterd wordt. Het is een demon waar niet tegen te vechten valt. Zodra er van iets belangrijks sprake is, kun je de telefoon wel op de haak laten.
'Goed dan,' zei ik mat. 'Waar zit je op het ogenblik – thuis?'
'Ja.'
'Ik ga eerst wat eten en dan kom ik bij je,' beloofde ik en hing meteen op.
Ik nam mijn jas van mijn bed en ging terug naar de zitkamer. Doris stond voor een spiegel haar lippen rood te maken.
'Ik moet na het eten direct weg, lieveling. Vind je het erg?'
'Nee hoor,' antwoordde ze. Ze kende Hollywood ook.
Het was al bijna elf uur toen we in het restaurant kwamen en er was bijna niemand meer. Hollywood gaat in de regel vroeg naar bed. Iedereen die werkt gaat om tien uur slapen omdat hij 's morgens om zeven uur weer present moet zijn. We kregen een tafeltje in een gezellig hoekje.
We namen eerst een old fashioned en bestelden daarna biefstuk, Franse doperwtjes en koffie. Ik moest onwillekeurig lachen toen ik haar op de biefstuk zag aanvallen. Zet een vrouw die beweert niet veel honger te hebben een biefstuk voor en kijk dan hoe die verdwijnt. Het kwam misschien doordat een of andere slimmerik de mare had verspreid dat je van biefstuk niet dik werd, maar hoe het ook zij, ze deed de tafel eer aan. Ik trouwens ook, maar voor mij was dat niets bijzonders.
Toen haar bord leeg was, slaakte ze een diepe zucht en zag toen pas mijn glimlach. Ook zij glimlachte nu en ze zag er wat minder moe en gespannen uit. 'Dat heeft gesmaakt,' zei ze voldaan. 'Waar lach je om?'
Ik nam over de tafel heen haar handen in de mijne. 'Dag lieveling,' zei ik. Ze liet mij begaan en keek naar mijn handen, iets wat ze dikwijls deed,

waarom weet ik niet. Het waren heel rare handen, die door de beste manicure niet toonbaar te maken waren. Ze waren erg vierkant, met korte, brede vingers en de rug was met zwart haar bedekt. 'Dag Johnny.' Ze zei het heel zacht.
'Hoe gaat het?' vroeg ik.
'Sedert jij hier bent veel beter.'
We zaten juist gelukkig tegen elkaar te glimlachen toen de kelner de lege borden kwam weghalen. Even later bracht hij ons een potje koffie. Het was halféén toen we het restaurant verlieten en naar Gordons huis reden. Hij woonde in Westwood en het was een rit van ongeveer een half uur. De lichten in zijn zitkamer waren nog aan.
Hij had de deur al open nog voordat we de stoep helemaal op waren. Zijn haar zat in de war en hij had een glas in de hand; hij zag er hevig opgewonden uit en was zichtbaar verbaasd dat ik Doris bij me had.
Toen we de zitkamer binnentraden, kwam Joan, zijn vrouw, ons tegemoet. 'Hallo, Johnny,' begroette ze me en trad toen op Doris toe en kuste haar hartelijk. 'Hoe is het met Peter?'
'Een beetje beter – hij slaapt nu.'
'Dat is goed,' zei Joan. 'Laat hem maar slapen, dan knapt hij wel weer op.'
Ik wendde me zonder omhaal tot Gordon. 'Waarom riep je me in het holst van de nacht hierheen?'
Hij dronk zijn glas leeg en keek even naar Doris. Joan begreep zijn blik onmiddellijk. 'Kom Doris, wij gaan koffie zetten. De mannen willen toch over zaken spreken.'
Doris knikte me toe en volgde Joan naar de keuken.
'En?' wendde ik me tot Gordon.
'De hele stad heeft het er over dat Ronsen je een poets wil bakken.'
De twee voornaamste produkten van Hollywood zijn films en geruchten. Men fabriceert er films van de ochtend tot de avond en geruchten van de avond tot de avond. Welke produktie de grootste is, is bij mijn weten nooit vastgesteld.
'Vertel me er meer van.'
'Je hebt in New York ruzie met hem gehad. Hij wilde niet dat je naar Hollywood ging om Peter te bezoeken, maar je deed het toch. Op het moment dat jij in het vliegtuig stapte, stelde hij zich in verbinding met Stanley Farber en op dit ogenblik zit hij in een vliegtuig hierheen om hem morgen te ontmoeten.'
'Is dat alles?'
'Is het niet genoeg?'
Ik lachte schamper. 'Ik dacht dat het iets belangrijks was.' Hij was juist

bezig zichzelf nog eens in te schenken, maar hij liet de fles bijna vallen, zozeer verbaasde mijn antwoord hem.
'Ik maak geen grapjes, Johnny. Het is ernstig genoeg. Hij heeft Dave Roth niet voor niets tot mijn eerste assistent gemaakt.'
Gordon had niet helemaal ongelijk. Dave was Farbers gunsteling en rechterhand en Ronsen had hem als operateur in onze studio aangesteld, in naam om Gordon te assisteren, maar in werkelijkheid als een soort bedreiging voor mij. En daar kwam nog iets bij. Farber zou Roth daar vast niet laten blijven als hij niet meende er vroeg of laat iets aan te hebben.
'En wat zegt Dave Roth?' vroeg ik.
'Je weet hoe Dave is.' Gordon haalde de schouders op. 'Zo gesloten als een oester, als het in zijn kraam te pas komt. Maar hij loopt rond met een air alsof hij de studio in zijn zak heeft.' Hij gaf me een tweede glas wijn.
Ik nam het aan en nipte er nadenkend aan. Best mogelijk dat Ronsen met Farber aan het konkelen wilde slaan, maar ten slotte was ik de man, die het bedrijf draaiende moest houden en er alles van wist. Ik kende de zwakke punten even goed als de sterke en ik wist precies wat me te doen stond. Zolang ik nog aan het reorganiseren was, had ik niets te vrezen – ze konden me eenvoudig niet missen.
'Kom Gordon, tob er maar niet over. Morgenochtend ben ik in de studio en dan zullen we de zaak eens bekijken.'
'Goed, maar ik hoop dat je weet wat je doet,' weifelde hij.
Joan kwam de kamer weer binnen met een pot koffie. Doris volgde haar met een schaal sandwiches. De vrouwen uit Hollywood moeten, evenals die van diplomaten, een soort tijdszintuig hebben, waardoor ze het ogenblik van verdwijnen en weer te voorschijn komen precies weten te bepalen. Ook nu kwamen ze weer op het juiste moment de kamer binnen, want Gordon had nu geen gelegenheid meer om verder te vragen naar dingen die ik zelf nog niet wist.
Doris en ik hadden nog geen trek, maar we dronken eerst nog een kop koffie voordat we weggingen. Het was bijna halfdrie toen we haar huis bereikten. Alles sliep, er brandde alleen een klein lampje in de zitkamer. Doris deed haar mantel af en ging de trap op. Even later kwam ze terug.
'Hij slaapt nog, en moeder ook. De verpleegster zei, dat de dokter haar een slaapmiddel had gegeven. De stakkerd, ze kan het allemaal nog maar niet begrijpen. Het was de ene slag na de andere.'
Ik volgde haar naar de bibliotheek. Er brandde een groot vuur in de open haard en dat deed ons aangenaam aan, want het was tamelijk koud. We gingen samen op een sofa zitten. Ik sloeg mijn arm om haar schouders en trok haar hoofd tegen mijn borst. Toen kuste ik haar. Ze nam mijn gezicht in haar handen en keek me diep in de ogen.

'Ik wist wel dat je zou komen, Johnny,' fluisterde ze.
'Ik kon eenvoudig niet anders.'
We keken beiden zwijgend in het vuur, zij met haar hoofd tegen mijn schouder. 'Wil je het nu allemaal vertellen, lieveling?' vroeg ik na een tijdje.
'Je begrijpt heel veel voor een man,' zei ze zacht. 'Je wist dat ik er niet eerder over heb willen spreken.'
Ik antwoordde niet.
Na een paar minuten begon ze: 'Het gebeurde gisteren. Er werd een telegram bezorgd en de butler nam het aan. Ik was toevallig in de hal en nam het weer van de butler aan. Het was van het ministerie van Buitenlandse Zaken en aan papa geadresseerd. Ik las het eerst. Het was maar goed dat ik dat deed, want het luidde: 'Van onze ambassadeur in Madrid ontvingen wij de mededeling dat uw zoon, Mark Kessler, in de strijd bij Madrid gevallen is.' Zo stond het er. Ik voelde me verstijven terwijl ik het las. We wisten dat Mark in Europa was, ofschoon we bijna een jaar niets van hem gehoord hadden, maar we hadden nooit kunnen vermoeden dat hij in Spanje zou zijn. We dachten dat hij misschien in Parijs was, met een van zijn vriendinnen, maar we maakten ons niet ongerust. We kenden Mark. Bovendien leek het vader heel goed voor hem om een poosje weg te zijn, na alles wat er gebeurd was.'
Ze nam een sigaret van het bijzettafeltje naast haar en boog zich naar me toe om hem te laten aansteken. Toen leunde ze weer tegen mijn schouder en blies de rook langzaam uit. Haar ogen waren nu heel donker.
'Het is me volkomen onbegrijpelijk,' peinsde ze. 'Ik heb nooit zelfzuchtiger en egocentrischer man gezien dan hij en hij heeft zich nooit iets van een ander aangetrokken. En toch ging hij naar Spanje en nam dienst in de Abraham-Lincolnbrigade en stierf voor een zaak waar hij nooit werkelijk in heeft geloofd, strijdend tegen een levensbeschouwing, die de zijne zou zijn geweest als hij geen jood geweest was. Mijn eerste gedachte was mama – hoe zou zij er onder zijn? Ze is sedert Marks vertrek niet goed geweest. Hij was nog altijd haar kleine jongen en ze is nooit meer de oude geweest sinds die avond dat papa hem de deur wees. Ze drong er dag en nacht op aan dat hij hem terug zou laten komen. Ik geloof dat papa dat diep in zijn hart ook graag wilde, maar je weet hoe hij is – tegen zijn koppigheid valt niet te redeneren.'
Ze zweeg en keek in de dartele vlammen. Ik vroeg me af waarover ze zat te denken. Ze wist heel goed dat Mark altijd Peters lieveling was geweest, maar ze had er nooit iets over gezegd. Ze was toch al niet spraakzaam. Ik herinnerde me hoe we ontdekt hadden dat ze kon schrijven. Het was in het jaar dat ze haar graad haalde. Ze had aan niemand verteld dat ze

bezig was een boek te schrijven en zelfs toen het werd gepubliceerd, deed ze dat nog onder een pseudoniem, omdat ze het beter vond haar vaders naam niet te gebruiken.
Ze had het boek 'Eerste Jaars' genoemd. Het ging over een eerste-jaarsstudentje, dat voor het eerst voor lange tijd ver van haar ouderlijk huis was. Het had veel succes bij de lezers en de critici maakten veel ophef van het boek. Ze waren allemaal verbaásd over het fijne begrip van het meisje, dat het had geschreven. Ze was net tweeëntwintig geworden toen het uitkwam.
Ik had er niet veel aandacht aan geschonken en ik moet eerlijk bekennen dat ik het niet eens had gelezen. De eerste keer dat ik haar zag na het verschijnen van haar boek, was op de dag dat ik Dulcie meebracht naar Peters woning om haar als mijn vrouw voor te stellen. Ze zaten juist te ontbijten toen Dulcie en ik de kamer binnenkwamen. Mark was toen achttien jaar, een lange, magere jongen, die de leeftijd van ik-heb-de-wereld-in-mijn-zak nog niet was ontgroeid. Hij wierp een blik op Dulcie en floot tussen de tanden.
Peter gaf hem een standje en beval hem zich als een heer te gedragen, maar ik lachte trots en Dulcie bloosde een beetje en ik geloof niet dat zij het heel erg vond. Dulcie vond het heerlijk als de mensen naar haar keken – ze was een geboren actrice. Zelfs toen die fijne blos op haar wangen kwam, wist ik dat ze acteerde en ik vond haar allerliefst. Dat was nu eenmaal een van haar bekoorlijkheden. Waar we ook kwamen, overal werd ze nagekeken. Ze was het soort vrouw waar mannen mee gezien willen worden – tenger, maar met gevulde borsten en met een omfloerste blik in haar bruine ogen.
Esther stond op en liet stoelen voor ons brengen. Ik had hun nog niet verteld dat ik getrouwd was. Ik voelde me verlegen en slungelachtig en wist niet goed hoe ik het moest zeggen. Ik keek eens rond en bemerkte toen dat Doris ons onderzoekend opnam. Plotseling had ik een schitterend idee. Ik wendde me tot Doris. 'Nu kindje, je behoeft je niet langer ongerust te maken over je oom Johnny. Hij heeft eindelijk toch een meisje gevonden, dat met hem wilde trouwen.'
Doris' gezicht werd bleek, maar ik was te opgewonden om er aandacht aan te schenken. 'Je – bedoel je dat je gaat trouwen?' Haar stem trilde.
Ik lachte. 'Gaat trouwen! Veel beter nog – we zijn getrouwd – gisteren!'
Peter sprong op, liep om de tafel heen en schudde me de hand. Esther trad op Dulcie toe en sloeg haar armen om haar heen. Alleen Doris zat daar nog altijd op haar stoel me aan te staren. Haar gezicht was nu doodsbleek en haar blauwe ogen waren heel groot; ze hield het hoofd een beetje schuin, als om het beter te horen.

'Kom je nu je oom Johnny geen kus brengen?' vroeg ik.
Ze stond op en kwam op me toe. Ik kuste haar, maar haar lippen waren koud. Toen trad ze op Dulcie toe en nam haar hand. 'Ik hoop dat jullie heel gelukkig zullen zijn,' zei ze mat.
Ik keek naar de twee jonge vrouwen zoals ze daar tegenover elkaar stonden. Ze waren ongeveer van dezelfde leeftijd, maar er was een verschil tussen die twee, dat me plotseling trof.
Dulcie was een vrouw, een rijpe, zelfbewuste vrouw, die de macht van haar schoonheid kent. Doris, met haar korte haren en haar onopgemaakt gezichtje, stond daar echter als een schoolmeisje – onschuldig en lieftallig in haar eenvoud. Ook Dulcie keek naar haar. Haar blik gleed in minder dan een seconde tijds van haar hoofd tot haar voeten. Ik kende die blik al van haar. De meeste mensen hielden het voor een vluchtige blik, maar ik wist dat Dulcie in die enkele seconden al meer had gezien dan de meesten in uren.
Esther kwam op me toe. 'Ze is allerliefst, Johnny. Waar heb je haar leren kennen?'
'Ze is actrice,' antwoordde ik. 'Ik leerde haar in een kleedkamer van een theater in New York kennen.'
'Een actrice?' kwam Peter gretig. 'Misschien hebben we wel een rol voor haar.'
Dulcie keek hem glimlachend aan.
'Dat heeft geen haast,' zei ik. 'We moeten ons eerst behoorlijk installeren.'
Dulcie had al die tijd bijna geen woord gesproken, maar toen we weer in de auto zaten zei ze plotseling: 'Johnny –'
'Ja lieveling?' vroeg ik, zonder op te zien.
'Ze houdt van je.'
Ik keek haar even van terzijde aan en bemerkte nu dat ze me met een geamuseerde blik in haar bruine ogen aanzag.
'Bedoel je Doris?'
'Dat weet je heel goed, Johnny.'
Ik schoot in de lach. 'Deze keer heb je het toch mis, kindje!' Ik voelde me ondanks mijn luchtige toon pijnlijk getroffen. 'Voor haar ben ik alleen maar oom Johnny.'
Zij lachte ook – de lach van een vrouw die zich amuseert over de domheid van een man. 'Oom Johnny,' herhaalde ze en begon opnieuw te lachen. 'Heb je haar boek gelezen?'
'Nee – daarvoor heb ik nooit tijd gehad.'
'Je behoorde het toch wel gelezen te hebben, oom Johnny. Je komt er zelf in voor.'

Doris begon weer te spreken. Haar stem klonk zacht en laag, 'Ik dacht er over eerst de dokter te raadplegen voordat ik moeder het telegram liet lezen, maar ik vond het ten slotte toch maar beter het eerst aan papa te vertellen. Hij was in de bibliotheek. Ik klopte op de deur, maar kreeg geen antwoord, dus ging ik naar binnen. Hij zat aan zijn schrijftafel, met de telefoon voor zich. Ik heb me dikwijls afgevraagd waarom hij dat ding niet liet weghalen. Je weet wel welke ik bedoel – de directe verbinding met de studio.'
Ik wist heel goed welke ze bedoelde en onwillekeurig keek ik er naar. Het toestel stond daar op de schrijftafel en het had iets eenzaams over zich, zoals alle dingen die in lang niet zijn gebruikt. Als deze hoorn van de haak genomen werd, flitste er een blauw licht over het schakelbord in de studio en dat betekende dat de directeur belde. Dit gesprek had dan voorrang boven alle andere.
'Hij zat er met een zonderlinge, hunkerende blik naar te kijken. 'Papa,' zei ik. Mijn stem trilde. Hij schrok op uit zijn overpeinzingen. 'Wat is er, *Liebchen*?'
Plotseling wist ik niet meer hoe ik het moest vertellen. Ik overhandigde hem zonder meer het telegram. Hij las het heel langzaam en ik zag zijn gezicht bleek worden. Toen keek hij me ongelovig aan; hij prevelde iets en begon weer te lezen. Toen stond hij op. Ik zag dat zijn handen beefden. 'Ik moet het mama vertellen,' zei hij op heel doffe toon. Hij deed een paar stappen, maar plotseling was het alsof hij struikelde. Ik greep hem bij de arm. 'Papa!' riep ik. 'Papa!' en ik begon te huilen. Hij leunde een ogenblik zwaar op mijn arm en keerde zijn gezicht naar me toe. Ook in zijn ogen stonden tranen. Toen zakte hij ineen. Het ging zo snel dat ik hem niet kon opvangen. Ik probeerde hem op te tillen, maar dat ging niet. Toen vloog ik naar de schrijftafel en greep de telefoon. 'Magnum Pictures,' klonk onmiddellijk de stem van de telefonist. Het klonk een beetje verbaasd. 'Magnum Pictures,' dacht ik. Ik haatte die woorden plotseling. Ik had ze mijn leven lang gehoord en ze hadden het leven van ons allen ontwricht. Waarom waren we ooit in het filmbedrijf gegaan?'
Ze keek me aan. Haar ogen waren heel groot in haar bleke gezichtje en er was een eigenaardig flikkerend licht in. 'Waarom konden we niet rustig in Rochester blijven? Mark was dood en papa lag daar met een gebroken hart. Het is jouw schuld, Johnny, jouw schuld. Ik heb papa ontelbare malen horen zeggen dat hij het nooit gedaan zou hebben als jij er niet zo op had aangedrongen. Hij zou nooit naar Hollywood zijn gegaan als jij er niet was geweest. Als jij hem niet had overgehaald dan was dit alles ons bespaard gebleven!'
Ze begon te huilen en eensklaps greep ze me met beide handen bij mijn

revers en schudde me woest heen en weer. Ze was over haar zenuwen heen. 'Ik haat je, Johnny, ik haat je. Papa had nog lang kunnen leven zonder heimwee naar 'Magnum Pictures', want dat had dan niet eens bestaan. Maar jij moest en zou dit in het leven roepen. Je was er voor geboren. Maar je kon het niet alleen en daarom gebruikte je papa!'
Ik probeerde haar handen te grijpen en me los te maken, maar het lukte me niet.
'Jij bent 'Magnum Pictures', – jij bent het altijd geweest. Maar waarom kon je niet ophouden toen jullie in New York waren? Waarom moest je hem ook nog hierheen laten trekken en hem zo'n liefde voor het werk laten krijgen dat, toen de mooie zeepbel barstte, ook zijn hart brak?'
Ik slaagde er eindelijk in me uit haar greep los te maken. Ik drukte haar handen tegen me aan. Ze huilde nu als een kind, met haar gezicht tegen mijn schouder. Het waren wrede tranen, want ze verweten mij nog veel meer dan zij zelf besefte. Ze verweet me met die tranen al de jaren dat ik zo blind was geweest.
Eindelijk kalmeerde ze wat. Haar lichaam schokte nog, maar ik hoorde aan haar stem dat ze haar uiterste best deed zich te beheersen. 'Het spijt me, Johnny,' fluisterde ze, zo zacht dat ik het nauwelijks kon verstaan. 'Maar waarom zijn we ooit naar Hollywood gekomen?'
Ik antwoordde niet. Wat had ik daar op moeten antwoorden? Ik keek over haar hoofd heen naar het venster. Een vaalgrijze streep in het oosten kondigde de morgen aan. De klok op Peters schrijftafel wees halfvijf.
Zij was elf en Peter was vijfendertig en ik eenentwintig toen we naar Californië kwamen. Niemand van ons had het speciaal gewild – we konden eenvoudig niet anders.

DERTIG JAREN 1911

Iedereen was tevreden, behalve Johnny. Borden was tevreden omdat hij het geld, dat Peter hem verschuldigd was, werkelijk binnenkreeg, Joe omdat hij nu geheel naar eigen inzicht films in elkaar kon zetten en Peter omdat de zaken nog beter gingen dan hij had verwacht. Hij had al zijn schulden betaald en bovendien nog achtduizend dollar op de bank; hij was naar een flat aan Riverside Drive verhuisd en Esther had nu een dienstbode om haar te helpen met de kinderen. En Esther was tevreden omdat Peter tevreden was.
Maar Johnny was het niet. Hij was ook niet bepaald ontevreden, in menig

opzicht was hij zelfs voldaan, maar er ontbrak toch altijd nog iets. De blijde opwinding van de eerste weken was voorbij en hij zag met een zekere bezorgdheid dat de sleur alweer bezig was zich van alles en allen meester te maken.
Als de Combinatie er nu maar niet was geweest, dan zou het nog wel gegaan zijn. Maar hij had een aangeboren afkeer van reglementen en voorschriften, die je verhinderden naar eigen inzicht te handelen, en dat was nu juist het terrein waarop de Combinatie bij uitstek werkzaam was.
De zelfstandige producenten, waartoe Kessler en Borden behoorden, waren toch altijd nog afhankelijk van de Combinatie, omdat deze hun een bedrijfsvergunning moest verschaffen en ook weer kon ontnemen.
De Combinatie controleerde de onbelichte filmvoorraad, het gehele proces, het afgewerkte produkt, de octrooien van de camera's en zelfs de octrooien van de bijkomstige inventaris. Door deze fundamentele controle had de Combinatie de macht om zelfs de zelfstandige producenten naar zijn hand te zetten, want alle producenten waren, op straffe van hun vergunning te verliezen, gedwongen de merken te gebruiken die de Combinatie hun voorschreef, terwijl deze tevens bepaalde hoe lang de films mochten zijn en tegen welke prijs ze verkocht konden worden. Aan deze regel werd strikt de hand gehouden. Verder zag de bioscoopeigenaar zich genoodzaakt een vast aantal door de Combinatie geproduceerde films te vertonen. Daarbij kon hij dan desgewenst films van de zelfstandigen betrekken, maar het aantal Combinatie-films, dat hij moest vertonen was al zo groot dat er maar weinig tijd overbleef voor de andere films.
Johnny leed onder deze beperkingen. Hij voelde dat de filmindustrie een hoge vlucht zou nemen, maar hij wist nog niet welke weg daartoe ingeslagen zou moeten worden. Hij schimpte en schold op de Combinatie omdat deze de vooruitgang vertraagde, maar diep in zijn hart wist hij dat hij evengoed op de maan kon schimpen, omdat geen enkele zelfstandige producent, hoe ontevreden ook, de moed zou hebben de Combinatie te trotseren. De Combinatie was koning, de strenge, onvermurwbare vader van een piepjonge industrie, en hij tolereerde de zelfstandige producentjes ook zoals een vader, die de bokkesprongen van zijn kinderen duldt, maar te allen tijde gereed staat hun een 'tot hier toe en niet verder' toe te roepen.
De zelfstandige producent hield zich daarom angstvallig binnen de grenzen, want zodra hij deze overschreed, werd onmiddellijk zijn bedrijfsvergunning ingetrokken. Zijn schulden werden door de Combinatie overgenomen en er werd beslag gelegd op zijn studio. Als hij zich echter aan de voorschriften hield, stond de Combinatie hem grootmoedig toe zijn bedrijf te blijven uitoefenen, mits hij voor elke voet film die zijn studio verliet de nodige penningen aan zijn heer afdroeg.

Johnny had de laatste drie jaar veel geleerd en hij raakte er steeds vaster van overtuigd, dat er nog iets aan de filmindustrie ontbrak. Wat het precies was, wist hij echter niet; hij wist alleen dat de door de Combinatie voorgeschreven korte filmpjes de scenarioschrijver niet in staat stelden zijn verhaal naar behoren te vertellen. Met belangstelling sloeg hij de ontwikkeling van de 'serial', de vervolg-film, gade, die een of andere pientere producent had uitgedacht om de klippen van de Combinatie te omzeilen. Elke week werd er een hoofdstuk van zo'n serial vertoond en deze hoofdstukken waren elk niet langer dan twee rol. Die vervolgverhalen vonden veel aftrek bij het publiek, dat ze met spanning van week tot week volgde, maar Johnny voldeed het niet. Maar hij kon ook niet zeggen waarom het hem nu eigenlijk wel te doen was. Het was alsof hij zich een melodie probeerde te herinneren, die hij lang geleden eens gehoord had. Hij hoorde de melodie, zag de muziek als het ware, maar als hij die trachtte weer te geven kwam er niets. In gedachten zag hij het soort film dat gemaakt zou moeten worden; hij zag de lengte, de inhoud en de vorm. Hij wist hoe de toeschouwers er op zouden reageren. De film zweefde als een lichtende droomgestalte voor zijn ogen, maar als hij hem wilde grijpen loste hij zich op in de witte werkelijkheid om hen heen. Deze vage belofte van een gouden toekomst, die hij zich droomde, maar die hij geen tastbare vorm kon geven, vergalde zijn vreugde over het succes van heden.

Op zekere avond kreeg hij echter houvast. Het was laat in december van het jaar 1910 en hij stond met George in de vestibule van Pappas' nieuwe theater in Rochester, toen een man en een vrouw uit de bioscoopzaal kwamen.

De man bleef vlak bij hen staan om een sigaar op te steken en hij hoorde de vrouw zeggen: 'Ik wou maar dat ze het vervolg ook vanavond vertoonden. Ik wou wel eens één keer een hele film zien in plaats van een gedeelte er van.'

Johnny bleef midden in zijn gesprek met George steken.

De man lachte. 'Dat doen ze om je elke week te laten terugkomen. Ze laten je telkens maar een stukje van de film zien, want als ze je het hele ding ineens lieten zien, dan zou er niets meer over zijn om nog eens voor terug te komen.'

'Dat weet ik nog niet,' zei de vrouw, terwijl ze verder gingen. 'Ik geloof dat ik nog eerder elke week naar de bioscoop ging als ik wist dat ik een hele film te zien kreeg. Dan kreeg je tenminste waar voor je geld.'

Johnny kon niet verstaan wat de man antwoordde, want ze waren al te ver weg, maar het was voldoende, want nu wist hij ineens hoe de film van de toekomst er uitzag en aan welke eisen hij moest voldoen.

Hij wendde zich met een ruk tot George. 'Hoor je dat?'

George knikte.
'Wat denk jij er van?' vroeg Johnny met schitterende ogen.
'Veel mensen denken zo,' antwoordde George bedaard.
'En jij?'
George dacht even na. 'Ik weet het niet. Het kan goed zijn en het kan verkeerd zijn. Dat hangt van de film af. Ik zou er eerst een gezien moeten hebben.'
Gedurende de gehele treinreis naar New York hield deze vraag Johnny bezig. 'Een hele film,' had de vrouw gezegd. Wat bedoelde ze daarmee? Een vervolgfilm die in één ruk zou worden afgedraaid? Nee, dat kon niet – daar zou een hele dag mee heen gaan. Een serial was twintig rol. Misschien zouden de serials in kleine stukken kunnen worden geknipt – maar hoe groot dan?
Het was al laat toen hij de studio bereikte, maar zijn opwinding was nog even groot. Hij vertelde Peter en Joe wat hij gehoord had en hoe hij er over dacht.
Joe toonde onmiddellijk belangstelling, maar Peter haalde de schouders op. 'Dat is er één, die dat zegt, maar de meesten zijn tevreden met wat er wordt vertoond. Ik bedank er voor om me daarover het hoofd te gaan breken.'
De gedachte liet Johnny echter niet los. Hij voelde dat de opmerking, die hij toevallig had gehoord, niets minder dan het antwoord was op de vraag die hem al zo lang bezig hield. De gebeurtenissen van de volgende dagen en weken sterkten hem nog in zijn overtuiging.
De bioscoopeigenaars die hij bezocht schenen nog meer dan vroeger op 'iets anders' aan te dringen. 'Het begint de mensen te vervelen om telkens weer hetzelfde te zien,' zeiden ze. En Johnny wist dat ze gelijk hadden. Hij begreep ook dat het voor de bioscoopeigenaar geen enkel verschil maakte wiens films hij vertoonde – overal werden dezelfde korte filmpjes of stukken van films geproduceerd.
Hij kwam op het idee een serial te nemen, die tot één film samen te persen en te kijken of dit de oplossing van het vraagstuk was. Maar daarmee stond hij weer voor een nieuw probleem. Magnum produceerde geen serials en hij zou er dus een van een andere maatschappij moeten nemen. Maar welke maatschappij zou bereid zijn hem een afdruk te geven om er maar wat mee te knoeien? Als iemand hem er al een wilde geven, dan zou hij toch moeten zeggen wat hij er mee wilde doen en dat was zijn geheim.
Hij besloot George te vragen hem een van Bordens serials te geven. George vond dit best en hij vertelde Borden dat hij deze serial zo goed vond, dat hij er graag een afdruk van wilde kopen. Bill Borden voelde zich hier-

door zo gevleid dat hij er op stond George de film ten geschenke te geven. Als hij geweten had wat er mee ging gebeuren, zou hij zich wel bedacht hebben, maar hij wist het nu eenmaal niet en George gaf de film braaf aan Johnny door.
Johnny nam hem mee terug naar New York en begon samen met Joe de tien hoofdstukken, waaruit de serial bestond, net zo lang in te korten totdat ze een film ter lengte van zes rol hadden, waarvan de vertoning iets meer dan een duur duurde. Ze zwoegden vijf weken.
Ze hadden er Peter niets van verteld, maar toen ze klaar waren riepen ze hem naar de studio, vertelden hem wat ze gedaan hadden en verzochten hem het resultaat te bezichtigen. Peter wilde het ook wel eens zien en zo spraken ze af de film de volgende avond te draaien.
Johnny telegrafeerde George en vroeg hem ook aanwezig te willen zijn. De volgende avond zaten Peter, Esther, George, Joe en Johnny in het kleine projectielokaal van de Magnum Studio. Johnny bediende de projector.
Gedurende de voorstelling was het muisstil in de zaal, maar zodra het witte licht over het doek flitste, begonnen allen door elkaar te praten.
'Veel te lang,' vond Peter. 'Geen mens kan zo lang stilzitten, laat staan er met zijn gedachten bij blijven.'
'Waarom niet?' kwam Johnny verontwaardigd, 'je hebt al die tijd geen vin verroerd!'
'Je ogen gaan er pijn van doen,' hield Peter vol.
'Elke voorstelling duurt tegenwoordig zo lang en ik heb nog nooit iemand over zijn ogen horen klagen!' stoof Johnny op. 'Wat doet het er nu toe of je naar één grote film kijkt of naar vier kleintjes?'
Joe grinnikte. 'Misschien moet je een bril hebben, Peter.'
Nu was het Peters beurt om op te stuiven. Hij had al lang last van zijn ogen, maar hij weigerde een bril te nemen. 'Mijn ogen hebben er niets mee te maken. De film is te lang!'
Johnny keek George aan. 'Wat denk jij er van?' vroeg hij uitdagend. George begreep hem beter. 'Ik vond het heel aardig,' antwoordde hij rustig, 'maar ik zou hem eerst in een theater willen zien voordat ik er meer van zeg.'
Johnny lachte dankbaar. 'Dat zou ik ook wel willen, maar dat gaat niet.'
En toen legde Esther haar vinger op de zwakke plek. 'Het was heel interessant,' zei ze, 'maar er mankeert toch nog iets aan. In een serial heb je spanning in elk hoofdstuk, maar als het tot één film wordt samengeperst, dan wordt het te veel. Het is dan één en al spanning en actie en dat wordt te veel om geloofwaardig te lijken. Na een tijdje lijkt het allemaal maar een grap.'
Johnny dacht even over haar woorden na en moest toegeven dat ze gelijk

had. Het probleem was niet op te lossen door een serial in te korten – er moest een heel nieuw soort film komen. Hij had de besnoeide serial zelf verscheidene malen gezien en hij was ook al tot de conclusie gekomen dat hij elementen miste, die noodzakelijk waren om een afgerond geheel te vormen. Een behoorlijke ontwikkeling van het verhaal was noodzakelijk om het geheel geloofwaardig en daardoor aanvaardbaar te maken. Daarmee was de ingekorte serial dus veroordeeld.
Druk pratend verlieten ze het projectielokaal. Alleen Johnny zweeg. Hij slenterde met een somber gezicht door de corridor. Peter klopte hem op de schouder. 'Zet het toch uit je hoofd – de zaken gaan goed – waar zou je je nog zorgen over maken?'
Johnny gaf geen antwoord. Peter keek op zijn horloge. 'Ik heb een goed idee,' probeerde hij Johnny op te monteren. 'Het is nog vroeg – we gaan allemaal samen dineren en dan gaan we naar een film.'

'Nee!' brulde Peter. 'Nee en nog eens nee! Ik doe het niet!' Hij stond vlak voor Johnny en zwaaide woest met zijn armen. 'Ik zou wel stapelgek zijn als ik daar aan begon! Bijna twee jaar lang doen we niets dan zwoegen en sloven om op de been te blijven en nu we eindelijk wat verdienen, zou jij de hele boel aan de kant willen gooien voor een nieuwe hersenschim! Maar ik ben nog niet helemaal getikt! Ik doe het niet en daarmee uit.'
Johnny bleef rustig zitten en keek hem met een flauwe glimlach aan. Peter was nog kalm gebleven toen Johnny hem voorstelde om 'The Bandit', een toneelstuk dat op Broadway met groot succes werd opgevoerd, te kopen en te verfilmen. Hij was ook nog kalm gebleven toen Johnny hem vertelde dat hij de auteur van het stuk zou verzoeken er een scenario van te schrijven. En hij had zich zelfs niet opgewonden toen Johnny hem uiteenzette hoe zij alles zouden financieren – dat het stuk het waard was, was al gebleken bij de opvoeringen op het toneel. Hij verried zelfs zijn belangstelling door te vragen hoeveel het zou kosten.
Johnny had die vraag verwacht en er op gerekend. Hij had een calculatie gemaakt en was tot de slotsom van drieëntwintigduizend dollar gekomen. Deze begroting legde hij Peter nu voor. Peter wierp één blik op het stuk papier en gooide het Johnny toen in zijn gezicht. 'Drieëntwintigduizend dollar voor één film!' brulde hij. 'Dan moest ik toch wel helemaal *meshuggeh* zijn! Een of andere snuiter huren en hem vijfentwintighonderd dollar in zijn zak steken als hij een stukje voor ons schrijft! Voor datzelfde geld maak ik een hele film!'

'Je zult er toch eens mee moeten beginnen,' hield Johnny vol. 'De dag komt dat je er wel toe gedwongen zal worden, als je in zaken wilt blijven.'
'Kan best zijn,' blafte Peter, 'maar nu is het nog niet zover. We waren er net zo'n beetje doorheen en nu wil jij me weer in de zorgen brengen. Waar moet ik dat geld vandaan halen? Ik ben de schatkist niet!'
'Wie niet waagt, niet wint,' bracht Johnny er kalm tegen in.
'Maar ook niet verliest,' pareerde Peter. 'En bovendien – het is jouw geld niet, dat je er in wilt steken.'
Nu werd Johnny boos. 'Je weet heel goed dat ik je niet zou vragen er geld in te steken als ik het zelf niet evengoed deed.'
'Je hebt nog al wat,' snoof Peter. 'Amper genoeg om voor een week w.c.-papier voor de studio te kopen.'
'Ik kan tien procent van de kosten opbrengen en dat is voor mij voldoende!' kefte Johnny.
'Maak nu toch geen ruzie,' kwam Joe tussenbeide. 'Met dit gebekvecht bereiken jullie niets.' Hij wendde zich tot Peter.
'Ik kan ook voor tien procent zorgen. Dan blijft er maar achttienduizend dollar voor jouw rekening.'
Peter hief wanhopig de handen op. 'Máár achttienduizend dollar! Of ik het op mijn rug heb groeien!' Hij keerde zich woest om, smeet zijn bureau dicht en stapte toen op de samenzweerders toe.
'Nee!' brulde hij. 'Nee en nog eens nee! Ik doe het niet!'

Johnny's boosheid was gezakt. Hij kon zich Peters tegenzin om datgene wat hij met hard werken had veroverd weer op het spel te zetten, wel begrijpen, maar hij bleef er van overtuigd dat hij moest doorzetten. Hij sprak nu op kalme, beheerste toon.
'Toen we nog in Rochester zaten, dacht je dat ik gek was toen ik met het voorstel kwam naar New York te gaan. Maar dat is nogal meegevallen, waar of niet?' Hij wachtte Peters antwoord niet af. 'Je hebt een mooie flat aan Riverside Drive, je hebt achtduizend dollar op de bank en je bent van je aflossingen af, is het niet?'
Peter knikte. 'En ik ben niet van plan dit aan een van jouw dwaze ideeën te offeren. Het is waar, we hebben geluk gehad, maar dit is iets heel anders. Ditmaal riskeren we niet alleen geld, maar we moeten ook de strijd aanbinden met de Combinatie. En je weet evengoed als ik waar dat op uitdraait.' Ook hij was een beetje bedaard en zijn toon was wat vriendelijker.
'Het spijt me werkelijk, Johnny. Misschien heb je wel groot gelijk, ook al geloof ik het niet, maar zoals de zaken staan, mogen we niets riskeren. Dit

is mijn laatste woord over deze kwestie. Goedenavond en welterusten.' Hij liep naar de deur en verliet het vertrek.
Johnny keek Joe eens aan en haalde de schouders op. Joe grinnikte. 'Kijk niet zo zuur, kerel. Het is ten slotte zijn geld en hij heeft het recht om te denken wat hij wil.' Hij stond op. 'Kom mee, dan drinken we een borrel en vergeten het.'
Johnny keek peinzend voor zich uit. 'Nee, dank je. Ik blijf hier nog wat zitten – ik moet een manier zien te vinden om zijn ogen te openen. Je kunt je in dit bedrijf niet veroorloven op je lauweren te gaan rusten. Zodra je dat gaat doen ben je er geweest.'
Joe keek hoofdschuddend op hem neer. 'Ik vind het best, kerel, maar je vecht tegen de bierkaai.'
Johnny bleef nog enige tijd roerloos zitten. Eindelijk stond hij op en liep naar Peters bureau. Hij opende het en nam de begroting er uit. Hij bestudeerde de getallen nog eens, haalde zijn schouders op en legde het papier weer in het bureau, dat hij vervolgens afsloot. Hij bleef er nog even peinzend naar staan kijken. 'En toch doe je het, ouwe brompot,' grinnikte hij tegen het bureau.

Johnny opende langzaam zijn ogen. Het was warm in de kamer, de lente was dit jaar vroeg begonnen. Hij kwam met tegenzin uit bed en liep door de huiskamer naar de vestibule. Het zondagochtendblad lag op de vloermat. Al lezende liep hij terug naar de huiskamer en ging in een makkelijke stoel zitten. De deur van de slaapkamer stond open en hij hoorde Joe snurken. Hij trok een lelijk gezicht in de richting van de deur en probeerde weer te lezen. Even later stond hij echter op, liep naar de slaapkamer en keek naar binnen. Opgerold in een hoek van het bed lag Joe te zagen. Johnny deed de deur dicht en keerde terug naar zijn krant. Onverschillig sloeg hij de bladen om totdat hij bij het 'Toneelnieuws' kwam. De film nam destijds nog geen belangrijke plaats in de dagelijkse pers in, maar de zondagsbladen wijdden van tijd tot tijd een artikeltje aan dit nieuwe amusement. Ditmaal waren er zelfs twee artikelen en hun inhoud gaf Johnny een schok. Hij ging overeind zitten.
Het eerste was een bericht uit Parijs. 'Sarah Bernhardt speelt in een vierrols-film, gebaseerd op het leven van koningin Elizabeth.'
Het tweede was uit Rome. 'De beroemde roman 'Quo Vadis' zal het volgend jaar in de vorm van een achtrols-film vertoond worden.'
Het waren maar korte berichtjes, in een hoekje van de krant, maar voor Johnny waren het de vetgedrukte bewijzen dat hij gelijk had. Hij bleef lange tijd naar de krant zitten staren, zich afvragend wat Peter hier nu wel op zou kunnen zeggen. Eindelijk legde hij de krant neer en ging naar de

keuken, waar hij een ketel water op het fornuis zette voor koffie.
De geur van de koffie lokte Joe uit bed. 'Morgen,' bromde hij. Hij wreef zijn ogen uit. 'Wat eten we?'
Het was Johnny's beurt het ontbijt klaar te maken. 'Eieren,' antwoordde hij.
'Fijn.' Joe wilde in de badkamer verdwijnen.
'Wacht even!' riep Johnny hem terug. Hij greep de krant en duwde die Joe onder de neus. 'Hier heb je de bewijzen!'
Joe las de artikeltjes die hij aanwees en gaf toen de krant terug. 'En wat bewijst dat dan?' bromde hij, nog slaperig.
'Het bewijst dat ik gelijk had,' triomfeerde Johnny. 'Begrijp je dat dan niet? Nu zal Peter me wel moeten geloven.'
Joe schudde het hoofd. 'Wat jij eenmaal in je kop hebt –'
Johnny was verontwaardigd. 'Wat wil je daarmee zeggen? Ik had het toch maar bij het rechte eind, toen ik zei dat er grotere films moesten komen.'
'Och, misschien wel,' gaf Joe toe, 'maar waar zou je die moeten maken? En hóé zou je ze willen maken? Zelfs al hadden we het geld, dan zaten we nog met de studio. De onze is veel te klein. En verder zouden we al het materiaal waar we anders zes maanden mee doen voor die ene film moeten gebruiken. En je weet dat de Combinatie er als de duivel achterheen zit dat er alleen maar tweerols-films gemaakt worden. Als ze er achter komen zijn we onze vergunning kwijt. En dan? Dan zitten we op de keien.'
'Daarom zullen we een tijdlang geen films produceren,' antwoordde Johnny. 'We kunnen genoeg onbelicht materiaal opsparen om hem te vervaardigen, voordat ze het in de gaten krijgen.'
Joe stak een sigaret op en blies de rook peinzend door zijn neusgaten. Daarop keek hij Johnny met een listig gezicht aan. 'Misschien heb je gelijk – het kan lukken en het kan niet lukken. Maar als ze het te vroeg merken is het met Magnum Pictures gedaan. Ze zijn een beetje te machtig voor ons. Ze zullen ons eenvoudig uitknijpen als een citroen. Laat Borden of een van de anderen 't maar doen. Zij hebben meer geld en zijn dus machtiger – maar ik denk dat ook zij zich er wel voor zullen wachten.'
'Ik ben nog altijd van mening dat we het toch moeten proberen,' hield Johnny vol.
'Je denkt dus nog altijd dat je gelijk hebt?' Joe keek hem met een eigenaardige blik in de ogen aan.
Johnny knikte. 'Ik heb gelijk.'
Joe bleef een ogenblik zwijgen en slaakte toen een diepe zucht. 'Het is misschien wel zo, maar je riskeert te veel. Over mezelf of jou maak ik me niet bezorgd. Wij zijn alleen en we behoeven ons niet al te dik te maken

als het verkeerd afloopt. Maar met Peter is het wat anders. Als het niet lukt dan gaat hij naar de kelder. En wat dan? Hij heeft een vrouw en twee kinderen. Hij heeft alles wat hij had in deze zaak gestoken en als het mislukt is het met hem gedaan.' Hij zweeg en zuchtte weer. Toen keek hij Johnny vast in de ogen. 'Dat wil je toch niet allemaal op het spel zetten?'
Het duurde lang voor Johnny antwoordde. Ook hij had daaraan gedacht. Maar een macht in zijn binnenste dreef hem voort – bleef hem ook nu nog voortdrijven. Een stem, die voortdurend zei: 'Het gulden vlies ligt voor het grijpen, als je de moed maar hebt om toe te slaan.' Het visioen van de film was als de schone tovenares Circe. Hij kon evenmin nalaten er naar te kijken als hij kon nalaten te ademen.
Er was een verbeten trek om zijn mond toen hij antwoordde: 'Ik móét het doen, Joe, het kan niet anders. Het is de enige manier om hier werkelijk iets groots van te maken. Anders brengen we het ons leven lang niet verder dan een nickelodeon. Alleen op deze manier zullen we eenmaal iets zijn. Dan zijn we Kunst, evengoed als toneel, muziek, boeken. En misschien zullen we zelfs eenmaal groter en beter zijn. We moeten het doen.'
'Je bedoelt dat jij het moet doen,' zei Joe langzaam en nadrukkelijk. Zijn eigen stem klonk hem vreemd – hij voelde zich om een of andere reden teleurgesteld, in wat of wie wist hij zelf niet. Hij drukte zijn sigaret uit in een asbak. 'Jij droomt over wat jij wilt hebben en je maakt jezelf wijs dat het bedrijf het nodig heeft. Als ik je niet beter kende en je niet zo graag mocht lijden, zou ik zeggen dat je een grote egoïst was en dat je eerzucht je te pakken had. Maar ik weet dat dat niet zo is. Je meent werkelijk wat je zegt, maar er is één ding, dat je wel in het oog moet houden.'
Johnny's gezicht was spierwit geworden. Hij moest zich geweld aandoen om te spreken. 'Wat dan?'
'Dat Peter ontzettend goed voor ons is geweest. Vergeet dat nooit.' Joe keerde zich om en verliet de kamer.
Johnny bleef nog lang naar de deur staren. Eindelijk liep hij naar het fornuis, waar het water stond te verkoken. Zijn hand beefde toen hij het gas uitdraaide.

'Wiens appartementen zei u ook weer?' vroeg de liftjongen, terwijl hij de deur van de lift langzaam sloot.
Johnny blies de lucifer, waarmee hij juist een nieuwe sigaret had aangestoken, uit. Hij had geen naam genoemd, maar alleen de verdieping waar

hij moest zijn. Deze flats waren wel van alle gemakken voorzien, dacht hij. Hun bewoners werden beslist niet onnodig gestoord. 'De woning van de heer Kessler,' antwoordde hij. Het was een lange weg van Rochester, waar je alleen maar onder aan de trap naar boven behoefde te schreeuwen, naar Riverside Drive. Hij moest plotseling weer aan zijn gesprek met Joe denken. Joe's woorden hadden dieper indruk op hem gemaakt dan hij zichzelf wilde bekennen. Zij hadden niet veel meer tegen elkaar gezegd en Joe was kort na het ontbijt weggegaan. Joe had hem nog wel gevraagd of hij meeging naar May en Flo, maar hij had gezegd dat hij die middag naar Peter ging.

De lift hield stil en de deur schoof geruisloos open.

'De hal door en dan de eerste deur rechts. No. 9 C., mijnheer,' lichtte de liftjongen hem beleefd in.

Johnny bedankte hem, liep naar de genoemde deur en drukte op de bel.

De meid deed open. Johnny trad binnen en gaf haar zijn hoed. 'Is mijnheer Kessler thuis?'

Voordat de meid kon antwoorden kwam Doris de hal inrennen. 'Oom Johnny!' riep ze. 'Ik hoorde je stem!'

Hij tilde haar zo hoog mogelijk op en kuste haar op beide wangen. 'Dag lieve kind!'

Ze keek hem ernstig aan. 'Ik hoopte net zo dat je vandaag zou komen. Je komt niet dikwijls meer bij ons.'

Hij werd een beetje rood. 'Ik heb weinig tijd, liefje. Je vader houdt me flink aan het werk.'

Plotseling voelde hij iets aan zijn broekspijpen. Hij keek omlaag. Daar zat kleine Mark. 'Op je schouders, oom Johnny!'

Johnny zette Doris op de grond, zwaaide Mark hoog in de lucht en zette hem op zijn schouders. Mark gierde van pret en begroef zijn vingers in Johnny's haar. Ook Esther kwam de hal in.

'Wel, Johnny,' glimlachte ze, 'kom gauw binnen.'

Met Mark op zijn schouders volgde hij haar naar de huiskamer. Peter zat zijn krant te lezen. Hij had geen overhemd aan en Johnny merkte verbaasd op dat hij een aardig buikje begon te krijgen.

Hij keek verrast op toen Johnny binnenkwam.

'Ik moet wat meemaken,' lachte Esther. 'Een dienstbode in huis en hij de hele dag in zijn ondergoed.'

Peter grinnikte en bromde in het Jiddisch: 'Wat zou dat? Ik ken het dorpje in Duitsland waar ze vandaan komt. Daar weten ze niet eens wat overhemden zijn.'

Johnny keek een beetje onnozel, want hij verstond er geen woord van, en beiden moesten om hem lachen.

'Vooruit, ga je behoorlijk aankleden,' beval Esther.
'Ja, ja, ik ben al weg.' Peter verdween in de slaapkamer.
Even later kwam hij weer te voorschijn. 'Wat voert u naar ons armzalig verblijf?' spotte hij, terwijl hij zijn overhemd dichtknoopte.
Johnny keek hem even aan. Het was Peter niet ontgaan dat hij al in geen weken bij hem thuis was geweest. 'Ik wilde wel eens zien waar je andere helft woont,' lachte hij.
'Je bent hier toch al eens geweest.'
Johnny schoot in de lach. 'Dat was voordat je een dienstbode had.'
'En dat zou zo'n groot verschil uitmaken?'
'Soms wel,' meende Johnny, nog altijd lachend.
'Bij mij niet,' verklaarde Peter ernstig. 'Ik zou nog dezelfde blijven, zelfs al had ik een huis vol bedienden.'
'Dat is zo,' merkte Esther op. 'Dan zou hij nog altijd in zijn ondergoed door het huis lopen.'
'Dat bewijst dat ik niet zit op te scheppen,' pareerde Peter. 'Bedienden of niet, Peter Kessler blijft Peter Kessler.'
Johnny moest in zijn hart toegeven dat hij de waarheid sprak. Peter was in deze jaren van voorspoed niets veranderd, maar híj was veranderd. Peter was tevreden, maar híj was nog altijd onvoldaan. Er ontbrak nog altijd iets aan zijn geluk, iets dat hij móést hebben, maar wat dat was, dat wist hij eigenlijk niet. Hij moest weer denken aan wat Joe die morgen gezegd had. Het was voor Peter een heel eind geweest – van de kleine ijzerwinkel in Rochester naar deze flat in New York. Hij was blij met wat hij veroverd had en streefde niet naar meer. Wat voor recht had hij, Johnny, van Peter te eisen dat hij dit alles in de waagschaal legde terwille van hém? Maar aan de andere kant – Peter zou dit alles niet hebben gehad als hij er niet was geweest. Maar gaf dit hem het recht hem nog verder voort te stuwen? Hij zuchtte; zijn dromen, hoe nevelig ook, waren te zeer een deel van zijn wezen dan dat hij ze op zou kunnen geven.
Hij keek Peter met een olijk gezicht aan. 'Bedoel je daar misschien ook mee dat je niet te voornaam bent geworden om naar een goede raad te luisteren?'
'Jazeker,' klonk het trots, 'ik ben altijd bereid om naar goede raad te luisteren.'
Johnny slaakte een zucht van verlichting. 'Er zijn mensen die beweren dat je het nogal hoog in je kop hebt sedert je aan Riverside woont.'
'Wie durft dat beweren?' riep Peter verontwaardigd. Hij keek naar Esther. 'Zodra het je goed gaat gunnen ze je het licht in je ogen niet meer.' Hij schudde bedroefd het hoofd.
Esther lachte hem bemoedigend toe. Johnny voerde iets in zijn schild,

daar was ze zeker van, maar ze had er geen idee van wat het zou kunnen zijn. Maar hij zou wel niet al te lang wachten met er mee voor den dag te komen. 'Het zal wel een misverstand zijn,' troostte ze. 'Misschien heb je iemand reden gegeven om zo te spreken.'
'Nooit,' protesteerde Peter. 'Ik ben vriendelijk tegen iedereen.'
'Tob er dan ook maar niet over,' suste ze. Zij wendde zich tot Johnny. 'Een kopje koffie met een plak cake, Johnny?'
Ze volgden haar naar de keuken. Toen Johnny zijn tweede plak cake met smaak verorberd had, vroeg hij langs zijn neus weg aan Peter:
'Heb je de 'World' van vandaag al gelezen?'
Een soort zesde zintuig zei Esther dat het nu kwam. Ze keerde zich om en keek Johnny doordringend aan. De vraag was op een al te luchtige toon gesteld, vond ze.
'Ja – ?' antwoordde Peter, half vragend.
'Heb je gelezen dat Sarah Bernhardt optreedt in een film van vier rol? En dat artikel over 'Quo Vadis'?'
'Zeker, – waarom?'
'Herinner je je nog wat ik je gezegd heb over grotere films?'
'Zeker herinner ik me dat,' antwoordde Peter droogjes. 'En ik herinner me ook die serial die je hebt ingekort.'
'Dat was iets heel anders. Ik wilde zien of mijn plan eventueel uitvoerbaar was. Maar dit is iets nieuws – het bewijst dat wat ik over 'The Bandit' zei, juist was.'
'Hoezo? Het blijft allemaal precies hetzelfde.'
'O ja?' Johnny werd strijdlustig. 'Blijft het hetzelfde als je de grootste actrice van haar tijd er toe kunt krijgen in een film te spelen en blijft 't hetzelfde als je van een beroemde roman een film gaat maken? Zie je dan niet dat de filmindustrie zich steeds verder ontwikkelt? En zie je dan niet dat de korte tweerols-films, die de Combinatie je dwingt te maken, lelijk achteraan beginnen te komen?'
Peter stond op. 'Je kletst. Er zal best wel eens de een of andere gek zijn, die aan een langere film begint, dat neem ik onmiddellijk aan. Maar als jij dan in de krant leest, dat er toevallig twee tegelijk zo gek zijn, dan zouden wij er daarom ook maar ineens toe moeten overgaan? Het is best mogelijk dat Peter Kessler het ook wel zou aandurven een langere film te maken, als Sarah Bernhardt zich zou verwaardigen voor zijn camera op te treden. Maar wie gaat er naar een film die een uur duurt, als er geen beroemde acteur in speelt?'
Johnny keek hem verrast aan. Peter had gelijk – zonder beroemde namen zou het niet meevallen publiek te trekken, omdat de prijzen voor een lange film te hoog zouden worden. Op het toneel, ja zelfs in het circus,

werd met namen gewerkt, maar er was nog niemand op het idee gekomen dat ook met de film te proberen.
De bioscoopbezoekers begonnen sommige spelers echter al te herkennen en als ze hoorden dat bepaalde personen op het doek zouden verschijnen, dromden ze samen voor de theaters en telden hun nickels en dimes blijmoedig neer om hun favorieten te zien. Bij voorbeeld om dat grappige, kleine kereltje te zien, dat in een paar kluchten optrad. Hoe heette hij ook weer – Johnny had zijn naam maar eenmaal gehoord en hij moest even nadenken voordat hij hem zich weer herinnerde – Chaplin. En dat meisje, dat 'The Biograph Girl' werd genoemd, haar naam herinnerde hij zich niet. Maar het publiek herinnerde zich die namen wel en ze kwamen bij voorkeur naar die films kijken, waarin deze twee speelden.
Hij zou Joe zeggen dat hij de namen van de spelers op de aanplakbiljetten moest laten drukken.
Peter keek Johnny al die tijd triomfantelijk aan. Het duurde zo lang voordat hij antwoordde dat hij dacht dat hij hem verslagen had. 'Hier heb je niet veel tegen in te brengen, is het wel?' daagde hij Johnny uit.
Johnny rukte zich uit zijn overpeinzingen los. Hij nam een sigaret uit het doosje dat voor hem op tafel stond, stak die bedachtzaam aan en keek Peter door de rook heen aan. 'Je verschaft me daar juist dat ene wat ik nodig had om het succes van een grote film te garanderen, Peter,' zei hij, zonder acht te slaan op Peters uitdaging. 'Een naam, die iedereen kent. Als ik je de juiste acteur verschaf, dan kun je er geen bezwaar meer tegen hebben een grote film te maken.'
'Met een beroemde naam zou ik het me kunnen voorstellen,' gaf Peter toe. 'Maar wie zou je daarvoor willen nemen?'
'De acteur die nu op Broadway 'The Bandit' speelt,' antwoordde Johnny. 'Warren Craig.'
'Warren Craig?' Peter kon zijn oren niet geloven. 'Waarom John Drew maar niet meteen?'
'Warren Craig is goed genoeg,' antwoordde Johnny, zonder acht te slaan op Peters sarcasme.
Peter verviel in Jiddish: *'Zehr nicht a Nahr!'* en, ziende dat Johnny hem niet begreep, herhaalde hij: 'Wees toch niet gek! Je weet heel goed dat ze allemaal op de film neerzien. Je krijgt ze er toch niet voor.'
'Misschien dat ze er anders over gaan denken nu Sarah Bernhardt er toe bereid is,' meende Johnny.
'En misschien kun je me het geld van koning Croesus verschaffen om de heren en dames te betalen,' hoonde Peter.
Johnny scheen hem in het geheel niet te horen. Hij sprong opgewonden op.

'Ik zie het al op het doek verschijnen: *'Peter Kessler presenteert – Warren Craig – in het beroemde Broadway-theater-stuk – 'The Bandit' – een Magnum produktie!'* –' Hij zweeg en wees met een theatraal gebaar op Peter.
Deze staarde hem met open mond aan. Hij had zich onwillekeurig voorover gebogen, als om de woorden die Johnny zei beter te horen.
Maar nu was de betovering verbroken en hij haastte zich zijn belangstelling te verdoezelen. 'En ik zie het nu ook duidelijk staan,' spotte hij. 'Peter Kessler solliciteert naar faillissement.'
Esther sloeg de twee kemphanen gespannen gade. Ze keek van Johnny naar Peter en plotseling doorzag ze haar man. 'Hij zou het maar al te graag doen,' schoot het door haar heen.
Peter stond op en ging vlak voor Johnny staan. 'We kúnnen het niet doen, Johnny, er is teveel risico aan verbonden. De Combinatie zal er tegen zijn en als ze ons onze vergunning afnemen zijn we er geweest. We hebben het geld niet om zoiets te wagen.'
Johnny keek hem ernstig aan. Hij voelde het bloed in zijn slapen bonzen. Toen keek hij naar Esther, en van haar ging zijn blik naar de openstaande deur van de woonkamer. Daar zat Mark op de grond met zijn blokken te spelen. Hij stootte juist een hoge toren met zijn handje om en Doris legde het boek waarin ze zat te lezen neer en hielp hem ze oprapen.
Zijn ogen dwaalden langzaam naar Peter terug. Toen hij eindelijk sprak, klonk zijn stem koel en zakelijk en verried niets van de innerlijke strijd die hij zojuist had gevoerd. Hij had zijn besluit genomen.
'Jullie producenten zijn allemaal hetzelfde. Jullie zijn allemaal bang voor de Combinatie. Jullie roepen ach en wee, maar wat doen jullie er tegen? Niets! Uiteindelijk blijven jullie allemaal om hun tafel heenscharrelen om de kruimeltjes op te pikken, die ze je toewerpen. En kruimels blijven het – niets meer. Weet je hoeveel ze vorig jaar van jullie hebben binnengehaald? Twintig miljoen dollar! Weet je hoeveel de zelfstandigen vorig jaar hebben verdiend? Vierhonderdduizend dollar met z'n veertigen! Dat is ongeveer tienduizend per man. Maar in die tijd hebben jullie de Combinatie meer dan acht miljoen dollar betaald om je zaak te kunnen behouden. Acht miljoen dollar! Geld dat jullie met hard werken hebt bijeengebracht en eenvoudig hebt weggesmeten! Twintig maal zoveel als jullie voor jezelf behielden. En voor dat alles heb je maar één reden: jullie zijn allemaal doodsbenauwd om het tegen de Combinatie op te nemen!'
Hij brandde zijn vingers aan zijn sigaret en gooide haar op een asbak. Toen hij verder sprak, verried zijn stem zijn ontroering. 'Waarom zijn jullie niet verstandiger? Laat ieder voor zichzelf zorgen! Jullie hebben het geld verdiend. Waarom houden jullie het niet? Vroeg of laat zul je tegen

ze moeten vechten – waarom zou je het niet nú doen? Bestrijd ze met betere films. Ze weten dat jullie ze kunnen maken en daarom leggen ze jullie de duimschroeven aan. Ze onderdrukkèn jullie, omdat ze bang zijn voor wat jullie zouden kunnen presteren als je ooit onder hen uit kwam. Steek de koppen bij elkaar. Misschien kun je ze wel voor het gerecht slepen omdat ze in strijd met de nieuwe anti-trust-wetten handelen. Ik weet het niet. In elk geval is het de moeite van het vechten waard.' Daarop vervolgde hij op rustiger toon: 'Weet je nog hoe ik er in Rochester op heb aangedrongen dat je je in dit bedrijf zou begeven? Daar had ik een goede reden voor. Ik had voor Borden of een van de anderen kunnen gaan werken, maar ik wilde bij jou blijven. Ik bleef bij jou omdat ik wist dat jij de enige man was, die misschién moed genoeg had om te vechten voor datgene waar jullie allemaal recht op hebben. En nu wil ik weten of ik me in je heb vergist of niet. Want de tijd is nu gekomen. Of jullie binden nu de strijd aan, óf de Combinatie zal jullie binnenkort allemaal brodeloos maken.'
Hij zweeg en probeerde de uitwerking van zijn woorden op Peters gezicht te lezen, maar dat was ondoorgrondelijk. Maar toen zijn oog op Peters handen viel, zag hij dat de oudere man zijn vuisten had gebald, alsof hij op het punt stond iemand te lijf te gaan. Het duurde lang voor Peter antwoordde. Hij voelde dat het hem onmogelijk was nog langer met Johnny te argumenteren, want diep in zijn hart wist hij al lang dat Johnny gelijk had. Het afgelopen jaar had hij de Combinatie honderdveertigduizend dollar betaald en er zelf maar acht overgehouden. Maar Johnny was jong en maar al te bereid tegen windmolens te vechten. Misschien zou hij, als hij wat ouder was, gaan begrijpen dat een mens nu eenmaal geduld moet hebben.
Hij keerde zich om, liep naar het aanrecht en nam een glas water. Hij dronk het langzaam leeg. En toch was er een grond van waarheid in wat Johnny zei. Als al de zelfstandigen als één man tegen de Combinatie opstonden, bestond er een kans dat ze de strijd wonnen. Soms was vechten inderdaad beter dan wachten. Misschien had Johnny zelfs wel helemaal gelijk en was nu de tijd gekomen. Hij zette het glas op het aanrecht en keek Johnny aan.
'Hoeveel zei je ook weer dat zo'n film zou kosten?'
'Ongeveer vijfentwintigduizend dollar. Tenminste, als je Warren Craig de hoofdrol wilt laten spelen.'
Peter knikte. Vijfentwintigduizend dollar – een massa geld voor één film. Maar als het lukte dan konden ze er een fortuin mee verdienen. 'Als wij een dergelijke film gaan maken, móéten we Warren Craig in de hoofdrol hebben. We kunnen geen enkel risico nemen.'

Johnny schoot als een havik op de kans af. 'Je zou niet alleen die vijfentwintigduizend dollar behoeven op te brengen. Joe en ik kunnen er samen vijfduizend van leveren en jij zou er acht moeten hebben. De rest kunnen we lenen. Misschien is er een bioscoopexploitant die een kans wil wagen. Ze schreeuwen allemaal om het hardst om iets anders. Als wij hun dat beloven, misschien willen zij dan het geld er voor geven.'
'Maar hoe krijgen we Warren Craig?' zuchtte Peter.
'Laat dat maar aan mij over,' antwoordde Johnny vol vertrouwen. 'Ik vang hem voor je.'
'Dan zou ik tienduizend dollar beschikbaar kunnen stellen,' zei Peter bedaard.
'Dus je doet het?' Johnny's hart bonsde en het bloed steeg hem naar het hoofd.
Peter aarzelde nog even. Toen keek hij Esther aan. 'Ik zeg niet dat ik het doe en ik zeg niet dat ik het niet doe. Ik zeg dat ik er over zal denken,' zei hij langzaam, zijn blik op Esthers gelaat gevestigd.

Peter wachtte voor de synagoge tot Borden er uit kwam. De synagoge van Broadway was de plaats waar velen van de grootste filmproducenten elkaar 's morgens gewoonlijk ontmoetten.
'Morgen Willie!'
Borden keek aangenaam verrast op. 'Peter – hoe staan de zaken?'
'Ik mag niet klagen,' antwoordde Peter. 'Ik zou je graag even willen spreken. Heb je tijd voor een kop koffie?'
Borden haalde met een gewichtig gezicht zijn horloge voor den dag. 'Dat zal wel gaan – wat heb je op je hart?'
'Heb je de kranten van gisteren gelezen?' vroeg Peter, toen ze aan een tafeltje in het dichtstbij gelegen restaurant zaten.
'Zeker,' antwoordde Borden. 'Waarom?'
'Dat zal ik je zeggen. Heb je die berichtjes over Sarah Bernhardt en 'Quo Vadis' gelezen?'
'Ja – die heb ik gelezen,' zei Borden. Hij vroeg zich af wat Peter van hem wilde.
'Geloof jij ook dat er binnenkort grotere films gemaakt zullen worden?'
'Dat is niet uitgesloten,' antwoordde Borden voorzichtig.
De kelnerin kwam de koffie brengen en Peter wachtte totdat ze weer weg was. 'Johnny wil dat ik een film van zes rol ga maken.'
Borden keek verrast op. 'Van zes rol? En waarover?'

'Hij wil dat ik een toneelstuk koop, er een film van maak en de acteur, die in het toneelstuk de hoofdrol speelt, ook voor de film probeer te krijgen.'
'Een toneelstuk kopen?' Borden moest lachen. 'Dat is toch idioot – wie heeft daar ooit van gehoord! Je kunt alle verhalen die je maar wenst voor niets uit je duim zuigen!'
'Dat weet ik wel,' antwoordde Peter, 'maar Johnny zegt dat de naam van het stuk klanten aan de kassa brengt.'
Dat kon Borden zich begrijpen. Zijn belangstelling werd nog groter.
'Maar hoe wil je de Combinatie omzeilen?'
'Johnny zegt dat we zoveel materiaal moeten opsparen dat we de film stiekum kunnen maken. Ze behoeven er niets van te weten, voordat hij op het doek verschijnt.'
'Als ze het ontdekken ben je je vergunning kwijt.'
'Dat is mogelijk,' gaf Peter toe, 'maar we zullen ze toch eens de handschoen moeten toewerpen. Anders zitten wij nog altijd met filmpjes van twee rol te prutsen als de hele wereld er van zes of acht rol maakt. En dan komen de buitenlandse producenten ons van onze eigen markt verdringen. Dat is nog erger dan de Combinatie. We hebben ons lang genoeg met de kruimeltjes van hun tafel tevreden gesteld. Het wordt langzamerhand tijd dat we ze onze tanden laten zien.'
Borden moest eens even over Peters woorden nadenken. Het was waar, alle zelfstandige producenten dachten er zo over, maar niemand had de moed de Combinatie het hoofd te bieden. Hijzelf zou zich ook niet graag in een dergelijk avontuur storten. Maar als Peter het wilde doen, dan zou hijzelf er niets dan voordeel van kunnen hebben als het lukte.
'Hoeveel zou een dergelijke film kosten?'
'Ongeveer vijfentwintigduizend dollar.'
Borden hield zijn kopje voor zijn gezicht, quasi om het leeg te drinken; in werkelijkheid zat hij echter vliegensvlug uit te rekenen hoeveel geld Peter ongeveer moest hebben. Hij kwam tot de conclusie dat het een tienduizend dollar moest zijn. Dat betekende dat hij de rest zou moeten lenen. Hij legde een geldstuk op tafel en stond op. 'En ga je die film maken?' vroeg hij, zodra ze weer op straat stonden.
'Ik loop er wel over te denken. Maar ik heb geen geld genoeg. Als ik daar raad op wist, zou ik het misschien proberen.'
'Hoeveel heb je?'
'Ongeveer vijftienduizend.'
Borden keek verrast op. Het was Peter nog meer voor de wind gegaan dan hij had gedacht. 'Ik heb vijfentwintighonderd voor je,' bood hij grif aan. Hij riskeerde hiermee niet veel en daartegenover stond een enorm voordeel als Peter slaagde. Hij vond het een pientere zet van zichzelf. Hij had

er veel belang bij dat Peter de kans waagde.
Peters hart sprong op. Dit was het wat hij had willen weten – of Borden het idee goed genoeg achtte om er geld in te steken. Het feit dat hij hem maar zo'n betrekkelijk klein bedrag bood was niet van belang.
'Ik heb nog niets besloten,' waarschuwde hij. 'Maar ik zal het je laten weten als ik het doe.'
'Nu moet ik zorgen dat hij het werkelijk doet,' dacht Borden en hardop zei hij: 'Dat is goed. Laat het me ook weten als je het niet doet. Misschien probeer ík het dan wel. Hoe meer ik er over nadenk, hoe meer het me aanlokt.'
'Er bestaat wel kans dat ik het doe,' haastte Peter zich hem te verzekeren. 'Maar zoals ik al zei, ik heb nog niets besloten, maar ik zal het je laten weten.'

De bovenste helft van de deur was van glas en daarop stond met grote, gouden letters: 'Samuel Sharpe', en eronder, met kleine letters: 'Agent'. Johnny draaide de knop om en stapte naar binnen. Hij kwam in een klein vertrek, waarvan de muren van boven tot beneden bedekt waren met foto's. Ze waren allemaal opgedragen aan 'Dear Sam', en allemaal in hetzelfde handschrift. Johnny lachte zacht. Door een andere deur kwam een meisje de kamer binnen. Ze ging aan de schrijftafel zitten en nam Johnny enigszins nieuwsgierig op. 'Wat kunnen we voor u doen, mijnheer?' vroeg ze vriendelijk.
Johnny liep op haar toe. Ze zag er aardig uit. Samuel Sharpe had blijkbaar smaak. Hij legde zijn visitekaartje voor haar op tafel. 'Ik zou graag mijnheer Sharpe een ogenblik spreken.'
Het meisje nam het kaartje op en las de naam. Het was een eenvoudig kaartje met kleine, sierlijke letters: 'John Edge, vise-president Magnum Pictures.' Ze keek Johnny bijna eerbiedig aan. 'Gaat u even zitten, mijnheer. Ik zal kijken of mijnheer Sharpe u kan ontvangen.'
Johnny glimlachte en hield haar blik met de zijne vast. 'Waarom bent u niet bij de film?'
Ze bloosde en verliet haastig het vertrek. Een minuut later was ze alweer terug. 'Mijnheer Sharpe kan u aanstonds ontvangen.' Ze ging weer achter haar schrijftafel zitten en deed alsof ze het druk had.
Johnny nam een tijdschrift van het tafeltje naast zijn stoel en deed alsof hij las. Intussen gluurde hij van terzijde naar het meisje. Hij betrapte haar er net op dat ze naar hem keek. Hij legde het blad neer.
'Mooi weer vandaag, vindt u niet?'
'Ja mijnheer,' antwoordde ze zoetsappig. Ze draaide een blad papier in de schrijfmachine en begon te typen.

Johnny stond op en liep op haar toe. 'Gelooft u niet dat het karakter van een mens zich openbaart in zijn handschrift?' vroeg hij.
Ze keek hem enigszins verward aan. 'Daar heb ik nog nooit over nagedacht, maar het lijkt me wel waarschijnlijk.'
'Schrijf eens iets op een stuk papier,' verzocht hij.
Ze nam een potlood in de hand. 'Wat moet ik schrijven?'
Johnny dacht even na. 'Schrijf: 'Aan Sam, van . . .' en dan uw naam.' Hij keek haar onschuldig aan.
Ze schreef iets op een stuk papier en gaf het hem. 'Hier is het, mijnheer Edge, maar ik weet niet wat u er uit opmaakt.'
Johnny keek naar het stuk papier en vervolgens naar haar. Ze lachte om zijn verbouwereerde gezicht. Hij grinnikte nogal schaapachtig en las nog eens.
'U had het wel gewoon kunnen vragen,' stond er. 'Jane Andersen. Nadere inlichtingen op verzoek.'
Hij schoot in de lach. 'Jane, ik had wel kunnen weten dat je me te slim af zou zijn.'
Ze wilde juist antwoorden, toen er naast haar schrijftafel een belletje ging. 'U kunt binnengaan, mijnheer Edge. Mijnheer Sharpe kan u ontvangen.'
Hij liep op de binnendeur toe. Daar bleef hij staan en keerde zich naar haar om. 'Vertel me eens,' fluisterde hij, 'kon mijnheer Sharpe me werkelijk niet eerder ontvangen?'
Ze schudde verontwaardigd het hoofd, maar plotseling gleed er een zonnige glimlach over haar gezicht. 'Natuurlijk niet,' fluisterde ze eveneens. 'Hij was zich aan het scheren.'
Johnny lachte en ging de andere kamer binnen. Deze was een duplicaat van de eerste, alleen een beetje groter. Er hingen dezelfde foto's.
Achter de schrijftafel zat een klein mannetje in een lichtgrijs pak.
Zodra Johnny binnenkwam, stond hij op en stak hem de hand toe. 'Mijnheer Edge,' zei hij, met een hoog, maar toch niet onprettig klinkend stemmetje. 'Prettig u te leren kennen.'
Johnny boog en viel meteen met de deur in huis. 'Magnum Pictures is bezig het verfilmingsrecht voor 'The Bandit' te kopen en wij zouden graag Warren Craig in de hoofdrol zien.'
Sharpe schudde somber het hoofd en gaf geen antwoord.
'Waarom schudt u uw hoofd, mijnheer Sharpe?'
'Het spijt me, mijnheer Edge. Als het een van mijn andere beschermelingen was, zou ik misschien durven zeggen dat u een kans had, maar Warren Craig –'
Hij voltooide zijn zin niet, maar maakte een veelzeggende handbeweging.
'Wat bedoelt u met 'maar Warren Craig'?'

'Mijnheer Craig stamt uit een van de meest vooraanstaande toneelspelersfamilies, mijnheer Edge, en u weet hoe zij over de film denken. Ze hebben er een diepe minachting voor. En bovendien levert het niet genoeg op.'
Johnny keek hem ondeugend aan. 'Hoeveel verdient Warren Craig aan het toneel, mijnheer Sharpe?'
Sharpe gaf hem zijn blik terug. 'Craig verdient honderdenvijftig dollar per week en jullie betalen niet meer dan vijfenzeventig.'
Johnny boog zich naar hem toe en liet zijn stem dalen. 'Mijnheer Sharpe, wat ik u ga vertellen is strikt vertrouwelijk.'
Sharpe keek hem verrast aan. 'Sam Sharpe zal uw vertrouwen respecteren, mijnheer Edge,' haastte hij zich Johnny te verzekeren.
'Goed,' Johnny knikte tevreden en trok zijn stoel vlak voor Sharpe's schrijftafel. 'Magnum gaat niet het soort film van 'The Bandit' maken, dat hier gebruikelijk is. We gaan iets geheel nieuws produceren, eerste klas werk, dat waard is om naast de beste toneelstukken te staan. Daarom zouden we graag zien dat Warren Craig de rol speelt, die hij op het toneel gecreëerd heeft.' Hij zweeg even om extra nadruk op zijn volgende woorden te leggen.
'We zijn bereid hem voor deze rol vierhonderd dollar per week te betalen, met een minimum waarborg van tweeduizend dollar.' Johnny leunde achterover in zijn stoel en sloeg de uitwerking van zijn woorden gade.
Hij zag onmiddellijk dat hij indruk gemaakt had. Sharpe slaakte een diepe zucht. Dit was nog eens zaken doen! 'Uw aanbod lijkt me zeer voordelig, maar ik geloof niet dat ik Warren Craig er toe over kan halen het te accepteren. Ik zeg u nog eens – hij acht de film beneden zijn waardigheid.'
Johnny stond op. 'Sarah Bernhardt acht hem niet beneden haar waardigheid en als zij in Frankrijk voor de film gaat spelen, dan zal de heer Craig misschien bereid zijn het hier te doen.'
'Daar heb ik van gehoord, mijnheer Edge, maar ik kan het niet geloven. Is het werkelijk waar?'
Johnny knikte. 'U kunt het gerust geloven. Onze vertegenwoordiger in Frankrijk was persoonlijk aanwezig toen het contract ondertekend werd.' Hij wachtte even en voegde er toen luchtig aan toe: 'Natuurlijk zouden we u dezelfde commissie betalen als Madame Bernhardts agent ontvangt, namelijk tien procent van het honorarium van de acteur.'
Sharpe stond op en keek Johnny ernstig aan. 'Mijnheer Edge, ik vind het een heel mooi aanbod. Mij hebt u voor uw plannen gewonnen. Maar u zult de heer Craig er voor moeten winnen. Ik weet zeker dat ik er niet over behoef te beginnen. Maar als u zelf eens met hem wilt spreken?'
'Zegt u maar wanneer,' ging Johnny er gretig op in.

Ze spraken af dat Sharpe hem zou opbellen zodra hij een afspraak voor hem had gemaakt.
Weer in de kamer van de secretaresse gekomen, stapte Johnny recht op haar schrijftafel toe.
'Wat die nadere inlichtingen betreft, Jane –' glimlachte hij.
Ze gaf hem een stuk papier en daarop stonden keurig haar naam, adres en telefoonnummer.
'Niet na achten bellen, mijnheer Edge,' glimlachte ze. 'Het is een pension en mijn hospita vindt het niet prettig als er na die tijd nog gebeld wordt.'
Johnny grinnikte. 'Ik zal je hier wel opbellen, lieve kind, dan hebben we niets met die dame te maken.'
Vrolijk fluitend verliet hij het kantoor.

Johnny ging pas laat in de middag naar de studio. Peter zat aan zijn bureau te werken en was zichtbaar opgelucht toen hij Johnny zag.
'Waar heb jij gezeten? Ik heb de hele dag naar je uitgekeken.'
Johnny ging op een hoek van het bureau zitten. Hij zag er opgewekt en zelfs een beetje branieachtig uit.
'Ik heb het druk gehad. In de eerste plaats heb ik vanmorgen een bezoek gebracht aan de agent van Warren Craig. En toen ik dat gedaan had, besloot ik met George te gaan lunchen – die was vandaag namelijk in de stad.'
'Waarom wilde je met hem lunchen?'
Johnny wond er geen doekjes om. 'Om geld. Ik kreeg vanmorgen de indruk dat we een goede kans maakten op Warren Craig en daarom leek het me wel verstandig vast eens uit te kijken naar de nodige dollars. George heeft me er duizend beloofd.'
'En ik heb nog niet eens gezegd dat we die film gingen maken!' stoof Peter op.
'Dat weet ik wel. Maar als jij het niet doet, doet een ander het.' Hij keek Peter uitdagend aan. 'En ik ben niet van plan om daarbij werkeloos toe te zien.'
Peter nam hem een tijdlang zwijgend op. Johnny sloeg de ogen niet neer.
'Je gaat dus weg als ik het niet doe?' vroeg Peter eindelijk.
Johnny knikte. 'Zo is het. Ik heb genoeg van het rondlummelen.'
De telefoon ging. Peter nam de hoorn van de haak en luisterde. Toen stak hij hem Johnny toe. 'Het is voor jou.'
Johnny nam de hoorn aan. 'Hallo?'
Ook hij luisterde enige ogenblikken zwijgend. Toen legde hij zijn hand over de microfoon en liet de stem rustig doorratelen. 'Het is Borden,' zei hij tegen Peter. 'Heb jij het vanmorgen met hem over die film gehad?'

'Ja,' zei Peter, 'wat wil hij?'
Johnny gaf hem geen antwoord, want de stem in de hoorn zweeg nu. 'Ik weet het nog niet, Bill,' zei hij door de microfoon, terwijl hij Peter vragend aankeek. 'Hij heeft nog geen besluit genomen.'
De stem begon opnieuw – opgewonden en gejaagd.
'Zeker, Bill, ik beloof het je,' zei Johnny. 'Ik zal het je laten weten.' Hij hing de hoorn op de haak.
'Wat moest hij van je?' herhaalde Peter, die lont begon te ruiken.
'Hij wilde weten of je al iets besloten hebt betreffende die film. En hij vroeg me of ik even langs wilde komen, als je het soms niet deed.'
'De *gonif*!' barstte Peter uit. Hij stak een sigaar in zijn mond en begon er verwoed op te kauwen. 'Nauwelijks heb ik hem mijn plannen verteld, of hij probeert ze me al af te gappen. Wat heb je gezegd?'
'Je hebt het gehoord – ik zei dat je nog niets had besloten.'
'Wel, bel hem dan op en zeg hem dat ik nú heb besloten!' riep Peter, met een vuurrood gezicht. 'We maken de film!'
'Dus toch?' Johnny lachte over zijn hele gezicht.
'Ja, ik doe het!' Peter was nog woedend. 'Ik zal Willie Bordanov laten zien dat het niet aangaat iemands ideeën te gappen.'
Johnny nam de telefoon weer op.
'Wacht even,' weerhield Peter hem. 'Ik zal hem zelf bellen – er is nog een kwestie van vijfentwintighonderd dollar. Die heeft hij me namelijk beloofd als ik die film ging maken en hij moet ze me meteen maar sturen.'

Peter zei geen woord tijdens de maaltijd. Esther vroeg zich af waar hij over zat te piekeren, maar ze zweeg tactvol, totdat hij klaar was met eten. Zij kende hem voldoende om te weten dat hij wel met haar zou spreken als hij gereed was met zijn overpeinzingen.
'Doris heeft vandaag haar rapport gekregen,' zei ze zacht. 'Ze heeft een 'A' voor alle vakken.'
'Mooi, mooi,' antwoordde Peter verstrooid.
Ze keek hem onderzoekend aan. Gewoonlijk toonde hij erg veel belangstelling voor Doris' rapport. Hij bestudeerde het altijd van a tot z en dan maakte hij een enorme drukte van de ondertekening. Ze besloot verder maar te zwijgen.
Eindelijk stond hij van tafel op, nam de krant en ging naar de huiskamer. Esther hielp de meid met afwassen. Toen ze na enige tijd in de huiskamer

kwam, lag de krant vergeten op de grond en zat hij met grote ogen naar het plafond te staren.
Zijn langdurig stilzwijgen begon haar nu toch te benauwen. 'Wat is er toch – voel je je niet goed?' waagde ze ten slotte.
Hij keek haar aan alsof hij haar voor het eerst zag. 'Nee, ik voel me best. Waarom?'
'Je hebt de hele avond nog geen woord gezegd.'
'Ik moet nadenken,' antwoordde hij kortaf. Hij hoopte dat ze hem verder met rust zou laten.
'Is het zo'n groot geheim?'
'Nee –' Toen herinnerde hij zich met schrik dat hij haar niets van zijn besluit had verteld. 'Ik heb besloten om die film, waar Johnny het over had, te gaan maken. En nu zit ik te piekeren.'
'Waar moet je nog over piekeren als je je besluit genomen hebt?'
'Er is een groot risico aan verbonden,' verklaarde hij. 'Het kan me m'n zaak kosten.'
'Dat wist je toch ook al voordat je je besluit nam?'
Hij knikte.
'Dan is het nu niet meer de tijd om te piekeren.'
'Maar veronderstel dat ik er alles bij verspeel – wat dan?' Hij trok peinzend aan zijn sigaar. Hij kon zich maar niet van die gedachte losmaken en hoe meer hij er mee speelde, hoe bezorgder hij werd.
Ze lachte. 'Dan nog niets. Mijn vader is driemaal failliet gegaan en hij is er altijd weer bovenop gekomen. Dan beginnen wij dus ook weer opnieuw.'
Zijn gezicht klaarde op. 'Je zou het dus niet zo erg vinden?'
Ze liep op hem toe en ging op zijn schoot zitten. Ze trok zijn hoofd tegen haar borst en streelde hem over zijn haar. 'Je zaken vind ik zo belangrijk niet. Het enige wat ik belangrijk vind dat ben jij. Jij doet wat je denkt dat goed is en dat is voor mij voldoende, zelfs al loopt het verkeerd af. Ik ben blij dat ik jou en de kinderen heb en ik vind het helemaal niet erg geen flat aan Riverside Drive te hebben.'
Hij sloeg zijn armen om haar heen en drukte zijn gezicht tegen haar borst. 'Alles wat ik doe is voor jou en de *Kinder*. Ik wil niet dat het je aan iets ontbreekt,' zei hij zacht.
Zijn woorden ontroerden haar. Ze begreep heel goed dat voor een man zijn werk en zijn zaken van het grootste belang zijn, maar voor haar was alleen zijn liefde van belang. 'Dat weet ik, Peter, en daarom moet je niet tobben. Een man kan zijn werk niet goed doen als hij daarbij over allerlei andere dingen moet piekeren. Het is een goed idee en daarom moet je het doen.'

'Vind jij dat dus ook?' Hij keek blij verrast naar haar op.
Ze keek hem diep in de ogen en glimlachte. 'Natuurlijk is het dat. Als het niet zo was, zou jij er niet toe besloten hebben.'

Het bijeenbrengen van het geld bleek nog verreweg de eenvoudigste opgave. Alle bioscoopexploitanten met wie Johnny ging praten wilden er graag een steentje toe bijdragen dat de film gemaakt werd. Ze waren de smakeloze produkten van de Combinatie beu. De bedragen die Johnny ontving varieerden tussen de duizend dollar, die hij van Pappas had gekregen, en honderd dollar van een kleine exploitant op Long Island.
Het was een publiek geheim in de hele industrie en iedereen, behalve de Combinatie, wist er van. De andere zelfstandige producenten sloegen Magnum ademloos gade.
Intussen kocht Peter rustig alle grondstoffen op die hij maar kon bemachtigen en werkten Joe en de toneelschrijver het stuk om tot een scenario.

Terwijl Warren Craig zich stond af te schminken, kwamen er steeds meer mensen zijn kleedkamer binnen. Ze spraken opgewonden met elkaar en in de spiegel ving hij menige bewonderende blik op. Alleen dat aardige, blonde meisje in de hoek zei geen woord. Maar hij zag dat ze hem met een zekere eerbied gadesloeg.
Hij was vanavond bijzonder in zijn schik. Zijn spel was uitstekend geweest. Er waren van die avonden waarop alles als vanzelf ging – je stapte in en uit je rol zonder dat je het je zelf eigenlijk bewust was. Het was wel eens anders ook – hij klopte het gauw af tegen de onderkant van zijn kaptafel. Het meisje in de spiegel betrapte hem er net op en hij zag haar glimlachen. Hij glimlachte terug en er kwam een blijde glans in haar ogen. Hij veegde de laatste coldcream van zijn gezicht en keerde zich om.
'Als mijn geachte vrienden mij nu willen excuseren, dan zal ik mij van dit landelijke kostuum ontdoen,' zei hij met zijn diepe welluidende stem.
De mensen lachten. Dat deden ze altijd als hij dit zei. Het was zo langzamerhand bij de voorstelling gaan behoren. Het cowboykostuum van de Bandiet, dat hij nu aanhad, flatteerde hem bijzonder. De helle kleuren van het hemd en het matbruin van de leren broek deden de tegenstelling tussen zijn brede schouders en zijn zeer slanke heupen nog beter uitkomen. Hij verdween achter een scherm en kwam een paar minuten later weer te voorschijn. Hij was nu in avondkostuum en zijn bewonderaars moesten erkennen dat dit hem niet minder goed stond. Hij was acteur in hart en nieren. Bij alles wat hij droeg, deed of zei, was je je bewust dat Warren Craig tot de derde generatie van Amerika's beroemdste toneelspelersgeslacht behoorde.

Nu was hij gereed om hun hulde in ontvangst te nemen. Rustig en onbevangen stond hij daar midden in het vertrek, met het hoofd even gebogen en een sigaret in een lange, Russische houder nonchalant tussen de vingers. Er was een glimlach om zijn lippen en met ieder die hem kwam gelukwensen sprak hij een paar woorden.
Zo zag Johnny hem voor het eerst toen hij met Sam Sharpe de kleedkamer binnenkwam. Warren Craig was echter helemaal niet blij toen hij Sam naar zich toe zag komen. Het herinnerde hem plotseling aan zijn met tegenzin gegeven belofte die kerel van de film te woord te staan. En hij was nog wel van plan dat aardige meisje in de hoek te vragen of zij met hem wilde souperen!
Hij lachte wijsgerig. Dat was nu eenmaal het nadeel van beroemd zijn – je kon nooit over je tijd beschikken.
Craigs bewonderaars begonnen het vertrek te verlaten. De laatste die heenging was het aardige meisje. Bij de deur bleef ze even staan en keek nog eens glimlachend naar hem om. Hij knikte haar toe en maakte een hulpeloos gebaar met zijn handen. 'Het spijt me, lieve kind,' zei hij er mee, 'maar het heeft zijn nadelen beroemd te zijn.'
Haar glimlach antwoordde hem. 'Ik begrijp het – een andere keer dan maar.' De deur ging achter haar dicht.
Dit naspel ontging Johnny niet. Terwijl ze wachtten totdat de bezoekers verdwenen waren, had hij volop gelegenheid de acteur gade te slaan en hij kwam tot de conclusie dat de man ongelooflijk ijdel moest zijn. Nu ja, hij had er ook alle reden toe. Hij was jong, – zeker niet ouder dan vijfentwintig, schatte Johnny – had een volmaakte gestalte, fijne, regelmatige gelaatstrekken en dik, zwart, krullend haar, dat zich uitstekend zou laten fotograferen.
Craig wendde zich nu met een hoffelijke glimlach tot Johnny. Hij had hem al wel zien binnenkomen, maar tot zijn verrassing merkte hij nu dat deze jongeman veel interessanter was dan hij aanvankelijk had gedacht. 'Die is nog jonger dan ik,' flitste het door hem heen, 'en toch is hij al vice-president van een grote filmmaatschappij.' Maar dat was het enige niet. Hij merkte nu nog andere dingen op, die de meeste mensen bij zo'n eerste ontmoeting ontgaan. Als toneelspeler leerde je op zekere kentekenen letten, die ten nauwste met het karakter van de mens samenhingen en die je moest weten om een bepaald karakter te kunnen uitbeelden. Johnny's mond was groot en edelmoedig, maar getuigde tevens van wilskracht en vastberadenheid. Zijn kaak verried agressiviteit. Het wonderlijkste echter waren zijn ogen. Ze waren donkerblauw, maar ze hadden een lichtende blik, alsof er diep in hem een vuur brandde, dat door zijn ogen naar buiten scheen. 'Een idealist,' wist Craig meteen.

'Heb je geen honger, Warren?' vroeg Sams hoge stemmetje belangstellend.
Craig haalde de schouders op. 'Het gaat nogal,' zei hij op een toon alsof voedsel voor hem niets betekende. Hij keek Johnny aan. 'Toneelspelen vergt overigens heel wat van je krachten.'
Johnny knikte hem vriendelijk toe. 'Dat begrijp ik, mijnheer Craig.'
De warme klank van Johnny's stem deed de acteur aangenaam aan. Hij glimlachte. 'Laten we maar niet zo vormelijk doen. Mijn naam is Warren.'
'En de mijne Johnny.'
De twee mannen drukten elkaar nogmaals de hand en Sam Sharpe lachte in zijn vuistje. Het begon er naar uit te zien dat hij toch wel enige kans op die tien procent maakte.

Craig rolde de kelk langzaam tussen zijn handen heen en weer om de cognac te verwarmen. In weerwil van zijn stoere bewering dat hij nauwelijks honger had, was de enorme biefstuk die hij besteld had als sneeuw voor de zon verdwenen en nu was hij gereed om ter zake te komen.
'Ik heb uit Sams woorden begrepen dat je tot een filmmaatschappij behoort, Johnny.'
Johnny knikte bevestigend.
'En hij zei dat je van plan bent om 'The Bandit' te verfilmen.'
'Zo is het,' bevestigde Johnny, 'en we zouden jou graag de titelrol zien spelen. Er is in de hele toneelwereld geen acteur die een dergelijke zware rol aan zou kunnen.' Een beetje vleierij kon geen kwaad, meende hij.
Craig vond dat blijkbaar ook. Hij knikte bevestigend. 'Maar voor de film, beste kerel, voor de film –'
Johnny keek hem ernstig aan. 'De film gaat iets groots worden, Warren. Een kunstenaar met jouw talenten kan hierin nog beter tot zijn recht komen dan op het toneel.'
Craig nipte peinzend aan zijn cognac. 'Ik kan het helaas niet met je eens zijn, Johnny,' zei hij met een verontschuldigend lachje. 'Gisteren ben ik eens een kijkje gaan nemen in een nickelodeon en ik zag daar de gruwelijkste dingen. Het moest een klucht voorstellen, maar het was om te huilen. Een kleine vagebond werd achterna gezeten door een paar dikke politieagenten; ze vielen om de drie stappen op de grond en dan rolden ze over elkaar heen en dan renden ze weer – het was allemaal weerzinwekkend flauw.' Hij schudde het hoofd. 'Het spijt me, ouwe jongen, maar ik kan er niets in zien.'
Johnny schoot in de lach. Hij zag dat Warrens glas leeg was en wenkte de

kelner het nog eens te vullen. 'Maar je denkt toch hoop ik niet dat we zoiets van 'The Bandit' willen gaan maken?' Zijn verbazing dat Warren zo iets kon denken, klonk duidelijk uit zijn stem.
Hij boog zich over de tafel heen en keek Warren met een dwingende blik in de ogen aan. 'Kijk eens, Warren, in de allereerste plaats moet deze film geloofwaardig, dus natuurgetrouw zijn. Het is geen lor van twintig minuten – hij zal meer dan een uur duren. En vervolgens is er iets geheel nieuws bedacht, waarmee we hard aan het werk zijn om het uitvoerbaar te maken. We noemen het de close-up.'
Johnny zag dat Warren hem niet begreep. 'Een zekere Griffith is op het idee gekomen en hij gaat als volgt te werk: Stel je voor dat je met een belangrijke scene bezig bent – die met het meisje in de tuin, bijvoorbeeld. Denk nu aan het ogenblik waarop je haar aanziet en je gezicht je liefde voor haar uitdrukt, zonder dat je een woord spreekt. Dat zou op het doek iets prachtigs kunnen zijn. De camera zou op dat moment enkel en alleen op jouw gezicht gericht zijn en dat zou dan alleen op het doek verschijnen. Elke gevoelsuitdrukking, de fijnste nuancering, waartoe jij in je onovertroffen kunstenaarschap in staat bent, zou door iedereen in de zaal kunnen worden bewonderd en niet alleen door de mensen op de eerste rij.'
Craig keek hem verrast aan. 'Je bedoelt dat de camera op mij alleen gericht zou zijn?'
Johnny knikte. 'En dat niet alleen. Hij zou voor verreweg het grootste gedeelte van de film op jou gericht zijn, want wat is 'The Bandit' ten slotte zonder jou?'
Craig gaf geen antwoord, maar nam nog een slokje van zijn cognac. Het was goedbeschouwd toch nog niet zo gek. Hij was inderdaad 'The Bandit'. Maar plotseling schudde hij het hoofd. 'Nee, Johnny, het klinkt heel aanlokkelijk, maar het gaat niet. Ik kán het niet doen – de film zou mijn reputatie als toneelspeler ernstig schaden.'
'Sarah Bernhardt is niet bang dat de film haar reputatie schaadt,' bracht Johnny hier tegen in. 'Zij zal evenmin blind zijn voor het eventuele gevaar als jij, maar zij aarzelt niet het te trotseren. Zij weet dat deze nieuwe vorm van kunst haar minstens even grote mogelijkheden biedt als het toneel. Denk het je eens in, Warren! Sarah Bernhardt in Frankrijk – Warren Craig in Amerika! De beroemdste kunstenaars aan weerszijden van de oceaan voor de camera! Wil je me wijsmaken dat je er voor terugschrikt hetzelfde te doen als Sarah Bernhardt?'
Craig goot zijn cognac in één teug naar binnen. Die laatste woorden – wat zei Johnny ook weer? Bernhardt en Craig de beroemdste kunstenaars ter wereld! Hij stond op en liep met enigszins wankele schreden om de tafel heen naar Johnny toe. 'Mijn waarde vriend!' begon hij op hoogdra-

vende toon, 'je hebt het gewonnen! En het laat me koud wat mijn collega's er van zeggen, zelfs Johnny Drew! Ik zal ze tonen dat de waarlijk grote acteur elk gevaar kan trotseren en zich op elk gebied kan bewegen. Zelfs op dat van de film!'
Johnny keek glimlachend naar hem op en onder de tafel ontspande Sam Sharpe de spieren van zijn ineengeklemde handen.

Joe lag lui achterover in een makkelijke stoel en keek met leedvermaak naar Johnny, die met zijn das worstelde. Hij maakte hem tot tweemaal toe weer los en strikte hem opnieuw, maar toen hij de derde keer nog niet naar zijn zin zat, rukte hij hem van zijn hals en slingerde hem van zich af. 'Vervloekt nog toe,' mopperde hij en greep een andere das van de hanger.
Joe schoot in de lach. Sinds die morgen dat hij Johnny gewezen had op het risico dat Peter liep als hij tot de verfilming van 'The Bandit' overging had hij geen woord meer over het onderwerp gezegd. Hij ging rustig zijn gang, deed zijn werk nauwgezet en met plezier en bad in stilte dat het goed zou aflopen. Maar het verliep allemaal te rustig en te vlot naar zijn zin en hij had dikwijls het gevoel dat dit de bekende stilte voor de storm was. Hij trachtte zich er echter tegen te verzetten en schold zichzelf een pessimist.
'Een afspraakje?' vroeg hij Johnny.
Deze knikte – hij had al zijn aandacht bij zijn das nodig.
'Ken ik haar?'
De das zat eindelijk, en Johnny keerde zich om. 'Ik denk het wel – de secretaresse van Sam Sharpe.'
Joe floot tussen zijn tanden. 'Wees voorzichtig, kerel,' waarschuwde hij. 'Ik heb dat aardige blondje gezien – ze is van het soort dat trouwt.'
Johnny lachte hartelijk. 'Onzin – ze is een en al leven en luchthartigheid.'
Joe schudde quasi-bedroefd het hoofd. 'Ik heb dat al meer gezien. Je gaat met een bos bloemen weg en je komt met een ijzeren ketting terug.'
'Bij Jane niet,' hield Johnny vol. 'Ze weet dat het me niet om trouwen te doen is.'
'Een vrouw kan dat wel weten, maar geloven doet ze het nooit,' lachte Joe. Plotseling werd zijn gezicht ernstig.
'Peter en jij gaan morgen naar de Combinatie, is het niet?'
Johnny knikte. Het was achter in mei en alles was gereed om met de op-

namen te beginnen. Het draaiboek lag klaar en de rolverdeling was vastgesteld. De enige moeilijkheid was nog de studio – hun eigen studio was veel te klein voor een film van dergelijk formaat.
De andere zelfstandige producenten hadden evenmin een grotere studio beschikbaar, of zij durfden het niet aan. Daarom hadden ze besloten zich tot de Combinatie te wenden en te proberen een studio van hen te huren. De Combinatie had verscheidene studio's die groot genoeg waren voor 'The Bandit' en een er van was die zomer niet in gebruik. Ze zouden de Combinatie op de mouw spelden dat zij een serial gingen maken.
'En wat doe je als ze je door hebben?' vroeg Joe met een bezorgd gezicht.
'Ze hebben ons niet door,' zei Johnny op besliste toon. 'Je moet niet altijd zo zwartgallig zijn.'
'Nou, stil maar,' suste Joe, 'het is maar een vraag.'

Het geklepper van de paardehoeven op het plaveisel hield op en het open rijtuig stond stil. De koetsier keerde zich om op de bok en keek op de twee jonge mensen neer. 'Waar nu heen, mijnheer?'
'Nog maar eens om het park heen,' antwoordde Johnny. Hij wendde zich tot Jane. 'Vind je het goed? Ben je niet te moe?'
Haar gezichtje was bleek in het maanlicht. Het was een zoele avond, maar zij had toch een sjaal om de schouders geslagen. 'Nee, ik ben niet moe,' zei ze zacht.
Het rijtuig reed weer verder en Johnny leunde behaaglijk achterover in de zachte kussens. Hij keek omhoog naar de hemel waar de sterren fonkelden en vouwde zijn handen achter zijn hoofd. 'Als deze film maar eenmaal klaar is, Jane, dan zijn we een eind op weg. Dan kan niets ons meer deren.'
Ze bewoog zich onrustig. 'Johnny?'
'Ja, Jane?' Zijn gedachten waren nog bij zijn laatste woorden.
'Is dat je enige gedachte? Als die film maar eenmaal klaar is?'
Hij keerde zich verrast naar haar om. 'Hoe bedoel je dat?'
Ze keek hem ernstig aan. Haar ogen waren groot en er was een zachte glans in, die hij nu pas opmerkte. 'Er zijn nog andere dingen in het leven behalve films, Johnny,' zei ze kalm.
Hij rekte zich uit en lachte vergenoegd. 'Voor mij niet.'
Ze keerde haar gezicht van hem af en keek uit over het park, dat zilverig gloorde in het licht van de maan. 'Er zijn meer mensen die drukke zaken hebben, maar die toch ook nog wel tijd vinden voor andere dingen,' verweet ze hem zacht.
Hij sloeg zijn arm om haar heen en dwong haar met zijn vrije hand hem

aan te zien. Hij keek haar diep in de ogen en kuste haar. Haar lippen waren warm; ze sloeg haar armen om zijn hals en drukte hem dicht tegen zich aan. Slechts een ogenblik – toen gleden haar armen van zijn schouders en haar lippen lieten de zijne los. Ze bleef roerloos zitten.
'Bedoelde je dit, Jane?' vroeg hij zacht.
Ze gaf niet dadelijk antwoord en toen het eindelijk kwam, was het bijna onhoorbaar. 'Ik wilde maar dat je dit niet gedaan had, Johnny.'
Zijn verbazing was duidelijk op zijn gezicht te lezen. 'Waarom niet, lieveling? Bedoelde je dit dan niet?'
Ze hief het hoofd op en keek hem vast in de ogen. 'Ja en neen. Een kus op zichzelf is niet zo belangrijk, maar wel datgene wat er aan ten grondslag ligt. Het spijt me dat je me gekust hebt, omdat ik nu weet dat er bij jou niets onder zit. Je hebt films in je hart, Johnny, maar geen gevoel.'

De Combinatie was in een groot gebouw in de Drieëntwintigste straat gevestigd. Het gebouw telde twaalf verdiepingen en de Combinatie had ze allemaal in gebruik. Het bureau van de directie lag op de derde verdieping en toen Peter en Johnny daar uit de lift stapten, trad hun een jong meisje tegemoet, dat hun onmiddellijk vroeg wie zij wensten te spreken.
'Mijnheer Segale,' antwoordde Peter. 'Wij zijn John Edge en Peter Kessler. De heer Segale verwacht ons.'
'Neemt u even plaats.' Het meisje wees op een grote sofa tegen de muur. 'Ik zal me met mijnheer Segale's bureau in verbinding stellen.'
Ze gingen zitten en keken de lange, brede gang af. De deur aan het einde er van stond open. Daar lag een grote zaal, met rijen schrijftafels ter weerszijden van het middenpad. Er klonk geratel van schrijfmachines en iedereen was druk aan het werk.
'Een behoorlijke zaak,' fluisterde Johnny.
'Ik voel me niets op m'n gemak,' bekende Peter.
'Maak je maar niet ongerust – ze hebben geen flauw idee van wat we van plan zijn.'
Peter wilde juist wat zeggen toen het meisje weer op hen toetrad: 'Mijnheer Segale kan u ontvangen. Deze gang uit en dan de zaal door. Zijn naam staat op de deur.'
Ze bedankten haar en liepen de gang af. Het was een heel eind en onderweg kwamen ze verscheidene employés tegen, die zich met een gewichtig gezicht en zelfbewuste schreden langs hen heen haastten, alsof zij iets heel belangrijks te verrichten hadden. Zelfs Johnny raakte onder de indruk.
De naam op de deur luidde: 'Segale – Production Supervisor'. Ook dit zag er indrukwekkend genoeg uit. Ze openden de deur en stapten naar

binnen. Dit was het kantoor van de secretaresse. Het meisje keek op en wees op een deur aan de andere kant van het ruime vertrek. 'U kunt meteens binnengaan,' glimlachte ze. 'Mijnheer Segale verwacht u.'
Ze traden het kantoor van de allerhoogste binnen. Het vertrek was bovenmatig kostbaar, maar smaakvol ingericht. Op de vloer lag een dik, wijnkleurig tapijt, aan de muur hingen verscheidene schilderstukken en er stonden talloze grote, leren sofa's en fauteuils. Achter een enorme notehouten schrijftafel zat de heer Segale. Hij begroette zijn bezoekers hartelijk en wees op de grootste en makkelijkste stoelen die het vertrek rijk was. 'Maak het u gemakkelijk, heren,' glimlachte hij, terwijl hij hun een kistje sigaren voorhield. 'Roken?'
Peter nam een van de dure sigaren en stak hem meteen aan. Johnny gaf de voorkeur aan een sigaret.
De heer Segale was een klein, dik mannetje met een cherubijnegezichtje. Zijn grote, blauwe ogen hadden echter een ongewoon scherpe blik en de lippen van zijn ronde mondje waren zeer dun. En nu pas, terwijl hij deze man aankeek, maakte zich een zekere onrust van Johnny meester.
'Deze baby is niet zo onnozel als hij er uit ziet,' dacht hij. 'Het zal niet zo gemakkelijk zijn zand in deze blauwe kinderogen te strooien.' Hij besloot te wachten totdat Segale het gesprek opende.
'Waarmee kan ik u van dienst zijn, heren?'
Peter stak meteen van wal. 'Magnum zou gaarne de Slocum Studio's voor drie weken huren om een serial te maken.'
De heer Segale vouwde zijn handen over zijn buikje en leunde achterover in zijn stoel. Hij keek peinzend naar het plafond en trok een zware rookwolk uit zijn sigaar. 'Juist,' zei hij. 'Als ik het wel heb dan hebt u van ons een vergunning tot het produceren van shorts, die de twee rol niet te boven gaan.'
'Zo is het, mijnheer Segale,' antwoordde Peter snel.
'En krijgt het materiaal dat wij u daartoe verschaffen de gewenste bestemming?'
Johnny wierp Peter een waarschuwende blik toe. Het liep niet zoals hij verwacht had. Maar Peter had al zijn aandacht bij de heer Segale.
'Wat een vraag!' klonk het verbaasd. 'U weet toch wat we produceren!'
Segale ging plotseling rechtop zitten. Zijn vlezige handjes zochten tussen een stapel papieren op zijn schrijftafel. Hij vond wat hij zocht en bestudeerde het ernstig. 'Hm, u hebt vorig jaar tweeënzeventig rol geproduceerd.'
Peter antwoordde niet. Ook hij begon te voelen dat er iets niet in orde was. Hij wierp snel een blik op Johnny en voelde zijn hart plotseling in zijn schoenen zinken. Johnny's gezicht was strak en bleek en er was een

harde blik in zijn half dichtgeknepen ogen. Ook Johnny bespeurde onraad! Hij wendde zich weer tot Segale. 'Waartoe al deze vragen, mijnheer Segale? Alles wat wij vragen is ruimte om een serial te kunnen maken.'
Segale stond op en liep om de schrijftafel heen op Peter toe. Vlak voor diens stoel bleef hij staan en keek met een beschermend lachje op hem neer. 'Bent u daar volkomen zeker van, mijnheer Kessler?'
Johnny sloeg de twee mannen ademloos gade. Segale speelde met Peter als een kat met een muis! Hij wist precies wat ze van plan waren; hij had het al geweten voordat ze binnenkwamen. Waarom zei hij dat niet meteen, inplaats van hen zo te tergen?
Peters stem was honingzoet toen hij antwoordde. 'Zeker, mijnheer Segale, waar zouden we die ruimte anders voor nodig hebben?'
Segale keek een minuut lang zwijgend op hem neer. 'Ik heb horen vertellen dat het uw bedoeling is een film van zes rol van het toneelstuk 'The Bandit' te maken.'
Peter lachte. 'Wat een dwaasheid! Het kan zijn dat ik het er over heb gehad er een serial van te maken. Maar een zesrols-film – dat bestaat niet.'
Segale keerde naar zijn stoel terug en ging zitten. 'Het spijt me, mijnheer Kessler, maar de Slocum Studio is voor deze zomer volgeboekt en ik kan hem u niet verhuren.'
Johnny sprong op. 'Wat bedoelt u daarmee – volgeboekt!' riep hij woedend uit. 'Dat is een leugen! Ik weet dat er de hele zomer geen enkele film wordt opgenomen!'
'Ik weet niet wie u deze inlichting heeft verstrekt, mijnheer Edge,' antwoordde Segale zoetsappig, 'maar ik ben in elk geval beter op de hoogte.'
'Het is mij volkomen duidelijk,' wierp Peter er tussen, 'de Combinatie wenst niet dat Magnum een serial maakt.'
Segale plantte zijn ellebogen op de schrijftafel en keek Peter over de brug van zijn handen heen strak aan. 'Mijnheer Kessler, ik zal u nog verder inlichten. Vanaf 1 juni van dit jaar wenst de Combinatie niet dat Magnum nog enigerlei film produceert. Krachtens paragraaf zes van onze overeenkomst trekken wij hierbij onze vergunning tot produceren van films in.'
Johnny zag Peters gezicht asgrauw worden. Eén seconde leek het alsof hij in zijn stoel ineen zou zakken. Toen richtte hij zich op en de kleur kwam terug op zijn wangen. Langzaam stond hij op. 'Ik moet hieruit dus opmaken dat de Combinatie bij deze gebruik maakt van zijn recht tot beperking van handel en concurrentie.'
Segale keek hem doordringend aan. 'U kunt het noemen zoals u wilt, mijn-

heer Kessler. De Combinatie handelt slechts in overeenstemming met de bepalingen, die zijn opgenomen in het contract.'
Peters stem klonk dof en zwaar, maar desondanks was er iets in, dat deed denken aan vlijmscherp geslepen staal. 'U kunt Magnum niet beletten films te maken door u eenvoudig te beroepen op een contract, mijnheer Segale. En evenmin kunt u de vrije ontwikkeling van het filmbedrijf tegenhouden. Magnum zal voortgaan met het produceren van films – met of zonder toestemming van de Combinatie.'
Segale keek hem met een ijzige blik aan. 'Ik bewonder uw moed ten zeerste, mijnheer Kessler, maar ik zeg u nogmaals: de Combinatie schrikt er volstrekt niet voor terug u uit het bedrijf te stoten. Ik wil u echter nog één kans geven om vele moeilijkheden voor u te voorkomen. U hernieuwt vandaag nog uw contract met ons, waarin u verklaart slechts films van twee rol, en niet langer, te zullen produceren. En anders –'
Hij haalde veelbetekenend de schouders op.
Johnny keek Peter aan. Je mocht van Segale denken wat je wilde, een zakenman was hij. Eerst sloeg hij je met een voorhamer op het hoofd en vervolgens bood hij je een aspirientje tegen de hoofdpijn. Wat zou Peter doen? Segale had hem een uitweg geboden.
Peter stond daar uiterlijk heel kalm, maar in zijn hoofd woedde een storm. Dit was zijn kans om zijn zaak te redden, maar als hij hem greep, dan zou hij nooit meer de moed hebben om de Combinatie het hoofd te bieden.
Zijn enige wens was een film te maken. Repen celluloid, duizenden voeten lang, met kleine plaatjes achter elkaar. Maar als je ze op het witte doek liet verschijnen, dan kwamen ze tot leven. Dan liepen daar echte mensen en je zag daar echte steden en dit alles had een betekenis. De mensen in de zaal lachten en huilden met die mensen op het doek. De film bezat evengoed het vermogen te ontroeren als het toneel, de litteratuur, de muziek en welke vorm van kunst ook. En om waarlijk groot te kunnen zijn, moest de kunst vrij zijn, zoals ook de mens vrij moest zijn om gelukkig te kunnen leven en tot de hoogste prestatie in staat te zijn. Wat had Esther ook weer gezegd? 'Je moet doen wat je goed lijkt om te doen. Ik vind het niet zo erg als we geen huis aan Riverside Drive hebben . . .'
De woorden kwamen vanzelf over zijn lippen. Ze klonken misschien anders dan de woorden die zijn gedachten vormden, maar ze hadden dezelfde betekenis.
'Magnum gaat geen enkel contract meer aan, dat hem voorschrijft wat hij doen of laten moet, mijnheer Segale. Het is niet zo belangrijk een huis aan Riverside Drive te hebben.'
Hij keerde zich om en verliet het vertrek. Johnny volgde hem. Achter zijn

schrijftafel krabde mijnheer Segale zich achter het oor, zich afvragend wat een huis aan Riverside Drive met een contract met de Combinatie te maken had.

Het zonlicht brandde hun in de ogen toen ze weer op straat stonden. Johnny keek Peter bezorgd aan. Diens gezicht was wit en vertrokken.
'Kom mee, dan gaan we wat drinken,' stelde hij voor.
Peter schudde lusteloos het hoofd. Zijn stem beefde een beetje. 'Nee, ik ga naar huis – een poosje liggen. Ik – ik ben niet erg goed.'
Johnny's hart kromp ineen. Het was zijn schuld. 'Het spijt me, Peter, dit had ik niet . . .'
Peter viel hem in de rede. 'Stil maar, Johnny. Het is jouw schuld niets meer dan de mijne. Ik heb het zelf gewild.' Hij stak zijn sigaar in zijn mond en deed een trek. Hij was uit. Hij streek een lucifer af en probeerde hem weer aan te steken, maar zijn hand beefde zo dat de lucifer uitging. Hij gooide de sigaar weg. Ze stonden elkaar somber aan te zien, ieder verdiept in zijn eigen zorgelijke gedachten. Voor Peter was dit het einde van alles. Nu moest hij zien dat hij weer wat anders begon. Zijn geweten begon al te knagen. Hij was te haastig geweest bij Segale. Hij had zijn aanbod moeten accepteren en de strijd aan een ander overlaten. Iemand met meer geld en in gunstiger omstandigheden. Hij wist het niet meer. Hij voelde zich ziek en niet meer tot denken in staat. Hij moest maar naar Esther gaan.
Maar Johnny stond al te bedenken hoe ze het klaar zouden spelen om de film ergens anders op te nemen. Er moest toch wel ergens een gebouw te huren zijn, dat groot genoeg was voor de opnamen. De Combinatie was toch niet de enige in New York die over ruime studio's beschikte? Hij moest er op uit. Misschien kon Borden hun wat plaats in zijn studio verschaffen. Hij maakte serials en met een beetje goede wil zou 'The Bandit' er toch ook wel opgenomen kunnen worden. Bovendien had Borden er vijfentwintighonderd dollar in gestoken.
'Ik zal een rijtuig voor je aanroepen,' zei hij, naar de rand van het trottoir lopend. Er kwam er juist een aanrijden en Johnny hielp Peter instappen. Peter keek hem aan en deed een jammerlijke poging tot glimlachen.
Johnny knikte hem bemoedigend toe. 'Probeer niet te piekeren – we zullen er wel wat op vinden. Die Segale zal nog een rare pijp roken, wacht maar.'
Peter knikte. Spreken durfde hij niet, want dan zou hij in tranen uitbar-

sten. Het rijtuig reed weg en Johnny bleef het op de rand van het trottoir staan nakijken tot het om de hoek verdween.

Joe zat aan zijn schrijftafel de krant te lezen toen Johnny binnen kwam. Hij sprong verheugd op. 'En – ?' Toen zag hij Johnny's gezicht en hij viel terug in zijn stoel.
'Mislukt?'
'Mislukt.'
'Waardoor?'
Johnny keek hem woedend aan. 'Ze wisten er alles van – de een of andere wauwelaar heeft zijn mond niet kunnen houden.'
Joe knikte wijsgerig. 'Dat was te voorzien.'
'Dat was niét te voorzien – het hád niet hoeven te gebeuren!' schreeuwde Johnny bijna.
Joe hief kalmerend de hand op. 'Blijf kalm, kerel. Je behoeft tegen mij niet zo te keer te gaan. Ik heb het hun niet verteld.'
Johnny had onmiddellijk berouw. 'Het spijt me, Joe. Ik weet wel dat jij het niet kunt helpen. Maar je had gelijk, ik had Peter er niet toe moeten overhalen. Als ik mijn mond maar gehouden had, dan was alles nu nog goed geweest.'
Joe floot tussen zijn tanden. 'Is het dan zo erg?'
'Ze hebben onze vergunning ingetrokken.'
Joe viel achterover in zijn stoel. 'Geef me alsjeblieft een borrel.'
Johnny keek hem met doffe ogen aan. 'Waar is de fles?'
Joe opende een kastje in zijn schrijftafel en nam er een fles en twee glaasjes uit. Hij vulde ze zwijgend en gaf er een aan Johnny. 'Op de goede afloop.'
Ze leegden hun glas in één teug. Johnny gaf zijn glas meteen weer aan Joe. Deze vulde ze opnieuw en weer dronken zij ze leeg. Toen zaten ze lange tijd zwijgend tegenover elkaar.
'En wat nu?' vroeg Joe eindelijk.
Johnny keek hem dankbaar aan. Joe was een beste kerel – hij kwam niet met allerlei nutteloze verwijten. 'Ik weet het nog niet precies. Laemmle is in Cuba voor de opnamen van die Pickford-film, maar daar hebben wij geen geld voor. We moeten dus hier in de buurt een gelegenheid zien te vinden om hem te maken. We kunnen niet bij de pakken gaan neerzitten en ik denk er ook niet over om het hierbij te laten. We zullen hun nog een aardig nummertje te zien geven.'
Joe keek hem bewonderend aan. 'Nu weet ik waarom de oude Santos je altijd een buldog noemde. Je laat nooit los wat je eenmaal tussen je tanden hebt, is het wel?'

Er was een vastberaden trek om Johnny's mond. 'We maken die film.' Hij nam de telefoon van de haak en verzocht hem met Borden te verbinden. Even later hoorde hij Bordens stem.
'Hallo Bill, met Johnny.'
Er was een zweem van aarzeling in Bordens stem. 'Oh – eh, hallo Johnny.'
'We zijn naar de Combinatie geweest,' vertelde Johnny. 'Maar we hebben geen geluk gehad. Heb je geen ruimte beschikbaar voor die film?'
'We zitten hier stampvol, Johnny.'
'Dat weet ik – maar misschien zouden we het een beetje kunnen schikken. We hebben al zoveel voorbereidingen getroffen, weet je. Als we nu eens . . .'
'Ik zou je graag helpen, Johnny –,' Borden sprak heel langzaam, alsof het hem moeite kostte de woorden over zijn lippen te krijgen, 'maar ik kan het niet.'
'Wat bedoel je daarmee?' blafte Johnny. 'Je vond alles prachtig toen je hoorde dat Peter die film wilde maken. Je wist drommels goed dat het ook jullie strijd was.'
Bordens stem klonk heel zacht. 'Het spijt me, Johnny, werkelijk.'
Plotseling ging Johnny een licht op. 'Heb je iets gehoord van de Combinatie?'
Het bleef wel een minuut lang stil. Toen het antwoord eindelijk kwam, klonk het verontschuldigend, bijna beschaamd. 'Ja –.'
'Wat zeiden ze?'
'Jullie staan op de zwarte lijst – en je weet wat dat betekent.'
Johnny kreeg plotseling een wee gevoel in zijn maag. Hij wist maar al te goed wat dat betekende! Van nu af zou iedere producent, die op de een of andere manier zaken deed met Magnum, eveneens zijn vergunning verliezen. 'En ben je van plan je daar iets van aan te trekken?'
'Wat moet ik anders?' klonk het bijna smekend. 'We kunnen het ons geen van allen veroorloven onze zaak te verliezen.'
'En Peter kon dat dus wel?'
'We kunnen hem immers toch niet helpen door allemaal over de kop te gaan,' protesteerde Borden zwakjes.
'Je bent dus niet van plan hem te helpen?'
'Ik – ik weet het niet,' stamelde Borden. 'Laat me er over nadenken. Ik zal je morgen opbellen.'
'Goed.' Johnny hing de telefoon op en keerde zich om naar Joe. 'De Combinatie heeft er geen gras over laten groeien. We staan op de zwarte lijst.'
Joe stond plotseling op.
Johnny keek hem verbaasd aan. 'Wat ga je doen?'

Joe lachte sarcastisch. 'Een krant halen. Kijken of er nog een baantje voor me is.'
'Ga zitten en stel je niet aan. We hebben al genoeg moeilijkheden.'
Joe gehoorzaamde. 'Wat gaan we dan doen?'
'Dat weet ik nog niet,' erkende Johnny. 'Maar een uitweg is er. Die móét er zijn. Ik heb hem er in gebracht, ik zal hem er ook weer uithalen.'
'Okay, kerel,' zei Joe ernstig. 'Op mij kun je rekenen.'
Johnny keek hem vast in de ogen. 'Dank je, Joe.'
Joe grinnikte. 'Bedank me maar niet. Ik heb er ten slotte ook vijfentwintighonderd dollar in zitten.'

Laat in de avond belde hij Peter op. Esther nam de telefoon aan. 'Esther, hier is Johnny. Hoe is het met Peter?'
Haar stem klonk rustig. 'Hij heeft hoofdpijn – hij is naar bed gegaan.'
'Prachtig. Zorg dat hij niet piekert en wat slaapt.'
'Ziet het er erg lelijk uit, Johnny?' Haar stem klonk zacht en beheerst.
'Best ziet het er niet uit,' moest hij toegeven. 'Maar tob maar niet. Misschien valt het allemaal nog wel mee.'
'Ik tob ook niet. Mijn vader, God hebbe zijn ziel, zei altijd: 'Wat zijn moet, moet zijn. Een stuk brood verdienen we altijd.' '
'Mooi,' prees Johnny. 'Breng dat Peter aan zijn verstand en we kunnen niet verliezen.'
'Laat Peter maar aan mij over,' zei ze vol vertrouwen. 'Maar Johnny –'
'Wat?'
'Je moet je niet ongerust maken – het is jouw schuld niet en je mag jezelf niets verwijten. We houden veel te veel van je, om dat te willen.'
Johnny voelde plotseling de tranen gevaarlijk dicht bij zijn ogen komen. 'Dat zal ik niet doen,' beloofde hij.
Hij hing de hoorn op de haak en keek Joe aan. Zijn ogen glansden verraderlijk. 'Wat zeg je nu van zulke lui?' vroeg hij, stomverbaasd.

Traag verstreken de zomermaanden en nergens vonden ze iemand die hen durfde helpen. Johnny had alle zelfstandige producenten van het gehele filmbedrijf afgelopen; allen ontvingen ze hem even hartelijk en iedereen was het met hem eens dat dit de enige manier was om de Combinatie de nek om te draaien, maar niemand ging ook maar een stap verder. Meer dan sympathie kon Johnny niet van hen krijgen.
Tevergeefs probeerde hij hun aan het verstand te brengen dat Magnum

ook hún strijd streed en dat zij, als Magnum overwon, er allen wel bij zouden varen. Ze zeiden dat ze dit heel goed beseften, maar niemand wilde het risico lopen zijn vergunning te verliezen.
Tegen eind augustus waren zij nagenoeg aan hun faillissement toe. Hun geld was bijna op. Esther had haar dienstbode in juli al ontslagen en Peters buikje was gaandeweg geslonken. En vaak zag je hem met peinzende en enigszins jaloerse blikken voor de etalage van een ijzerwinkel staan.
Joe bracht een groot deel van de dag in de studio door, waar hij de ene patience na de andere legde. Noch hij, noch Johnny had een cent salaris willen hebben sedert de vergunning was ingetrokken en ze konden het ook niet over hun hart verkrijgen weg te gaan en elders hun geluk te beproeven. Om zo voordelig mogelijk te leven, gebruikten ze de maaltijden bij Peter thuis. Het eten was eenvoudig, maar met zorg toebereid en Esther uitte nooit een klacht over het extra werk.
Joe had af en toe een los baantje bij een van de zelfstandige producenten en het geld dat hij er mee verdiende ging in de gemeenschappelijke kas.
Maar het was Johnny, die het meest veranderd was. Hij glimlachte nog maar zelden. Hij was altijd slank geweest, maar nu was hij broodmager en zijn trekken waren verscherpt. Zijn ogen lagen diep in hun kassen en er was een felle, bijna hongerige blik in. Van tijd tot tijd gloeide er echter nog het oude vuur. 's Nachts lag hij slapeloos naar het plafond te turen. Het was zíjn schuld, dacht hij dan. Als hij de zaak niet doorgedreven had, dan zou dit nooit gebeurd zijn.
De film tóch maken, was zijn enige gedachte. Hij wist dat als deze film eenmaal gereed was, hun strijd gewonnen zou zijn. Elke morgen werd hij wakker met de overtuiging dat dit de dag was waarop het hem zou gelukken een van de zelfstandigen er toe over te halen hem zijn studio af te staan. Maar de producenten werden zijn eeuwig gezanik moe. Ze droegen hun employés op, hem af te schepen en als ze hem zagen komen probeerden ze hem te ontlopen. Toen dit tot Johnny doordrong, werd hij pas echt verbitterd. 'De lafbekken,' schold hij, 'het zijn allemaal helden als je de kastanjes voor ze uit het vuur wilt halen, maar als je ze dan vraagt je een beetje te helpen, dan zijn ze niet thuis.'
Ze waren de hele zomer al aan het procederen om gedaan te krijgen dat de Combinatie hen van de zwarte lijst schrapte.
Maar op zekere dag kwam hun advocaat bij Peter met de mededeling dat het geen zin had nog langer te procederen. Het zat allemaal veel te goed in elkaar om van deze kant een aanval te wagen. Bovendien wilde hij nu wel eens geld zien, in plaats van beloften.
Peter betaalde hem met een effen gezicht en ze zetten de worsteling voort.

Maar nu was het eind augustus en de dag dat hun schulden betaald moesten worden, naderde met rasse schreden. Peter, Johnny en Joe zaten in Peters kantoor toen Warren Craig en Sam Sharpe binnentraden.
Johnny stond op en stak Warren de hand toe. 'Hallo, Warren.'
Craig deed alsof hij de hem toegestoken hand niet zag en stapte regelrecht op Peter toe. 'Mijnheer Kessler,' zei hij kortaf.
Peter hief vermoeid het hoofd op. Hij had de hele nacht niet geslapen en steeds maar weer opnieuw berekend hoe lang ze dit nog konden volhouden. En dat was niet lang meer. 'Ja, mijnheer Craig,' antwoordde hij.
'Mijnheer Kessler, ik moet nu definitief weten wanneer u met de film begint en anders moet ik het contract als geëindigd beschouwen.'
Peter legde zijn handen voor zich op de schrijftafel en keek er naar. 'Ik zou het u maar al te graag zeggen, mijnheer Craig, maar hoe zou ik dat kunnen?'
'Dan zie ik me genoodzaakt me terug te trekken.'
Nu mengde Sam zich in het gesprek. 'Wees niet te haastig, Warren. Het is ten slotte niet helemaal hun schuld. Misschien . . .'
Craig keerde zich driftig om. 'Niets 'misschien', Sam. In de eerste plaats heb ik me door jou laten overhalen hieraan te beginnen en vervolgens staat er in ons contract dat de film ongeveer half juli gereed zou zijn. En nu is het bijna september. Het Broadwayseizoen begint over enige weken. Als jij een goede agent was, dan zou je zorgen dat ik in een van de nieuwe stukken kwam te spelen in plaats van me tot in lengte van dagen te laten wachten of de droom van deze idioot soms in vervulling gaat.'
Sharpe kromp ineen. 'Maar Warren . . .' waagde hij nog eens.
Een blik van Craig legde hem echter het zwijgen op.
'Een ogenblikje alsjeblieft –' Johnny stapte strijdlustig op Warren toe en ging vlak voor hem staan. 'Je hebt toch je geld gehad voor de tijd dat je gewacht hebt, is het niet?'
'Dat is waar,' moest Craig toegeven.
'Elke maand tweeduizend dollar – juni, juli en augustus, is het niet?'
'Jawel, maar . . .'
'Loop naar de hel met je 'maar',' brulde Johnny. 'We zijn overeengekomen dat we je tweeduizend dollar voor de film zouden betalen. Toen we merkten dat we niet op tijd met de opnamen konden beginnen, heb je er in toegestemd om voor tweeduizend dollar per maand te wachten tot hij begon. En gedurende de zomermaanden heb je ook braaf gewacht. Maar nu de zomer voorbij is en jouw stille seizoen achter de rug, nu zou je ons in de steek willen laten?'
'Ik laat je niet in de steek,' stribbelde Craig tegen, heel wat minder overtuigd dan een paar minuten geleden, 'maar ik moet aan mijn carrière den-

ken. Je bent op Broadway zo vergeten als je niet elk jaar met een nieuw stuk komt.'
'Je hebt een contract met ons dat je deze film zult maken en bij God, je hebt je er aan te houden, dat bezweer ik je!' schreeuwde Johnny, met gebalde vuisten op hem toetredend.
'Johnny!' Peters stem was een bevel.
Johnny bleef staan. Het duizelde hem.
'Wat heeft het voor nut, Johnny?' Het klonk nu zacht en kalmerend. 'Laat hem gaan als hij niet anders wil. Er rust toch geen zegen op.'
'Maar we hebben hem al zesduizend dollar betaald!'
'Al betalen we hem er honderdduizend, dan zijn we nog geen stap dichter bij ons doel.' Hij wendde zich tot Craig.
'Het is goed, mijnheer Craig, ik beschouw ons contract hiermee als geëindigd.'
Craig deed zijn mond open om nog iets te zeggen, maar hij scheen plotseling van gedachten te veranderen. Hij draaide zich op zijn hielen om en stapte naar de deur. 'Kom mee, Sharpe.'
Sharpe draalde nog even. 'Het spijt me, Johnny,' fluisterde hij. 'Ik heb alles gedaan wat ik kon om hem hiervan terug te houden.'
Johnny staarde hem wezenloos aan.
'Ik zal je morgen mijn commissie terugsturen.'
Johnny hief met een ruk het hoofd op. Er was een warme, begrijpende blik in Sams ogen. 'Dat is niet nodig, Sam. Je hebt gedaan wat je kon – het komt je toe.'
'We zijn overeengekomen dat ik tien procent zou ontvangen als Craig in de film optrad,' klonk het eenvoudige antwoord. 'Hij doet het niet, dus –. Ik neem geen geld aan voor werk, dat ik niet gedaan heb.'
Johnny keek de kleine man bewonderend aan. 'Okay, Sam.' Ze drukten elkaar de hand en Sam haastte zich achter Warren aan. Ze keken hem zwijgend na. 'Een fijne vent,' zei Johnny, toen de deur dicht was.
Peter keerde naar zijn bureau terug en stond er een tijdlang zwijgend op neer te zien. Hij nam een potlood en speelde er wat mee. Toen legde hij het weer neer. Hij nam een eindje sigaar van zijn asbak, keek er naar, stak het in zijn mond en kauwde er op. Plotseling keerde hij zich om.
'Wel,' zei hij langzaam, 'dit is dus het einde.'
'Om de duivel niet!' stoof Johnny op. 'Er zijn meer goede acteurs dan Warren Craig.'
Peter keek hem ernstig aan. 'Denk je dat ik nog zin heb om hiermee verder te gaan, zelfs al hadden we het geld?'
Johnny wist hier niets op te zeggen. Joe keerde hartenvrouw om en legde haar op schoppenkoning.

'We moeten de werkelijkheid nu maar onder de ogen zien – we zijn verslagen.' De woorden kwamen traag en moeilijk over Peters lippen. Hij hief de hand op om Johnny's protest in de kiem te smoren. 'Je behoeft me niets meer te vertellen; je weet het even goed als ik. We hebben alles geprobeerd, maar niets heeft geholpen. We kunnen er beter mee ophouden.'

Joe veegde met één zwaai van zijn arm alle kaarten van de tafel. Ze fladderden even door de lucht en kletsten toen stuk voor stuk op de grond. Joe's lippen bewogen zich alsof hij bad, maar het was een hele serie vloeken waarmee hij binnensmonds zijn gemoed trachtte te luchten.

Johnny zei niets. Hij zou geen woord hebben kunnen uitbrengen, zelfs al had hij geweten wat hij zeggen moest. Zijn lippen waren kurkdroog en zijn keel zat dicht.

Peter stond moeizaam op. 'Ik weet niet waar ik het geld vandaan moet halen om jullie te betalen . . .'

Nu herkreeg Johnny zijn stem. 'Je bent me niets verschuldigd.'

'En mij ook niet,' bromde Joe.

Peter keek wel een minuut lang van de een naar de ander. Zijn ogen glinsterden verdacht. Toen trad hij op Joe toe en stak hem de hand toe. Joe drukte hem zwijgend. Nu trad Peter op Johnny toe. Ook Johnny stak zijn hand uit. Zonderling, hij kon hem plotseling niet stil houden. Hij beefde alsof hij koorts had. Peter greep die trillende hand en drukte hem zo stevig dat het pijn deed. Ze keken elkaar vast in de ogen. Toen drukte Peter Johnny tegen zijn borst. De tranen stroomden hem over de wangen.

'Jullie Amerikanen toch,' bracht hij uit. 'Wat kunnen jullie al niet zeggen met een handdruk.'

Johnny kon geen woord uitbrengen.

'Johnny, Johnny, beste jongen, maak jezelf geen verwijten. Het is jouw schuld niet. Jij hebt het meest van allemaal je best gedaan.'

'Het spijt me zo, Peter, het spijt me zo.'

Peter hield hem op armslengte van zich af en keek hem aan. 'Geef het niet op, Johnny. Dit is jouw taak. Jij bent er voor bestemd. Het is niets voor een oude man als ik. Jij zult iets bereiken.'

'Wij zullen iets bereiken, Peter.'

Peter schudde het hoofd. 'Ik niet – met mij is het gedaan.' Zijn armen vielen slap langs hem neer. 'Wel, ik geloof dat ik nu maar naar huis ga.' Hij liep langzaam naar de deur. Daar keerde hij zich om en keek nog eens naar hen. Zijn ogen dwaalden nog eenmaal door het vertrek en hij probeerde te glimlachen, maar het lukte hem niet. Hij maakte een beweging met de hand alsof hij iets van zich afschoof en sloot de deur zacht achter zich.

Het was lange tijd doodstil in de kamer. Joe was de eerste die sprak. Zijn stem klonk hees. 'Ik geloof dat ik een borrel ga drinken.'
Johnny keek hem met een eigenaardige blik in de ogen aan. 'Dat is de eerste goede inval van de hele zomer.'

De barkeeper keek hen dreigend aan. Hij had in elke hand een glas old fashioned, maar hij schoof hun de glazen niet toe. 'Dat is zeventig cent, heren.' Het klonk verrassend beleefd, maar de manier waarop hij de twee glazen voor zijn borst hield, getuigde van zijn ervaring in dergelijke situaties.
Johnny keek Joe eens aan. Hij wist niet precies of Joe het nu was, die zo zonderling heen en weer zwaaide, of hijzelf. Hij wilde dan wel dat Joe het ook maar deed, dan werd hij er misschien niet zo duizelig van.
'De man wil contante betaling,' hikte hij.
Joe knikte plechtig. 'Dat hoor ik. Betaal hem maar.'
'Natuurlijk,' Johnny stak zijn hand in zijn zak en bracht enige munten te voorschijn. Hij legde ze op de bar en begon moeizaam te tellen. 'Vijfenzestig – zeventig!' kraaide hij. 'En nu onze borrel!'
De barkeeper telde het geld na en schoof hun de glazen toe. Het geld deed hij haastig in de kassa.
Nog voordat het belletje van de kassa uitgerinkeld was, bonsde Joe alweer op de bar. 'Nog twee!'
De barkeeper keek hem scherp aan. 'Eerst betalen!'
Joe kwam verontwaardigd overeind. 'Kijk eens hier, makker,' bralde hij, 'ik ben nog beleefd gebleven toen je zo onbeschoft was tegen m'n beste vriend. Maar als je tegen mij begint dan is dat iets anders. Ik ben een vaste klant. Hij kan er niet zo goed tegen als ik, maar als ik een borrel bestel, dan verwacht ik ook een borrel.'
De barkeeper gaf de man, die aan de hoek van de bar blijkbaar had staan wachten, een wenk. De man trad op hen toe en greep ieder bij een arm. 'Kom jongens,' beval hij rustig.
Johnny rukte zich los. 'Blijf van me af!'
De man negeerde zijn protest, greep hem bij de schouders en duwde hem met gestage drang de deur uit. Toen keerde hij terug naar Joe en stroopte zijn mouwen op. 'Ben je van plan om te vertrekken?'
Joe keek hem minachtend aan. 'Natuurlijk vertrek ik. Denk je dat ik nog een minuut langer in een dergelijk ongastvrij huis wens te blijven?' Hij zwaaide de gelagkamer door.

Bij de deur gekomen keerde hij zich om en stak zijn tong uit. De man deed een stap in zijn richting. Joe stapte vlug naar buiten, dacht echter niet aan de hoge drempel en plofte spartelend op de straatstenen.
Johnny hielp hem overeind. 'Hebben ze je er uit gegooid, Joe?'
Joe sloeg zijn arm om Johnny's schouders. 'Natuurlijk niet. Ze zullen er wel voor oppassen om Joe Turner een haar te krenken. Ik struikelde – dat is alles.'
Ze bleven tegen de muur van de kroeg leunen. 'Waar gaan we nu heen?' vroeg Johnny.
Joe keek hem ernstig aan en probeerde na te denken. 'Hoe laat is het?'
Johnny nam zijn horloge uit zijn zak en bestudeerde het aandachtig. 'Twaalf uur.' Hij sloeg zijn arm om Joe's schouders. 'Joe, het is middernacht!'
Joe duwde hem weg. 'Je hoeft me niet te zoenen. Je stinkt naar whisky!'
'Okay, Joe, maar ik mag je toch graag.'
'Heb jij nog geld?'
Johnny keerde zijn zakken een voor een binnenste buiten. Eindelijk kwam er een verkreukeld papiertje te voorschijn. 'Een dollar!'
Joe nam het hem af. 'We nemen een rijtuig,' besliste hij. 'Ik weet een kroeg waar ze krediet geven.'

Johnny lag met zijn hoofd op de tafel. Het koude marmer deed hem goed aan zijn gezicht. Iemand rukte aan zijn schouder en probeerde hem overeind te trekken. Maar hij wilde niet opstaan. Hij duwde de handen weg. 'Het is mijn schuld ,Peter, mijn schuld,' hikte hij.
Joe keek naar hem en wendde zich toen tot de man die naast hem stond. 'Hij is dronken, Al.'
'Dat moet jij nodig zeggen, Joe,' verweet Al Santos hem.
'Hij is erger dronken dan ik,' hield Joe vol.
'Dat komt alleen omdat hij jouw ervaring niet heeft. Jij bent veel ouder dan hij. Hij is nog een kind.'
'Hij is tweeëntwintig!'
'Al was hij vijftig, dan was hij voor mij toch altijd nog een kind.' Hij boog zich weer over Johnny heen en trok hem aan de arm. 'Kom, Johnny, beste jongen, sta op. Ik ben het, Al Santos. Ik heb je overal gezocht.'
Johnny keerde zijn hoofd van hem af en mompelde: 'Het spijt me zo, Peter, het is allemaal mijn schuld.'
Al keek Joe aan en vroeg: 'Waar heeft hij het toch over?'
Joe begon alweer een beetje nuchter te worden en zijn ogen stonden wat helderder. 'Arme kerel,' zei hij. 'Hij wilde een film maken, die ons er met één slag bovenop zou helpen. In plaats daarvan verloren we alles tot onze

laatste cent, en Johnny houdt maar vol dat het zijn schuld is.'
'En is dat zo?'
Joe keek hem ernstig aan. 'Neen. Het was wel een idee van hem, maar het was een goed idee en niemand heeft ons er toe gedwongen. We waren oud en wijs genoeg om te weten wat we deden.'
'Kom bij me zitten en vertel me er eens wat van.' Al nam Joe mee naar een ander tafeltje. De kelner kwam naar hen toe en hij bestelde een fles wijn.
Joe vertelde hem de gehele geschiedenis; hij luisterde zwijgend. Van tijd tot tijd keek hij naar Johnny, die nu rustig lag te slapen, en dan glimlachte hij.
Johnny Edge. Hij herinnerde zich nog de dag dat hij die naam voor het eerst hoorde.
Laat op een avond in 1898 was er een wagen bijgekomen in het circus, waarvan hij de eigenaar was. Dat was nu dertien jaar geleden – een hele tijd. Maar nu leek het plotseling niet meer zo lang. De jaren waren voorbij gevlogen.
Het was in het jaar waarin hij en zijn broer Luigi de farm in Californië hadden gekocht. Luigi hield er van dingen te zien groeien; hij wilde druiven telen om er wijn van te persen en hij wilde sinaasappels tussen het groen zien glanzen, zoals thuis, in Italië. En hijzelf had een rustig plekje willen hebben waar hij zou kunnen uitrusten als hij zich uit de zaken terugtrok. En daar zat hij nu, vierenvijftig jaar oud, en op het punt naar zijn farm in Californië te gaan.
De volgende morgen was hij vroeg uit zijn wagen gekomen. De purperen ochtendnevels lagen nog dicht over de grond toen hij naar de achterkant van zijn wagen liep om zich te wassen. Plotseling had hij de gewaarwording dat iemand naar hem keek en hij keerde zich om.
Het was een jongetje van een jaar of negen. Al keek hem verbaasd aan – er waren geen jongens van die leeftijd in zijn kamp. 'Wie ben jij?' vroeg hij vriendelijk.
'Johnny Edge,' antwoordde de jongen. Hij keek hem met zijn grote, blauwe ogen recht aan. 'Ik ben hier met mijn vader en moeder. We zijn gisteravond gekomen.'
'Juist, ik weet het al,' antwoordde Al, die het zich nu weer herinnerde. 'Je hoort dus bij Doc Psalter?'
'Dat is mijn vader,' antwoordde Johnny trots. 'Maar dat is niet zijn echte naam – hij heet eigenlijk Walter Edge en mijn moeder heet Jane Edge.' Hij wees naar de andere kant van het kamp. 'Hun wagen staat daar.'
'Kom mee,' zei Al, 'dan zullen we eerst eens kennismaken.'
De jongen keek hem ernstig aan. 'Bent u Al Santos, mijnheer?'

Al knikte en ze liepen op de wagen toe. Plotseling bleef hij staan en keek verbaasd omlaag. Het jongetje had zijn hand in de zijne gelegd en dat leek iets zo vanzelfsprekends dat hij het niet eens dadelijk gemerkt had.
De avond waarop Johnny's ouders om het leven kwamen, kwam hem weer voor de geest. Er brak brand uit in de grote tent. Jane was daar binnen en werd onder het zeil bedolven toen de grote middenpaal brak. Johnny's vader trachtte haar te redden. Toen ze hem vonden leefde hij nog, maar hij was afschuwelijk verminkt. Ze droegen hem uit de puinhoop en legden hem in het gras. Al knielde aan zijn ene zijde en Johnny aan zijn andere. Johnny's vader opende de ogen. 'Jane?' Zijn stem was zo zwak dat ze hem nauwelijks verstonden.
Al schudde het hoofd en keek naar Johnny. Deze was toen pas tien jaar en totaal versuft. Het was nog niet tot hem doorgedrongen wat er in die enkele minuten allemaal was gebeurd.
Met uiterste krachtsinspanning greep Walter Edge de hand van zijn zoon. Met zijn andere hand nam hij die van Al en legde de handen van de oudere man en de jongen over zijn borst heen in elkaar. 'Kijk nog eens naar hem om, Al,' fluisterde hij. 'Het is nog een kind en hij heeft nog zo'n lange weg te gaan.' Hij haalde een paar maal moeilijk adem en keek Al met een van pijn vertrokken gezicht aan. 'Als hij ooit het circusleven wil verlaten, help hem dan, Al. Laat hem niet overkomen wat mij is gebeurd.'
Dat was de reden waarom Al niet geprobeerd had Johnny tegen te houden, toen deze bij hem weg wilde gaan. Hij wist nog goed hoe Johnny hem overal volgde totdat hij alles geleerd had wat Al hem kon leren.
Al had nooit tijd gehad om te trouwen en een gezin te stichten, zoals Luigi, zijn broer, en het duurde niet lang of hij beschouwde Johnny als zijn eigen zoon. Ook toen Johnny besloot om naar Peter terug te gaan, had hij niets gezegd. Als de jongen wilde, dan wilde hij het ook.
Maar nu hij zijn circus had opgedoekt, wilde hij Johnny toch nog eenmaal zien voordat hij naar het westen trok. Hij was naar de studio gegaan, maar had daar niemand aangetroffen. Hij belde Peter op, maar deze wist niet waar Johnny heen was gegaan. Toen belde hij Johnny's kamers, maar kreeg geen gehoor.
Nu had hij hem echter toch eindelijk gevonden. Hij was naar de Veertiende Straat gegaan, waar hij een kroeg wist waar veel circusmensen kwamen en hij verwachtte dat hij Joe hier wel zou vinden. Misschien kon die hem zeggen waar Johnny was.
Joe was klaar met zijn verhaal. Al bleef enige tijd zwijgend voor zich uit kijken. Eindelijk nam hij een dunne, zwarte sigaar uit zijn zak en stak die aan.

'Wat is dat voor een Combinatie, die je daar telkens noemt?'
'Ze controleren alles wat met de film te maken heeft. Zonder hun toestemming kan je geen opname maken.' Joe keek hem onderzoekend aan.
'Hebben jullie de rommel waar je zo'n ding van moet maken?'
'Het ligt allemaal in de studio, gereed voor de opnamen.'
Al draaide zijn sigaar nadenkend tussen zijn vingers rond. 'Maak Johnny wakker,' beval hij eensklaps. 'Ik wil hem spreken.'
Joe stond op en liep, in plaats van op Johnny, op de bar toe. Hij tintelde van top tot teen, zoals altijd wanneer hij hevig opgewonden was. 'Geef me een glas ijswater,' zei hij tegen de barkeeper. Deze vulde een glas onder de bar en gaf het hem. Joe liep er mee op Johnny toe en goot het over diens hoofd leeg. Het water kletterde op Johnny's achterhoofd neer en droop over zijn kleren. Johnny verroerde zich even, maar sliep rustig verder.
Joe ging weer naar de bar. 'Nog een.'
De barkeeper vulde het glas opnieuw en Joe herhaalde de behandeling.
Ditmaal schoot Johnny met een schok overeind; hij schudde zich als een natte hond en keek Joe met waterige oogjes aan. 'Het regent,' merkte hij op.
Joe keek hem even aan en liep toen weer naar de bar.
'Nu de laatste,' beval hij.
Johnny trachtte naar Joe te kijken, maar hij kon zijn ogen nauwelijks openhouden. Wat had Joe toch in zijn hand?
Het water trof hem als een springvloed. Het was ijskoud en liep in straaltjes langs zijn rug. Plotseling was hij klaarwakker. Hij sprong op en keek Joe woedend aan. 'Verdomme, wat voer jij uit?' klappertandde hij.
Joe knikte hem vaderlijk toe. 'Ik probeer je nuchter te maken. We hebben gezelschap gekregen.'

Peter kon niet in slaap komen. Hij lag maar te woelen en te draaien en zijn lakens waren nat van het zweet. Esther lag stil naast hem. Ze bleef wakker om hem niet zo alleen te laten in zijn verdriet.
'Kon ik maar iets voor hem doen,' peinsde ze, 'wist ik maar een manier om hem te doen beseffen dat het niet zo erg is, wat er is gebeurd – hij heeft zijn best gedaan en dat is het enig belangrijke. Maar ik weet niet hoe ik hem dat aan zijn verstand moet brengen.'
Nu lag Peter weer naar het plafond te staren. Hij wist dat Esther wakker was; maar zij had haar rust zo nodig – de kinderen hielden haar de hele

dag in touw. Het werd te veel als zij ook nog hele nachten moest wakker liggen om hem. Hij dwong zichzelf stil te liggen en probeerde de regelmatige ademhaling van iemand die rustig slaapt na te bootsen.
'Had ik Segales aanbod maar aangenomen,' zei hij voor de zoveelste maal in zichzelf. 'Johnny zou er niets van gezegd hebben. Hij wist dat er niets anders opzat.' Hij maakte zich talloze verwijten. 'Johnny's schuld is het niet,' piekerde hij verder. 'Ik heb die film zelf willen maken, hij heeft me er niet toe gedwongen. Ik had wijzer moeten zijn. Ik ben veel te koppig geweest, toen bij Segale.'
Hij bewoog zich weer onrustig. Had hij maar een sigaar – neen, Esther dacht nu beslist dat hij sliep. Stil liggen!
De nacht sleepte zich voort en geen van beiden deden ze een oog dicht. Ze lagen zo stil mogelijk, in de hoop dat de ander wat zou kunnen slapen, maar slaagden er niet in elkaar te bedriegen. Op het laatst kon Peter eenvoudig niet meer stil liggen. Heel voorzichtig ging hij overeind zitten en luisterde gespannen naar Esthers ademhaling. Ze sliep. Hij zwaaide zijn benen buiten bed en stak zijn voeten in zijn pantoffels. Even bleef hij nog staan – toen sloop hij op zijn tenen naar de keuken. Hij deed de deur heel zacht achter zich dicht en draaide toen pas het licht aan.
Het felle licht van de lamp verblindde hem en hij moest een paar maal knipperen voordat hij er aan gewend was. Toen liep hij op de tafel toe en nam de vurig begeerde sigaar. Plotseling hoorde hij de deur achter zich open gaan. Hij keerde zich om – Esther stond op de drempel.
'Heb je soms trek in een kop koffie?'
Hij knikte en keek naar haar terwijl ze naar het fornuis liep en het gas aanstak. Ze zette de koffiepot op en ging toen tegenover hem aan tafel zitten.
Haar haar hing los over haar schouders. Het was dik en het krulde. Hij zou het wel willen aanraken – het zag er zo warm en levend uit. In plaats daarvan trok hij zwijgend aan zijn sigaar.
'Als mijn vader in moeilijkheden zat, kwam hij altijd in de keuken een sigaar roken en een kop koffie drinken,' vertelde Esther. 'Het verheldert het hoofd,' zei hij altijd. 'Grappig, dat jij dat nu ook doet.'
Hij keek peinzend naar zijn sigaar. 'Ik ben niet zo'n verstandig man als je vader was. Ik bezorg mezelf en jou teveel moeilijkheden.'
Ze reikte over de tafel heen en legde haar hand op de zijne. 'Mijn vader vertelde me vaak een verhaal dat je hier op zou kunnen toepassen. Er was eens een oude man die in zijn dorp Jacob de Wijze werd genoemd. Uit de hele streek kwamen de mensen naar hem toe om aan zijn voeten te zitten en van hem te leren. Op een dag kwam er een jonge man, die in één uur tijd alles van de Wijze wilde leren wat deze wist. Hij had geen tijd om,

net als de anderen, wekenlang aan zijn voeten te zitten en te luisteren. Hij moest alles ineens leren, zodat hij zo gauw mogelijk naar zijn zaken terug kon gaan.
'Wijze man,' zei hij, 'ik ben verbluft door het wonder van uw geleerdheid en ik zou graag willen weten hoe ikzelf de kennis kan vergaren die nodig is om de dwaze fouten van de jeugd te vermijden.' De Wijze wendde zich tot de jongeling en keek hem heel lang aan. Eindelijk sprak hij. 'Onstuimige jonge zoeker naar Wijsheid, je kunt de fouten van de jeugd leren vermijden door een man te worden.' De jonge man dacht hier enige tijd over na en bedankte toen de Wijze voor zijn antwoord. Want hij had de oude man begrepen. Je ziet een fout pas als hij is gemaakt. Want als je een fout zag voordat je hem maakte, dan zou je hem niet maken en daarom zou het geen fout meer zijn.'
Peter nam haar hand in de zijne. Hij keek haar lange tijd doordringend aan en zei toen zacht in het Jiddisch: 'Je naam is je niet voor niets gegeven. Je wijsheid is die van de goede koningin wier naam je draagt.'
Op het fornuis borrelde de koffie uit de pot. Esther keek verschrikt achterom en vloog er op af. Bij het fornuis gekomen keek ze lachend naar hem om. 'Wat baat de wijsheid van koningin Esther een vrouw, als ze haar man niet eens een goede kop koffie weet te schenken?'
Peter lachte met haar mee en plotseling voelde hij zich veel beter. Hij stond op en drukte zijn sigaar uit. Hij keek haar dankbaar aan. 'Kom, laten we naar bed gaan. De zorgen wachten wel tot morgenochtend.'
'Geen koffie?' vroeg ze glimlachend.
Hij schudde het hoofd. 'Geen koffie. Die kan ook wel tot morgen wachten.'
Ze waren net in slaap toen de telefoon begon te rinkelen. Esther vloog overeind. Ze was altijd bang als 's nachts de telefoon ging. Ze zat met bonzend hart in het donker, tastte naar Peter en stootte hem aan.
Hij nam de hoorn van de haak. 'Hallo, met Peter Kessler.'
Johnny's stem schreeuwde opgewonden in zijn oor: 'Peter, ben je wakker?'
'Nee, ik slaap,' bromde Peter.
'Het is in orde, Peter!' juichte Johnny. 'We kunnen de film maken!'
'Je bent dronken,' stelde Peter prozaïsch vast. 'Ga naar huis en slaap je roes uit.'
'Ik wás dronken,' verbeterde Johnny. 'Maar nu ben ik zo nuchter als een pasgeboren baby. Alles is in orde. We kunnen de film maken!'
Peter was nu klaar wakker. 'Meen je dat?' Hij kon zijn oren niet geloven.
'Zou ik je om vier uur in de nacht uit je bed bellen om je iets op je

mouw te spelden? Ga nu weer slapen en zorg dat je om acht uur in de studio bent. Dan hoor je het hele relaas.'
Met deze woorden hing Johnny de telefoon op.
Peter schudde de hoorn driftig heen en weer. 'Johnny! Johnny!' Hij kreeg geen antwoord.
Peter legde hem op de haak en keerde zich om naar Esther. Zijn ogen stonden vol tranen. 'Heb je hem gehoord? Heb je die halve gare jongen gehoord?'
Ze was diep ontroerd en knikte zwijgend.
'Is het geen wonder van God!' riep hij uit. Hij sloeg zijn armen om haar heen en kuste haar op beide wangen.
'Kalm aan een beetje, Peter!' lachte ze vrolijk. 'Moeten de buren denken dat we een paartje op de huwelijksreis zijn?'

Toen Peter om kwart voor acht in de studio kwam, zat Johnny achter zijn schrijftafel, in druk gesprek met Joe Turner en een donkere, tamelijk gezette man. Peter had hem nog nooit gezien. Johnny had een paar vellen papier voor zich liggen, die hij de man juist wilde laten zien toen Peter binnenkwam. Hij sprong op en kwam hem halverwege tegemoet. De vreemdeling in het opzichtige, geruite pak volgde hem op de voet. Johnny stak Peter beide handen toe. 'Peter, dit is nu Al Santos! Hij zal zorgen, dat we de film kunnen maken.'
De twee mannen drukten elkaar de hand en namen elkaar enigszins nieuwsgierig op.
'Blij u te leren kennen, mijnheer Santos,' glimlachte Peter.
Al nam zijn onafscheidelijke stogie uit zijn mond en hief hem afwerend op. 'Mijn naam is Al – geen mens noemt me mijnheer.'
Peters lach werd nog breder. Hij voelde zich onmiddellijk tot deze man aangetrokken. Eenvoudig, oprecht en zonder pretenties.
'In orde, Al,' zei hij, eveneens een sigaar opstekend. 'Ik kan je niet zeggen hoe blij ik ben dat we onze film in jouw studio mogen maken.'
Nu mengde Johnny zich in het gesprek.
'Wie zegt dat hij een studio heeft?'
Peter liet de brandende lucifer die hij nog in de hand had bijna vallen. 'Hééft hij geen studio?'
'Nee,' antwoordde Johnny.
Nu begreep Peter er helemaal niets meer van.
'Maar waar gaan we de film dan maken?'

'Op zijn farm,' verklaarde Johnny. 'Ruimte in overvloed. Verleden winter heeft Griffith daar in de buurt een film gemaakt en hij zegt dat het er ideaal is.'
Peter keek Johnny ontzet aan. 'Maar dat was in Californië! We hebben toch geen geld om daarheen te trekken.'
Johnny grinnikte. 'Jawel, Al zal het ons lenen.'
Peter keek Al ernstig aan. 'Ik stel je aanbod erg op prijs, Al,' zei hij langzaam, 'maar je moet weten dat ik je geen enkele waarborg kan bieden.'
Al Santos nam de man met wie hij zo juist kennis had gemaakt belangstellend op. Hij had van Joe, en later nog eens van Johnny, gehoord hoe ernstig de situatie was en hij begreep wat het Peter kostte om dit te zeggen. Johnny had gelijk – Peter Kessler was een man waar je van op aan kon. 'Ik heb alle waarborg die ik nodig heb, Peter. Ik ken Johnny al heel wat jaren – sinds hij een kleine jongen was. Hij is tweemaal bij me weggegaan om voor jou te werken. De man waar Johnny dat voor doet is niet de eerste de beste.'
'Jij bent dus de eigenaar van het circus?' begon Peter te begrijpen.
'Ik hád er een,' antwoordde Al. 'Maar ik heb het verkocht.' Hij wendde zich tot Johnny. 'Johnny, jij regelt de zaken verder met Peter en ik ga nu naar mijn hotel. Ik ben niet zo jong meer en moet nodig wat gaan slapen.'
Hij had de hele nacht met Johnny zitten praten en hij voelde plotseling dat hij doodmoe was. Zijn gezicht droeg er de sporen van.
'Dat is best, Al,' antwoordde Johnny. 'We zullen de zaak bespreken en dan bellen we je op.'
Al schudde Peter de hand. 'Ik ben blij dat ik je heb leren kennen, Peter. Tob nu maar niet meer – alles komt in orde.'
Peter keek hem dankbaar aan. 'Dat zal ik dan aan jou te danken hebben – ik zag werkelijk geen uitweg meer en . . .'
Al liet hem niet uitpraten. 'Je behoeft me niet te bedanken, Peter. Ik heb er zelf ook een kijkspel op nagehouden en om je de waarheid te zeggen had ik nog niet zoveel zin er mee op te houden. Maar Luigi, mijn broer, dringt er op aan. 'Al,' zegt hij, 'je hebt nu genoeg geld. Houd op met werken en kom hier wat van je leven genieten. We maken hier een goede wijn, net als in Italië, we hebben sinaasappels en er wonen hier net zulke mensen als bij ons thuis. Kom nu naar de farm.' Ik moet toegeven dat hij gelijk heeft. Ik begin oud te worden. Het heeft geen nut nog langer te zwoegen als een paard en daarom doe ik wat Luigi me vraagt. Maar soms denk ik toch wel eens dat een man toch iets te doen moet hebben. Iets dat hem bezig houdt. En dit trekt me aan. Ik ken het amusementsbedrijf. Ik kwam overal met mijn circus en overal zag ik de mensen naar de bioscoop

gaan. Het groeit met de dag. En toen Johnny me er van vertelde, dacht ik bij mezelf: 'Er zit wat in'.'
Peter keek hem glimlachend aan. Hij had de blik opgemerkt waarmee Al naar Johnny keek toen hij diens naam noemde. Zijn woorden hadden hem niet half zoveel gezegd als die ene blik; zij waren slechts het geraamte waar Santos het onzichtbare weefsel van zijn eigenlijke beweegredenen omheen had gedrapeerd. Al glimlachte eveneens. Hij voelde dat Peter hem had doorzien; en zonder dat ze verder nog een woord gewisseld hadden, voelden ze zich nauw met elkaar verbonden door hun genegenheid voor Johnny. Al keerde zich om en verliet het vertrek.
Toen de deur achter hem was dichtgevallen, keken de drie mannen elkaar aan. Plotseling liep Joe op Peter toe en greep hem bij de arm. 'Wat een uitkomst!' schreeuwde hij.
'Californië,' bracht Peter half versuft uit. Het begon nu pas tot hem door te dringen. 'Dat is drieduizend mijl hier vandaan.'
'Drieduizend of twintigduizend,' lachte Johnny, 'wat maakt dat uit? Hiér gaat het niet – dan maar ergens anders.'
'Maar Esther en de kinderen – ik kan ze hier toch niet alleen laten?'
'Wie zegt dat je dat moet?' vroeg Johnny. 'We nemen ze mee.'
'Als dat zou kunnen –' Peters ogen begonnen te schitteren. Plotseling echter keek hij Johnny hevig verschrikt aan.
'Wat is er nu weer?'
'Ik bedenk daar juist – het gevaar . . .'
Johnny wist nu helemaal niet meer hoe hij het had. 'Gevaar? Wat voor gevaar?'
'De Indianen.'
Joe en Johnny keken elkaar aan en barstten toen in lachen uit. De tranen rolden Joe over de wangen en hij hield met beide handen zijn buik vast. 'De Indianen!' kreunde hij.
Peter keek hen aan alsof ze stapelgek geworden waren. 'Nou, wat is daar voor grappigs aan?'
Opnieuw daverend gelach.

Ze troffen terstond maatregelen voor de verzending van de camera's en andere benodigdheden. Ze schatten dat ze voor het inpakken ongeveer een week nodig hadden. Wat later op de dag, toen de opwinding wat was gezakt, ging Johnny naar het kantoor van Sam Sharpe. Hij had de cheque, die Sharpe hem die morgen had gestuurd, in zijn zak. Hij ging hem terugbrengen en meteen vertellen dat hij er op stond dat Craig zich aan de afspraak hield.
Jane zat aan haar schrijftafel te werken toen hij binnenkwam. 'Als dat niet

de vice-president in eigen persoon is,' plaagde ze. 'Hoe gaat het met het filmbedrijf?'
Hij ging vlak voor haar tafel staan. Ze zag dat ze hem gegriefd had. Hij zei echter niets.
Ze keek hem nu wat scherper aan. Het licht van de plafonnière viel vol op zijn gezicht en nu zag ze pas hoe moe hij er uit zag. Ze had hem sedert die nacht in het park niet meer gezien en ze was eigenlijk een beetje boos op hem. Maar nu ze zag hoe mager hij was geworden, had ze daar onmiddellijk spijt van. Ze begreep nu hoe hij had geleden onder alles wat er gebeurd was.
Ze greep zijn hand en drukte die. Haar stem was nu niet meer luid en uitdagend. 'Het spijt me, Johnny, het was niet mijn bedoeling je pijn te doen.'
Hij legde zijn vrije hand over de hare. 'Het was mijn schuld, Jane, ik had beter moeten weten.'
'Het was mijn schuld evengoed als de jouwe, Johnny. We verlangden verschillende dingen. Nu we dat weten kunnen we het vergeten en goede vrienden zijn.'
Hij keek haar dankbaar aan. 'Wat ziet hij er jong en stralend uit als hij glimlacht,' dacht ze.
'Je bent een beste meid, Jane.'
Ze glimlachte eveneens. 'In orde, Johnny. Wilde je Sam spreken?' Haar stem klonk nu weer zakelijk.
Hij knikte.
'Loop maar meteen door.'
Sam zat achter zijn bureau toen Johnny zijn hoofd om de deur stak.
'Kom binnen, Johnny,' riep hij, 'kom binnen. Ik zat juist over je te denken.'
Ze drukten elkaar de hand en Johnny haalde de cheque te voorschijn.
'Ik kom je dit terugbrengen,' zei hij en legde de cheque op Sams bureau.
'Nee, Johnny,' Sam stond op. 'Je weet wat ik gisteren heb gezegd. Ik wil niet betaald worden voor werk dat ik niet heb gedaan.'
'Maar je zult het werk wél doen, Sam. Ik kom je vertellen wanneer we met de opnamen beginnen. Craig zal zich aan zijn contract te houden hebben, of hij het prettig vindt of niet.'
'Je bedoelt dat je een studio gevonden hebt? En gisteren dacht ik dat het met jullie gedaan was!'
'Dat was gisteren, Sam. Maar in het filmbedrijf telt 'gisteren' niet meer mee. Vandaag hebben we het gewonnen.'
'Dat zal Craig niet erg leuk vinden,' grinnikte Sam. 'Maar hij zit er aan vast. Waar gaat het gebeuren?'

'Dit is strikt vertrouwelijk, Sam –.' Johnny liet zijn stem dalen. 'We gaan er voor naar Californië.'
'Californië!' juichte Sam. 'Nu weet ik helemaal zeker dat Craig woest zal zijn!'
'We vertrekken volgende week,' vertelde Johnny verder. 'Ik zal er voor zorgen dat je zijn kaartje vroeg genoeg hier hebt, zodat hij op tijd aan de trein kan zijn.'
Sam nam de cheque op en verscheurde hem. 'Hij zal er zijn,' beloofde hij, 'al moet ik hem er aan zijn haren naar toe slepen.'

Borden en Pappas waren de enigen aan wie ze vertelden waar ze naar toe gingen. Verder namen ze geen enkel risico, want het mocht in geen geval uitlekken. Het gehele personeel dat aan de film moest meewerken, werd absolute geheimhouding opgelegd. Al Santos vertrok naar Californië met de belofte dat hij zou zorgen dat alles gereed was als ze aankwamen. Esther liet haar meubels opbergen en hield de kinderen thuis uit school, zodat ze gereed stonden om te vertrekken.
Doris was een en al opwinding. Ze las elk boek over Californië, dat ze te pakken kon krijgen en was de eerste van allen, die een Californische werd. Ze werd al een Californische op de dag dat ze hoorde dat ze daar heen zouden gaan.
Twee dagen voor hun vertrek begon de telefoon op Peters bureau te bellen. Johnny kwam er voor uit de studio, waar hij bezig was met pakken, want Peter was er niet.
'Is Peter daar?' klonk het gejaagd. Het was Borden.
'Nee – waarom?'
'Ik hoor daarnet dat de Combinatie een paar van jullie schulden heeft overgenomen en dat ze vanmorgen naar de rechtbank gaan om beslag op jullie inventaris te laten leggen.'
'Vanmorgen!' schreeuwde Johnny. Als het de Combinatie gelukte om beslag te laten leggen, dan kregen ze geen stukje meer uit de studio. 'Maar we vertrekken vrijdagavond!'
'Als ze beslag leggen niet,' stelde Borden nuchter vast. 'Je kunt beter vanavond nog gaan, als je er kans toe ziet.'
Johnny hing de telefoon op en keek op zijn horloge. Bijna elf uur. Alle medewerkenden moesten gewaarschuwd worden, de camera's moesten naar de trein, Peter moest zijn laatste stoelen opbergen en de kaartjes moesten worden ingeruild.
En als dat vanavond niet allemaal in orde was, dan was het nu werkelijk met hen afgelopen.

Johnny vloog de studio in om het Joe te vertellen. Maar Joe was er niet. Alleen de kisten stonden er, gereed voor de verzending. Hij rukte de deur van het zijkamertje open. Goddank, daar was Joe – hij zat op de vensterbank, met een glas bier in de hand.
Eén blik op Johnny's gelaat zei hem dat er iets aan de hand was. Hij zette zijn glas neer. 'Wat is er?'
'Het dak stort in!' riep Johnny in de open deur. 'Kom mee naar de studio.'
Joe sprong van de vensterbank en liep Johnny na. Maar halverwege de deur keerde hij om en liep terug naar zijn glas, dat hij eerst met een paar lange teugen leegdronk. Toen volgde hij Johnny. Op weg naar het kantoor vertelde Johnny hem wat er gebeurd was.
'Dat doet ons de das om,' voorspelde Joe somber.
'Niet als we vanavond nog vertrekken.'
'Vanavond?' Joe snoof verachtelijk. 'Je bent stapel – dat krijgen we nooit voor elkaar.'
'Het moet,' hield Johnny vol.
'Er gaat misschien niet eens een trein, en als dat dan al zo is, hoe komen we dan aan kaartjes?' Hij liet zich op een stoel neervallen en keek mistroostig naar de grond. 'We kunnen het wel opgeven – de schurken zijn te machtig, Johnny.'
Johnny keek hem vast in de ogen. Zijn stem klonk hard en zakelijk.
'Wil je het aan mij overlaten, Joe?'
'Je moest toch beter weten, beste kerel. Ik was al vanaf het eerste ogenblik tegen dit dwaze idee, maar toen je Peter eindelijk zover had dat hij het deed, heb ik toch in alles meegewerkt – waar of niet? En ik heb hier de hele zomer op mijn achterste gezeten omdat ik je niet in de steek wilde laten. Maar nu wil je het onmogelijke doen. Je hebt geen schijn van kans om op tijd weg te komen. Het geluk heeft je verlaten, Johnny, je hebt er teveel van gevraagd.'
Johnny liet hem rustig uitpraten en toen herhaalde hij zijn vraag op dezelfde koele toon. 'Wil je het aan mij overlaten, Joe?'
Joe sprong op. 'Nee!' schreeuwde hij. 'Nee, ik laat het niet aan jou alleen over! Maar ik bezweer je, als dit achter de rug is, dan sleur ik je aan je haren door de hele stad.'
Johnny lachte. Hij voelde de spanning wat wijken en alles zag er ineens wat hoopvoller uit. Hij legde zijn hand op Joe's schouders. 'Als het ons lukt, Joe, dan zal ik die behandeling met genoegen ondergaan,' zei hij zacht.
Hij liep naar het bureau en nam de kaartjes uit een van de laden. 'Jij rent als de duivel naar het station en probeert deze in te ruilen. Als er geen trein naar Californië gaat, dan neem je kaartjes naar welke plaats ter wereld je maar wilt – als we hier maar weg zijn.'

Zonder nog een woord te zeggen rende Joe weg. 'Bel me op zodra je ze hebt!' riep Johnny hem nog na.
Daarop ging hij aan het bureau zitten en belde Peter op.
Esther nam de telefoon aan.
Johnny liet geen seconde voorbijgaan. 'Waar is Peter?'
'Dat weet ik niet – is hij dan niet bij jou?' klonk het verbaasd.
'Nee!'
'Daar begrijp ik niets van. Hij ging vanmorgen al vroeg weg – naar de studio, zei hij.'
Johnny gaf geen antwoord.
'Wat is er?' klonk het plotseling angstig. 'Is er iets niet in orde?'
'We hebben het een en ander moeten wijzigen,' antwoordde Johnny, die haar niet nodeloos ongerust wilde maken. 'We vertrekken vanavond nog. Kan je het voor elkaar krijgen?'
'Ik zal het proberen. Maar waar kan Peter zijn?'
'Ik zal zien dat ik hem vind. Maar als hij jou soms opbelt voordat ik hem gesproken heb, laat hij dan dadelijk mij opbellen.'
'Afgesproken,' zei ze en hing meteen op. Ze verspilde geen tijd aan nutteloze vragen. Als Johnny zei dat ze weg moesten, dan had hij daar zijn redenen voor.
Vervolgens belde Johnny het expeditiekantoor op en daar beloofden ze hem onmiddellijk twee wagens te zullen sturen. Een uur later belde Joe hem op en vertelde hem dat er die avond nog een trein vertrok, maar zonder slaapwagens.
'Kun je kaartjes krijgen?'
'Ja.'
'Waat wacht je dan nog op?' blafte Johnny. 'Neem ze – al moeten we de hele weg naar Californië staan, we gaan met die trein!'
'Okay,' klonk het laconieke antwoord. 'Ik kom er meteen mee naar de studio.'
'Om de drommel niet! Je belt ogenblikkelijk al je mensen op en bezweert ze dat ze vanavond aan de trein zijn. Dan ga je naar huis en pakt je rommel. Ik zie je vanavond aan het station.'

De laatste kist werd juist de studio uitgedragen toen de telefoon ging. Johnny nam de hoorn van de haak.
'Met Borden. Is Peter daar?'
'Nee!'
'Houd hem weg van de studio! De Combinatie heeft toestemming gekregen om beslag te leggen en ze willen het vanmiddag doen.'
'Hoe kan ik hem hier nu vandaan houden als ik niet eens weet waar hij

zit?' Johnny was nu bijna door het dolle heen. Borden bleef echter kalm.
'Ja, ik weet ook niet waar hij is,' antwoordde hij bedaard. 'Toen ik hem vanmorgen tegenkwam dacht ik dat hij op weg was naar de studio.'
'Heb je hem dan gezien?' gilde Johnny. 'Waar?'
'In de *shool* – de synagoge, waar we elke morgen naar toe gaan.'
'Oh!' Johnny was teleurgesteld. Peter zou daar heus niet de hele dag blijven.
'En ik heb nog iets ontdekt, Johnny,' vervolgde Borden.
'Wat dan?'
'Iemand moet de Combinatie verraden hebben dat jullie van plan waren vrijdag te vertrekken. Maar wie dat geweest is, weet ik niet.'
'De schooier,' schold Johnny. De telefoon op de andere schrijftafel begon te rinkelen. 'De andere telefoon gaat, Bill – misschien is het Peter. Ik bel je nog wel.'
Hij snelde op de andere schrijftafel toe. Het was Joe.
'Wat is er?'
'Ik kan Craig niet te pakken krijgen.'
'Laat hem maar schieten. Ik zal Sharpe opbellen. Jij gaat naar huis om te pakken.'
Hij belde meteen Sharpe. 'Iemand heeft de boel overgekletst bij de Combinatie en we vertrekken vanavond nog. Kan je Craig te pakken krijgen?'
'Maak je geen zorgen, Johnny, ik breng hem zelf op de trein.'
De avond begon te naderen en nog geen Peter. Johnny kon niet stil zitten. Hij rookte de ene sigaret na de andere en beende rusteloos heen en weer. Alles was klaar, maar wáár zat Peter? Hij keek op zijn horloge. Vier uur. Nog maar drie uur – om zeven uur vertrok de laatste trein. Hij bad in stilte: 'Peter, Peter, waar je ook zit, bel me op. Bel Esther op. Maar om Gods wil, bel iemand op en laat ons weten waar je bent.'
Alsof zijn gebed verhoord werd, begon de telefoon te rinkelen. Hij rukte hem van de haak. 'Peter?' schreeuwde hij.
'Is hij er nóg niet?' Het was Esther.
Hij viel achterover in zijn stoel. 'Nee,' kwam het toonloos van zijn lippen.
'Alles is klaar, Johnny. De meubels zijn opgeborgen. We zijn gereed om te vertrekken.'
Hij kwam langzaam overeind. 'Goed – dan vertrekken jullie nu onmiddellijk naar het station. Joe zal daar zijn en ik kom later.'
'Maar Johnny,' hij hoorde dat ze nu bijna huilde, 'wat moeten we met Peter? We kunnen hem niet vinden. Misschien is hem iets overkomen!'
'Tob nu maar niet,' trachtte hij haar te troosten. 'Borden zag hem vanmorgen in de synagoge. Hij was kerngezond.'
Het bleef even stil aan de andere kant van de lijn. Toen kwam haar stem

ongelovig: 'Zag Willie hem vanmorgen in de *shool*?'
'Ja – tob nu maar niet . . .'
Ze viel hem in de rede. 'Dat doe ik al niet meer, Johnny. Ik weet nu waar hij is. Het is ongelooflijk dom van me dat ik daar niet eerder aan gedacht heb. Het is vandaag tien jaar geleden dat zijn vader stierf en hij is de *Kaddish* voor hem aan het zeggen!'
'Weet je dat zeker?' juichte Johnny.
'Ja, heel zeker,' lachte ze blij. 'Hij is naar de synagoge. In mijn opwinding was ik het helemaal vergeten.'
'Esther, je bent een schat! Ga nu direct naar de trein, dan zal ik hem gaan halen!'

Peter zat op de voorste rij, met zijn gebedenboek in de hand. Zijn lippen prevelden de woorden, die hij las, mee.
Johnny ging vlak voor hem staan. 'Psst! Peter!'
Peter hief het hoofd op. Het scheen nauwelijks tot hem door te dringen dat Johnny daar stond. Zijn ogen waren half gesloten en het was alsof ze in een voor Johnny onzichtbare wereld staarden. Plotseling werd zijn blik echter helder. 'Johnny!' riep hij op gedempte toon, driftig op diens hoofd wijzend.
Johnny begreep er niets van. 'Ik moet je spreken,' fluisterde hij. Hij zag dat verscheidene mannen in de synagoge naar hem keken. Ze schenen zich om de een of andere reden aan hem te ergeren.
Peter greep iets van de plaats naast hem en stak het Johnny toe. Het was een klein, zwart kapje. Hij beduidde Johnny met een dwingend gebaar dat hij het op zijn hoofd moest zetten. 'Je hoofd is onbedekt,' fluisterde hij.
Johnny zette het kapje op. 'Kom nu mee – ik moet je spreken.'
Peter volgde hem naar buiten. 'Wat is er toch?'
'Ik heb de hele dag naar je gezocht. Waarom heb je niet gezegd waar je heen ging?'
'Sinds wanneer is een man verplicht toestemming te vragen om naar de *shool* te gaan? Ik vraag jou toch ook niet wanneer je naar de kerk gaat?' Peter was werkelijk beledigd.
Nu was Johnny ten einde raad. 'Dat bedoel ik helemaal niet – ik vroeg alleen maar waarom je het ons niet gezegd hebt. We zitten in de knoei en we moeten vanavond nog vertrekken.'
'Vanavond?' schreeuwde Peter. Hij schrok van zijn eigen geluid en keek verschrikt om zich heen. 'Vanavond?' fluisterde hij nu zo zacht dat het bijna niet te horen was.
'Jawel. De Combinatie laat beslag op de studio leggen en als ze ons vóór zijn, dan is het gebeurd.'

'Mijn God!' Peter begon plotseling te rennen. 'Ik moet het Esther vertellen.'
'Dat is niet nodig. Zij is al aan de trein met de kinderen.'
Peter keek hem angstig aan. 'En de camera's?'
'Zijn al weg. Vanmiddag om twee uur.'
'Laten we dan nog even naar de studio gaan. Ik moet nog een paar dingen halen.' Hij sloeg een hoek om.
Johnny greep hem bij zijn slip van zijn jas. 'Je kunt er niet meer naar toe. Waarschijnlijk zitten ze al op je te wachten met een dagvaarding.'
Maar Peter was koppig. 'Ik móét. Het draaiboek ligt in mijn bureau.'
'Dat kan naar de duivel lopen,' besliste Johnny. 'We gaan naar de trein.'

Esther was de eerste die hen aan zag komen. 'Peter!' riep ze uit. Ze vloog naar hem toe en sloeg haar armen om zijn hals. De tranen stroomden haar over de wangen.
'Waar huil je om, Esther?' vroeg hij in het Jiddisch.
Johnny en Joe lachten elkaar opgelucht toe.
'Zijn ze er allemaal?' vroeg Johnny.
'Allemaal, behalve Craig,' grinnikte Joe.
Johnny keek om zich heen. 'Zou hij opgehouden zijn?'
Plotseling hoorde hij iemand roepen. 'Johnny! Johnny!'
Hij keek op. De kleine Sam Sharpe kwam op hem toerennen. Vlak achter hem kwam Jane. Sam bleef hijgend voor hem staan en probeerde iets te zeggen. Zijn gewoonlijk blozend gelaat zag lijkbleek.
'Waar is Craig?' was Johnny's eerste woord.
'Hij komt niet –' bracht Sam uit. 'Johnny, hij heeft alles aan de Combinatie verraden!'
'Wat een zeldzame ploert!' barstte Johnny uit. Plotseling drong het tot hem door dat de Combinatie hen zelfs hier nog wel zou kunnen grijpen. 'Waar is hij nu?'
'In mijn kantoor,' antwoordde Sam.
Johnny staarde hem met wilde ogen aan. 'Dan verraadt hij nu nog dat we vanavond vertrekken! We moeten hem hebben!' Hij keerde zich om en rende weg.
Sharpe zag nog net kans hem bij een slip van zijn jas te grijpen. 'Wacht toch even, Johnny! Hij kan het ze niet vertellen!'
'Waarom niet?'
'Toen hij me vertelde wat hij gedaan had, werd ik zo woest dat ik hem neersloeg.'
Johnny staarde hem met open mond aan. Craig was bijna tweemaal zo groot als Sharpe.

'Ja, Johnny, het is zo,' bekende Sam, 'eh – dat wil zeggen, ik gaf hem een flinke duw en Jane hield haar voet achter hem en toen viel hij. En toen hebben we hem vastgebonden.'
'Met een gordijnkoord,' voegde Jane er aan toe.
Johnny schoot in een luide lach. Dat had hij wel eens willen zien. Het kleine mannetje en het tengere meisje, die samen een over het paard getilde toneelafgod in de boeien sloegen.
Sharpe keek hem ernstig aan. 'Johnny, zouden we niet met je mee kunnen gaan? Als hij los komt zouden we wel eens moeilijkheden kunnen krijgen.'
'Dat denk ik ook wel,' hijgde Johnny tussen twee lachbuien door. 'Kom maar mee. We kunnen daarginds misschien best een lijfwacht gebruiken.'

Het was nu volkomen donker. Johnny, die telkens pogingen deed om buiten iets te onderscheiden, zag alleen de weerspiegeling van zijn eigen gezicht in het glas. Doris leunde slaperig tegen hem aan. Het was over negenen. Hij sloeg zijn arm om haar heen. 'Ben je moe, liefje?'
'Nee,' antwoordde ze met een slaperig stemmetje.
Hij glimlachte. 'Misschien lig je gemakkelijker als je je hoofd op mijn schoot legt.'
Ze keerde zich om op de bank en strekte zich uit. Haar ogen vielen dicht zodra haar hoofd zijn knieën raakte. Haar lippen prevelden nog iets.
Johnny boog zich over haar heen. 'Wat zeg je, lieve kind?'
'Je zult van Californië houden, oom Johnny,' fluisterde ze. 'Het is er erg mooi.' Met deze woorden viel ze in slaap. Johnny lachte vertederd.
Even later viel er een schaduw over hem heen en hij keek op.
Het was Peter. Hij keek met een liefdevolle blik naar het slapende kind. 'Slaapt ze?'
Johnny knikte.
'Ik heb je vraag nog niet beantwoord,' zei Peter.
'Wat voor vraag?'
'Waarom ik je niet verteld heb waar ik vandaag heen ging. Ik had er niet meer aan gedacht dat het vandaag tien jaar geleden is dat mijn vader stierf, voordat ik vanmorgen al op weg was naar de studio.'
'Oh,' zei Johnny. 'Het spijt me dat het misschien wat rauw klonk. Ik was erg opgewonden, maar het was niet mijn bedoeling onbescheiden te zijn.'
'En ben je nu weer kalm?' Er twinkelde iets in Peters ogen.
'Natuurlijk,' antwoordde Johnny.
'Zou ik dan nu je *yamalke* af mogen nemen?' Hij raakte Johnny's hoofd aan en hield hem een klein, zwart kapje voor de neus.
Johnny's mond viel open van verbazing. 'Wil je zeggen dat ik dat ding de hele avond op heb gehad?'

Peter knikte.
'Waarom heb je me dat niet gezegd?'
Peter glimlachte. 'Het deed me prettig aan het daar te zien,' zei hij zacht. 'Het stond je alsof je er mee geboren was.'

Een week later zaten ze in een boerenwagen, op weg naar de farm van Santos. Johnny en Peter zaten naast de voerman. Ter weerszijden van de weg stonden twee onafzienbare rijen sinaasappelbomen. Ze kwamen bij een wegkruising, waar een richtingbord stond.
'Wat staat er op?' vroeg Peter. Hij weigerde nog altijd een bril te dragen.
'Hollywood,' antwoordde Johnny. 'Ik denk dat we nu gauw op het terrein van Al Santos komen.'
'Een klein stukje verder,' lichtte de voerman hen in.
Peter keek eens om zich heen. 'Californië,' smaalde hij.
Johnny keek hem van terzijde aan. Peter zat stilletjes voor zich heen te mopperen. 'Vijfentwintigduizend dollar – maar géén scenario en géén draaiboek. Zesduizend dollar – maar géén hoofdrol-vertolker.' Hij snoof verachtelijk en rook plotseling de geur van de oranjebloesem. 'Phoeoe!' zei hij hardop.
Johnny schoot in de lach. Peter keek hem verontwaardigd aan. Hij begreep dat hij was afgeluisterd en glimlachte met een zuur gezicht. 'Wat denk je – waar zou ik die film nu het beste van kunnen maken?' smaalde hij, om zich heen wijzend. 'Van sinaasappels?'

WOENSDAG 1938

Ik keek op mijn polshorloge. Het was bijna vijf uur. Het grauw van de aanbrekende dag gloeide geleidelijk aan tot goud. 'Wordt het niet langzamerhand tijd naar bed te gaan, liefste?' vroeg ik Doris, die stil naast me zat. Haar ogen waren diep en donker en er lagen blauwe schaduwen omheen. 'Ik heb geen slaap,' zei ze, maar de lijnen in haar gezicht logenstraften haar woorden.
'Je moet nu werkelijk proberen wat te slapen, lieveling – je kunt dit niet volhouden.'
Ze keek mij aan. Even gleed er een glimlach over haar gezicht toen zij vroeg: 'Ben je soms moe, Johnny?'
Dat was iets waar we vroeger dikwijls om gelachen hadden. Peter beweerde namelijk vaak dat ik altijd klaar wakker in de studio te vinden was, onverschillig op welk uur van de dag of de nacht je ook kwam. 'Johnny slaapt nooit,' zei hij dan. 'Hij heeft geld op de bank.'
Ik lachte tegen haar. 'Een klein beetje, maar jij hebt je rust beslist nodig. De toestand is al ernstig genoeg zonder dat jij ook nog ziek wordt.'
Ze keek mij ondeugend aan. 'Ik zal het doen, oom Johnny,' zei ze met een hoog kinderstemmetje. 'Maar je moet me beloven dat je morgen terugkomt.'
Ik drukte haar tegen me aan. 'Morgen en alle dagen van mijn leven, als je dat prettig vindt.'
Haar stem was vol belofte toen ze mij in het oor fluisterde: 'Ik heb nooit iets anders gewenst, Johnny.'
Ik kuste haar. Ze legde haar handen om mijn achterhoofd en hield mijn gezicht vlak bij het hare. Haar aanraking was licht en teder en toch had ze de kracht van een liefde die de beproeving van jaren heeft doorstaan. Ook de zachte beroering van haar lippen was me dierbaar, de flauwe geur van haar parfum en het zijige geluid van haar haar als ik er overheen streek.
We stonden op. Ze keek mij een ogenblik ernstig aan – toen nam ze mijn hand en we liepen de hal in. Ze hielp mij zwijgend in mijn overjas. Bij de deur keerde ik mij nog eens om, om haar aan te zien. 'Nu ga je rechtdoor naar boven en naar bed,' zei ik streng.
Ze kwam naar me toe en gaf me lachend nog een kus. 'Je bent een schat, Johnny.'
'Ik kan een naarling zijn ook,' zei ik, mijn strenge toon met moeite handhavend, 'en als je . . .'

'En als ik niet direct doe wat je zegt, dan geef je me een pak slaag, net als je vroeger eens hebt gedaan,' lachte ze weer.
'Dat is niet waar,' protesteerde ik.
'Ja, dat is wel waar,' hield ze vol. Ze hield het hoofd een beetje schuin en keek me taxerend aan. 'Ik vraag me af of je het ook nu niet zou doen, als je maar boos genoeg was.'
Ik legde mijn handen op haar schouders en keerde haar om. Zo duwde ik haar in de richting van de trap en gaf haar nog een tik op de daartoe bestemde plaats na. 'En als je nu niet onmiddellijk naar bed gaat, dan haal ik een stok!' dreigde ik.
Ze liep halfweg de trap en keerde zich toen weer om.
We keken elkaar nu zwijgend aan.
Toen ze eindelijk sprak, klonk haar stem heel laag en bijna bevelend.
'Verlaat me niet, Johnny.'
Het duurde even voordat ik in staat was te antwoorden. Mijn keel was dichtgeknepen. Iets in haar stem, in dat rustige, beheerste geluid, sprak van een leven van eenzaamheid en geduld. De woorden kwamen eensklaps vanzelf over mijn lippen; het was alsof ze regelrecht uit mijn hart kwamen en een brug tussen ons vormden, die voortaan elke afstand zou overspannen.
'Ik zal je nooit meer verlaten, liefste.'
Er bewoog geen spier van haar gelaat, maar uit haar ogen straalde me een licht tegen, waarvan ik de warmte bijna zintuiglijk waarnam en waardoor ze, ondanks de afstand die ons scheidde, vlak bij me scheen te staan. Even stond ze zo; toen keerde ze zich om en ging de trap op.
Ik keek haar na. Haar tred was licht en veerkrachtig en ze bewoog zich met de beheerste gratie van een danseres. Boven aan de trap keek ze achterom en gaf me een kushand. Ik wuifde en ze verdween in de hal op de volgende verdieping. Toen liep ik naar de voordeur en stapte naar buiten.
De hemel was helder en het was pittig koud. De dauw op de bloemen flonkerde in de schuine stralen van de opkomende zon. Eensklaps was ik niet moe meer. Ik keek op mijn horloge. Het was een paar minuten over vijf – te laat om nog te gaan slapen.
Twee blokken verderop trof ik een taxi. 'Naar de Magnum Studio's.' Ik leunde achterover in de verende kussens en stak een sigaret op.
De studio was een kwartier rijden van Peters huis verwijderd. Ik betaalde de chauffeur en liep naar de poort. Hij was gesloten. Ik drukte op de bel en wachtte totdat de portier me open kwam doen. Ik zag zijn schaduw door het verlichte raam van het portiershuisje toen hij haastig iets aantrok. De deur ging open en hij kwam naar buiten. Hij herkende me door de spijlen van het hek heen en versnelde zijn pas.

'Mijnheer Edge!' riep hij blij verrast, terwijl hij de poort wijd open zwaaide. 'Ik had niet verwacht u zo gauw terug te zien!'
'Dat verwachtte ikzelf ook niet,' antwoordde ik.
Hij sloot de poort achter me. 'Kan ik iets voor u doen, mijnheer Edge?'
'Nee, dank je, ik ga meteen door naar mijn kantoor.'
Ik wandelde de lange straat af naar het administratiegebouw. Niets verroerde zich nog in de studio en ik hoorde mijn voetstappen hol achter me weerklinken. De mussen in de bomen begonnen te tjilpen toen ik voorbij kwam. Ze hielden er niet van zo vroeg mensen te zien. Ik dacht aan de lange jaren die achter me lagen. Zo hadden ze elke morgen getjilpt als het gekraak van mijn voeten op het grind hen kwam storen.
De portier van de administratie stond al op me te wachten toen ik daar aankwam. Zijn ogen stonden slaperig en hij was nog niet gekleed. De poortwachter had hem natuurlijk opgebeld en hem verteld dat ik onderweg was. 'Goede morgen, mijnheer Edge,' begroette hij me.
'Goede morgen.'
Hij haastte zich voor me uit de hal door en opende de deur van mijn kantoor met zijn sleutel. 'Zal ik iets voor u klaarmaken, mijnheer Edge – koffie, of iets dergelijks?'
'Nee, dank je wel,' antwoordde ik. Ik snoof. Het rook duf en ongezellig in mijn kantoor. De portier snelde naar de ramen en wierp ze wijd open. 'Een beetje frisse lucht kan geen kwaad, mijnheer Edge.'
Ik bedankte hem en hij ging heen. Het leek bijna alsof hij achteruitlopend het vertrek verliet toen hij de deur dichttrok. Ik deed mijn overjas uit, zette mijn hoed af en bracht ze in de kleine vestiaire naast mijn kamer. Ik had voor de koffie bedankt, maar ik had toch wel behoefte aan een of andere verfrissing – het was een lange nacht geweest.
Tussen mijn kantoor en dat van Gordon was een keukentje, met een ijskast, een provisiekast en een klein, elektrisch fornuis. De koffiepot stond op het fornuis. Ik legde mijn hand er op en voelde dat hij nog warm was. De portier had zich zeker een kop koffie gemaakt. Ik opende de ijskast, nam er een fles gemberbier uit en ging er mee naar mijn kamer. Daar nam ik een fles bourbon en een glas uit mijn schrijftafel. Ik deed er een scheutje van in het glas, vulde het verder met gemberbier en proefde het. Het was precies goed. Ik dronk mijn glas half leeg en liep toen naar het raam.
Het was nu volkomen licht en ik kon de gehele studio overzien. Het kantoor van de scenarioschrijver lag vlak achter het mijne en daarnaast lagen de andere gebouwen. Ze lagen met hun allen in de vorm van een halve maan om het administratiegebouw heen. Daarachter bevond zich Studio nummer Eén.

Studio nummer Eén. Ik lachte inwendig bij de gedachte. Het was een gloednieuw gebouw, alles wit, betegeld en brandvrij. De eerste studio, die Peter en ik geopend hadden, had meer op een schuur dan op enig ander bouwwerk geleken. Het was een wankel geval met vier muren, maar zonder dak, zodat de zon er ongehinderd naar binnen scheen. Wel hadden we een enorm zeil, dat we er overheen trokken zodra er regen dreigde. Ik herinnerde me nog goed dat er altijd een man op een klein platform op een van de muren naar de lucht zat te kijken. Onze regenwacht, noemden we hem. Zodra hij meende dat er regen kwam, schreeuwde hij naar beneden en dan werd in aller ijl het zeil over ons uitgespannen. We werkten echter zoveel mogelijk onder de blote hemel omdat de kwikdamplampen, die we voor verlichting binnenshuis gebruikten, zoveel geld kostten.
Het geheel was eigenlijk een uitvinding van Joe Turner. Toen we berekend hadden hoe duur die lampen in het gebruik waren, stelde hij voor een dak van zeildoek te maken, net als in het circus.
Joe was nu al bijna twintig jaar dood, maar mijn herinnering aan hem was nog zo levendig dat het was alsof ik hem elke dag van deze twee decenniën had gesproken. Ik hoorde nog zijn daverende lach als hij voor de zoveelste maal vertelde hoe we het terrein voor de studio voor niets hadden bemachtigd. Het was zijn stokpaardje. Ik keek uit over de veertig acres land, die nu de studio vormden. Ze hadden ons geen cent gekost.
Het was na mijn terugkeer naar New York, met de eerste afdruk van 'The Bandit'. Peter kon niet meegaan, omdat de dagvaarding nog steeds van kracht was. We gaven de eerste voorstelling in de projectiezaal van Bill Bordens studio. De zelfstandigen werden een beetje dapperder nu het proces, dat Fox tegen de Combinatie aan het voeren was, met de dag meer succes beloofde.
De projectiezaal was stampvol. Alle belangrijke distributors uit de Verenigde Staten waren aanwezig, tezamen met het toen reeds vrij grote aantal van onze aandeelhouders, die langzamerhand werkelijk hoop begonnen te koesteren dat ze hun geld nog eens terug zouden zien en, wie weet, nog een beetje meer ook.
Ik geloof niet dat iemand van ons zich in zijn stoutste verwachtingen had durven voorstellen wat er toen volgde. Nog geen twee uur nadat ik de film had vertoond, had ik bijna veertigduizend dollar van de distributors bijeen, als waarborg voor de aankoop van de film. Ik hoorde Borden, die naast me stond, terwijl ze mij hun cheques onder de neus duwden, wel twintig maal bij zichzelf herhalen: 'Niet te geloven; het is niet te geloven!'
Het was bijna middernacht toen ik Peter opbelde. Ik was zo opgewonden dat ik stond te stotteren. 'We hebben veertigduizend dollar, Peter!'

Zijn stem klonk heel flauw toen hij mij antwoordde. 'Wat zeg je, Johnny? Het klonk als veertigduizend dollar.'
'Ja, dat is zo!' schreeuwde ik. 'Veertigduizend dollar! Ze vinden hem prachtig!'
Het bleef even stil en toen hoorde ik hem zeggen: 'Waar zit je eigenlijk, Johnny?' Het klonk op een toon alsof hij mijn gezond verstand in twijfel trok.
'In de studio van Borden!'
'Is Willie daar?' vroeg hij.
'Hij staat hier vlak naast me.'
'Geef me hem dan even.'
Ik gaf de telefoon aan Borden.
'Hallo, Peter,' lachte Borden. *'Mazeltov!'*
Ik hoorde Peters stem kraken, maar ik kon niet verstaan wat hij allemaal zei. Borden keerde zich lachend naar me om. Hij wachtte tot Peter uitgesproken was en riep toen vrolijk: 'Nee, Peter, Johnny heeft de hele nacht niets gehad. Hij is even nuchter als ik!' Ik hoorde Peter weer wat zeggen en toen riep Borden weer: 'Ja, veertigduizend dollar! Ik heb ze met mijn eigen ogen gezien!' Hij gaf me de telefoon weer.
'Geloof je me niet?' vroeg ik.
'Je geloven?' Nu was zijn stem een en al vreugde. 'Mijn jongen, mijn oren willen het niet geloven. Veertigduizend dollar!'
'Ik zal je het geld morgenochtend overmaken,' zei ik.
'Nee,' antwoordde hij, 'maak de helft over, zodat ik Al de twintigduizend dollar kan betalen, die ik hem schuldig ben. De andere helft gebruik je om onze schulden in New York te betalen.'
'Maar Peter, dan zitten we weer zonder een cent. Onze schulden hier belopen bijna twintigduizend dollar en we moeten geld hebben voor de volgende film.'
'Als ik mijn schulden van deze film betaal dan kan ik tenminste één nacht mijn hoofd rustig neerleggen. Morgen zal ik er over denken hoe ik aan het geld voor de volgende moet komen.'
'Maar hoe komen we dan aan geld voor een studio? We kunnen niet altijd op een farm blijven werken. Betaal nu de helft; ze zullen graag op de rest wachten. Het ziet er naar uit dat deze film een kwart miljoen zal opbrengen en dat weten ze drommels goed.'
'Als hij zoveel opbrengt dan kunnen we ons best veroorloven onze schulden nu te betalen,' hield Peter vol.
'Maar we zullen bijna een jaar op het geld moeten wachten,' protesteerde ik. 'Volgens de statenrechtelijke overeenkomst kunnen we pas zes maanden na afname van de film door de distributors aanspraak maken op ons

geld. Wat wil je al die tijd uitvoeren? Op onze lauweren rusten? Dat kunnen we ons werkelijk niet veroorloven.'
Peters stem duldde geen verdere tegenspraak. 'Doe wat ik je zeg en betaal. Eén nacht slapen zal ik er tenminste van hebben.'
Ik wist nu dat ik het wel kon opgeven. Zodra zijn stem die weerbarstige klank kreeg, kon ik desnoods op m'n kop gaan staan, het zou me toch niets helpen. 'Goed dan, Peter.'
'Ze vonden de film dus mooi?' vroeg hij nu.
'Ze waren door het dolle heen; vooral die schietpartij tussen de sheriff en de Bandiet in de kamer van het meisje viel in de smaak.'
Ik wist dat dit hem genoegen zou doen, want het was een idee van hem. In het toneelstuk vond die schietpartij plaats in een kostbaar ingerichte zaal, maar dergelijke dure coulissen konden wij niet betalen en daarom had Peter voorgesteld het bij het meisje thuis te laten gebeuren.
Hij lachte blij. 'Ik zei je immers al dat het een dramatisch effect zou hebben?'
'Je had gelijk, Peter,' erkende ik. Inwendig moest ik om zijn kinderlijke trots lachen.
Hij grinnikte blij. 'Vonden ze hem niet te lang?'
'Ze hadden wel gewild dat hij nooit eindigde, zo mooi vonden ze hem. Toen het afgelopen was klapten ze allemaal. Je had het moeten zien, Peter, ze stonden op en applaudisseerden.'
Ik hoorde dat hij zich omkeerde en iets tegen iemand in de kamer achter hem zei. Ik verstond het echter niet. Toen sprak hij weer door de telefoon. 'Ik vertelde juist aan Esther dat ik gelijk had gehad en dat zeven rol niet te veel is.'
Ik dacht aan zijn gesputter voordat we met de film begonnen – dat zes rol al veel te veel was en dat geen mens daar stil bij kon blijven zitten.
'Zeg Johnny, Esther vraagt wie dit gesprek betaalt!'
Ik gaf Borden een knipoogje. 'Wij natuurlijk. Je denkt toch niet dat ik een gesprek van twintig minuten door de telefoon van een ander ga voeren en het hem dan nog laat betalen ook?'
Aan de andere kant van de lijn heerste een halve minuut lang een verbluft stilzwijgen. Toen klonk het zwakjes: 'Twintig minuten – dat is honderd dollar.' En plotseling luid en vastberaden: 'Welterusten, Johnny.'
'Maar Peter –,' protesteerde ik. 'Klik,' zei het toestel in Californië. Hij had de hoorn op de haak gelegd.
Ik lachte eens tegen Borden en hij haalde de schouders op. We verlieten het privékantoor en kwamen weer in de studio, waar nog een menigte mensen druk stond te praten. Er waren verscheidene zelfstandige producenten bij, die ik nog van vroeger kende.

Ik hoorde een van hen zeggen: 'Hiermee is wel zonneklaar bewezen dat de tijd van de tweerols-films voorbij is; van nu af dienen we allemaal grote films te produceren.'
'Wat je zegt, Sam,' spotte een ander. 'Maar dan moet je me toch eerst eens vertellen waar we de opnamen moeten maken. Hier in New York kun je hoogstens gedurende drie maanden op het weer vertrouwen. In het gunstigste geval zouden we in die tijd vijf films kunnen maken. Maar wat doen we met de rest van het jaar?'
De eerste dacht even na voordat hij antwoordde. 'Dan zullen we naar een streek moeten trekken waar het klimaat gunstiger is.'
De tweede scheen niet erg hoopvol gestemd. 'Waar dan? We hebben niet allemaal zulke vrienden als Peter Kessler. Wij kunnen geen films in Californië gaan maken.'
Op dat moment kreeg ik een openbaring. Ik wist ineens het antwoord op al die vragen. Voordat ik het zelf wist stond ik midden tussen de filmproducenten in en hoorde mezelf zeggen: 'En waarom niet, heren? Waarom zou u niet naar Californië kunnen gaan om films te produceren?'
Ik keek hen een voor een aan. De uitdrukking van hun gezicht varieerde tussen stomme verbazing en verholen nieuwsgierigheid.
'Wat bedoelt u?' vroeg een van hen.
Ik keek hen nog even aan voordat ik antwoordde. Ik wilde behoorlijk indruk maken met hetgeen ik op het punt stond hun mee te delen. Ik liet mijn stem dalen.
'Magnum heeft de ommekeer die 'The Bandit' in de filmindustrie teweeg zou brengen voorzien, mijne heren. En Peter Kessler is zijn vele vrienden, die in het heetst van de strijd aan zijn zijde hebben gestaan, niet vergeten. En daarom, heren,' hier liet ik mijn stem nog meer dalen en zij verdrongen zich om me te kunnen verstaan, 'heeft Peter Kessler mij zojuist in een telefoongesprek, dat ik met Californië had, meegedeeld dat hij besloten heeft u dezelfde kans te bieden als hij zelf heeft gehad. Namelijk om filmopnamen te maken in Californië. Denkt u dat eens in, heren, denkt u dat eens in.' Ik moest inwendig lachen, want onwillekeurig had ik dezelfde woorden gebruikt als waarmee de boniseur vroeger in het circus het publiek in de tent trachtte te lokken. 'Een kans om niet slechts dertien weken, maar tweeënvijftig weken van het jaar filmopnamen te maken! Een kans om films te maken in een land waar de zon altijd schijnt en waar ruimte in overvloed is!
Magnum heeft in Hollywood bijna duizend acres land in bezit. Genoeg om er honderd studio's op te bouwen. En toen Lasky, Goldwyn en Laemmle daarheen kwamen, kwam Peter op het schitterende idee alle zelfstandige producenten naar Californië te laten komen en van Hollywood

een filmstad te maken. En daarom heeft hij mij opgedragen u het volgende voorstel te doen. Uit dankbaarheid voor uw vele goede diensten en uw welwillendheid jegens hem, is hij bereid u zoveel land te verkopen als u maar wenst, tegen dezelfde prijs als hij er voor betaald heeft! Namelijk honderd dollar per acre. En opdat u niet bezorgd behoeft te zijn dat u bedrogen uit zult komen, zal hij het u verkopen met dien verstande dat de koop nietig wordt beschouwd als het u niet mocht bevallen wanneer u het te zien krijgt. Verder zult u gelegenheid hebben het land, dat u het geschiktst lijkt, uit te zoeken in de volgorde waarin de opties tot stand gekomen zijn. Dat wil zeggen dat hij, die het eerst koopt, ook de eerste keus zal hebben. Als iemand er bij nader inzien toch niet tevreden mee mocht zijn, dan zal hem zijn geld zonder meer worden terugbetaald.'
Borden was al even verbaasd als alle anderen. 'Daar heb je me niets van verteld, Johnny.' Er klonk verwijt in zijn stem.
'Het spijt me, Bill,' antwoordde ik. 'Peter had me verboden er met iemand over te spreken voordat zijn besluit volkomen vast stond. Hij heeft me zojuist meegedeeld dat alles in orde was.'
'Maar wat moeten we dan met onze studio's hier?'
'Jullie kunnen ze blijven gebruiken voor shorts en dergelijke. Maar voor grote films en grote verdiensten zullen jullie toch naar Hollywood moeten komen. Hoe groot zijn jullie studio's hier gemiddeld? Ongeveer drie blok in het vierkant. Kunnen jullie daar een kudde van honderd runderen doorheen drijven zoals wij dat in 'The Bandit' hebben gedaan? Kunnen jullie een troep ruiters in vliegende galop opnemen, zoals wij in 'The Bandit' deden? Het antwoord ligt voor de hand. Als jullie hier blijven ben je aan handen en voeten gebonden.'
Ik zweeg en keek de kring rond. Ze waren allemaal diep onder de indruk. Er school echter wel een addertje onder het gras. Als het bij een van hen opkwam al dat land te kopen, dan had ik mijn geweten met nog een leugen moeten bezwaren. Maar Borden vloog er al in. Hij nam zijn vulpen en zijn chequeboek. 'Ik koop vijftig acres.'
In een uur tijd had ik voor zestigduizend dollar aan land verkocht, dat we niet eens bezaten. De anderen, ziende dat Borden in het aas beet, wisten niet hoe gauw ze ook aan de haak moesten komen.
Om drie uur 's morgens had ik Peter weer aan de telefoon, ditmaal echter in mijn hotel, waar niemand er met zijn neus bij stond.
Hij nam zelf de telefoon aan, maar ik hoorde een rumoer van opgewonden stemmen in de kamer achter hem.
'Hallo, Peter, met Johnny!'
'Ik meen dat ik je gezegd heb mij niet meer op te bellen! Het is veel te duur,' blafte hij.

'Loop rond, ik móést je bellen. Ik heb juist voor zestigduizend dollar land verkocht in Californië en je moet het morgenochtend gaan kopen.'
Ik hoorde een schrille kreet. 'Mijn God!' brulde hij. 'Ben je nu helemaal stapelgek geworden? Wil je ons allemaal in de gevangenis brengen?'
'Houd je nu kalm,' ried ik hem aan, 'en luister. Ik kon eenvoudig niet anders. Ze wilden ineens allemaal naar Californië, dat kun je denken, en daarom vond ik het beter dat wij er wat aan verdienden dan die rijke grondeigenaars, die toch al meer geld hebben dan goed voor hen is. Hoeveel kost het land per acre?'
'Hoe zou ik dat weten?' vroeg hij met trillende stem.
'Is Al daar misschien? Vraag het hem dan.'
Ik hoorde dat Peter zich omwendde en iets vroeg. Even later kwam zijn stem weer door. 'Ongeveer vijfentwintig dollar per acre, zegt hij.'
Ik voelde dat het bloed me naar het hoofd steeg en ik slaakte een zucht van verlichting. Ik had goed gegokt. 'Koop dan duizend acres,' beval ik. 'Dat kost ons vijfentwintigduizend dollar. Ik heb juist zeshonderd acres verkocht tegen honderd dollar per acre. Dan houden we dus nog genoeg geld en land over om een studio te bouwen.'
Het bleef een ogenblik stil aan de andere kant van de lijn. Toen hoorde ik Peters stem weer. Er was een eigenaardige klank in, die ik er nog maar zelden in had gehoord. Als ik hem niet beter gekend had, zou ik het voor bewondering of ontzag gehouden hebben.
'Johnny,' zei hij langzaam, 'je bent een *gonif.*'

Ik keerde langzaam naar mijn schrijftafel terug. Dat was allemaal lang geleden gebeurd, maar het leek wel of het pas gisteren was geweest. Hollywood was op zwendel gefundeerd en van zwendel gebouwd en dat was altijd zo gebleven. Ook heden ten dage leefde het nog van zwendel, alleen met dit verschil dat de zwendelaars van gisteren hun meester begonnen te vinden in de oplichters van vandaag. De laatsten bedrogen hun medemensen uit hebzucht, niet zoals wij eertijds uit bittere noodzaak. En ze beperkten zich ook niet tot elkander, maar de gehele wereld was hun jachtterrein.
Mijn ogen waren moe. De leden voelden warm en zwaar. Het zou wel goed zijn ze even te sluiten, dan konden zij wat rusten.

De stemmen lieten me maar niet met rust. Ik keerde mijn hoofd om, om ze niet meer te horen, maar het gedempte rumoer hield niet op. Ten slotte deed ik mijn ogen open. Mijn hele lichaam deed me pijn van de ongemakkelijke houding waarin ik in slaap gevallen was. Ik rekte me uit en keek mijn kantoor rond. Mijn blik viel op de klok op mijn schrijftafel en ik

vloog overeind. Het was halfvier in de namiddag! Ik had bijna de hele dag geslapen!
Ik liep naar de kleine badkamer naast mijn kantoor en liet het koude water over mijn gezicht stromen. Daardoor werd ik pas goed wakker. Ik keek in de spiegel en constateerde dat ik me nodig moest laten scheren.
Ik wilde juist mijn kantoor verlaten om naar de kapper te gaan toen ik Gordons stem door de muur heen hoorde.
'Het spijt me, Larry,' zei hij, 'maar ik kan het niet met je eens zijn. Ten slotte ben ik met Johnny overeengekomen dat ik de leiding van de gehele produktie zou hebben. Door het werk te gaan verdelen op de wijze die jij voorstelt, wordt het alleen verdubbeld, wat tot onnodige verwarring leidt.'
Dit redde mijn baard. In Gordons kantoor was iets gaande waar ik beslist het mijne van moest hebben. Ik stapte op de deur toe en opende hem bedaard. Gordon zat met een rood gezicht achter zijn schrijftafel. Hij had zich kennelijk boos gemaakt. Tegenover hem zaten Ronsen en Dave Both. Ronsens gezicht was onverstoorbaar als altijd, maar Dave keek als de kat die er met de kanarie vandoor is gegaan.
Ik stapte de kamer binnen. Alle drie de gezichten wendden zich plotseling in mijn richting, maar de gevoelens die ze uitdrukten liepen nogal uiteen. Gordon keek merkbaar opgelucht, Ronsen geërgerd en Dave verschrikt. Ik lachte hen vriendelijk toe. 'Wat is hier aan de hand? Gunnen jullie een medemens niet een ogenblik rust?'
Niemand antwoordde. Ik liep met uitgestoken hand op Gordon toe. 'Zo kerel, blij je te zien.'
Hij speelde zijn spel goed. Geen trilling in zijn stem verraadde dat we elkaar 's nachts nog bij hem thuis hadden gesproken. Hij schudde me hartelijk de hand. 'Wat doe jij in Californië? Ik dacht dat je nog hoog en droog in New York zat.'
'Ik ben gisteravond laat aangekomen. Ik wilde Peter bezoeken.' Ik wendde me tot Ronsen. 'Had niet verwacht je hier te zien, Larry.'
Hij keek me wel een minuut lang onderzoekend aan. Ik voelde heel goed dat hij probeerde te ontdekken wat ik wist, maar hij slaagde er niet in. Mijn gezicht stond even onnozel als het zijne. 'Er is na je vertrek iets gebeurd en omdat je er zelf niet was, besloot ik hierheen te vliegen om de kwestie voor je te behandelen.'
Ik veinsde belangstelling. 'Zo – wat is er dan gebeurd?'
'Stanley Farber heeft ons opgebeld,' antwoordde hij. Ik zag dat zelfs hij enigszins van zijn stuk was gebracht door mijn onverwacht verschijnen. Hij scheen zelfs naar zijn woorden te moeten zoeken. 'Hij stelde ons voor Dave hier met de leiding van ons topprodukt te belasten. Bij wijze van tegenprestatie zou hij dan zorgen dat onze films in alle Westco-theaters

werden vertoond en bovendien zou hij ons een miljoen dollar lenen.'
Voor het eerst sedert het ogenblik dat ik het kantoor binnenkwam, keek ik Dave Roth aan, maar ik sprak tegen Ronsen. 'Ik weet er alles van, Larry,' zei ik. 'En ik vermoed dat Stanley nog wel iets meer van ons verlangt dan dat we in ruil voor zijn miljoen dollar zijn beschermeling de leiding van de produktie geven.'
Ik bleef Dave strak aanzien, terwijl Ronsen antwoordde.
'Wel, het is nogal logisch dat we hem enige waarborg moeten geven voor al het geld, dat hij ons voorschiet.'
Ik knikte peinzend. Dave's gezicht werd steeds bleker.
Ronsen kon de spanning waarin hij verkeerde niet langer verbergen. 'Bedoel je dat je het een goed idee vindt?' vroeg hij met schrille stem.
Langzaam wendde ik hem mijn gezicht weer toe. Zijn ogen gloeiden achter de vierkante glazen van zijn lorgnet. Hij herinnerde me meer dan ooit aan een tijger die op het punt staat zijn prooi te bespringen. 'Ik zei niet dat ik het een goed idee vond,' antwoordde ik, hem strak aanziende. 'Maar ik zal er over denken. Een miljoen dollar is een begerenswaardig bedrag.'
Nu begon Ronsen aan te dringen. Nu hij me al zo ver meende te hebben, verlangde hij ook meteen een definitief antwoord.
'Dat is het zeker, Johnny, en Farber verlangt onmiddellijk antwoord. Hij kan zijn aanbod niet voor onbeperkte tijd handhaven.'
'En als we het accepteren zitten we in de val,' merkte ik droogjes op. 'Zoals ik al zei, ik ken Stanley, en als we eenmaal in zijn macht zijn, dan zijn we er nog niet weer uit. Dave hier is een beste kerel. Ik weet dat hij een uitstekend bioscoop-exploitant is, maar hij heeft nog nooit van zijn leven een film gemaakt en, met alle respect hoor, wat moeten we beginnen als hij het er niet goed afbrengt? Ik heb het anderen zien overkomen – het kan ook hem gebeuren.'
Ik lachte David vaderlijk toe. Zijn gezicht was spierwit. 'Ik wil je niet beledigen, kerel,' zei ik luchtig, 'maar je moet in de wereld nu eenmaal weten hóé je de dingen moet doen, die je wilt doen. Ik weet dat Larry het goed meent, maar ik zal er toch eerst over moeten denken. Ik stel voor dat we er morgen verder over praten.'
Met deze woorden zei ik Ronsen duidelijk genoeg dat ik zijn oordeel aan mijn laars lapte en overtuigde ik Dave er van dat ik hem voor een grote nul hield.
Van uit mijn ooghoeken zag ik dat Ronsens gezicht vertrokken was van woede, maar op het moment dat ik hem recht aankeek was hij zichzelf alweer meester. Ik glimlachte tegen hem. 'Als je nog een paar minuten voor me hebt, Larry, dan zou ik je graag nog even willen spreken nadat ik me heb laten scheren.'

Zijn diepe stem had zijn normale klank weer terug. 'Natuurlijk, Johnny. Bel me even als je terug bent.'
Ik liep naar de deur. Ik opende hem en keerde me toen nog eens om. Drie paar ogen waren op me gevestigd. Gordon, die achter de twee anderen zat, gaf me een knipoogje. Ik lachte hen vriendelijk toe. 'Ik zie jullie nog wel,' zei ik en sloot de deur.
Toen ik terugkwam van de kapper zat Gordon al op me te wachten. Ik voelde me kiplekker. Het is ongelooflijk hoe je van een scheermes en een warme handdoek kunt opknappen. Ik grinnikte tegen Gordon.
'Wat is er aan de hand, kerel? Je ziet er zorglijk uit.'
Hij stiet een serie vloeken uit.
Ik knikte hem bemoedigend toe. 'Ik geloof dat je geen hoge dunk hebt van onze achtenswaardige voorzitter.'
Gordons gezicht werd rood van woede. 'Waarom bepaalt dat verdomde ouwe wijf zich niet tot zijn kletstantesvergadering en houdt zijn lange neus buiten de studio?' raasde hij. 'Hij houdt ons maar op met zijn gewauwel.'
Ik ging achter mijn schrijftafel zitten. 'Maak je niet zo dik, Bob.' Ik nam een sigaret en keek hem kalm aan. 'Je moet wel bedenken dat hij niets van de filmproduktie afweet. Je weet wat hij is – een kerel met geld die de hebzucht te pakken kreeg toen hij zag dat er met de film nog veel meer te verdienen was. Maar toen hij merkte dat het hier ook niet allemaal rozegeur en maneschijn is, werd hij een beetje zenuwachtig en nu snuffelt hij overal rond naar iets dat hem zijn dierbare dollars garandeert of hem een goed heenkomen verschaft.'
Toen hij zag hoe kalm ik was, werd hij wat rustiger. Hij keek me scherp aan. 'Heb je een of ander plan?'
'Zeker,' stelde ik hem gerust. 'Ik heb een plan. Ik zet me schrap en laat hem net zo lang met zijn kop tegen de muur lopen tot hij er bij neervalt.'
Hij trok een scheef gezicht. 'Hij heeft een dikke schedel, Johnny. Wat doe je als hij er op blijft staan Farber tot compagnon te nemen?'
Daar had ik direct geen antwoord op. Als Ronsen er werkelijk op stond, dan kon ik er niets tegen doen en dan zou het gauw met mij gedaan zijn. Misschien zou dat ook wel beter zijn. Ik had dertig jaar geploeterd en genoeg geld bijeen om me nergens meer om te behoeven te bekommeren. Misschien zou het wel heel prettig zijn er nu rustig bij te gaan zitten. Maar zelfs dat zou niet zo gemakkelijk zijn. Mijn leven zat in dit bedrijf verankerd.
'Dat doet hij niet,' zei ik eindelijk, meer overtuiging veinzend dan ik voelde. 'Als ik maar voet bij stuk houd, dan wordt hij ten slotte zelf bang er Farber in te halen en dan wil hij het niet meer, zelfs al biedt Farber hem de schatkist.'

Gordon liep langzaam naar de deur. 'Ik hoop dat je weet wat je doet,' zuchtte hij, het vertrek verlatend.
Ik keek hem peinzend na. 'Dat hoop ik ook,' dacht ik.
De telefoon ging en ik nam de hoorn van de haak. Het was Doris.
'Waar heb je toch gezeten? Ik heb overal heen gebeld en kon je maar niet vinden.'
'Ik ben op mijn kantoor in slaap gevallen,' bekende ik berouwvol. 'Ik ben vannacht regelrecht hierheen gegaan en niemand wist dat ik hier was.' Ik veranderde van onderwerp. 'Hoe is het met Peter?'
'De dokter is er net geweest. Hij slaapt nu weer normaal. De dokter gelooft dat het wat beter gaat.'
'Prachtig. En Esther?'
'Ze staat hier naast me. Ze wil je ook even spreken.'
Ik hoorde dat ze de telefoon aan een ander gaf en even later klonk Esthers stem. Die was echter zo veranderd dat ik schrok. De laatste keer dat ik hem gehoord had, was hij nog jong en krachtig, maar nu klonk hij als die van een angstig vrouwtje, dat plotseling midden in een kamer vol vreemde mensen staat, die ze niet durft aanspreken.
'Johnny?' Het klonk als een vraag.
'Ja,' antwoordde ik zacht.
Ze bleef even stil en ik hoorde haar ademen. Toen klonk weer die vreemde, beverige stem: 'Ik ben blij, dat je gekomen bent. Peter zal er ook blij om zijn.'
Er was iets niet in orde in mijn binnenste. Ik had willen schreeuwen: 'Ik ben het, Johnny! Er liggen dertig jaren achter ons. Ik ben geen vreemde, je behoeft niet bang te zijn om tegen me te spreken!' Maar ik kon het niet uitbrengen, ik was bijna niet in staat tot spreken.
'Ik móést komen,' zei ik alleen maar. 'Jullie betekenen zoveel voor me.' Ik aarzelde even. 'Het spijt me zo van Mark.'
Plotseling was het weer haar oude stem, die me antwoordde, alsof ze onder al die vreemden ineens een bekende zag.
'Het is Gods wil, Johnny, wij mensen hebben te berusten. We kunnen alleen maar hopen dat Peter . . .' haar zin eindigde in een snik. Ik wist dat ze, in weerwil van haar dappere woorden, nu huilde om haar zoon.
'Esther!' zei ik op dringende toon, in de hoop haar te kalmeren. Ik hoorde hoe zij vocht om zichzelf weer meester te worden – vocht om de tranen terug te dringen, die zo graag wilden vloeien. De tranen waar ze recht op had. Eindelijk antwoordde ze. 'Ja, Johnny.'
'Je hebt nu geen tijd om te huilen, Esther.' Ik vond mezelf een bruut. Wie had het recht haar te zeggen wanneer ze huilen mocht – het was haar zoon! 'Je moet eerst zorgen dat Peter beter wordt.'

'Ja,' bracht ze moeilijk uit. 'Ik moet zorgen dat hij beter wordt, zodat hij de *Kaddish* voor zijn zoon kan zeggen. Dan kunnen we tezamen *shiveh* houden.'
Ik wist dat dit het Joodse gebruik was als er iemand stierf. Alle spiegels en schilderijen in huis werden dan bedekt en de huisgenoten zaten een week lang op de grond of hoogstens op een kist. 'Nee, Esther, nee,' zei ik zacht. 'Niet om *shiveh* te houden, maar om samen verder te leven.'
Haar stem klonk gedwee als die van een kind. 'Ja, Johnny.' En meer tegen zichzelf dan tegen mij voegde ze er aan toe: 'We moeten verder leven.'
'Dat is beter,' zei ik. 'Dat herinnert me weer aan de flinke, jonge vrouw die ik dertig jaar geleden leerde kennen en die je altijd gebleven bent.'
'Meen je dat, Johnny?' Het klonk nu wat opgewekter. 'Voordat dit gebeurde was ik ook nog jong, maar nu ben ik ineens oud. Niets is ooit in staat geweest om me te veranderen, maar nu is dat toch gebeurd, en ik ben bang.'
'Dat gaat weer over,' verzekerde ik haar, 'en dan zal alles weer zijn zoals vroeger.'
'Neen, Johnny, het zal nooit meer zijn zoals vroeger,' klonk het berustend van de andere kant van de lijn.
We spraken nog even en hingen toen de telefoon op. Ik leunde achterover in mijn stoel en stak een nieuwe sigaret op. Mijn eerste was opgebrand in de asbak.
Ik weet niet hoe lang ik daar naar de telefoon zat te staren. Ik dacht aan Mark toen hij nog een kind was. Eigenaardig, hoe gauw je de onaangename eigenschappen van een mens vergeet als ze zijn heengegaan. Van Mark als man had ik nooit gehouden, daarom dacht ik maar aan de kleine Mark van bijna dertig jaar geleden. Hij vond het altijd heerlijk als ik hem hoog in de lucht zwaaide en hem dan op mijn schouders zette. Ik hoorde hem nog kraaien van pret en bijna voelde ik nog zijn vingertjes door mijn haar woelen als ik door de kamer galoppeerde.
Mijn been begon me pijn te doen. Mijn been – ik dacht er altijd aan als 'mijn been' maar het was niet meer dan een stomp. De rest er van was nu al twintig jaar in Frankrijk. Nu gingen er pijnlijke scheuten door die stomp. Ik had de prothese al in drie dagen niet af gehad.
Ik leunde achterover, trok mijn buik in en maakte de gordel, die het kunstbeen op zijn plaats hield, los. Door mijn broekspijp heen maakte ik ook de riem, die om het bovenbeen sloot los en het kunstbeen viel met een bons op de grond.
Ik begon de stomp te masseren met de gelijkmatige, kringvormige beweging die ik nu al zoveel jaren toepaste. Ik voelde dat het bloed weer

begon te circuleren; de pijn verminderde. Ik bleef nog een tijdlang masseren.
De deur ging open en Ronsen kwam binnen. Hij zag me aan mijn schrijftafel zitten en kwam op me toe. Zijn tred was veerkrachtig, zijn lichaam groot en sterk. Zijn ogen achter de grote brilleglazen keken me doordringend aan. Hij bleef vlak voor mijn schrijftafel staan en keek vanaf zijn hoogte op me neer.
'Johnny,' zei hij op een eigenaardig zelfbewuste toon, 'wat betreft die Farber – zouden we . . .'
Ik staarde hem aan. Om een of andere reden kon ik me niet concentreren op wat hij zei. Mijn handen, die nog steeds de stomp van mijn been masseerden, begonnen te beven. Vervloekte kerel, waarom kon hij niet wachten totdat ik hem riep?
Ik knikte al instemmend nog voordat hij uitgesproken was, nog voordat ik wist wat hij zei. Als hij maar wegging – als hij in Godsnaam maar wegging. Als ik maar niet langer naar hem behoefde te kijken zoals hij daar stond, zo sterk, zo gemakkelijk.
De pupillen van zijn ogen vernauwden zich van verbazing. Plotseling keerde hij zich om en snelde de kamer uit. Om maar weg te zijn voordat ik soms van gedachten mocht veranderen.
Ik bleef nog lang naar de deur staren, waarachter zijn rechte rug verdwenen was. Toen probeerde ik de riem van mijn prothese weer om mijn dij te bevestigen. Mijn vingers beefden en het ding wilde maar niet blijven zitten. In mijn wanhoop begon ik te vloeken.
Ik voelde me ook zo wanhopig, zo gruwelijk hopeloos zonder mijn been.

DERTIG JAREN 1917

Johnny kwam uit de projectiezaal. Hij moest zijn ogen even tijd geven om aan het felle licht in de corridor te wennen en stak intussen een sigaret op.
Van de andere kant van de lange, brede gang naderde hem een kleine, kwieke gestalte. 'Kan hij worden afgedrukt, Johnny?' riep het mannetje hem al van verre toe.
Johnny wierp de lucifer in een kist met zand. 'Ja, Irving, je kunt je gang gaan.'
De man lachte blij. 'Goede opnamen van Wilson op het moment dat hij de eed aflegde, vind je niet?'

Johnny lachte ook. 'Buitengewoon goed, Irving, zoals altijd.' Hij liep de gang uit en het mannetje draafde met hem mee. 'Nu als de bliksem er mee naar de theaters en we zijn ze allemaal te vlug af.'
Nog geen drie uur geleden had president Wilson zijn tweede presidentseed afgelegd en Johnny had, in plaats van op een trein te wachten, een vliegtuig gehuurd om het negatief naar New York te brengen. Hij had berekend dat hij de andere maatschappijen hierdoor minstens zes uur voor was. Dat betekende dat de film in plaats van morgen, vanavond al in de Broadwaytheaters zou zijn.
Irving Bannon was de man van het journaal. Het was een klein, houterig, maar vliegensvlug kereltje. Vroeger was hij een eenvoudige cameraman, maar Johnny ontdekte in hem alle kwaliteiten, die een nieuwtjesjager moet bezitten en zo werd hij belast met de zware taak van journaal-cameraman. Wat Johnny zo in hem waardeerde was dat hij niet naar allerlei moeizaam geconstrueerde houdingen en opstellingen vroeg, maar eenvoudigweg fotografeerde en góéd fotografeerde. Alles wat hij nodig had, was voldoende licht om zijn opnamen te maken.
Nu draafde hij naast Johnny voort en maakte met zijn korte beentjes twee passen tegen Johnny één. 'Ik heb die oorlogsopnamen uit Engeland gekregen, Johnny,' hijgde hij. 'Wil je ze vandaag nog zien?'
Ze waren bij Johnny's kantoor gekomen en Johnny bleef bij de deur staan. 'Vandaag niet, Irving, ik zit tot over mijn oren in het werk. Maar reken maar op morgenochtend.'
'Okay, Johnny.' Het mannetje draafde de lange weg terug. Johnny keek hem glimlachend na. De kleine Irving wist van werken. De ene filmrol was nog niet naar de bioscopen of de andere snorde alweer door de camera. Dank zij hem was het Magnum-Journaal het beste ter wereld. Johnny ging zijn kantoor binnen.
Jane begroette hem met een glimlach. 'Hoe was de film, Johnny?'
Hij grinnikte voldaan. 'Best – zoals altijd. Irving is een prachtkerel.'
Hij liep op zijn schrijftafel toe, en ging zitten. 'Heb je dat gesprek met Peter nog aangevraagd?'
Ze knikte en nam een stapel papieren van haar schrijftafel, die ze voor Johnny neerlegde. 'Deze moet je doorlezen,' verklaarde ze, de papieren in twee keurige stapeltjes verdelend, 'en deze moet je tekenen.'
Hij keek haar ondeugend aan. 'Verder nog iets, baas?'
Ze ging terug naar haar schrijftafel en keek op haar bloknoot.
'Ja,' antwoordde ze onverstoorbaar. 'George Pappas komt om twaalf uur hier en om één uur ga je met Doris lunchen.'
Hij keek op zijn horloge. 'Godbewaarme, het is al bijna twaalf uur! Ik moet zien dat ik met deze rommel klaar ben voordat George komt.' Hij

keek haar verwijtend aan. 'Je bent een slavendrijver, Jane.'
Ze maakte een lange neus tegen hem. 'Dat is ook wel nodig. Anders liggen die dingen er volgend jaar nog.'
Johnny keek naar de papierwinkel op zijn tafel. Het waren de gebruikelijke contracten met de distributors, een deel van zijn werkzaamheden, dat hij verafschuwde. Het was een vervelend routine-werk. Jane had wel gelijk. Als het aan hem lag, keek hij er van zijn leven niet naar om. Hij nam zuchtend zijn pen en begon ze te ondertekenen.
De laatste vijf jaren hadden hem zichtbaar goed gedaan. Hij was nog wel mager, maar zijn gezicht was niet meer zo uitgeteerd en zijn ogen hadden niet meer die hongerige blik. Magnum was met sprongen vooruitgegaan. Ze hadden nu een studio in Californië, waar Peter de produktie leidde. Joe was bij Peter. Deze nam de besluiten en Joe bracht ze ten uitvoer en het resultaat van deze samenwerking was schitterend. Magnum Pictures behoorde tot de beste van de filmindustrieën.
Johnny had de zakelijke leiding in New York. Zijn voorspelling dat het belangrijkste deel van de produktie naar de kust zou worden verlegd, terwijl het secretariaat in New York zou blijven, was uitgekomen.
Het feit dat William Fox zijn proces tegen de Combinatie had gewonnen, waardoor deze laatste zich in 1912 gedwongen zag de zelfstandige producenten de vrije hand te laten in hun produktie, had een grote verandering meegebracht. Sindsdien waren nog verscheidene andere overwinningen behaald en het was nu zelfs zo ver gekomen dat de Combinatie vóór het Federaal Gerechtshof was gedaagd. Alles wees er op dat dit de ontbinding er van zou gelasten.
Zodra ze van Fox' overwinning gehoord hadden, had Johnny Peter er toe overgehaald hem naar New York te laten teruggaan en de studio's daar te heropenen.
In de tijd dat ze in Californië waren, was Jane Joe's typiste geweest, maar Johnny had gevraagd of ze zin had met hem mee terug te gaan naar New York. Ze had dat graag gedaan. Sam Sharpe had in Californië als Chef van de Spelers gefungeerd en hij was tot het einde van het vorig jaar in die functie gebleven. Toen had hij er echter de voorkeur aan gegeven tot het meer zelfstandige beroep van agent terug te keren.
'Er is hier een overvloed van kunstenaars,' trachtte hij Peter zijn standpunt te verklaren, 'en er is niemand om ze te vertegenwoordigen. Bovendien houd ik van het werk en heb me niet meer gelukkig gevoeld sinds ik het heb verlaten.'
Peter kon het zich heel goed begrijpen. 'Ik vind het uitstekend, Sam,' stelde hij hem gerust, 'en ik zal mijn acteurs en actrices er toe zien te bewegen dat ze jou als hun agent laten optreden.'

Sam Sharpe lachte trots. 'Je behoeft geen moeite te doen, Peter. Ze staan al allemaal op mijn lijstje.'
'Dat is prachtig!' riep Peter uit. Hij drukte Sam stevig de hand. 'Wanneer wil je er mee beginnen?'
'Nu meteen,' antwoordde Sam. 'Ik wilde het eens hebben over dat contract met juffrouw Cooper. Me dunkt dat dat juffertje wel wat meer mocht verdienen. Het is toch een feit dat haar laatste film een klein fortuintje heeft opgebracht.'

In het voorjaar van 1912 ging de première van 'The Bandit' op Broadway. Dit was de eerste van alle grote premières in de filmindustrie. De entree was vastgesteld op een dollar per persoon. Ze verwachtten wel dat ze goede zaken zouden doen, maar zelfs Johnny had niet voorzien wat er zou gebeuren.
Die middag om twaalf uur, twee uur voordat de voorstelling zou beginnen, had zich voor de kassa een rij mensen gevormd, die langs de hele voorgevel van de biscoop liep. Het voetgangersverkeer op het trottoir werd erdoor gestremd en wie er langs wilde moest maar door de goot gaan. Het werd met de minuut drukker en rumoeriger in de straat. Iemand die uit een raam aan de overkant de steeds dichter wordende menigte zag, belde de politie op en deelde deze mee dat er een rel was. De politie rukte uit, gereed om de menigte zo nodig met de gummistok uiteen te jagen.
De directeur van het theater trok zich de haren uit het hoofd en rende naar buiten om de politie beter in te lichten. Met stompen en duwen slaagde hij er in de commandant te bereiken.
De politieman, een grijze man met een rood gezicht, zette zijn pet af en krabde zich achter het oor. 'Wel verdomd,' zei hij met een prachtig Iers accent, 'wie had kunnen denken dat Bill Casey nog de dag zou meemaken waarop de mensen elkaar te lijf gaan om een film te zien.' Hij keek om zich heen naar de menigte en toen weer naar de zwetende directeur. 'Maar ze kunnen in geen geval het verkeer hier blijven stremmen. U zult ze binnen moeten laten.'
De directeur wendde zich wanhopig tot Johnny, die zich inmiddels bij hen had gevoegd. 'Wat moet ik beginnen? De voorstelling is pas om twee uur.'
Johnny moest lachen om zijn wanhoop. 'Open de zaal nu meteen en laat hen binnen.'
Nu geraakte de directeur helemaal van streek. 'Maar als ik ze nu binnenlaat, wat moet ik dan met de voorstelling van twee uur?'
'Als u niet zorgt dat ze van de straat komen,' dreigde de commandant,

'dan zal er geen voorstelling van twee uur zijn! Ik heb bevel ze uiteen te jagen.'
De directeur wrong zich de handen.
'Weet je wat,' besloot Johnny snel, 'laat ze binnen en geef om twee uur een nieuwe voorstelling. Laat de film draaien totdat er geen mensen meer komen.'
'Maar dan raakt midden in de film alles door elkaar!' jammerde de directeur.
'Ze kunnen immers blijven zitten totdat ze aan het gedeelte komen dat ze al gezien hebben, net als bij de shorts?'
De directeur keek de politieman nog eens smekend aan, maar deze was onvermurwbaar. Daarna begon hij zich moeizaam een weg terug te banen naar de kassa. Daar aarzelde hij nog even, maar tikte ten slotte toch tegen het ruitje. Het meisje dat daar zat opende het loket.
'Begin maar met de verkoop,' zuchtte de directeur.
De voorsten in de rij hoorden wat hij tegen de lokettiste zei en terstond drongen ze tegen de twee agenten, die hen probeerden tegen te houden, op en liepen hen omver. De kassa werd bestormd. De directeur stompte zich een weg in de richting van Johnny en toen hij hem eindelijk bereikt had, schoot Johnny in een luide lach. Alle knopen waren van zijn geklede jas, de bloem op zijn revers was verpletterd, de ene punt van zijn boord was er af gerukt en zijn das hing over zijn schouder.
De directeur staarde Johnny met wilde ogen aan. 'Wie heeft het ooit zo zout gegeten? Doorlopende voorstellingen – het lijkt waarachtig wel een kermis!'
En zo opende Magnum de zegevierende intocht van de film.
Dit was nog maar het begin. Andere maatschappijen en andere films volgden. Later in dat jaar vertoonde Adolph Zukor de sedert lang aangekondigde film 'Queen Elisabeth' en richtte vervolgens zijn Famous Players Film Company op.
In 1913 was het 'Quo Vadis?', onmiddellijk gevolgd door Carl Laemmle's Universal Company's 'Traffic in Souls' en daarop Jesse Lasky en Cecil B. DeMille met 'The Squaw Man', waarin Dustin Farnum de hoofdrol vertolkte. En elk jaar waren er meer. De 'New York Strand', het eerste grote theater waarin uitsluitend films werden vertoond, werd in 1914 geopend. Datzelfde jaar zag Mack Sennetts produktie 'Tillie's Punctured Romance', met Charlie Chaplin en Marie Dressler. Het daaropvolgende jaar bracht Griffth' 'Birth of a Nation' en Theda Bara in William Fox' 'A Fool there was'.
Namen als Paramount Pictures, Metro Pictures, Famous Players, Vitagraph begonnen overal bekend te worden. Het publiek begon spelers als

Mary Pickford, Charlie Chaplin, Clara Kimball Young, Douglas Fairbanks en Theda Bara te herkennen. De kranten begrepen al gauw de waarde van deze namen. Deze acteurs en actrices maakten nieuws. De journalisten kregen opdracht alles wat deze mensen deden en zeiden en meenden op te tekenen.
Het publiek had de film in zijn hart gesloten en de industrie groeide met de dag. Het ging echter niet allemaal zonder strijd. De ene producent belaagde de andere. Weldra woedde er een hevige strijd om beroemde sterren. De sterren sloten contracten af tegen fabelachtige sommen, om de volgende dag te vernemen dat ze bij een andere maatschappij nog fantastischer gages konden krijgen. Dagelijks werden er contracten gesloten en verbroken. Maar de industrie groeide gestadig.
Eens op een dag zei Johnny half spottend, half in ernst tegen Peter: 'Nu kunnen we pas met recht van een volkstheater spreken. De film is het persoonlijk bezit van het volk. Het heeft hem zelf gemaakt.'
En in lange rijen, die zich uitstrekten van de kassa's van de theaters tot in de straten, zorgde het volk van de Verenigde Staten voor de gestadige groei van zijn troetelkind.

Johnny schoof de papieren van zich af en keek op zijn horloge. Het was bijna twaalf uur. 'Verbind me nu maar met Peter,' verzocht hij Jane, die rustig zat te werken. 'Ik moet hem spreken voordat George hier is.'
Jane nam de hoorn van de haak. Johnny stond op en slenterde naar het raam. Buiten druilde een motregen.
Het was George Pappas goed gegaan. Hij had nu negen theaters en er zouden er weldra nog bij komen. Hij had Johnny voorgesteld een compagnonschap te vormen en tien theaters in New York City te kopen. Hij zou ze wel alleen willen kopen, maar daar had hij het geld niet voor. Hij kende iemand die zich wegens ziekte uit het theaterbedrijf moest terugtrekken en alles over wilde doen. Het waren tien goede bioscopen, wel niet op Broadway, maar toch in goede wijken en hij kon ze voor een kwart miljoen dollar overnemen. Als Magnum de helft leverde, dan zou hijzelf de andere helft kunnen opbrengen; de winst zouden ze delen en George zou ze exploiteren.
Johnny had de zaak van alle kanten bekeken en besloten er met Peter over te spreken. Borden, Fox en Zukor hadden ook eigen theaters en Johnny zag er heel goed de voordelen van, daar ze hier vanzelfsprekend hun eigen produkten konden vertonen. Ze konden de films zo lang laten

draaien als wenselijk was en in elk geval altijd gedurende de weekends. Magnum zou er stellig niet minder wel bij varen dan de andere filmproducenten, die ook bioscopen exploiteerden.
Jane's stem schrikte hem uit zijn overpeinzingen op. 'Met een paar minuten is Peter aan de telefoon.'
Hij ging weer aan zijn schrijftafel zitten en wachtte. Hij hoopte maar dat Peter het met hem eens was en zich niet zou laten verleiden tot eindeloze argumentaties. Hij lachte inwendig bij de gedachte aan zes jaar geleden – hoe hij had moeten ploeteren voordat hij Peter zover had dat hij grotere films ging produceren. Hij had het destijds goed gezien en hij voelde dat hij het ook nu weer bij het rechte eind had. Maar het argumenteren zat Peter nu eenmaal in het bloed, ofschoon hij dit volstrekt niet wilde toegeven. Hij zei altijd dat het een kwestie van 'uitpraten' was. Johnny dacht aan een paar van die kwesties die Peter met Joe had 'uitgepraat'. Voor een buitenstaander klonken die gesprekken alsof de twee mannen op het punt stonden elkaar te lijf te gaan. In het heetst van de strijd zwegen ze dan plotseling alle twee en keken elkaar schaapachtig aan, verbaasd over hun eigen heethoofdigheid, en dan gaf gewoonlijk een van beide partijen de ander ineens alles toe. Wie van beiden dat was deed er niet toe, want als de film eenmaal klaar was dan prezen ze elkaar om het hardst.
Maar de resultaten waren schitterend en de Magnum-produkties werden tot de beste van de filmindustrie gerekend.
Johnny haalde de schouders op. Wel, als Peter tegenstribbelde, dan had hij ook zijn argumenten klaar. Hij had een statistiek aangelegd, die de voordelen van een huwelijk tussen produktie en vertoning duidelijk liet zien.
'Hier is Peter, Johnny . . .' Jane's stem klonk enigszins opgewonden. Deze bijna dagelijkse gesprekken van kust tot kust verbaasden haar telkens weer.
Johnny nam de hoorn op. 'Laat hem maar praten – ik heb mijn antwoord klaar,' dacht hij. Hij drukte de hoorn tegen zijn oor en leunde achterover in zijn stoel. 'Hallo Peter!'
'Hallo Johnny,' klonk het van heel ver. 'Hoe is het met je?'
'Best. En met jou?'
'Goed.' Peters stem kwam nu wat beter door. Het was grappig hoe de telefoon altijd de nadruk op Peters lichte Duitse accent scheen te leggen.
'Heb je Doris gezien?' vroeg Peter verder. 'Is het goed met haar?'
Johnny had Doris bijna vergeten. 'Ik was in de projectiezaal toen ze aankwam,' zei hij op enigszins verontschuldigende toon. 'Maar Jane heeft haar ontvangen en ze is nu in haar hotel om zich te verkleden. Ik ga met haar lunchen.'

Peter lachte trots. 'Je zult haar niet herkennen, Johnny. Het is al een hele jongedame. Ze is de laatste jaren geweldig gegroeid.'
De laatste paar keer dat Johnny in Californië geweest was, had hij haar niet gezien. Ze was toen op kostschool. Ze moest nu achttien jaar zijn.
Hij lachte met Peter mee. 'Dat zal zeker wel,' stemde hij in. 'Maar de tijd heeft niet stil gestaan.'
Peters stem klonk nog trotser. 'Je zou Mark ook niet herkennen. Hij is al bijna net zo groot als ikzelf.'
'Nee!' deed Johnny stomverbaasd.
'Ja, het is werkelijk zo,' verzekerde Peter hem. 'Hij groeit nog harder uit zijn kleren dan Esther ze voor hem kopen kan.'
'Het is toch niet waar?'
'Waarachtig wel – maar ik zou het zelf niet geloven als ik het niet met mijn eigen ogen zag.' Hij zweeg even. Plotseling werd zijn toon zakelijk. 'Heb je de bedragen van de vorige maand al?'
Johnny nam een blad papier van zijn schrijftafel. 'Ja,' antwoordde hij en las toen snel een reeks getallen op, die hij besloot met de mededeling dat de winst van de afgelopen maand zestigduizend dollar bedroeg.
'Als we zo doorgaan dan maken we dit jaar meer dan een miljoen dollar,' concludeerde Peter tevreden.
'Gemakkelijk,' meende Johnny. 'De omzet van vorige week was bijna zeventigduizend.'
'Prachtig,' vond Peter, 'ga zo door.'
'We gaan door,' bevestigde Johnny. 'De opnamen van de eed van Wilson zijn al naar de bioscopen,' vervolgde hij. Nu klonk er trots in zíjn stem.
'Wát zeg je?'
'Vanavond wordt hij in de theaters vertoond. En de kosten zijn minimaal. Toen ik de exploitanten meedeelde dat de film hun meteen per vliegtuig zou worden toegezonden, maakte niemand bezwaren tegen de prijs.'
'Ik zou hem best willen zien.'
'Jouw afdruk gaat vanavond op de trein,' beloofde Johnny. 'Heb je nog nieuws?' Hij moest Peter eerst gelegenheid geven een beetje op te scheppen.
Nu sprak Peter verscheidene minuten achtereen en Johnny luisterde aandachtig. Magnum had verscheidene films vervaardigd en nu waren ze aan de laatste van dat seizoen. Toen Peter bijna klaar was met vertellen, kreeg hij eensklaps een idee.
'Ik denk dat ik eens naar New York kom als we hier de volgende maand klaar zijn. Ik ben er bijna in een jaar niet geweest en Esther zou graag de *Pesach* met haar familie vieren. De vakantie zal haar goed doen.'
Johnny moest inwendig lachen. Peter zei niets van zijn eigen verlangen om

eens een poosje 'thuis' te zijn en met eigen ogen te zien hoe de zaken stonden. 'Doe dat,' zei hij enthousiast. 'Het zal voor jullie een mooie afwisseling zijn.'
'Dat zal het zeker.'
'Laat me weten wanneer je komt, dan zal ik een hotel bespreken,' beloofde Johnny.
'Dat zal ik doen.' Peter zweeg even en toen hij weer sprak was er een lichte aarzeling in zijn stem. 'Hoe denken ze in New York over de oorlog?'
Johnny was op zijn hoede. Hij wist dat Peter uit Duitsland kwam. 'Hoe bedoel je?'
'Joe wil een film maken over de onderdrukking van de Belgische en Franse bevolking door de Duitsers en nu loop ik me af te vragen of dat wel goed zou zijn.'
Johnny hoorde wel dat Peter niet goed wist hoe hij het moest zeggen.
'Ik weet niet of er met een dergelijke film zaken te doen zijn,' voegde Peter er aan toe.
'De meerderheid hier is op de hand van de Geallieerden,' deelde Johnny hem voorzichtig mee. Joe had hem al over die film opgebeld en hem verteld dat Peter er niet veel voor voelde. Ofschoon hij het niet met de politiek van zijn geboorteland eens was, stuitte het hem toch tegen de borst er openlijk partij tegen te kiezen en het publiek nog eens extra op de terreur van de Duitsers in de landen waar de strijd woedde te wijzen. Maar anderzijds was al uitgelekt dat Magnum van plan was een film over dit onderwerp te maken en als Peter dit nu om een of andere reden niet door liet gaan, dan zou men hem licht voor Duits-gezind uitkrijten. Hij wees Peter hier op.
Het was hem alsof hij Peter peinzend zag knikken, terwijl hij het hem uiteenzette en toen hij uitgesproken was, klonk het enigszins aarzelend: 'We kunnen er dus vermoedelijk niet onder uit.'
'Rekening houdend met de stemming hier in Amerika, zou ik zeggen, nee,' antwoordde Johnny. 'Je moet maar zo denken, Peter, als je het doet is het niet goed en als je het niet doet is het ook niet goed.'
Peter slaakte een zucht. Hij voelde wel dat Johnny gelijk had. 'Dan zal ik Joe maar zeggen dat hij er mee begint,' zei hij toonloos.
Aan de andere kant van de lijn schudde Johnny meewarig het hoofd. Hij begreep hoe Peter zich voelde. Hij had hem ontelbare malen over zijn familie en vrienden in Duitsland horen vertellen en hij scheen zich vast te hebben voorgenomen hen nog eens te bezoeken. 'Zeg Joe dat hij er de tijd voor neemt,' raadde hij Peter aan. 'Misschien is de oorlog afgelopen voordat de film klaar is.'
Peter begreep dat Johnny hem doorzien had. 'Nee,' besliste hij, 'dat heeft

geen nut – ik moet maar door de zure appel heen bijten.' Hij zweeg even en lachte toen een beetje verlegen. 'Waar zou ik me ook eigenlijk druk over maken? Ik ben immers geen Duitser meer? Ik ben al meer dan twintig jaar Amerikaans staatsburger en ik heb mijn vaderland in zesentwintig jaar niet gezien. De mensen daar zijn natuurlijk veranderd.'
'Beslist,' zei Johnny, onwillekeurig op een toon alsof hij tegen een kind sprak. 'Ze moeten veel veranderd zijn in die tijd.'
'Ja, dat zal het wel zijn,' herhaalde Peter nog eens. Maar in zijn hart wist hij wel beter. Hij zag nog altijd de Pruisische officieren, hoog op hun grote, zwarte paarden, door de straten van München rijden. Hij herinnerde zich ook nog de conscripties, die jongens van zeventien jaar uit het ouderlijk huis weghaalden. Dat was ook de reden geweest waarom zijn vader hem naar Amerika had gezonden. Nee, hij wist wel zeker dat ze niét veranderd waren.
'Dat is dus afgesproken, Johnny, we maken de film.' Hij was blij dat hij nu een besluit had genomen. 'Zeg tegen Doris dat ze ons vanavond thuis opbelt.'
'Dat zal ik doen,' beloofde Johnny.
'Ik bel je morgen nog wel,' beloofde Peter.
'Goed,' antwoordde Johnny afwezig. Hij was nog met zijn gedachten bij die film. Plotseling schoot het hem weer te binnen – George! Hij moest vandaag antwoord hebben.
'Peter!'
'Ja?'
'Die theaters van George – hij moet het vandaag weten!'
'O, dat –,' klonk het onverschillig. Johnny's hart zonk in zijn schoenen. Hij voelde zich niet in staat met Peter te argumenteren na wat ze zo juist besproken hadden. 'Ik heb het er met Joe en Esther over gehad en ze zijn het volkomen met me eens dat het een goed idee is. Zeg hem dat hij ze kan kopen.'
Toen Johnny de hoorn op de haak had gelegd, nam hij de statistieken, die op zijn schrijftafel lagen, op en gaf ze aan Jane.
'Deze kun je wel verbranden, Jane, ik heb ze niet meer nodig.'
Hij leunde achterover in zijn stoel en schudde peinzend het hoofd. Je kon toch nooit hoogte van Peter krijgen. Hij deed altijd precies het tegenovergestelde van wat je verwachtte.

Doris stond voor de spiegel. Ze had een kleur van opwinding, maar ze

wist dat die haar goed stond. Ze knikte tevreden tegen haar eigen beeld. Dit mantelpak stond haar veel beter dan de japon, die ze eerst had aangetrokken. Ze leek er een beetje ouder, wat meer volwassen mee. Het was gelukkig droog – nu kon ze het tenminste dragen. In al haar andere kleren was ze nog een echt kostschoolmeisje.
Ze keek op het klokje op de kaptafel. Hij kon er nu elk ogenblik zijn en ze zou haar hoed maar vast opzetten. Ze was wel een beetje teleurgesteld geweest toen hij niet aan de trein was, maar Jane had haar verteld dat hij beslist niet weg had gekund en dat had ze geaccepteerd. Ze was allang aan dergelijke teleurstellingen gewend – dat was nu eenmaal niet anders bij de film. Maar toen Jane haar vertelde dat Johnny en zij samen zouden lunchen en dat hij haar van het hotel zou komen halen, voelde ze zich toch opleven.
Er werd geklopt. 'Daar is hij,' flitste het door haar heen en ze rende plotseling het grote vertrek door. Halfweg de deur bleef ze echter staan. Ze keerde zich om en wierp een laatste blik in de spiegel. 'Je lijkt wel een klein kind,' wees ze zichzelf terecht. Maar ze kon het niet helpen – haar hart bonsde in haar keel toen ze de deur open deed. Het was bijna alsof iemand anders die deur opende, niet zij. Ze zag zichzelf daar staan en ze zag hem en zijn glimlach op het moment dat hij haar zag. Maar die glimlach verflauwde plotseling en maakte plaats voor een uitdrukking van verbazing en bewondering. Toen was hij er echter weer – toen hij zag dat zij het werkelijk was.
Hij had bloemen meegebracht, maar hij vergat bijna ze haar te geven. Hij had verwacht het meisje te zullen zien dat hij zo goed gekend had. Hij had zich weliswaar voorgehouden dat ze geen kind meer zou zijn, maar in zijn hart had hij het toch niet kunnen geloven. Hij had misschien gedacht dat hij haar op zou pakken en tegen zich aandrukken en zeggen: 'dag lieve kind', zoals hij dat ontelbare malen had gedaan, maar nu kon dat niet. Hij zag haar in de open deur staan. Haar ogen schitterden van opwinding en haar lippen trilden.
Hij trad de kamer binnen en gaf haar de bloemen.
Ze nam ze zwijgend in ontvangst en daarbij raakten hun vingers elkaar even aan. Hij was zich die vluchtige aanraking eigenaardig bewust. Toen pas drukten ze elkaar de hand.
'Dag lieve kind,' zei hij eindelijk. Zijn stem klonk rustig, maar verried toch zijn verbazing.
'Dag Johnny,' antwoordde ze. Dit was de eerste keer dat ze hem bij zijn naam noemde zonder het woord 'oom' er bij. Plotseling drong het tot haar door dat haar hand nog steeds in de zijne lag. Ze trok haar haastig terug en hij zag dat ze bloosde. 'Ik zal eerst de bloemen in het water zetten.'

Haar stem had die eigenaardige, diepe klank die hij ook vroeger dikwijls had opgemerkt als ze iets 'echt' meende.
Hij sloeg haar gade terwijl ze de bloemen in een vaas schikte. Ze had zich half van hem afgewend, zodat hij haar profiel zag. Het kastanjebruine haar lag in glanzende golven om het blanke, nog blozende gezichtje en de donkerblauwe ogen lagen diep achter de hoge, nobel gevormde jukbeenderen. Hij keek naar de tere welving van haar lippen en haar ferme, ronde kin.
Ze keerde zich onverwacht naar hem om en betrapte hem er net op dat hij naar haar keek. Ze boog het hoofd over de bloemen en verschikte er nog wat aan. 'Zo is het mooi, vind je niet?'
Hij knikte – hij voelde zich zonderling verward en hij wist niet goed wat hij tegen deze jonge vrouw moest zeggen. 'Ik kan het nauwelijks geloven –' bracht hij er ten slotte uit.
Ze lachte hartelijk. 'Ga me nu alsjeblieft niet vertellen dat ik zo gegroeid ben. Als ik dat nog eens moet horen ga ik beslist schreeuwen.'
Hij lachte met haar mee. 'Ik wilde het net zeggen,' bekende hij.
'Ja, dat weet ik.' Ze ging vlak voor hem staan en keek naar hem op. 'Maar ik begrijp niet dat de mensen dat telkens maar weer zeggen. De tijd staat voor mij net zo min stil als voor hen. Natuurlijk ben ik groot geworden. Je zou toch niet willen dat ik altijd kind bleef?'
Nu begon hij zich wat meer op zijn gemak te voelen. Hij keek plagend op haar neer. 'Dat weet ik nog niet. Toen je nog een kind was, kon ik je optillen en je kussen en lieveling tegen je zeggen en dan lachten we allebei. Nu zou dat niet meer gaan.'
Haar ogen waren plotseling heel ernstig. Het was ongelooflijk zo snel als ze van kleur en diepte veranderden, vond hij.
'Goede vrienden, die elkaar in bijna vier jaar niet hebben gezien, kunnen elkaar toch wel een kus geven,' zei ze kalm.
Hij keek haar secondenlang diep in de ogen. Toen boog hij zich over haar heen. Ze hief haar gezicht naar hem op en hun lippen ontmoetten elkaar. Hij had weer dezelfde gewaarwording als toen hun vingers elkaar aanraakten, maar hij kon niet verklaren wat het nu eigenlijk was. Onwillekeurig sloeg hij zijn armen om haar heen en drukte zijn gezicht tegen het hare. Hij voelde de warmte van haar lichaam en rook de opwindende geur van haar haar. Hij keek naar haar gezicht. Ze had de ogen gesloten.
De gedachten stormden door zijn hoofd. 'Dit is waanzin! Kom tot jezelf, Johnny. Ze mag er dan uitzien als een jonge vrouw, ze is ten slotte maar een meisje, dat voor het eerst ver van huis naar een nieuwe kostschool gaat. Een romantische bakvis. Stel je niet aan, Johnny.'

Hij deed plotseling een stap achteruit. Zijn armen gleden van haar af en ze verborg haar gezicht tegen zijn schouder. Zijn hand gleed zacht langs haar wang en toen over haar haar. Zo stonden ze zwijgend bij elkaar. Toen hij eindelijk sprak, klonk zijn stem even ernstig als de hare. 'Je bent werkelijk groot geworden, lieveling. Te groot om nog grapjes met je te maken.'
Ze hief het hoofd op. Haar ogen lachten hem tegen en haar lippen krulden zich spottend. 'Dus tóch groot geworden, Johnny?'
Hij knikte, maar zijn gezicht bleef ernstig en hij antwoordde niet, want hij trachtte die wonderlijke vraag op te lossen: 'Wat is er met me gebeurd?'
Ze liep de kamer door om haar mantel te halen. Toen ze bij hem terugkwam en hem aankeek zong haar hart: 'Hij heeft me lief, hij heeft me lief, maar hij weet het nog niet!' En hardop zei ze: 'Waar gaan we lunchen, Johnny? Ik ben uitgehongerd.'

Johnny bleef maar dralen met zijn koffie – als zijn kopje leeg was, betekende dat het einde van hun lunch, maar hij had helemaal geen zin die te beëindigen. Ze zaten daar nu al bijna twee uur, maar het leek wel alsof het een paar minuten waren. Hij had nog nooit eerder een meisje gesproken dat werkelijk belangstelling voor zijn werk had. Doris echter luisterde ernstig en aandachtig en hij vertelde maar en vertelde maar – over de films, over de techniek, de bioscopen en hij wist zelf niet over wat al meer.
Een andere vrouw zou zich dood hebben verveeld, maar zij begreep hem, want ze was er in opgegroeid.
Ze had echter niet alleen maar zitten luisteren, ze had ook zitten denken. Over de kleur van zijn ogen en zijn haar, over zijn gelaatstrekken, zijn grote, goedhartige mond en zijn vastberaden kin. En ook over de kracht van zijn armen toen hij haar tegen zich aan had gedrukt.
Ze had altijd van hem gehouden en ze wist nu dat hij haar ook liefhad. Hij moest het zich echter nog bewust worden. Hij moest eerst nog aan het idee wennen dat zij geen kind meer was. Maar ze had geduld en kon wachten. Het zou zelfs wel grappig zijn hem zijn liefde gaandeweg te zien ontdekken. Ze glimlachte. Hij was haar liefde zo waard.
Eindelijk dronk hij zijn kopje leeg en zette het neer. Hij keek op zijn horloge en glimlachte spijtig. 'Ik zal weer aan het werk moeten. Ik heb van mijn leven nog niet zo lang aan de koffietafel gezeten.'
'Je moet het toch beslist meer doen,' glimlachte ze. 'Het is helemaal niet goed altijd zo hard te werken.'
Hij stond langzaam op. 'Ik verbeeld me altijd dat ik niet zo lang weg kan

blijven. Maar vandaag heb ik er zelfs helemaal niet aan gedacht dat ik terug moest.' Hij stak een sigaret op. 'Ik weet zelf niet hoe het komt,' peinsde hij hardop.
Ze keek hem glimlachend aan. 'Ik weet het wel,' dacht ze blij. Ze stond eveneens op. 'Ja, je hebt soms van die dagen – dagen waarop je alles vergeet.'
Hij legde haar mantel om haar schouders. 'Ik breng je eerst nog even naar je hotel.'
Op de hoek van de straat was een boekenstalletje. De kranten hadden vetgedrukte koppen. 'Wilson legt de eed af.' 'Hij belooft vrede!'
Ze keek hem ernstig aan. 'Denk je dat hij woord zal houden, Johnny?'
Haar angstige toon verraste hem. 'Ik denk dat hij in ieder geval zijn best zal doen, lieveling. Waarom?'
'Papa vindt het allemaal zo verschrikkelijk. Hij heeft familie in Duitsland, zoals je weet. En dan is er ook nog die film, die Joe wil maken.'
'Dat weet ik. Ik heb hem vanmorgen gesproken. Hij gaat hem maken.'
Het duurde even voordat ze antwoordde. Hij zag dat ze ernstig nadacht. 'Hij heeft er dus toch toe besloten,' zuchtte ze.
Hij knikte.
'Daar ben ik blij om – nu wordt hij tenminste niet langer door twijfel gekweld.'
'Zo is het,' stemde Johnny in.
Ze hadden weer een eindje gelopen, toen er plotseling een afschuwelijke gedachte door haar heen schoot. 'Maar als er oorlog komt, Johnny, moet jij dan soldaat worden?'
Ook deze vraag verbaasde hem. Hij had daar zelf niet eens aan gedacht. 'Dat denk ik wel,' was zijn eerste reactie, maar zich bedenkend voegde hij er aan toe: 'Dat is te zeggen – ik weet het niet.' Hij lachte vrolijk. 'Het heeft geen zin daar nu al over te piekeren. Als het zover komt weten we het gauw genoeg.'
Ze gaf geen antwoord, maar stak haar arm door de zijne. Toen vervolgden ze zwijgend hun weg naar haar hotel.

'Weet je zeker dat Doris hierheen zou komen voordat we naar de trein gaan?' vroeg Johnny voor de vierde keer.
Jane knikte een beetje ongeduldig. 'Ik weet het heel zeker.' Waarom maakte hij zich toch zo dik? Als Doris verhinderd was eerst naar de studio te komen, dan wist ze toch in elk geval hoe laat de trein aankwam en

dan kon ze alleen naar het station gaan om haar ouders af te halen. Het was niets voor Johnny om zo te zeuren – wat mankeerde hem toch?
Hij ging verder met het ondertekenen van brieven, maar even later keek hij weer op. 'Hoe heet die man, die George die drie theaters in de Bovenstad wil laten drijven?'
'Stanley Farber.'
Hij keek weer naar de brief voor hem op tafel. Stanley Farber bedankte hem hierin voor zijn aanstelling, die Johnny bevestigd zou hebben. Vreemd, hij kon zich niet herinneren dat hij iets bevestigd had; dat deed hij trouwens nooit voordat hij de persoon in kwestie gesproken had. Hij had die Farber zelfs nooit gezien. Hij schoof Jane de brief toe. 'Bel George hier over op en laat me weten wat hij gezegd heeft.'
Hij nam zijn horloge uit zijn vestzak en fronste de wenkbrauwen. Over twee uur kwam de trein al binnen. Zou ze opgehouden zijn?
De deur ging open nog voordat hij zijn horloge weer had weggestoken. Het was Doris.
Hij stond haastig op en liep om de schrijftafel heen op haar toe. 'Ik vroeg me al af waar je bleef,' zei hij, haar hand in de zijne nemend.
Ze keek met een stralende glimlach naar hem op. 'Ik heb de sneltrein gemist en moest het lokaaltje nemen. Ik kom regelrecht van school.'
Ze zagen niet dat Jane hen met grote ogen zat aan te staren. Ze zat heel stil en keek maar. Ze kon niet zeggen dat zij verliefd was op Johnny, maar ze wist dat zij het best zou kunnen worden als hij dat zou wensen. Ze wist ook dat hij een man was, die met hart en ziel zou liefhebben als hij eenmaal zover was. Maar nu sluimerden die gevoelens nog bij hem. Eens zouden ze echter ontwaken – en dan! Maar hij had nooit door een woord of gebaar laten blijken dat zij eventueel voor zijn liefde in aanmerking zou kunnen komen. Nu wist ze zeker dat dit ook nooit zou gebeuren en diep in haar hart was ze er blij om.
Doris stak haar de hand toe. Jane vroeg werktuiglijk hoe ze het maakte.
Johnny schoof een stoel naast zijn schrijftafel en verzocht Doris te gaan zitten. 'Als je een paar minuten wilt wachten tot ik dit zaakje heb afgewerkt, dan gaan we eerst ergens wat eten voordat we ze van de trein halen. Of vind je het vervelend om te wachten?'
'Helemaal niet, hoor,' antwoordde ze zacht.
Jane sloeg Johnny ongemerkt gade toen hij zich weer over de brieven boog. Ze had hem nog nooit zo opgewonden gezien. Hij was net een jongen, die zijn eerste liefde begint te ontdekken, maar niet weet wat hij er mee aan moet.
Ze keek naar Doris, die gedwee op de stoel was gaan zitten, die Johnny haar aanwees. Ze had haar hoed afgezet en haar haar glansde in het licht

van de plafonnière. Ze zag er blij en gelukkig uit en ze kon haar ogen bijna niet van Johnny afhouden.
Jane stond op en trad op Doris toe. Ze boog zich glimlachend over haar heen en nam haar hand in de hare. 'Het is net een droom, is het niet Doris?' Ze zei het zo zacht, dat Johnny het niet kon horen.
Doris schrok op en hief het hoofd naar haar op. Ze zag de warme blik in Jane's ogen en knikte.
Jane nam haar de mantel van de schouders en hing hem op een hanger. Ze knikte Doris nog eens toe en ging weer achter haar schrijftafel zitten.
Even later ging de deur weer open en Irving Bannon kwam binnen draven. Zijn gezicht was vuurrood van opwinding. 'Er komt een belangrijke mededeling door, Johnny! Kom mee naar de tikker!'
'Wat is het?'
'Ik weet het nog niet – 'Hier volgt een belangrijke mededeling', kwam er op de strook. AP zegt dat het heel ernstig is. Ik heb ze opgebeld voordat ik hierheen kwam.'
Johnny stond op. 'Wil jij het ook zien?' vroeg hij Doris.
'Ja!' antwoordde ze snel.
Ze volgden Irving naar zijn kantoor, het Nieuwsbureau, zoals het algemeen genoemd werd. Op weg daarheen stelde Johnny Doris en Irving aan elkaar voor. Het nieuwsbureau was een betrekkelijk klein vertrek, aan het einde van de corridor. Er stond een schrijftafel, waar Irving zijn commentaar placht te schrijven en een werkbank waaraan hij zijn films knipte en monteerde. In de hoek naast de schrijftafel stond een telexapparaat. Bannon had Johnny hier speciaal om verzocht, want op deze manier hadden ze het belangrijkste nieuws uit de eerste hand en konden ze het meteen in hun journaalfilms opnemen.
Er stonden al enige mensen rond de telex toen ze binnenkwamen. Ze maakten onmiddellijk plaats voor Johnny. Doris stond naast hem en Irving en Jane tegenover hen. De telex zweeg op het moment dat ze binnen kwamen, maar nu begon hij te tikken. Johnny nam de strook in de hand en las hardop voor:
'Washington, D.C., maart 12 (AP). President Wilson heeft heden last gegeven tot bewapening van alle koopvaardijschepen, zodat zij voortaan in staat zullen zijn zich tegen de willekeur der Duitse onderzeeërs te verdedigen. Deze verordening is uitgevaardigd precies acht dagen nadat een wetsontwerp om koopvaardijschepen dit privilege te verlenen is verworpen. De volledige kopij van de verordening zal zo spoedig mogelijk volgen – nadere berichten zijn te verwachten.'
Het was wel een minuut lang doodstil in het vertrek. Ieder was bezig met zijn eigen benauwde gedachten. Bannon was de eerste die sprak.

'Dat is dus oorlog,' stelde hij nuchter vast. 'Geen mens kan dat nu nog tegenhouden. Het ziet er naar uit dat de president eindelijk tot een besluit is gekomen.'
Johnny keek hem wezenloos aan. Oorlog. De Verenigde Staten zouden dus ook ten strijde trekken. Plotseling was hij een en al actie. Hij wendde zich tot Jane. 'Vraag Californië aan – Joe Turner. Vlug!'
Ze haastte zich terug naar zijn kantoor.
Daarop keek hij Bannon aan. 'Neem dit onmiddellijk in je laatste nieuwsrol op en vertrek daarna met al je mensen naar Washington. Je verfilmt alles wat je maar van enig belang acht in dit verband – zorg in ieder geval dat je binnen twee uur op de trein bent.'
Zonder nog naar Doris om te zien liep hij de kamer uit en haastte zich terug naar zijn kantoor. Doris volgde hem en legde onderweg haar hand op zijn arm. Hij bleef eensklaps staan en keek haar strak aan.
Haar gezichtje was doodsbleek en haar grote ogen waren vol schrik.
'Als er oorlog komt, Johnny, wat doe jij dan?' vroeg ze heel zacht.
Hij knikte haar bemoedigend toe en vermeed een antwoord. 'Ik weet het niet, liefje – we zullen eerst eens afwachten wat er verder gebeurt.'
Toen ze in zijn kantoor kwamen, stond Jane al op hem te wachten. 'Je hebt Joe met een kwartier aan de telefoon, Johnny,' deelde ze hem mee.
'Goed kind –' hij liep naar zijn schrijftafel en ging zitten. Hij keek een ogenblik peinzend voor zich uit. Ja, als er oorlog kwam, wat dan? Er was maar één mogelijkheid als je land in oorlog was. Hij kon niet stil zitten wachten totdat Joe Turner doorkwam. 'Ik ga nog even naar Irving. Je kunt me daar vinden als Joe er is.' Hij verliet het vertrek.
Doris volgde hem met de ogen. Ze zei niets, maar haar hart kromp ineen – wat was hij ineens rusteloos – wat bezielde hem toch? Jane keek haar medelijdend aan. Ze was in haar hart dankbaar dat zij er voor gevrijwaard was gebleven nu datgene te voelen wat er in Doris moest omgaan. Ze liep op het meisje toe en nam haar hand in de hare. 'Bezorgd?' vroeg ze zacht.
Doris knikte sprakeloos. Ze deed haar uiterste best de opwellende tranen tegen te houden, maar ze prikten al achter haar oogleden.
'Je houdt van hem,' stelde Jane bedaard vast.
'Ik heb altijd van hem gehouden,' fluisterde Doris, 'al sinds ik een klein meisje was. Ik droomde dikwijls van hem, maar ik wist toen nog niet wat het betekende. Maar op een dag begreep ik het ineens.'
'Hij houdt ook van jou,' zei Jane zacht, 'maar hij weet het nog niet.'
Nu lieten de tranen zich niet langer terugdringen. 'Dat weet ik – maar als er oorlog komt – en hij gaat weg – dan ontdekt hij het misschien nooit.'
Jane drukte haar de hand. 'Pieker daar maar niet over – hij zal het ontdekken.'

Doris glimlachte door haar tranen heen. 'Denk je dat werkelijk?'
'Natuurlijk,' verzekerde Jane haar en in gedachten voegde ze er aan toe: 'arme meid, dat zal nog veel erger zijn.'
De telefoon schrikte hen op. Jane nam de hoorn op Johnny's schrijftafel op.
'Hier is Los Angeles voor u,' klonk de stem van de telefonist.
'Eén moment,' antwoordde Jane. Ze hield haar hand over de microfoon en zei tegen Doris: 'Zou jij hem even willen halen?'
Doris was blij dat ze iets doen kon. Zij had zich overal zo volkomen buiten gevoeld. Ze lachte dankbaar en snelde weg.
Even later was ze er met Johnny. Hij kreeg de hoorn van Jane.
'Hallo, Joe?'
Joe's stem dreunde in zijn oor. 'Ja, Johnny, wat is er aan de hand?'
'De president gaat kanonnen op de koopvaardijvloot zetten. Dat kon wel eens oorlog worden.'
Joe floot tussen zijn tanden. 'Dat is eerder dan ik had verwacht.' Hij zweeg even. 'Wat moet ik voor je doen?'
'Is die oorlogsfilm klaar?'
'De laatste scene is vanmorgen in de trommel gegaan,' antwoordde Joe trots.
'Verzend hem dan vandaag nog naar New York – we kunnen er goede zaken mee doen.'
'Dat gaat niet!' protesteerde Joe. 'Hij moet nog gemonteerd worden en de tekstkaarten zijn nog niet eens geschreven. Dat is minstens twee weken werk.'
Johnny dacht even na. 'Zo lang kunnen we niet wachten,' besliste hij. 'Ik zal je vertellen wat we moeten doen. Jij bent vanavond met je beste schrijver en twee typistes op de trein. Je neemt wat haspels mee en laat twee compartimenten voor je reserveren. Je monteert de film onderweg en laat de typistes de kaarten schrijven. Zorg dat alles klaar is als je in New York aankomt. We draaien hem hier door de kopieermachine en sturen hem naar de theaters.'
'Ik weet niet of ik het voor elkaar kan krijgen,' stribbelde Joe nog tegen. 'Het moet wel erg gauw gaan.'
'Je krijgt het voor elkaar,' antwoordde Johnny met overtuiging. 'Ik deel intussen de distributors en onze vertegenwoordigers hier mee dat de film de volgende week klaar is.'
'Verduiveld!' barstte Joe uit. 'Je bent nog niets veranderd. Jij kunt nu eenmaal niet wachten.'
'*Wij* kunnen niet wachten,' kwam Johnny er bot bovenop.
'En wat zegt Peter er van?'

'Dat weet ik niet – hij is nog niet hier.'
'Nou goed, ik zal het proberen,' berustte Joe.
'Prachtig. Ik weet dat je het voor elkaar krijgt. Heb je al een naam voor de film?'
'Nog niet,' antwoordde Joe. 'Ik heb hem in gedachten alleen nog maar 'de oorlogsfilm' genoemd.'
'Dan dopen we hem hier,' besliste Johnny. Hij hing de hoorn op de haak en keek Jane en Doris beurtelings aan. 'Iets goeds kan er dus toch nog uit voortvloeien,' merkte hij zakelijk op.
'Johnny!' riep Doris uit, hem met grote, verbijsterde ogen aanziende. 'Johnny, hoe kun je zo spreken? Te zeggen dat er nog iets goeds zal voortvloeien uit die afgrijselijke oorlog tegen onschuldige mensen! Hoe kun je zo iets zeggen!'
Hij staarde haar aan, greep plotseling haar beide handen en zwaaide ze vrolijk heen en weer. Haar verwijten scheen hij niet eens te horen. 'Dat is het, Doris, dat is het!' riep hij uit.
'Wat?' vroeg ze nog verschrikter dan eerst.
Hij gaf haar niet eens antwoord, maar keerde zich om naar Jane. Hij struikelde over zijn eigen woorden van opwinding. 'Bericht het volgende aan alle distributors en vertegenwoordigers en laat de publiciteitsafdeling aanplakbiljetten en advertenties opstellen.' Hij wachtte even totdat Jane potlood en papier bij de hand had.
'Magnum Pictures maakt bekend dat zijn nieuwste en beste produktie, 'De Oorlog tegen de Onschuldigen', gereed is gekomen. De film zal de volgende week in alle theaters worden vertoond. Hij geeft een trouw beeld van de willekeur en de gruweldaden van de Hun, die wij zo goed uit onze dagbladen kennen.'
Hij zweeg even en keek toe terwijl Jane schreef. 'Weet je wat,' vervolgde hij, 'geef dit ook door aan de publiciteitsafdeling. Ze kunnen het zo overnemen.'
Toen pas wendde hij zich weer tot Doris. Er was een zonnige lach op zijn gezicht. 'Pak je mantel, lieve kind, we mogen niet te laat aan de trein zijn!'

De projectiezaal was tot de laatste plaats bezet, toen 'De Oorlog tegen de Onschuldigen' in besloten kring voor het eerst werd vertoond. Na afloop van de voorstelling verlieten de toeschouwers zwijgend de zaal en vormden groepjes van drie en vier personen in de corridor en de hal van de studio.

Het land was sedert een week in oorlog en de belangstelling voor de film was overal even groot. Bij deze eerste voorstelling waren de toeschouwers met zorg uitgekozen en behalve vrienden van Peter en Johnny waren er ook verscheidene verslaggevers en vertegenwoordigers van de pers, enige vooraanstaande regeringspersonen, belangrijke distributors en talrijke grote theatereigenaars.

Al deze mensen verdrongen zich om Peter en Joe om hun gelukwensen aan te bieden. Ze voelden dat de film er veel toe zou bijdragen het Amerikaanse volk te doen begrijpen, waarom de oorlog onvermijdelijk was geweest.

'Een voortreffelijk samengestelde propaganda voor onze kant,' zei een van de gasten tegen Peter. 'Mijn complimenten voor de wijze waarop u de Hun aan de kaak hebt gesteld.'

Peter was alleen maar in staat om te knikken. De voorstelling was een marteling voor hem geweest en nu hij al die lof moest incasseren kon hij alleen maar denken: 'gelukwensen die ik ontvang omdat ik mijn eigen volk en verwanten de oorlog heb verklaard'. Hij was blij toen de laatste gast vertrokken was en hij naar Johnny's kantoor kon gaan, waar hij wat kon gaan zitten. Esther, Doris, Joe en Johnny gingen met hem mee.

Ze spraken niet en keken elkaar min of meer schuw aan. Er heerste een spanning, die allen het zwijgen oplegde, maar die ieder op zijn manier verklaarde. Eindelijk nam Peter het woord. 'Heb je geen borrel, Johnny? Ik ben moe.'

Johnny haalde zwijgend een fles en een paar kartonnen bekers uit zijn schrijftafel. Hij schonk de bekers vol whisky en reikte ze Joe en Peter toe. Hij hield zijn beker omhoog en keek hen ernstig aan. 'Op de overwinning!'

Ze dronken de bekers in één teug leeg.

De alcohol maakte Joe's tong los. 'Ik heb het vervloekte ding zelf gemaakt en nu ik hem eenmaal in zijn geheel heb gezien, heb ik een gevoel of ik me vandaag nog moet melden.'

Peter gaf geen antwoord. Hij nam een paar brieven van Johnny's schrijftafel en bekeek ze met een afwezige blik. Het waren de vertoningscontracten van de film. Hij liet ze vallen alsof ze hem de vingers brandden. 'Geld dat ik aan de oorlog verdien,' dacht hij bitter.

Esther begreep hoe het hem te moede was. Ze ging zwijgend naast hem staan. Hij keek haar dankbaar aan – ze begrepen elkaar zonder woorden.

Johnny's stem viel als een bom in de stilte. 'Wie denk je gedurende mijn afwezigheid in mijn plaats te stellen?' vroeg hij bedaard. Allen keken hem verbijsterd aan. Er was een glimlach om zijn lippen, maar niet in zijn ogen.

'Wat bedoel je?' Peters stem klonk schril en hij was zijn accent niet meester.
Johnny keek hem ernstig aan. 'Wat ik zeg,' zei hij rustig. 'Ik ga me morgen melden.'
'Nee!' De woeste kreet kwam van Doris' lippen.
Esther keek haar dochter verschrikt aan en eensklaps begreep ze alles. Ze huiverde. Alle kleur was uit Doris' gezichtje geweken – het was doodsbleek, bijna grauw. 'Dat had ik toch wel kunnen weten,' verweet Esther zichzelf. Vele dingen die Doris de laatste jaren had gedaan en gezegd kregen plotseling betekenis voor haar. Ze liep op haar dochter toe en nam haar hand in de hare. Ze voelde dat Doris' hand beefde.
De mannen zagen dit alles niet eens. Joe stiet een zware vloek uit. 'Johnny, ik ga met je mee!'
Peter staarde hen wezenloos aan. 'Dat ik dit toch nog moet beleven,' dacht hij. 'Dat ik mijn twee beste vrienden moet zien uittrekken om mijn broeders te gaan bestrijden.' Hij stond langzaam op. 'Is het jullie plicht?'
Johnny keek hem met een eigenaardige blik in de ogen aan. 'Ik kan niet anders,' zei hij wonderlijk zacht. 'Het is mijn vaderland.'
Peter zag hoe Johnny hem aankeek en zijn hart kromp ineen. 'Weet hij wat er in mij omgaat?' dacht hij. Hij dwong zichzelf tot een glimlach. 'Ga dan, als het je plicht is,' bracht hij met moeite uit, 'en maak je geen zorgen over ons. Maar wees voorzichtig. We kunnen jullie niet missen.' Hij stak Johnny de hand toe. Johnny drukte die stevig. 'Ik wist wel dat je het zou begrijpen.'
Doris' ogen schoten vol tranen. Haar lippen begonnen te trillen. Haar moeder redde haar. Ze boog zich over haar dochter heen en fluisterde: 'Je moet nooit huilen waar je man bij is, *liebe Kind*.' Nog lange tijd daarna was het Doris telkens alsof zij haar moeder die woorden weer hoorde zeggen.

Johnny sloeg nog een laatste blik op zijn schrijftafel. De laatste brief was ondertekend, alles wat hij nog te doen had gehad was gereed. Hij legde de pen op het inktstel en keek Peter aan. 'Ik geloof dat ik klaar ben,' zei hij. 'Moet je verder nog iets weten?'
Peter schudde het hoofd. 'Nee, alles is me duidelijk.'
Johnny stond op. 'Mooi. Als er soms nog iets mocht zijn dat je niet begrijpt, vraag het dan aan Jane. Die is hier toch de baas.' Hij lachte ondeugend.
Ze glimlachte flauwtjes terug. 'We zullen proberen het zonder je te stellen, kapitein,' probeerde ze te schertsen.
Hij grinnikte. 'Je behoeft me niets wijs te maken, Jane.' Hij keek op zijn

horloge. 'Hemel, ik zal me moeten haasten. Ik heb Joe beloofd dat ik om drie uur aan het aanmeldingsbureau zou zijn.'
Hij liep naar de kapstok en greep zijn hoed. Toen trad hij met uitgestoken hand op Peter toe. 'Het beste, Peter – we spreken elkaar wel weer als het feest afgelopen is.'
Peter drukte hem zwijgend de hand. Ze keken elkaar vast in de ogen. Daarop liep Johnny op Jane toe en maakte over de schrijftafel heen haar haar in de war. 'Tot ziens, kleine meid.'
Ze stond snel op en kuste hem op beide wangen. 'Tot ziens, baas, en wees voorzichtig.' Haar stem klonk hees.
'Daar kun je van op aan,' beloofde hij. De deur viel achter hem dicht.
Peter en Jane keken elkaar aan. 'Ik – ik geloof dat ik ga huilen,' piepte ze.
Hij haalde zijn zakdoek uit zijn zak en begon met vervaarlijk geweld zijn neus te snuiten. 'Hm,' bromde hij, 'wat mij betreft kun je je gang gaan . . .'

Voor het aanmeldingsbureau bleef Johnny even staan om een sigaret op te steken. Plotseling hoorde hij zijn naam roepen.
'Johnny! Johnny!' Het was Doris, die hard kwam aanrennen.
'Waarom ben je niet op school?' deed hij streng, terwijl hij zich afvroeg waarom hij zo blij was dat hij haar nog even zag.
'Ik ben gisteren niet weggegaan,' hijgde ze. 'Ik wilde je nog eenmaal zien voordat je vertrok. Ik ben blij dat het me gelukt is.'
Ze stonden midden op het trottoir en keken elkaar verlegen aan. Geen van beiden wisten ze wat ze moesten zeggen.
Eindelijk verbrak Johnny het stilzwijgen. 'Ik ben blij dat je gekomen bent, lieve kind.'
'Werkelijk, Johnny?' Haar ogen glansden.
'Erg blij.'
Ze zwegen weer. Nu was het Doris die het eerst sprak. 'Zul je me schrijven, Johnny, als ik jou schrijf?'
'Natuurlijk.' En weer die stilte. Akelig. Verwarrend. Hun ogen zeiden echter meer dan hun lippen.
Hij haalde omslachtig zijn horloge te voorschijn en keek er op. 'Ik ben laat – ik moet nu gaan.'
'Ja, Johnny.' Ze boog het hoofd. Hij legde zijn hand onder haar kin en dwong haar hem aan te zien. 'Braaf zijn op school,' probeerde hij te schertsen, 'en wacht op me. Misschien breng ik wel wat moois voor je mee.'
Haar ogen waren nu vol tranen. 'Ik zal op je wachten, Johnny, al is het mijn leven lang.'

De innige klank van haar stem verwarde hem nog meer. Hij voelde dat het bloed hem naar de wangen steeg. 'Dat is goed, liefje, doe dat, dan breng ik wat moois voor je mee.'
'Je behoeft niets voor me mee te brengen, Johnny. Kom alleen terug zoals je bent weggegaan, dat is alles wat ik verlang.'
'Wat kan me gebeuren?' lachte hij.

De lange rij in kaki gehulde gestalten kwam schuifelend tot staan. De zon brandde op hen neer. Het stof op hun gezicht en handen was modder geworden door het zweet.
'Verbreekt de gelederen – tien minuten rust!' Het bevel golfde over de hoofden heen.
Johnny liet zich opzij van de weg in het gras vallen. Hij lag op zijn rug, met zijn handen over zijn ogen. Hij had een gevoel alsof zijn adem niet meer door zijn keel kon.
Joe kwam naast hem zitten. Hij vloekte en begon zijn schoenen los te maken. 'Die kistjes zijn nog eens m'n dood,' bromde hij, zijn voeten masserend.
Johnny gaf geen antwoord. Even later viel er een schaduw over hen heen. Hij nam zijn handen van zijn ogen en keek op. Het was de korporaal. Hij schoof een eindje opzij om plaats voor hem te maken op de strook gras. 'Neem een stukje gras, Rock.'
Rocco ging naast hem liggen. Hij keek even naar Joe, die druk bezig was met zijn voeten, en begon te lachen. 'Dat heb je vóór als je barbier bent,' merkte hij op. 'Je voeten zijn gewend om gebruikt te worden.'
'Barst maar,' mompelde Joe. 'Jullie zijn niet menselijk meer, dat is alles.'
Johnny grinnikte tegen hem en rolde zich toen op zijn andere zij, met zijn gezicht naar Rocco. 'Weet je al waar we naar toe gaan, Rock?'
Rock knikte peinzend. 'Ik heb zo'n vermoeden. Ergens aan de Maas. Argonnenwoud of zo iets.'
Joe stak zijn voeten in de lucht en keek er ernstig naar. 'Hoor je dat, kistjes? Nu weten we waar we naar toe gaan.'
Rock vervolgde onverstoorbaar: 'Ze zeggen dat er iets op til is.'
'Hoe ver is het nog?' vroeg Johnny.
'Dertig, vijfendertig mijl.'
Joe slaakte een kreet en zonk achterover in het gras. Zo lagen ze een paar minuten zwijgend op sprietjes te kauwen. Ergens in de lucht ronkte een vliegtuig. Johnny beschutte zijn ogen met zijn hand en keek omhoog. Een

grijze Spad met de Franse kleuren vloog op geringe hoogte voorbij. Ze volgden hem met de ogen.
'Wat zal het daar lekker koel zijn,' merkte Joe jaloers op. 'Je hebt daar beslist geen last van je voeten.'
Johnny keek het vliegtuig zwijgend na. Het schitterde in het zonlicht en vervolgde gracieus als een meeuw zijn weg langs het diepe blauw van de hemel. Plotseling, volkomen onverwacht, maakte het echter een wending en suisde nu in waanzinnige haast recht op hen aan.
'Wat zou er aan de hand zijn?' vroeg Johnny.
Zijn vraag werd onmiddellijk beantwoord. Schuin boven de kleine Spad vlogen in gesloten formatie drie rode Fokkers met grote, zwarte kruisen op hun vleugels.
Plotseling dook er een in huiveringwekkende vaart op de kleine Spad neer. Deze zwenkte nogmaals en de Fokker scheerde er langs.
'Bravo!' brulde Johnny. 'Hij is de Heinie te vlug af!' De Spad vloog nu in oostelijke richting. 'Hij zal zich wel uit de voeten proberen te maken,' veronderstelde Johnny.
De tweede Fokker schoot op de Spad neer. Ze hoorden het geratel van de mitrailleurs boven het ronken van de motoren uit. Het deed Johnny aan de schrijfmachines in de studio denken. 'Waarom keert hij niet en schiet terug?' riep hij opgewonden.
'Als hij verstandig is zal hij dat wel laten,' verklaarde Rocco met het gezicht van de man die er verstand van heeft. 'Als hij dat doet sluiten ze hem in.'
Ook deze Fokker schoot langs de Spad heen. De eerste klom intussen moeizaam weer omhoog, maar hij was een heel eind achter geraakt.
'Nu nog één,' zei Joe ademloos. 'Als het hem nog eenmaal lukt is hij gered.'
De woorden hadden zijn mond nog niet verlaten of de derde Fokker ging tot de duikvlucht over. De toeschouwers op de grond hielden de adem in. De afstand was nu zo groot dat ze het geronk van de motoren niet meer hoorden en de strijd leek nu een beklemmende pantomime. Ook de derde Fokker schoot rakelings langs de Spad heen.
'Hij heeft het gewonnen! Hij heeft het gewonnen!' juichte Johnny. 'Zag je dat, Rocco?'
Rocco gaf geen antwoord. Hij greep Johnny bij de arm en wees. In het zuivere blauw zweefde een langgerekte, zwarte rookpluim. Hij kwam uit de staart van de Spad. Eén ogenblik leek het alsof het vliegtuig vertwijfeld fladderde, als een getroffen vogel. Toen kantelde het en begon af te glijden naar de aarde – al sneller en sneller. Ze zagen de vlammen om een van de vleugels lekken. In duizelingwekkende vaart schoot het nu omlaag. Een

klein, zwart voorwerp maakte zich van het brandende vliegtuig los en stortte eveneens omlaag.
Johnny sprong op. 'Hij is er nog uitgesprongen – de stakkerd!'
Rocco trok hem neer in het gras. 'Liggen blijven!' beval hij scherp. 'Moeten de Heinies ons in de gaten krijgen?'
Johnny ging gedwee weer liggen. Hij voelde zich plotseling volkomen uitgeput. Hij vouwde zijn handen over zijn ogen. Tegen het zwart van zijn gesloten oogleden zag hij, nog zwarter, het langwerpige voorwerp zich van het brandende vliegtuig losmaken en vallen . . . Hij nam zijn handen van zijn ogen weg en keek naar de lucht. Hoog boven de plaats waar de Spad moest zijn neergekomen cirkelden de Fokkers. Een paar minuten slechts – toen verdwenen ze in de richting van het Duitse front; de hemel was leeg, smetteloos blauw. Johnny voelde zijn vermoeidheid weer; de brandende, genadeloze zomerhitte.
Het schrille fluitje van de sergeant schrikte hen op. 'Opstaan, mannen!'
Hij stond langzaam op. Joe trok haastig zijn schoenen aan, Rocco gespte zijn ransel vast. Hij liep langzaam terug naar de weg, waar de manschappen zich alweer opstelden.
De avond viel al toen ze het dorpje binnen marcheerden. Aan weerskanten van de straten stonden lange rijen mensen, die hen zwijgend gadesloegen; hier en daar stond er een met een Amerikaanse vlag in de hand.
Ze marcheerden werktuiglijk verder. Ze waren te moe om belang te stellen in het volk langs de weg en het volk was te moe om blijdschap te tonen over hun komst. Ze waren zich elkaars aanwezigheid bewust, ze voelden dat ze vrienden waren, maar ze waren te uitgeput om het te tonen.
Joe maakte een uitzondering. Zodra de eerste huizen in zicht kwamen, knapte hij zienderogen op. Hij keek links en rechts naar de toeschouwers en knipoogde tegen de meisjes. 'Vrouwen!' grinnikte hij en gaf Johnny een por in zijn zij.
Johnny gaf geen antwoord en keek zelfs niet op. Hij dacht aan de laatste brief van Doris. Ze schreef dat de gehele filmindustrie zich had ingezet voor de Victory-Bond. Mary Pickford, Douglas Fairbanks en alle andere sterren waren op tournee om Victoria Bonds te verkopen. Anderen reisden de hospitalen af om de gewonden te bezoeken. De vrouwen leerden verband leggen. Peter had in opdracht van de regering shorts en ook langere films gemaakt ten bate van verschillende thuisfront-acties. De zaken gingen schitterend. Er waren verscheidene nieuwe theaters geopend en de films uit Hollywood werden naar alle landen ter wereld verscheept. In Engeland en de rest van Europa, waar men de studio's wegens de oorlog had moeten sluiten, was er grote vraag naar de Amerikaanse films en ze werden enthousiast ontvangen. Mark was het laatste jaar enorm gegroeid. Hij

had zijn eindexamen achter de rug en zijn vader liet hem nu een cursus voor toekomstige officieren volgen. Hij hoopte vurig dat de oorlog niet voorbij zou zijn voordat hij oud genoeg was om in dienst te gaan.
Ze hadden er twee nieuwe studio-gebouwen bij gekregen en hun studio was nu een van de grootste in Hollywood. Edison had een demonstratie gegeven van een sprekende film – een cilinder, die met een gewone film werd verbonden en gelijktijdig daarmee afgedraaid. Papa en verscheidene andere filmproducenten waren er bij geweest. Maar het was niet praktisch uitvoerbaar.
Johnny vloekte binnensmonds. Dat hij daar nu toch niet bij had kunnen zijn! Ze waren óf stapelgek óf stekeblind. Begrepen ze dan niet dat de film, als ze hem ook nog konden laten spreken, het niveau van het toneel zou kunnen bereiken?
Ze waren nu in het centrum van het stadje gekomen. Het was een groot plein, dat met ronde keien was bestraat. De kolonne hield stil. Ze deden hun ransels af en zetten hun geweren neer. Ergens in het noorden gromden de kanonnen. Het klonk als het rommelen van een ververwijderd onweer. Johnny voelde de trillingen in zijn hand toen hij zijn geweer met de kolf op de grond liet rusten. Zo wachtte hij bedaard op de bevelen die zouden volgen.
Een kleine Fransman, die hier blijkbaar een officiële functie bekleedde, dribbelde met een gewichtig gezicht op de kapitein toe. Ze spraken een paar minuten in een razend snel tempo met elkaar en daarop wendde de kapitein zich tot de manschappen. 'We blijven vannacht hier, mannen,' deelde hij hun mee. 'We vertrekken morgenochtend om vier uur – jullie luitenants zorgen voor de inkwartiering. Zorg dat je goed slaapt, want jullie mogen van geluk spreken, als je de eerstvolgende veertien dagen nog een bed te zien krijgt.' Daarop verdween hij met de kleine Fransman in een van de gebouwen aan het plein.
'Hij kan naar de duivel lopen!' siste Joe tegen Johnny. 'Ik ga een grietje opscharrelen.' Rocco hoorde het net. 'Je gaat slapen,' beval hij bars. 'Een oorlog is geen avondwandeling!'
Joe grinnikte. 'Dat hebben ze me al meer verteld – maar ik weet nu beter. Alles wat we hier te doen hebben, is ergens heen marcheren en als we daar dan zijn dan marcheren we weer ergens anders heen. Dit is geen oorlog tegen Duitsland, het is een samenzwering tegen mijn voeten.'
Er kwam een luitenant hun kant uit. 'Bek dicht,' fluisterde Johnny, 'de luit!'
De luitenant wenkte Rocco. Deze trad op hem toe en sprong in de houding. De officier deed hem snel enige mededelingen en gaf hem een stuk papier. Een paar minuten later konden ze hun kwartieren gaan opzoeken.

'Zou je hièr ergens wat te drinken kunnen krijgen?' vroeg Joe.
Er was in het hele stadje geen licht te zien. Niemand antwoordde. Even later volgden ze Rocco door een van de straten. Voor een smal, grijs huis stond hij stil. Rocco klopte op de deur. Een mannenstem stak, door de gesloten deur heen, een heel verhaal af dat zij niet verstonden. Het was Frans. Rocco wachtte totdat de stem zweeg. 'We zijn Amerikaanse soldaten!'
De deur ging open en ze zagen een lange, slanke man met een zwarte baard. Achter hem was een helder verlichte kamer. Hij boog zeker driemaal achtereen en ging toen opzij om hen binnen te laten. 'Les Américains! Entrez! Entrez!'
Ze traden binnen en hij sloot zorgvuldig de deur. 'Marie!' riep hij luid. Daarop volgde weer een rap betoog, dat ze niet verstonden, met iemand die ze nog niet zagen.
Ze bleven enigszins bedremmeld vlak bij de deur staan. Rocco zette zijn helm af en de anderen volgden schaapachtig zijn voorbeeld. Toen kwam er een meisje de kamer binnen met een paar grote flessen wijn.
Joe keek zijn kameraden triomfantelijk aan. 'We hadden toch ook wel kunnen weten dat de president ons geen gebrek zou laten lijden voor we moeten knokken!' juichte hij.
De Fransman keek hem glimlachend aan en opende een van de flessen. Hij bood hun plechtig ieder een glas fonkelende wijn en hief vervolgens zijn eigen glas op. 'Vive l'Amérique!'
Ze dronken hun glas leeg. Hij vulde ze meteen weer en scheen toen ergens op te wachten. Johnny begreep hem het eerst. Hij glimlachte tegen de man en hief eveneens zijn glas op. 'Vive la France!'
Joe was al druk bezig een gesprek aan te knopen met het meisje.

Rocco schudde hem bij zijn schouder. Hij ontwaakte als een kat: het ene ogenblik lag hij nog vast te slapen, het volgende was hij klaar wakker. Hij had eigenlijk de hele nacht op dit moment liggen wachten, maar nu het zover was, was hij toch liefst in bed gebleven.
'Waar is Joe?' fluisterde Rocco.
'Weet ik niet. Is hij niet hier?'
Rocco schudde het hoofd.
Johnny kwam overeind en zwaaide zijn benen buiten bed. 'Ik zal hem wel zoeken,' beloofde hij.
Hij liep op zijn tenen de kamer uit en kwam in de kleine hal. Daar bleef hij even staan om zijn ogen aan de duisternis te laten wennen. Aan de andere kant van de hal was een deur. Hij opende hem en trad de kamer binnen. In een hoek van het vertrek zag hij de vage omtrekken van een

bed en een van de gestalten in dat bed rolde zich juist zagend op zijn zij. Johnny lachte boosaardig. Dat geluid kende hij! Hij boog zich over de zager heen om zich nog eens te vergewissen dat hij het was en toen schoot zijn hand uit en greep Joe met volle kracht bij de schouder. Met één flinke ruk had hij hem uit bed en languit op de grond. 'Allez m'sieu!' fluisterde hij en, zo goed mogelijk een Frans accent nabootsend, voegde hij er in het Engels bij: 'Dat gebeurt er dus achter mijn rug!'
Joe spartelde als een bezetene en probeerde uit Johnny's greep los te komen. 'Het spijt me erg, mijnheer!' hijgde hij. 'Ik bedoelde het niet zo kwaad.'
Nu kon Johnny zich niet langer goedhouden en het had niet veel gescheeld of hij was in een luid gelach uitgebarsten. 'Kom mee, schone slaapster,' fluisterde hij, Joe op zijn voeten zettend, 'de oorlog wacht al op ons.'
Joe volgde hem de hal in. 'Hoe wist je dat ik daar was?'
Johnny bukte zich en overhandigde Joe zwijgend zijn gepoetste schoenen. Joe stond er verbijsterd naar te staren. Toen ging hem een licht op. 'Die Fransen zijn toch gastvrije lui, parlez-vous,' zong hij.
Johnny legde zijn vinger op zijn lippen.
'Het kan me allemaal niets meer schelen,' grinnikte Joe. 'Ik heb het nu toch gehad.'

Het was nog erg vroeg. De ochtendnevel was nog niet opgetrokken en rustte zwaar en grauw op de aarde. De mannen stonden zwijgend in de lange, diepe loopgraaf. Hun nieuwe kapitein sprak hen toe. Ze waren die nacht in de loopgraven aangekomen en hadden tot hun verbazing allemaal nieuwe officieren gekregen. 'Ze zijn zeker bang dat we een paar van hen aan onze bajonet rijgen,' hoonde Joe, toen hij hoorde dat hun vroegere officieren teruggingen.
'Kletskoek,' oordeelde Rocco. 'Deze knapen hebben front-ervaring en ze nemen geen enkel risico met nieuwlichters.'
Het zag er naar uit dat hij gelijk had. De nieuwe kapitein was jong – veel jonger dan de vorige – maar zijn gehele manier van doen sprak van zelfvertrouwen en vastberadenheid, wat de nieuwelingen een gevoel van veiligheid gaf. Zijn jong gezicht, met de vermoeide lijnen bij neus en mond, was strak als een masker, maar zijn diepliggende ogen fonkelden waakzaam. Zonder bepaald ergens naar te kijken scheen hij toch alles te zien en hij wist zich zonder bijzondere stemverheffing tot in de achterste gelederen verstaanbaar te maken.

'Mijn naam is Saunders,' vertelde hij, 'en er is best met me op schieten.' Zijn blik gleed langs de rij vermoeide mannen. Ieder van hen had het gevoel dat de kapitein tot hem persoonlijk sprak. 'Alles wat je moet doen om goede vrienden met me te blijven, is zorgen dat je in leven blijft.' Hij zweeg weer en keek hen weer een voor een aan. 'Van nu af vergeten jullie alles wat je ooit hebt gehoord, behalve datgene wat je geleerd hebt om in leven te kunnen blijven. Ik eis mannen, geen helden. Mannen, geen lijken.
Om in leven te kunnen blijven moeten jullie het volgende onthouden. Ten eerste: Steek je hoofd niet boven de rand van de loopgraaf uit. Daarmee bedoel ik dat je niet nieuwsgierig moet zijn en niet moet proberen te kijken wat de Heinies uitvoeren. Daarvoor zijn de uitkijkposten. Ten tweede: Houd je wapens schoon, zodat je ze kunt gebruiken. De soldaat die zijn geweer laat verroesten is doorgaans al een lijk voordat hij dit verholpen heeft. Ten derde: Doe wat je bevolen wordt en niets méér. Aan al onze bevelen ligt slechts dit ene ten grondslag: jullie veiligheid – of zo weinig mogelijk risico.'
Hij zweeg en keek hen weer een voor een aan. 'Hebben jullie het begrepen?' Hij wachtte even, maar kreeg geen antwoord. Hij glimlachte. 'Volg deze raad op en we zijn allemaal op dezelfde boot naar huis. Volg hem niet op en je maakt misschien dezelfde reis, maar zonder het te weten. Nog iets te vragen?' Er was niets te vragen. Hij keek hen zeker nog wel een minuut lang aan. Toen keerde hij zich om en liep naar de bocht van de loopgraaf.
Daar plaatste hij zijn handen op een stutpaal, ter hoogte van zijn gezicht en trok zich voorzichtig op, net zolang tot zijn hoofd even boven de rand van de loopgraaf uitkwam. Er klonk een gedempt 'ping' en 'n kluit modder vloog vlak bij zijn helm de lucht in. Hij had zijn hoofd echter al vliegensvlug teruggetrokken en zich in de loopgraaf laten vallen. Hij stond op en keek hen aan.
'Gezien wat ik bedoel?' vroeg hij, met eigenaardige spotlichtjes in zijn ogen.

Ze zaten met hun drieën op de bodem van de loopgraaf, ieder met een kroes dampende koffie in de hand. Rocco bracht de kroes aan zijn lippen en slurpte voorzichtig van de inktzwarte vloeistof. Daarna zette hij hem zuchtend naast zich op de grond.
'Ik heb gehoord dat we morgen een offensief beginnen,' zei hij.
'Gezwam,' oordeelde Joe rustig, 'ik heb dat sinds we hier kwamen elke dag horen beweren en we zitten hier nu al vijf weken op ons achterste.'
Johnny bromde wat en nam een slok van zijn koffie.
'Waarom komen er dan elke nacht meer manschappen binnen?' hield

Rocco vol. 'Ik heb zo'n idee dat we nu langzamerhand klaar zijn.'
Johnny dacht even over Rocco's woorden na. Hij kon wel eens gelijk hebben. De vorige nacht waren er voor het eerst geen nieuwe manschappen bij gekomen. Misschien hadden ze nu het gewenste aantal en zou het spel eindelijk beginnen.
'Geen zorgen voor de dag van morgen,' vond Joe. Hij dronk zijn kroes leeg en kletste hem naast zich in het zand. Daarop gespte hij zijn koppel los en leunde op zijn gemak tegen de stutpalen. 'Ik wou dat we nog in dat dorpje zaten,' zuchtte hij. 'Die Franse vrouwtjes weten wat een man toekomt.'
Ze hoorden iemand naderen. Even later verscheen de luitenant. Rocco wilde overeind komen om in de houding te springen.
De officier wuifde afwerend met de hand. 'Savold,' zei hij tegen Rocco, 'inspecteer je mannen. Zorg dat alles in orde is en laat me weten wat je nog nodig hebt voor vanavond.'
'Jawel, luitenant.'
De officier ging verder. Rocco stond op. 'Het begint er naar uit te zien dat ik toch gelijk heb,' merkte hij op.
Johnny knikte.
De officier kwam haastig teruglopen. 'Savold!'
'Jawel luitenant!'
'Je moet invallen als sergeant. Johnson is gewond. Heb je iemand die als korporaal kan invallen?'
'Wat denkt u van Edge hier?' Rocco wees op Johnny.
De officier nam Johnny onderzoekend op. 'In orde, Edge, jij valt in voor Savold.' Hij wendde zich weer tot Rocco. 'Vertel Edge wat hij te doen heeft en kom dan in het officiers-onderkomen.' Hij keerde zich op zijn hielen om en snelde weg.
Johnny keek Rocco woedend aan. 'Waarom heb je dat gedaan?'
'Je kunt die tien dollar per maand toch zeker wel gebruiken?'

De bodem van de granaattrechter was één grote modderpoel en ze moesten zich tegen de kant aan drukken om geen natte voeten te krijgen. Niet dat het veel verschil uitgemaakt zou hebben, want het had de hele nacht geregend en hun kleren waren doorweekt en stijf van de modder, maar ze deden het instinctief – uit een innerlijke drang om het laatste beetje comfort te redden.
'Waar blijven die verdomde kerels nou, die Rocco naar ons toe zou sturen?' foeterde Joe.
Johnny deed een trekje aan zijn sigaret in de holte van zijn hand.
'Ik weet het niet en het kan me niet schelen ook. Ik ben desnoods bereid

hier te blijven wachten tot de oorlog voorbij is. Het is me daarbuiten te ongezond.'

Joe stak zijn hand in Johnny's zak en haalde er een sigaret uit. Hij stak haar voorzichtig aan Johnny's sigaret aan, met zijn beide handen er omheen, opdat de gloed hun heiligdom niet zou verraden. Een eindje van hen vandaan ratelde een machinegeweer. Ze hoorden de kogels over hun hoofd fluiten.

'We zullen toch eerst die mitrailleur onschadelijk moeten maken, voordat we een stap kunnen doen,' merkte Joe op.

Johnny keek hem onderzoekend aan. 'Wat maak je je toch dik! Heb je zo'n haast?'

Joe schudde het hoofd. 'Dat niet – maar ik denk dat ze wel eens konden verwachten dat wij het doen.'

'En wat dan nog?' kwam Johnny onverschillig. 'We zijn geen gedachtenlezers. Niemand heeft het ons bevolen. Denk aan wat de kapitein gezegd heeft. 'Doe wat je bevolen wordt en niets meer.' Dat hebben we gedaan – en nu blijf ik hier totdat ze zeggen dat ik hier weg moet.'

Joe gaf geen antwoord, maar begon verwoed onder zijn helm te krabben. Plotseling stiet hij een serie verschrikkelijke vloeken uit, trok iets uit zijn haar en slingerde het in de modder.

'Die verdomde rotluizen maken me stapelgek!'

Johnny leunde tegen de wand van de trechter en sloot de ogen. Hij was moe. Ze waren al drie dagen in het offensief. Geen uur rust in die tijd. Nu had hij nog maar één gedachte – slapen, al was het midden in niemandsland.

Joe schudde hem ruw heen en weer en hij opende wrevelig de ogen. Het was nu volkomen donker. Toen hij zijn ogen dicht had gedaan was het laat geweest en aan de rand van de trechter had hij nog de flauwe weerschijn van de verstreken dag gezien.

'Ik heb zeker geslapen,' constateerde hij nogal onnozel.

Joe lachte boosaardig. 'Daar kan ik je wel over inlichten. Je snurkte zo hard dat ik bang was dat ze het in Berlijn zouden horen. Het is mij een raadsel hoe je hier kunt slapen.'

Het geratel van het machinegeweer overstemde Johnny's antwoord. Ze zaten enige tijd zwijgend bij elkaar. Joe rommelde wat in zijn ransel en haalde een plak chocola voor de dag. Hij brak het in tweeën en gaf de helft aan Johnny.

'Ik heb zitten denken,' begon Joe, op zijn chocola zuigend.

'En?'

'Ze verwachten vast dat *wij* die mitrailleur het zwijgen opleggen. Waarom zouden ze die kerels anders niet sturen?'

'Daar hebben we niets mee te maken,' wierp Johnny tegen. 'Niemand heeft het ons bevolen.'
Joe tuurde in het donker naar Johnny's gezicht. 'Je weet verdomd goed dat niemand ons op het ogenblik dat bevel kan geven. We moeten volgens eigen inzicht handelen.'
'Ik handel volgens eigen inzicht. Ik gehoorzaam aan de bevelen en blijf hier.'
Joe bleef nog even naar hem zitten kijken en ging toen op zijn knieën liggen. Hij nam twee handgranaten uit zijn koppel en onderzocht ze zorgvuldig. Daarop keek hij Johnny weer aan. 'Ik ga er op af.'
'Je blijft hier,' beval Johnny op effen toon.
Joe hield zijn hoofd een beetje schuin en keek zijn kameraad spottend aan. 'Je laat me dus alleen gaan?' Zijn stem klonk even onverschillig als die van Johnny.
Ze keken elkaar een ogenblik strak aan. Toen glimlachte Johnny. Hij gaf Joe een por tegen zijn schouder. 'Okay – als je dan beslist een held wilt zijn, kan ik maar beter meegaan en op je passen.'
Joe greep zijn hand en drukte hem uit alle macht. 'Ik wist het wel, ouwe jongen.'
Johnny nam eveneens twee handgranaten en bracht de ontsteking in gereedheid. 'Ik ben klaar.'
'Ik ook.' Joe begon naar de rand van de trechter te kruipen. Toen hij die bereikt had, keek hij achterom naar Johnny. Deze was vlak achter hem. 'Ik kan die luizen niet langer verdragen,' fluisterde hij, bijna verontschuldigend.
Ze gluurden voorzichtig over de rand van de trechter. Recht voor zich uit zagen ze de vuurmond van het machinegeweer.
'Zie je hem?' fluisterde Johnny.
Joe knikte.
'Jij valt van rechts aan en ik van links,' fluisterde Johnny.
Joe knikte weer.
'Is er iets?' fluisterde Johnny. Hij voelde dat het zweet hem uitbrak. 'Hebben de luizen je tong opgevreten?'
Joe grinnikte. 'Ik heb het nu te druk om te praten.' Hij werkte zich over de rand heen. 'Kom mee – we zullen ze een nummertje vertonen!' Met deze woorden sprong hij op en rende zigzagsgewijs over het veld.
Johnny hurkte nog één seconde aan de rand van de trechter en toen volgde hij hem.

Hij lag roerloos in bed en luisterde naar de muziek, die door het open venster naar binnen daverde. Hij lag met wijd open ogen, maar hij zag niets. Hij wendde de blik ook niet naar het venster. Het kon hem niet schelen dat de lucht vol zoete geuren was en de hemel blauw en dat het zonlicht op het jonge groen van de bomen danste. Zijn ene hand klemde zich krampachtig om het laken op zijn borst, alsof hij bang was dat iemand het van hem af zou trekken.
De muziek zweeg. Het was nu heel stil. Onwillekeurig wachtte hij op het volgende stuk – dat wat ze altijd speelden als de autobus wegreed.
Hij tastte op het tafeltje naast hem naar een sigaret. Hij stak die aan en inhaleerde diep. Zo wachtte hij tot de muziek weer begon.
Buiten, op enige afstand, klonken stemmen. Ze dreven licht en luchtig op het koeltje de kamer in. Mannenstemmen. Vrouwenstemmen. Vriendelijke woorden. Hartelijke woorden. Sommige grof, maar alles opgewekt en goed gemeend.
'Tot ziens zustertje – als je de kapitein niet was zou ik je zoenen!'
Een vriendelijk lachende vrouwenstem: 'Maak dat je wegkomt, soldaat, maar denk om je arm. Je weet wat de dokter gezegd heeft.'
Andere stemmen. Mannenstemmen. Mannenpraat. 'Ik had haar bijna zover, makker. Eerlijk waar. Maar toen speelde ze opeens haar rang uit.'
De verontwaardiging was algemeen. 'Ja. Ze doen hun broek alleen uit voor officieren.'
De eerste twee stemmen weer. Zijn stem: 'Ik zal je missen.'
Haar stem: 'Ik jou ook.'
'Kan ik niet terugkomen en je weerzien?'
'Waarom zou je dat doen, soldaat? Je gaat naar huis!'
Ineens stierven de stemmen weg. Even was het stil. Toen het geronk van de motor die aansloeg.
Zijn hand klemde zich vaster om het laken. Nu. Nu kwam het. De muziek beukte tegen hem aan als een vloedgolf. De klanken namen hem op en spoelden over hem heen zodat hij er in dreigde te verdrinken. Luide, schetterende kopermuziek. Geschreven om hem te folteren.
'When Johnny comes marching home again, trala, trala!'
Hij drukte zijn handen tegen zijn oren, maar de muziek duwde ze opzij en baande zich een weg naar zijn trommelvliezen. Hij hoorde de autobus wegrijden. Luide, blijde kreten. 'Vaarwel! Wel thuis!'
Eindelijk was ook dit voorbij. Hij nam zijn handen van zijn oren weg. Ze waren nat van het zweet, dat over zijn gezicht stroomde. Hij nam de sigaret uit zijn mond, legde hem in de asbak op tafel en droogde zijn handen af aan zijn laken.
Langzaam ebde de spanning uit hem weg. Zijn oogleden vielen dicht. Hij

was moe. Zijn adem ging langzamer en regelmatiger. Hij viel in slaap.

Gerinkel van aardewerk wekte hem. Hij opende de ogen en greep meteen naar een sigaret. Voordat hij hem kon aansteken, hield een krachtige mannenhand er een brandende lucifer bij. Hij inhaleerde diep. 'Dank je Rock,' zei hij, zonder op te zien.
'Hier is je lunch, Johnny. Wil je niet opstaan en aan tafel eten?' Rocco's stem was even rustig en krachtig als zijn hand.
Johnny's ogen vestigden zich onwillekeurig op de krukken tegen het voeteneind van het bed. Ze stonden daar als het onverwoestbare symbool van zijn verwoeste leven. Hij schudde het hoofd. 'Nee.'
Hij richtte zich met behulp van zijn handen op en Rocco zette de kussens rechtop achter zijn rug, zodat ze hem steunden. Daarop zette hij het bedtafeltje voor hem en plaatste zijn bord er op. Johnny keek even naar het eten en wendde het hoofd meteen af.
'Ik heb geen trek.'
Rocco trok een stoel naast het bed en ging zitten. Hij stak langzaam een sigaret op en keek Johnny ernstig aan. 'Ik snap niets van jou, Johnny,' zei hij, de rook door zijn neusgaten blazend.
Johnny gaf geen antwoord.
'Iedereen noemt je een held en je bent bang om je bed uit te komen. Jij bent de man, die in zijn eentje een Duits mitrailleurnest onschadelijk heeft gemaakt. Ze hebben je een medaille op je borst gspeld. Nee, twee medailles – een Amerikaanse en een Franse.' Er klonk eerlijke verbazing in zijn stem. 'En toch wil je niet uit je bed komen!'
Johnny vloekte. Hij keerde zich half om en keek Rocco in het onverstoorbare gelaat. 'Laat ze zelf maar eens proberen te lopen op hun verdomde medailles. Ze hebben er Joe ook een paar gegeven – nu, hij schiet er wat mee op! Ik heb je nu vaak genoeg verteld dat ik niet alléén ben gegaan. Ik had niet de minste behoefte een held te zijn.'
Rocco zei hier niets op en ze rookten enige tijd zwijgend. Johnny was de eerste die de stilte verbrak.
Hij wees naar de zeven lege bedden naast het zijne. 'Wanneer komt de nieuwe ploeg?'
Rocco keerde zich om, om naar de bedden te kijken en keek toen Johnny weer aan. 'Morgenochtend. Tot zolang lig je 'klas'.'
Hij keek Johnny trouwhartig aan. 'Wat is er, Johnny, voel je je eenzaam?'
Johnny gaf geen antwoord.
Rocco stond op en schopte zijn stoel achteruit. Hij keek enige tijd zwijgend op Johnny neer. Zijn ogen waren vol medelijden, maar zijn stem klonk

luchtig, toen hij opmerkte: 'Je had mee kunnen gaan als je gewild had, Johnny. Het is je eigen schuld.'
Johnny's gelaat verstrakte nog meer. 'De bediening is hier goed, Rocco. Ik denk dat ik nog maar een poosje blijf.'
Rocco glimlachte. 'Dit is een doorgangshotel, Johnny. Ik voor mij zou er niets voor voelen me hier te vestigen.'
Johnny drukte zijn sigaret uit in de asbak. 'Jij kunt het je veroorloven te gaan en te staan waar je wilt, Rock; niemand verlangt van je dat je hier blijft.'
Rocco zei niets; hij nam het blad op en zette het weer op het dienwagentje. Hij rolde het naar de deur, maar kwam toen weer terug en nam de krukken op.
'We hebben hier kerels die zich gelukkig zouden prijzen als ze deze dingen konden gebruiken, Johnny. Je moest wijzer zijn. Je kunt niet je hele leven in bed blijven liggen.'
Johnny draaide zijn gezicht naar de muur.
Rocco stond roerloos aan het voeteneind van het bed. Hij had wel hardop willen schreeuwen. Zo was het nu al sinds het moment waarop hij Johnny bij het verwoeste Duitse machinegeweer vond. Een paar meter verderop lag Joe en in de loopgraaf, waar de mitrailleur opgesteld was geweest, lagen drie Duitse soldaten. Ze waren dood. Johnny was buiten bewustzijn, maar in een soort delirium herhaalde hij maar steeds weer: 'Mijn been, mijn been – de honden hebben het doorzeefd!'
Vlug knielde hij naast Johnny neer en rolde hem op zijn rug. Zijn rechter broekspijp was doorweekt van het bloed. Hij vloekte binnensmonds toen hij de pijp opensneed en de hele rij gaatjes vlak boven de knie zag. Het bloed golfde er met elke hartslag uit. Hij sneed een reep van zijn hemd en bond vliegensvlug het been af, waardoor het bloeden minder werd. Dat was nadat hij eerst geprobeerd had of hij het been kon buigen.
Hij hoorde nog altijd die woeste kreet van Johnny – een dierlijk gebrul, dat ver over het nu stille slagveld schalde.
'Rocco!' had Johnny, hem één seconde herkennend, geschreeuwd. 'Neem me mijn been niet af!' Toen was zijn lichaam slap geworden. Hij was flauwgevallen.
Rocco had hem naar de officier van gezondheid gedragen. Deze had de wond bekeken en zwijgend het hoofd geschud. Rocco was er bij gebleven toen de chirurg het vlees boven Johnny's knie wegsneed en het versplinterde bot bloot legde. Hij zag hoe de dokter het geamputeerde been opnam en achteloos naast zich neergooide. Daarna trok hij de huid zo strak mogelijk over het rauwe vlees en naaide de stomp dicht.
Daarna was Rocco weer naast de draagbaar meegesjouwd naar het veld-

hospitaal en plotseling had hij Johnny's hand gevoeld, die zich krampachtig aan zijn arm vastgreep.
Johnny's ogen waren nu wijd open en staarden hem waanzinnig aan. 'Rocco, laat ze me mijn been niet afnemen! Blijf bij me! Laat ze het me niet afnemen!'
Rocco's ogen schoten vol tranen. 'Ga maar slapen, Johnny, ik zal zorgen dat ze je geen kwaad doen.'
De oorlog was afgelopen, maar Rocco ging niet met de anderen mee naar huis. Hij meldde zich bij de medische dienst en volgde Johnny uit het hospitaal in Frankrijk naar het hospitaal op Long Island. Hij had zich voorgenomen bij Johnny te blijven zolang deze hem nodig had.
Indirect voelde hij zich schuldig aan de ramp die Johnny getroffen had. Hij had het bevel doorgegeven. Alles was die dag verkeerd gegaan en hij kon zich nog altijd niet voorstellen dat ze er ten slotte toch in geslaagd waren de vijand terug te drijven.
Hij keek peinzend op Johnny neer en legde zijn hand op diens schouder. 'Johnny,' zei hij na enige tijd zacht, 'Johnny, kijk me eens aan.'
Langzaam keerde Johnny zich om. Er ging warmte en kracht uit van die hand op zijn schouder. Eindelijk sloeg hij zijn ogen op naar Rocco's gelaat en toen zag hij dat deze meer begreep dan hij tot nu toe had willen erkennen.
'Ik weet hoe je je voelt, Johnny, maar je zult het moeten nemen zoals het is. Je hebt werk dat je wacht en je hebt je vrienden. Ik wil niet dat je je hier nog langer voor hen verbergt.' Hij haalde diep adem. 'Je zult lopen, omdat ik er achter zal komen wat je daartoe zin zal geven.'
Johnny keek diep in de ogen boven hem en onwillekeurig kwam hij onder de invloed van de kracht die er van uitging. Instinctief verweerde hij zich. 'Als je wilt gaan zoeken naar wat mij zin zal geven om weer te gaan lopen,' zei hij bitter, 'ga dan mijn been zoeken.' Met deze woorden keerde hij zijn gezicht weer naar de muur.
Rocco's arm viel slap langs zijn zij neer. Johnny's verweer deed hem pijn – meer pijn dan hij zichzelf wilde toegeven. Hij verliet zacht de kamer.

's Nachts had Johnny een droom. Hij rende door een lange straat, die hij heel goed kende, maar waarvan hij het einde niet kon zien. Toch wist hij dat er een einde aan was en dat hij dat wilde bereiken. Hij rende daar al uren en uren lang en plotseling kwam het einde in zicht. Er stond daar een slanke gestalte, een meisje, en hij wist wie het was zonder dat hij haar gelaatstrekken kon onderscheiden.
Op dat ogenblik vulde de straat zich met mensen. Ze stonden in lange rijen langs de trottoirs en ze keken hoe hij daar voortrende en ze lachten

en wezen op hem. 'Kijk die kerel daar eens lopen met zijn ene poot!'
Eerst schonk Johnny geen aandacht aan hen. Al zijn gedachten waren bij het meisje dat daar op hem stond te wachten. Maar naarmate hij dichter bij kwam, begonnen de mensen al harder en harder te lachen. Plotseling bleef hij staan. 'Wat is er zo grappig?' vroeg hij.
'Jij!' antwoordde er een spottend. 'Iedereen weet dat iemand met één been niet hard kan lopen.'
'Ik kan het wel,' zei Johnny.
'Je kunt het niet!' hoonde een koor van stemmen.
'Ik kan het wel! Ik kan het wel!' schreeuwde hij. 'Ik zal het jullie laten zien!'
Hij begon weer te lopen, maar plotseling kwam hij tot de ontdekking dat hij helemaal niet liep, maar telkens met zijn ene been een sprong nam. Hij deed wanhopige pogingen zich gelijkmatig voort te bewegen, zijn hart bonsde in zijn keel. Plotseling was hij bang – bang voor al die mensen, die om hem lachten. En toen viel hij voorover.
De mensen drongen om hem heen. 'Zie je nu wel, we hadden gelijk – je kunt niet hard lopen!' En ze schaterden het uit.
'Ik kan wél hard lopen, ik kan wél hard lopen,' snakte hij en probeerde weer op de been te komen. Hij keek de straat af naar het meisje. Ze had zich omgewend en liep nu langzaam weg. 'Wacht op me!' schreeuwde hij wanhopig. 'Ik kan wél hard lopen!' Maar ze was verdwenen.
Hij opende de ogen. Het was donker. Zijn gezicht was nat van de tranen. Hij nam met bevende handen een sigaret van het tafeltje naast hem en stak hem tussen zijn lippen. Daarop tastte hij naar een lucifer, maar plotseling hield iemand al een brandende lucifer tegen zijn sigaret.
Hij trok een paar maal en keek toen op. Hij zag de omtrekken van Rocco's gezicht in het licht van de langzaam dovende lucifer. Hij inhaleerde diep. 'Slaap jij wel eens, Rock?' vroeg hij.
Rocco blies de lucifer uit en schoot in de lach. 'Hoe zou ik dat kunnen als ik je de hele nacht overal achterna moet sjouwen?'
Johnny keek hem verbaasd aan. 'Hoe bedoel je dat?'
Rocco begon weer te lachen. 'Ik hoorde je schreeuwen en besloot eens te gaan kijken. Je zat op de rand van je bed, op het punt er uit te springen. Ik duwde je terug en toen brulde je woedend: 'Ik kan wél lopen!' '
'Ik denk dat ik gedroomd heb.'
'Nee, waarachtig niet!' wierp Rocco tegen. 'Het zou me helemaal niet verwonderen als ik het je op een gegeven moment zag doen.' Hij nam de krukken op en sloeg ze tegen elkaar. 'Maar eerst moet je het hiermee leren.'

De recreatiezaal was vol mensen toen Rocco het ziekenwagentje naar een plaats reed vanwaar Johnny het doek goed zou kunnen zien. Johnny keek om zich heen. Op alle gezichten las hij gespannen verwachting.
Een week geleden was er bekend gemaakt dat er in de recreatiezaal een film vertoond zou worden en van dat moment af was er in het hospitaal over niets anders meer gesproken. Mannen die tot dusver nergens enige belangstelling voor hadden getoond, leken plotseling tot nieuw leven gewekt en tot Rocco's grenzeloze verbazing was Johnny een van hen. Zodra hij het nieuws vernam, kwam hij overeind. 'Ik wil die film zien,' zei hij tegen Rocco. Er was een uitdrukking op zijn gezicht, die Rocco er in lang niet op gezien had. Verwachting, enthousiasme. 'Natuurlijk,' zei hij. 'Lopen of rijden?'
Johnny sloeg een blik op de krukken. 'Ik geloof dat ik maar ga rijden,' zei hij met een poging tot glimlachen, 'het staat voornamer en bovendien waarborgt het een zitplaats.'
Rocco schoot in de lach. Hij voelde zich eensklaps een stuk opgewekter. Johnny probeerde te schertsen – dat was een goed teken.
Gedurende de gehele daarop volgende week liet Johnny Rocco geen ogenblik met rust. Wist hij wat voor film het was? Wie speelden er in? Welke maatschappij had hem gemaakt? Wie was de directeur?
Rocco wist op geen van die vragen antwoord te geven en de anderen evenmin. Alles wat zij wisten was dat ze een film te zien zouden krijgen. Hij vond het nogal zonderling dat Johnny er zoveel over vroeg. 'Hoe komt het toch dat je zo nieuwsgierig bent naar al die bijkomstigheden?' vroeg hij.
Johnny gaf geen antwoord en Rocco dacht dat hij in slaap gevallen was. Maar achter zijn gesloten oogleden was hij klaar wakker en zelfs hevig opgewonden. Hij had noch Peter, noch een van de anderen geschreven sedert de amputatie van zijn been. Hun brieven lagen allemaal onbeantwoord. Hij wenste geen medelijden, geen liefdadigheid. Als hij ongedeerd was geweest, zou hij met vreugde zijn teruggekeerd, maar zoals hij nu was, een invalide, zou hij slechts een last voor hen zijn. Daarom had hij niet geschreven en zijn hart voor het verleden gesloten.
Hij keek de zaal rond. De projector stond vlak achter hem. Zijn ogen bleven er liefdevol op rusten – zoals de blik van een man op zijn huis rust, als hij het na lange tijd weerziet. En plotseling wist hij het – hij had heimwee. Heimwee naar de geur van de celluloidstrook, als die door de projector liep en er warm uitkwam. Heimwee naar de pittige, ozon-achtige geur van de koolspitslampen.
Hij wenkte Rocco. 'Rij me naast de projector – ik wil wel eens zien hoe zo'n ding werkt.'
Rocco voldeed aan zijn verzoek en nu kon hij zien hoe de man die het

toestel bediende de strook in de tandwieltjes zette. Het deed hem goed dit bekende werk weer eens te zien.
De gordijnen werden dichtgetrokken en het werd geleidelijk donker in de zaal.
Hij verlangde plotseling hevig naar een sigaret, maar hij herinnerde zich juist op tijd dat hij zo dicht bij de film niet mocht roken. Hij hoorde het bekende gezoem toen de koolspitsen begonnen te gloeien en plotseling flitste er fel licht over het doek. Er verschenen woorden. Vage, trillende woorden, die weldra helder en scherp omlijnd voor hem stonden, toen de operateur de projector instelde. Johnny's lippen prevelden ze mee, terwijl zijn ogen ze gretig lazen.

'Aan de soldaten van het Long Island Hospitaal.
De projector en de film, die u hierbij te zien krijgt, zijn ons geschonken door de heer Peter Kessler, president van Magnum Pictures Inc. Hij heeft dit gedaan ter herinnering aan zijn meer dan vijftig medewerkers en employés, die gedurende de afgelopen oorlog met ons aan het front hebben gestaan en van wie er velen niet zijn teruggekeerd.
Wij kunnen niets anders doen dan de heer Kessler hartelijk bedanken voor zijn kostelijk geschenk en onze dankbaarheid tonen door te genieten van de voorstelling die nu volgt.

Ondertekend: Co. James F. Arthur, U.S.A.
Commanding Officer,
Long Island Hospital.'

De woorden flitsten alweer van het doek af voordat hun betekenis goed tot Johnny was doorgedrongen. Hij had met ingehouden adem naar het doek getuurd toen Peters naam daar verscheen, maar het was alweer voorbij.
En nu verscheen daar het hem zo bekende handelsmerk, waaraan elke Magnum-film te herkennen was: de grote champagnefles, waaruit de champagne fonkelend in een opgeheven glas vloeide totdat het tot de rand toe vol was. En vervolgens in sierlijke Gothische letters, die het gehele doek besloegen:

MAGNUM PICTURES
presenteert:

Rocco hoorde plotseling een hees gefluister naast zich en een hand greep hem krampachtig bij de arm. 'Breng me hier vandaan, Rock! Breng me hier vandaan!'

Verbaasd en geschrokken boog hij zich over Johnny heen. Hij begreep er nu helemaal niets meer van. Johnny was er zo vol van geweest en nu wilde hij weg voordat de voorstelling goed en wel begonnen was. 'Wat is er, Johnny – voel je je niet goed?' fluisterde hij.
Hij zag Johnny's handen krampachtig de leuning van zijn invalidenwagentje omklemmen. 'Nee – ik wil alleen maar weg. Breng me weg!'
Rocco reed het wagentje de zaal uit. Het felle daglicht in de hal deed hem pijn aan de ogen en hij moest een paar maal knipperen voordat hij Johnny aan kon zien.
Johnny had zijn ogen stijf dichtgeknepen; zo stijf dat er tranen onder zijn wimpers door drongen. Zijn gezicht was spierwit en met zweet bedekt.
Rocco reed hem snel weer naar zijn kamer en tilde hem in bed. Johnny beefde nu over zijn gehele lichaam. Rocco dekte hem met een teder gebaar toe en bleef toen naast het bed staan. 'Zag je soms een bekende in de zaal, Johnny?' vroeg hij na enige tijd.
Johnny opende de ogen en staarde hem aan. Rocco had de plank niet ver mis geslagen, maar hij mocht de waarheid niet weten. 'Nee,' antwoordde Johnny langzaam – hoe heette ook weer die ziekte waar hij de dokter onlangs over had horen vertellen – claustrofobie, de angst om opgesloten te zijn in een kleine ruimte, zonder er uit te kunnen komen. Hij moest Rocco zien wijs te maken dat dat het was.
'Ik kon het er plotseling niet langer uithouden,' verklaarde hij. 'Ik had een gevoel alsof ik er nooit meer uit zou komen.' Hij lachte verlegen. 'Ik denk dat ik aan die claustro – eh – of hoe heet het ook weer lijd, waar de dokter het over had.'
Rocco keek hem scherp aan en gaf geen antwoord. Ditmaal liet hij zich niet om de tuin leiden. Als hij werkelijk bang was geweest, daar in die zaal, dan had hij het niet zo lang in deze kamer uitgehouden. Hield het soms verband met die film?

Het meisje kwam uit het kantoor van de kapitein. Ze glimlachte vriendelijk tegen Rocco. 'Ga maar binnen, sergeant. Kapitein Richards kan u ontvangen.'
Hij bedankte het meisje, trad het kleine vertrek binnen en sprong in de houding.
De officier hief vermoeid het hoofd op. 'Ga zitten, sergeant. We doen hier niet aan formaliteiten.'
Rocco ging op de stoel voor de schrijftafel zitten. De officier las het papier, dat voor hem op tafel lag, aandachtig door en keek Rocco vervolgens onderzoekend aan. 'Uw verzoek is wel erg ongewoon, sergeant,' merkte hij op.

Rocco boog zich voorover in zijn stoel. 'Ik geloof dat dit de enige manier is om hem te helpen, kapitein.'
De kapitein mompelde iets en las het papier nog eens door. 'Ik heb hier het rapport over korporaal Edge, maar er staat niets in wat ons enig licht kan verschaffen omtrent zijn familie of vrienden of zijn verleden. Als zijn enige erfgenaam, ingeval hij niet terug mocht keren, heeft hij een zekere Joe Turner aangewezen – en die is niet meer in leven.' Hij nam zijn pijp uit de asbak en begon hem langzaam te stoppen. Daarna stak hij met zorg de brand er in en pafte behaaglijk rookwolkjes uit. 'U zegt dat hij beweert geen tehuis te hebben en dat hij hier wil blijven.'
Rocco knikte.
De kapitein schudde mistroostig het hoofd. 'Wel, we kunnen een oorlogsinvalide niet dwingen weg te gaan als hij dat niet wil. Het enige dat ik kan doen is hem in een zenuwinrichting onderbrengen.'
Rocco sprong op. 'Daartoe bestaat geen enkele reden, kapitein! Zijn hoofd is volkomen in orde.'
'U schijnt hem goed te kennen,' merkte de officier op.
'We hebben in dezelfde loopgraaf gelegen,' verklaarde Rocco, nu weer kalm. 'Ik heb het bevel gegeven waardoor hij zijn been verloor en Joe sneuvelde.'
De officier knikte peinzend. 'Ik begrijp het – u voelt u dus eigenlijk een beetje verantwoordelijk voor hem?'
'Zo iets,' gaf Rocco toe.
'Bent u daarom in dienst gebleven?'
'Jawel, kapitein.'
De officier dacht enige tijd na en vervolgde toen: 'Ik respecteer uw gevoelens, sergeant, maar als elke soldaat er zo over dacht dan hadden we meer ziekenverplegers dan patiënten in de hospitalen.'
Rocco gaf hier geen antwoord op.
De officier vervolgde: 'Dit lost echter ons vraagstuk niet op. Had u een of ander voorstel?'
Rocco boog zich weer voorover en keek de kapitein doordringend aan. 'Als u het rapport over Joe Turner in handen zou weten te krijgen, dan zou ons dat misschien op weg helpen.'
De kapitein dacht weer even na. 'Zelfs als wij dat hadden, sergeant, dan zou het ons nog niet geoorloofd zijn er gebruik van te maken.' Hij wachtte even en voegde er toen aan toe: 'Officieel tenminste niet.'
Rocco knikte begrijpend. 'Dat weet ik, kapitein, maar ik zou toevallig op iets kunnen stuiten dat ons weer een eind op weg hielp.'
De kapitein stond op en gaf Rocco een knipoogje. 'Toevallig – ja, natuurlijk, dat kan altijd.'

'U wilt dus proberen een kopie van Joe Turners rapport te krijgen, kapitein?'
De kapitein knikte.

Boven de poort van het grote gebouw las Rocco in gouden letters: 'Magnum Pictures Company. Inc.' Hij aarzelde nog even en trad toen het gebouw binnen. Even later stond hij in een kleine hal.
Achter het ruitje van het loket verscheen het gezicht van een jong meisje.
'Er is op het ogenblik geen plaats vakant, soldaat,' deelde ze hem mee.
'Ik kom niet om een baantje, juffrouw. Ik wilde iemand spreken.'
'Neemt u me niet kwalijk, mijnheer. Wie wilde u spreken?'
Rocco nam een stuk papier uit zijn zak en las de naam: 'Mijnheer Kessler.'
'Hoe is uw naam, mijnheer?'
'Sergeant Savold, Rocco Savold,' antwoordde hij.
'Neemt u plaats. Ik zal vragen of mijnheer Kessler u kan ontvangen.'
Rocco ging zitten. De minuten verstreken en werden een kwartier. Hij begon juist te vrezen dat het meisje hem vergeten had, toen het loket plotseling open ging en ze haar hoofd naar buiten stak.
'Ik heb mijnheer Kesslers secretaresse aan de telefoon. Waarover wenst u mijnheer Kessler te spreken? Hij heeft het op het ogenblik erg druk, maar als u zijn secretaresse zegt waarvoor u komt, dan zal ze een onderhoud voor u zien te krijgen.'
Rocco aarzelde even. Die secretaresse ging hem niets aan, maar het was toch altijd nog beter dan helemaal niets. Hij knikte toestemmend.
Het meisje stak hem door het loket heen de hoorn van de telefoon toe.
'Hallo,' zei hij, wat schuchter.
De stem van de secretaresse klonk kortaf en zakelijk, maar niet onvriendelijk. 'Met juffrouw Andersen, de secretaresse van mijnheer Kessler. Kan ik u van dienst zijn?'
'Eh – eh, ik weet het niet, juffrouw. Ik wilde mijnheer Kessler graag over een persoonlijke kwestie spreken.'
'Dan kunt u het mij gerust zeggen,' antwoordde de zakelijke maar toch prettige stem. 'Ik ben ook zijn particulier secretaresse.'
Hij dacht nog even na. Het moest dan maar. 'Ik wilde hem spreken over Johnny Edge.' Het hoge woord was er uit. Hij kreeg echter geen antwoord van de andere kant van de lijn. 'Hebt u me verstaan, juffrouw?' vroeg hij angstig.
De stem sprak weer, maar klonk nu heel anders dan een minuut geleden. 'Ja, ik heb u verstaan.' Het klonk heel zacht, zodat hij het nauwelijks hoorde. 'U wilde hem dus over Johnny Edge spreken?'

'Ja zeker, juffrouw,' riep hij, met bonzend hart. 'Kent u hem?'
'Ja,' antwoordde ze. 'Is hij – gezond?'
'Ja zeker,' glimlachte hij in de hoorn. 'Het gaat heel goed met hem.'
'Goddank,' fluisterde de stem nu diep bewogen.

Rocco duwde het invalidenwagentje een smal paadje in. Ze waren nu bijna een kwart mijl van het hospitaal verwijderd. Het was hier stil. Aan weerszijden van het pad groeide hoog struikgewas, hier en daar onderbroken door keurig aangelegde bloemperken. Rocco bleef plotseling staan en Johnny keek verbaasd op. Rocco tastte in zijn zakken.
'Wat zoek je, Rock?' vroeg hij.
'Mijn sigaretten. Ik heb ze zeker vergeten.'
'Neem er dan een van mij.' Johnny stak zijn hand in zijn broekzak. Er zaten geen sigaretten in. Verbaasd voelde hij in de zakken van zijn khakihemd. Die waren ook leeg. Gek, dacht hij, hij wist toch zeker dat hij ze er die morgen had ingestopt. 'Ik heb ook niets,' bekende hij.
Rocco keek hem onderzoekend aan. 'Vind je het erg als ik even terugloop? Ik ben er met een paar minuten weer.'
'Ga maar gerust – ik wacht wel op je.'
Rocco snelde weg. Johnny manoeuvreerde het wagentje zo, dat het in de zon kwam te staan en leunde met zijn hoofd tegen het kussen. Hij voelde de zonnewarmte op zijn gezicht. Het deed hem goed. Zijn handen hingen langs de wielen neer en speelden met het lange, zachte gras. Hij trok gedachteloos een paar sprietjes uit en stak ze in zijn mond. Ze smaakten bitter. Hij lachte zacht. Je kunt kleuren nu eenmaal niet proeven.
Hij voelde zich loom en slaperig. Hij zou wel uit het wagentje willen stappen en in het koele gras gaan liggen. Hij keek naast zich op de grond. Ja, het zou prettig zijn, maar dat was niet meer voor hem. Hij kon niet meer door het gras lopen en zich op de grond laten vallen. Dat was voor anderen, niet voor hem. Hij sloot zijn ogen weer en wendde zijn gezicht naar de zon.
Even later hoorde hij voetstappen achter zich. 'Ben jij het, Rocco?' vroeg hij zonder op te zien. 'Geef me gauw een sigaret.'
Een hand stak een sigaret tussen zijn lippen. Hij hoorde dat er een lucifer afgestreken werd. Hij inhaleerde en voelde de pittige rook diep in zijn longen dringen. 'Wat is het hier fijn in de zon,' zei hij.
'Het doet je zeker wel goed, Johnny?' Het was een bekende stem, maar niet die van Rocco.

Hij opende zijn ogen en draaide het wagentje met één ruk van zijn handen om. 'Peter!' kreet hij.
Daar stond Peter. Zijn gezicht was wit en vertrokken en zijn ogen stonden vol tranen. Hij schudde verwijtend het hoofd. 'Ja – Peter,' zei hij zacht. 'Wilde je me niet meer terugzien, Johnny?'
Johnny zat daar roerloos, met zijn sigaret tussen zijn lippen.
Peter nam zijn hand in de zijne en wachtte. Johnny voelde de warmte van die bekende, krachtige hand en plotseling brak het lang opgekropte verdriet zich baan en dreigde hem te verstikken. Hij legde zijn gezicht op Peters hand en snikte het uit.
Peters andere hand rustte op zijn haar. 'Johnny,' zei hij met bevende stem, 'Johnny, dacht je nu werkelijk dat je je altijd kon blijven verstoppen voor hen die van je houden?'

Ze bleven op het trottoir staan totdat het rijtuig was weggereden. Johnny keek omlaag naar zijn krukken. Ze waren gloednieuw en glanzend geel gelakt. Zijn ene broekspijp was opgespeld tegen zijn dij. De andere maakte een eenzame indruk daar tussen die gele krukken.
Hij lachte schamper en keek toen omhoog naar het grote gebouw. 'Magnum Pictures', stond daar in grote, stenen letters, hoog tegen de voorgevel.
'Ik zal blij zijn als het voorbij is.'
Rocco keek hem even aan. 'Ja.'
Johnny werkte zich langzaam in de richting van de deur en aarzelde nog even toen hij er eenmaal voor stond. Zijn gezicht was doodsbleek en er parelden kleine zweetdruppeltjes op zijn voorhoofd. 'Ik hoop maar dat niemand medelijden met me heeft.' Zijn stem klonk hees.
Rocco lachte bemoedigend. 'Pieker daar maar niet over. Niemand zal medelijden met je hebben. Ze zullen het eerst een beetje vreemd vinden en je wat meer willen helpen dan normaal is, maar dat zal gauw over gaan als ze zien dat je je best alleen kunt redden. Dan zal alles weer net zijn als vroeger.'
'Hopelijk nog een beetje beter,' vond Johnny.
Johnny trad de vestibule binnen. Het meisje achter het loket keek even door het ruitje. Rocco lachte vrolijk tegen haar en knipoogde, alsof ze oude bekenden waren. 'Die deur,' wees hij Johnny.
Johnny keek nieuwsgierig om zich heen. Alles was hier veranderd. Hij zei echter niets en opende de deur die Rocco hem aanwees. Ze kwamen nu in

een lange gang, met talloze deuren. Daarachter klonk het geratel van schrijfmachines. Ze liepen de gehele gang door en kwamen een paar maal iemand tegen, die hen in het voorbijgaan groette.
Johnny voelde zich volkomen een vreemde. Van de mensen die ze tegenkwamen kende hij er niet een. Aan het einde van de gang was een deur. 'Directie' stond er met kleine, gouden letters op. Ze gingen ook deze deur door en kwamen nu in een kleine hal met indirecte verlichting. Het zachte licht deed Johnny aangenaam aan. Er stonden een paar fauteuils en er lag een dik, donkerrood tapijt op de vloer. De geluiden uit de gang drongen hier niet door.
'Het ziet er naar uit dat er nog niemand is,' merkte Johnny op.
'We zijn vroeg,' antwoordde Rocco. 'Peter heeft me verteld dat er hier vóór tien uur niemand is.'
Johnny keek op zijn horloge. Het was kwart over negen. 'Dat is prettig – dan kan ik even rusten voordat ik begin.'
'Jouw kantoor is aan het eind van deze gang, naast dat van Peter,' lichtte Rocco hem in. Hij ging Johnny langzaam voor. Op verscheidene deuren stonden namen, waarvan Johnny er echter niet een kende. Hij was maar twee jaar weg geweest, maar de zaak had zich in die korte tijd zo uitgebreid, dat er nieuwe namen op de deuren gekomen waren. Hij voelde zich nu nog meer een vreemde.
Nu kwamen zij langs een deur met Peters naam er op. 'De volgende is de jouwe,' lichtte Rocco hem in.
Johnny stond nu voor zijn eigen deur. Hij bekeek hem van onder tot boven. Zijn naam was er in kleine, sierlijke letters op geschilderd. Het was nog maar kort geleden gebeurd en het leek bijna alsof de verf nog nat was. Onwillekeurig voelde hij er even aan, maar de verf was droog.
Rocco glimlachte en hij lachte zenuwachtig terug.
'Zullen we binnengaan?' stelde Rocco voor.
Johnny knikte.
Toen wierp Rocco de deur wijd open en ging opzij om Johnny het eerst binnen te laten.
Johnny stond als aan de grond genageld. Een golf van geluiden sloeg over hem heen. Het bloed trok weg uit zijn gezicht en hij wankelde op zijn krukken. Rocco greep hem bij de schouder en ondersteunde hem.
De kamer was vol mensen – sommigen van hen kende hij, maar de meesten had hij nog nooit gezien. Vóór de anderen, vlak bij de deur, stonden Peter, George en Jane.
De gehele kamer was met rode, witte en blauwe linten versierd en onder de plafonnière in het midden hing een groot bord. 'Welkom thuis, Johnny' stond er in grote, gouden letters op.

Het rumoer stierf weg terwijl hij daar sprakeloos stond te kijken. Hij opende tweemaal zijn mond, maar er kwam geen geluid. Jane trad met uitgestoken hand op hem toe. 'Dag baas,' zei ze, op een toon alsof hij net terugkwam van de lunch.

Alsof dit een afgesproken teken was, begon er een grammofoonplaat te suizelen en even later klonk het: 'When Johnny comes marching home again, trala, trala.' Alle aanwezigen zongen uit volle borst mee.

Hij zag dat Jane's ogen vol tranen stonden en hij voelde de zijne verraderlijk prikken. 'Jane,' bracht hij uit. Ze sloeg haar armen om hem heen en kuste hem op beide wangen.

Hij zag alles nog slechts door een waas. Hij trachtte zijn armen om haar heen te slaan, maar een van zijn krukken viel met een smak op de grond. Hij wankelde en zou zeker gevallen zijn als Rocco niet was toegeschoten en een arm om zijn middel geslagen had. Hij keek naar de kruk, die daar op de grond lag – glimmend, uitdagend geel tegen het zachte rood van het tapijt. En plotseling voelde hij zich hulpeloos, invalide. Tegelijk met dat gevoel kwam er echter nog iets anders, iets dat nog veel erger was – een radeloze angst – angst voor al die mensen, die naar hem keken. Hij sloot de ogen. Het zou dadelijk overgaan, probeerde hij zich in te prenten. Maar het bleef. Het begon hem te duizelen. Hij voelde dat hij viel, maar zijn ogen hield hij stijf dicht. Handen grepen hem en droegen hem naar een stoel. Hij hoorde Rocco de mensen vragen heen te gaan. Hij vertelde hun dat hij nog erg zwak was en dat deze opwinding zeker te veel voor hem was geweest.

Hij voelde bijna de stilte in de kamer, toen de mensen waren weggegaan. Nu pas opende hij de ogen en keek om zich heen. Hij lag op een kleine sofa. Peter, George en Jane stonden voor hem. Ze keken hem verschrikt en angstig aan. Rocco hield een glas tegen zijn lippen. Hij dronk werktuiglijk. De vloeistof brandde hem in de keel en scheen zijn maag met vloeibaar vuur te vullen, maar het deed hem goed. Hij glimlachte bleekjes, maar de angst, die zich zo volkomen van hem had meester gemaakt, was nog niet geheel geweken.

'Wat beter, Johnny?' vroeg Peter bezorgd.

Hij knikte. 'Helemaal,' antwoordde hij. 'Een beetje te veel opwinding, denk ik. Ik zou wel wat willen rusten.' Hij sloot zijn ogen weer en leunde met zijn hoofd tegen het kussen. Gingen ze toch maar weg! In 's hemelsnaam, gingen ze maar weg! Hij hoorde de deur open en dicht gaan en toen hij zijn ogen opende, was alleen Rocco nog in de kamer.

'Rock,' fluisterde hij.

'Wat is er Johnny?'

'Rock, zul je bij me blijven?' Het klonk als een smeekbede en zijn stem

was hees. 'Je moet niet van me weggaan – ik ben bang om met hen alleen te zijn.'
Rocco probeerde bemoedigend te glimlachen. 'Waarom ben je bang voor ze, Johnny? Het zijn allemaal je vrienden.'
'Dat weet ik wel,' fluisterde hij op dezelfde wanhopige toon, 'maar ik voel me zo hulpeloos zonder mijn been. Toen ik omlaag keek en zag dat het er niet meer was, dacht ik dat iedereen zou beginnen te lachen.'
'Niemand zal daar om lachen,' verzekerde Rocco hem zacht.
'Dat weet ik – maar toch ben ik bang. Je moet altijd bij me blijven, Rock. Ik kan niet alleen met ze zijn.' Hij greep Rocco's hand en klemde zich er aan vast. 'Beloof het me, Rock, beloof het me!'
Rocco keek met een zachte blik in zijn bruine ogen op hem neer. 'Goed, Johnny – ik zal bij je blijven.'
'Beloof het me!' hield Johnny aan.
Rocco aarzelde even. 'Goed dan, ik beloof het je.'

Een poosje later kwam Jane weer binnen. Ze droeg een blad met een koffiepot en twee koppen. 'Een kop koffie zal wel smaken,' zei ze vrolijk. Ze schoof een tafeltje voor de sofa.
'Dat denk ik ook wel,' meende Rocco. Hij schonk een kop vol en gaf hem aan Johnny.
'Dank je wel,' zei Johnny tegen Jane. Zijn blik viel op haar hand. Er fonkelde iets aan haar vinger.
Hij zette zijn kopje neer en greep haar hand. Ze droeg een smalle, gouden trouwring. 'Jane!' riep hij verrast. 'Je bent getrouwd!' Hij schudde verwijtend het hoofd. 'Dat had je me moeten vertellen! Hoe lang ben je al getrouwd?'
'Ik heb het je geschreven,' antwoordde ze rustig. 'Ongeveer vier maanden nadat je wegging.'
'Ik heb die brief nooit ontvangen. Wat is het voor een man?'
Ze keek hem ernstig aan en antwoordde: 'Het was een beste jongen – een soldaat.'
Plotseling begreep hij. Hij keek haar in de ogen. 'Is hij niet teruggekomen?' vroeg hij zacht.
Ze schudde bijna onmerkbaar het hoofd. 'Hij – hij is niet teruggekomen.'
Hij nam haar handen in de zijne. 'Het spijt me, Jane – ik wist het niet. Niemand heeft het me geschreven.'
'Niemand kon dat. We wisten niet waar je was. We hebben overal navraag gedaan, maar niemand kon ons inlichten.'
Ze zwegen even. 'Maar er is één lichtpuntje,' vervolgde ze. 'Ik heb een allerliefste kleine jongen.'

Johnny keek haar getroffen aan. Er was iets van trots in haar ogen. Hij boog het hoofd en keek weer naar haar handen. 'Ik zal nog aan heel veel moeten wennen. Alles is hier veranderd.'
'Niet alles, Johnny,' zei ze. 'Jij bent alleen een beetje veranderd.'

Johnny zat de hele verdere ochtend met Peter in zijn kantoor. Hij luisterde aandachtig, terwijl Peter hem vertelde wat er tijdens zijn afwezigheid zo al was gebeurd. De zaak had zich dermate uitgebreid dat zelfs Johnny er verbaasd over was. Het vorige jaar alleen al had Magnum een winst van meer dan drie miljoen dollar gebracht.
Ze produceerden nu dertig hoofdfilms per jaar en dan nog een hele reeks shorts, waaronder twee- en eenrols tekenfilms, culturele films, natuuropnamen en het journaal. En dit was nog lang niet genoeg, vertelde Peter hem. De vraag naar films was enorm. Hij liep met plannen rond om de studio nog te vergroten tot een capaciteit van vijftig films per jaar.
Behalve de studio's bezat Peter nu samen met George meer dan veertig theaters en ze hadden plannen er nog meer te kopen of te bouwen. Ook overwogen ze de mogelijkheid in de voornaamste steden van de Verenigde Staten filialen op te richten en daar zelf ook voor de verdeling van de films te zorgen. Hierdoor zouden de distributors, die nu nog als Magnums vertegenwoordigers optraden, uitgeschakeld worden en dit zou de maatschappij verscheidene duizenden dollars per jaar besparen, die nu in de vorm van commissieloon werden betaald. Borden had het vorig jaar een ruilsysteem ingevoerd en dat had goede resultaten afgeworpen.
Toen Johnny in de oorlog ging, had Magnum ruim tweehonderd man personeel aan het werk in zijn studio in Californië en ongeveer veertig in New York. Nu werkten er meer dan achthonderd in de studio en bijna tweehonderd op het secretariaat en Peter was van plan beide nog uit te breiden.
Na Johnny's vertrek had Peter de zaken in New York zelf moeten leiden en daarom had hij de studio toevertrouwd aan een produktieleider, die alleen hém verantwoording verschuldigd was. De verkoop was in tweeën gesplitst, de binnenlandse en de buitenlandse en ieder had zijn eigen afdelingschef met het nodige personeel.
Peter was van plan het volgend jaar op reis te gaan met de chef van de buitenlandse verkoop, om in alle landen ter wereld kantoren en filialen op te richten. De organisatie van het gehele bedrijf berustte bij Peter, die hierdoor volkomen in beslag genomen werd, zodat hij geen tijd had om

voldoende aandacht aan allerlei onderdelen te schenken. En omdat hij iemand naast zich moest hebben, op wie hij volkomen kon vertrouwen en die tegen een dergelijke taak opgewassen zou zijn, had hij zich voorgesteld Johnny tot zijn eerste assistent te maken.
Johnny zou in New York op het secretariaat blijven en daar optreden als Peters plaatsvervanger. Alleen die zaken die Peters persoonlijke goedkeuring vereisten, zouden naar Californië worden doorgegeven.
Om dit enorme bedrijf draaiende te houden, had Peter bij de Bank of Independence, waarvan Al Santos directeur was, een lening gesloten van vier en een half miljoen dollar. Johnny floot tussen zijn tanden toen hij dit bedrag hoorde. Hij verbaasde zich er niet alleen over dat Peter zo luchtig over het lenen van een dergelijk bedrag sprak, maar ook dat Al Santos tot een dergelijke lening in staat was.
De gehele ochtend door kwamen er allerlei mensen binnen – oude bekenden van Johnny, die hem welkom kwamen heten, en mensen die hij nooit eerder gezien had, maar die zich haastten zich te komen voorstellen aan de man, die op één na de belangrijkste functie te bekleden zou krijgen. Meestal ontspon zich een kort gesprek tussen Johnny en deze mensen, maar hoe kort dit onderhoud soms ook mocht zijn, het was duidelijk voelbaar dat ze elkaar van weerskanten trachtten te peilen; de een om te weten te komen hoe eigenlijk precies de verhouding tussen de baas en zijn eerste assistent was en de ander om te trachten uit te vorsen wat zijn ondergeschikten in hun verschillende functies waard waren.
Johnny, die een scherp opmerker was, werd ook nog iets anders gewaar, dat er vroeger niet geweest was, namelijk dat er een zekere kliekgeest was gaan heersen, die zich voelbaar deed gelden. Verschillende kleine partijtjes en groepen van personen deden om het hardst hun best om het oor van de baas te bereiken en een wit voetje bij hem te krijgen.
Toen Peter ongeveer alles had verteld, streek Johnny zich vermoeid met de hand over de ogen. 'Mijn hoofd tolt,' bekende hij. 'Ik had er geen idee van dat Magnum Pictures zo groot was geworden. Ik zal helemaal opnieuw moeten beginnen.'
Peter lachte trots. 'Maak je maar geen zorgen – het is nog het oude bedrijf, alleen is het nu een beetje groter.' Hij stond op en nam zijn hoed van de kapstok. 'Wat zou je er van zeggen als we nu eens gingen lunchen? George wacht op ons in het restaurant.'
Johnny keek naar de sofa, waar Rocco nog altijd zat. Hij had daar de hele ochtend gezeten en zich alleen maar verroerd als Johnny iets tegen hem zei of iets nodig had. Zijn donkerbruine ogen hadden voortdurend op Johnny gerust, maar deze had geen enkel blijk van zwakte meer gegeven. Integendeel, hij had hem met de minuut zien vooruitgaan. Deze

enthousiaste, welbespraakte jongeman was wel een heel andere Johnny dan die hij had leren kennen. Het meeste van wat er besproken werd, interesseerde Rocco niet, of hij begreep er niets van, maar Johnny had al het nieuws gretig in zich opgenomen.
Rocco zag hoe hij de mensen, die hem de hand kwamen drukken, hartelijk en tegelijk met een zekere waardigheid ontving en dit verbaasde hem nog meer. Het front was stellig niet de plaats waar een man als hij het meest tot zijn recht kwam, dacht Rocco, en nu begon hij te begrijpen waarom Joe Turner zo bijzonder op Johnny gesteld was geweest.
Maar toen Johnny eindelijk opstond was er eensklaps niets meer van de zakelijke, zelfbewuste jongeman over. Zijn gezicht werd weer spierwit en hij keek schuw om zich heen, alsof hij iets zocht waar hij zich aan vast zou kunnen houden.
Rocco dacht aan het ogenblik waarop hij de keurige rij kogelgaatjes juist boven Johnny's knie had gezien. Eens was deze man trots geweest op zijn mooie, gezonde lichaam, een lichaam dat de geest die er in huisde volkomen waardig was, en nu . . .
Het drong plotseling tot hem door dat Johnny hem vragend aankeek. Hij stond op en liep op hem toe. Hij legde zijn ene arm om Johnny's schouders en ondersteunde hem terwijl Johnny zijn krukken stevig onder zijn oksels plantte. Terwijl ze naar de deur liepen, gaf hij hem zijn hoed.
'Ellendig dat daar toch niets aan gedaan kan worden,' mompelde hij binnensmonds. Maar er wás niets aan te doen. Geen mens op Gods aarde kon Johnny zijn been teruggeven.
Johnny bleef bij de deur staan en keerde zich om naar Peter. 'Misschien is hier ook iets te doen voor Rock,' zei hij een beetje verlegen. 'Ik – eh – ik kan hem niet missen.'
Peter keek snel van de een naar de ander en begreep. 'Ja zeker, ik heb hier wel iets voor hem,' haastte hij zich Johnny gerust te stellen. Hij scheen even naar zijn woorden te moeten zoeken en vervolgde toen: 'Hij kan vijfenzeventig dollar per week verdienen – als dat tenminste genoeg is.'
Johnny keek Rocco vragend aan. Deze dacht snel na. Als hij weer in een kapperszaak ging staan, zou hij dat nooit verdienen. Het was mooi geld. En bovendien had hij Johnny beloofd dat hij bij hem zou blijven. Hij knikte instemmend.
Johnny keek Peter dankbaar aan. 'Dank je wel, Peter, hij accepteert het graag.'
Rocco bleef in de deur staan terwijl ze door Jane's kamer naar de hal liepen. Jane zat nog te werken, maar toen ze hem in het oog kreeg, stond ze op en trad op hem toe.
'Johnny is een beste jongen, vindt u niet?'

Hij knikte en er kwam een warme blik in zijn bruine ogen. 'Ja, ik mag hem graag. U ook?'
Het duurde even voordat ze antwoordde. 'Ik geloof dat ik hem heb liefgehad,' zei ze zacht. 'En ik heb hem nog lief – maar het is nu anders.' Ze keek verlegen naar de grond. Toen ze het hoofd ophief en verder wilde spreken, zag ze dat zijn ogen met een vriendelijke, begrijpende blik op haar rustten.
'Het moet wel iets heel moois zijn om ontzettend veel van iemand te houden en dat dan toch ineens achter je te kunnen laten als je merkt dat hij niet van jou houdt. Tenminste niet op dezelfde manier. En als je hem dan kunt liefhebben zoals hij is, zonder verder nog iets te verlangen en zonder ooit aan het verdriet te denken, dat hij je heeft gedaan. Dat moet wel iets heel moois zijn.'
'Je zou dat soort liefde misschien waardering kunnen noemen,' zei hij ernstig.
'Misschien – maar het is toch nog meer. Ik kan het niet goed onder woorden brengen. Maar ik heb het nu niet over mezelf – ik bedoel Doris.'
'Doris? Wie is dat?'
'Peters dochter,' verklaarde ze. 'Ze houdt van hem en ik geloof dat hij ook van haar hield voordat hij wegging, maar dat hij het zichzelf niet wilde bekennen.'
'Waarom niet?'
'Hij is tien jaar ouder dan zij en hij heeft haar zo'n beetje mee groot gebracht. Ze noemde hem oom Johnny.'
'Ah, nu begrijp ik het,' peinsde Rocco hardop.
'Maar ik geloof niet dat ze nu nog enige kans heeft,' vervolgde Jane. 'Ik heb zo'n gevoel dat Johnny zijn hart voor haar heeft gesloten, nu hij invalide is geworden. Hij heeft de hele morgen niet over haar gerept en niet eens naar haar gevraagd. Ik vermoed dat hij haar geheel los wil laten.'
'Hij heeft daar ook een goede reden voor,' verdedigde Rocco zijn vriend. 'Hij wil haar niet aan zich binden nu hij invalide is.'
Ze keek hem onderzoekend aan. 'Dat zou voor haar helemaal geen verschil maken. Iemand die werkelijk liefheeft vraagt daar niet naar.'
'Degene die het ongeluk heeft gehad wel,' wierp Rocco tegen.
Jane gaf geen antwoord. Ze ging naar haar schrijftafel en begon zich op te maken.
Rocco sloeg haar met een flauwe glimlach om de lippen gade. 'Als u geen afspraak voor de lunch hebt,' waagde hij na enige minuten, 'zullen wij dan samen lunchen?'
Ze keek verrast op en lachte toen ondeugend. 'Nieuwsgierig naar de geschiedenis van Johnny en Doris, Rocco?'

'Een beetje wel,' erkende hij.
'Het begon zo,' vertelde ze, een muurkast openend en haar hoed van een van de planken nemend. 'Ik was secretaresse bij Sam Sharpe, een agent, en toen kwam op zekere dag Johnny bij ons.' Ze ging voor de spiegel staan en zette haar hoed op. Er kwam plotseling een peinzende blik in haar ogen. 'Nee, zo is het niet,' verbeterde ze zichzelf. 'Het begon lang daarvóór, lang voordat ik hem kende.'
Ze keerde zich om en knikte Rocco vriendelijk toe. 'Kom mee, dan gaan we lunchen en dan zal ik de geschiedenis van het begin af proberen te vertellen.'
Hij greep zijn hoed en volgde haar.

De lunch verliep rustig. Peter en George waren bijna voortdurend aan het woord en Johnny luisterde. Er waren massa's dingen waarvan hij niet op de hoogte was en de twee oudere mannen deden hun best hem zo goed mogelijk over alles in te lichten. Beiden vermeden ze angstvallig elke toespeling op zijn ongeluk en ze spraken evenmin over Joe, om geen droeve herinneringen bij hem te wekken.
Na de lunch bracht Peter Johnny weer naar zijn kamer en vertelde hem dat hij hem later op de middag zou komen halen. Johnny keek hem ernstig aan. 'Dat is niet nodig, Peter. Ik kan wel alleen thuis komen.'
Peter was zichtbaar verbaasd. 'Wat bedoel je? Je gaat toch zeker met me mee eten? Esther is nota bene de hele morgen bezig geweest om je lievelingsmaal te bereiden – *knedloch* en kippesoep! En Doris is speciaal thuisgekomen van kostschool om er bij te zijn. Het is weer net als vroeger, Johnny! Nee, je komt bij ons eten en daarmee uit. Ik kan me maar niet begrijpen hoe jij kunt denken dat er iets veranderd is.'
Johnny keek hem met doffe ogen aan. Doris. Hij had de hele dag geprobeerd niet aan haar te denken. Maar hij zou het toch onder de ogen moeten zien. Twee jaar geleden had zij gedacht dat ze van hem hield, maar dat was natuurlijk dwaasheid – een jongemeisjesgril. Dat was nu allang over.
Maar diep in zijn hart wist hij dat dit niet zo was. Hij wist dat het iets veel diepers en sterkers was. Anders zou alles niet zo – zo wonderlijk zijn geweest. Maar nu, zonder been, een oorlogsinvalide – ze zou natuurlijk medelijden met hem hebben en dat zou licht de gevoelens, die ze had gehad toen hij wegging, weer wekken.
Maar er was geen ontkomen aan. Hij moest er vanavond heen en dan zou

hij haar weerzien. En als ze iets zei over vroeger, dan zou hij haar aan het verstand moeten brengen dat het maar een beetje dwaasheid van haar was geweest – dat hij nooit iets anders voor haar had gevoeld dan de liefde van een oom voor zijn kleine nichtje.

Al die tijd stond Peter hem verbaasd aan te kijken. Peter zou zich stellig gekwetst voelen als hij niet kwam. En Esther . . .

Hij dwong zijn lippen tot een glimlach. 'Als jullie op me gerekend hebben, dan natuurlijk graag, maar ik wil je geen overlast aandoen.'

Peter lachte luid. 'Sinds wanneer is iemand die je als je eigen zoon beschouwt je tot last?'

Johnny ging in gedachten verzonken zijn kantoor binnen. Peters woorden klonken hem nog in de oren en die hele verdere middag hoorde hij ze telkens weer: je eigen zoon, je eigen zoon. Betekende het dat Peter iets vermoedde? Zou zij haar ouders iets verteld hebben?

Nee, dat was onzin. Er wás niets te vertellen. Het was zo maar Peters manier van zich uit te drukken. Ze hadden altijd zo vertrouwelijk met elkaar omgegaan dat Peter hem als een huisgenoot was gaan beschouwen. Dat was alles.

Hij zat met Rocco in de projectiezaal. Pas toen de eerste film was afgedraaid, drong het tot hem door dat ook de techniek veel verbeterd was. Het hinderlijke trillen van de beelden was vrijwel verdwenen. De bewegingen van de acteurs waren veel natuurlijker en het leek nu ook niet meer alsof ze zich voortdurend met sprongetjes voortbewogen.

De vertelmethode was ook verbeterd. Het scenario was nu een gemakkelijk te volgen toneelstuk. Close-up en fade-out vormden een harmonieus geheel. Hij begreep dat hij te zijner tijd eens een kijkje moest gaan nemen in de studio, om het een en ander over de moderne techniek te weten te komen. De film was hem in de korte tijd dat hij weg was geweest boven het hoofd gegroeid.

Hij stak een sigaret op en bij het licht van de lucifer zag hij Rocco ademloos naar het doek turen. Hij lachte zacht voor zich heen. Het deed hem goed Rocco daar te zien. Het was misschien dwaas van hem, maar Rocco's nabijheid deed hem zich veiliger en rustiger voelen.

Hij dacht aan de droom die hij in het hospitaal had gehad, waarin hij probeerde hard te lopen en voorover viel en door iedereen werd uitgelachen. Hij was daar sedertdien altijd bang voor geweest. Hij wilde niet dat de mensen om hem lachten en evenmin dat ze medelijden met hem hadden. En zolang Rocco in de buurt was, zou dit ook niet gebeuren. Rocco scheen een zintuig te hebben waarmee hij hachelijke situaties scheen te voorzien en wist te voorkomen. En zelfs in het bijzijn van vreemden wist hij de gesprekken zo te wenden dat er geen gevaar voor enige toespeling op zijn ongeluk bestond. Rocco sprong altijd onverschrokken tussen hem en elk letsel dat hem bedreigde. Hij was werkelijk blij dat Rocco hem beloofd had bij hem te blijven.

'Mijn wagen staat al voor,' vertelde Peter hem. 'Ik heb Esther opgebeld en haar gezegd dat we met een half uur thuis zouden zijn. Ze is zo opgewonden als een pas getrouwd vrouwtje dat haar familie voor het eerst te eten krijgt.'
Voor het gebouw stond een limousine te wachten. De chauffeur stond er naast en hield het portier open. Peter liet Johnny eerst instappen. De wagen was met velours bekleed en Johnny zonk diep weg in de kussens.
'Wat een chique, Peter! Een nieuwe wagen?'
Peter knikte trots. 'Pierce Arrow,' glimlachte hij. 'Met speciale carosserie.'
Johnny keek bewonderend om zich heen.
De grote wagen gleed geruisloos weg. Weldra waren zij op de Fifth Avenue, op weg naar de benedenstad. Hij stopte voor een hoog flatgebouw tegenover Central Park.
Er kwam een portier naar buiten snellen, die de deur van de auto opende.
'Goedenavond, mijnheer Kessler.'
'Goedenavond.'
Ze wachtten totdat Johnny was uitgestapt en traden toen het gebouw binnen. Alles was hier fonkelnieuw.
Johnny was wel een beetje onder de indruk, maar hij liet niets blijken. Peter moest er goed bij zitten, dat hij een dergelijk huis kon bewonen. De dingen die hij vandaag gehoord en gezien had begonnen realiteit voor Johnny te worden.
Hij volgde Peter in een lift, die hen elf verdiepingen hoger bracht en daar stapten ze uit in een hal, die al even luxueus was ingericht als de vestibule beneden.
Peter liep op een van de deuren toe en drukte op de bel. Johnny's hart begon plotseling te bonzen en onwillekeurig zette hij zich schrap. Nu ging het gebeuren.
De deur ging open. Esther stond voor hem. Er heerste wel een minuut lang een beklemmende stilte; toen deed ze een stap naar voren en sloeg snikkend haar armen om hem heen. Johnny durfde zijn handen niet van zijn krukken af te nemen en bleef roerloos staan. Terwijl Esther hem op beide wangen kuste, keek hij over haar schouder heen naar binnen. In de deur van de huiskamer stond Doris. Haar ogen waren heel groot in haar bleke, vermagerde gezichtje.
Rocco, die naast Johnny stond, zag de blik waarmee ze elkaar over Esthers schouder heen aankeken. Rocco keek nieuwsgierig naar het meisje. Haar

haar hing los over haar schouders en stak donker af tegen haar blanke huid. Ze hield de handen krampachtig ineengeklemd. Toen sloeg ze de ogen neer. Onder haar wimpers blonken tranen. Ze knipperde een paar maal in een heldhaftige poging om ze te bedwingen.
Rocco begreep dat ze op dit ogenblik al wist wat Johnny besloten had. Er was geen woord gesproken, maar toch wist ze het. Haar gezicht, haar hele houding zei het hem. Er was iets in haar verslapt, gebroken, en Rocco wist dat er in die luttele seconden een eeuwigheid voor haar was voorbijgegaan.
Esther ging een stap achteruit en legde haar handen op Johnny's schouders. Zij keek hem door haar tranen heen aan. 'Mijn Johnny,' snikte ze, 'wat hebben ze je aangedaan?'
'Doe toch niet zo idioot, mama,' blafte Peter. 'Hij staat daar in levenden lijve, is het niet? Wat kunnen we meer verlangen?'

Het was geen opgewekte maaltijd. Ze spraken met elkaar, maar niemand durfde die dingen te zeggen, die hij zo graag had willen zeggen. Achter het glimlachende masker van hun gezichten gingen tranen schuil.
Rocco, die Doris ongemerkt gadesloeg, zag dat haar blik vrijwel onafgebroken op Johnny rustte.
Johnny zag heel bleek en hij sprak bijna niet. Wat had hij ook moeten zeggen? De laatste keer dat hij haar zag, was ze een mooi meisje geweest, nu was ze een vrouw, een mooie, bevallige vrouw . . .
Eindelijk was de maaltijd afgelopen en gingen ze naar de huiskamer. Johnny en Doris waren de laatsten die van tafel opstonden en op een gegeven moment waren ze alleen in de eetkamer. Doris zette haar koffiekop neer en trad bedaard op hem toe. Zijn ogen volgden al haar bewegingen. Ze boog zich over hem heen. 'Je hebt mij geen kus gegeven, Johnny.' Haar stem klonk zacht en beheerst.
Hij gaf geen antwoord, maar keek haar strak aan.
Ze drukte haar lippen zacht op de zijne. Er voer een rilling door hem heen bij die tedere, vrouwelijke aanraking en bijna had hij haar in zijn armen genomen. Maar hij wist zich te beheersen en zijn armen bleven slap langs zijn stoel hangen. Hij voelde dat haar lippen begonnen te trillen. Hij trok zijn hoofd terug.
Ze richtte zich op en keek op hem neer. Haar stem klonk nu heel laag en hij hoorde aan de eigenaardige trilling er in dat ze het had begrepen.
'Je bent veranderd, Johnny.'
Hij keek naar haar jonge, lenige gestalte en toen naar zijn been. 'Ja,' zei hij op bittere toon, 'ik ben veranderd.'
'Dat bedoel ik niet – je bent van binnen veranderd.'

Zijn stem klonk effen. 'Dat is heel goed mogelijk – alles wat een mens uiterlijk verandert, verandert hem ook innerlijk. Je verandert al als je een tand kwijt raakt – dan glimlach je niet meer zo veel.'
'Maar jij kunt nog wel glimlachen, Johnny – jij wordt geen ongevoelig, verbitterd mens.'
Hij gaf geen antwoord. Haar ogen schoten plotseling vol tranen. Ze schaamde zich er voor en drong ze met geweld terug, maar haar stem trilde toen ze weer sprak. 'Herinner je je nog de laatste keer dat we elkaar zagen – hoe we elkaar aankeken en hoe jij me beloofde dat je iets voor me mee zou brengen?'
Hij sloot de ogen. Hij herinnerde het zich maar al te goed. Nu moest het dus gebeuren. 'Ja,' antwoordde hij, 'ik weet het nog. Jij was toen nog een kind en ik ging op avontuur en daarom beloofde ik je dat ik wat moois voor je mee zou brengen als ik terugkwam.'
Hij zag haar ineenkrimpen. 'Is dat alles wat het voor jou betekende?' klonk het bijna onhoorbaar.
Nu keek hij haar met grote, verbaasde ogen aan. 'Natuurlijk,' zei hij. 'Waarom? Wat zou het anders betekend hebben?'
Ze keerde zich om en vloog de kamer uit. Hij streek met bevende handen een lucifer af en stak een sigaret op. Zo bleef hij nog een ogenblik zitten, toen werkte hij zich met moeite uit zijn stoel omhoog en strompelde naar de zitkamer.

DONDERDAG 1938

Ik werd wakker doordat de gordijnen werden opengeschoven en een koele luchtstroom door de wijd open vensters over me heen streek. Ik lag nog even gedachteloos naar het plafond te staren. Het was een vreemde kamer waar ik in lag en plotseling herinnerde ik me weer waar ik was. Maar het hoe en waarom drong nog niet tot me door. Ik dacht in New York te zijn, maar ik was in Hollywood. Wat moest ik hier ook weer?
Ineens wist ik echter alles weer. De werkelijkheid was weer eens uit mijn bewustzijn verdreven door die droom – die droom waarin ik door een straat rende, die niet bestond, naar een meisje dat ik niet meer zag. Ik had die droom herhaaldelijk gehad sinds de oorlog, en altijd eindigde hij op dezelfde manier: ik viel en de mensen drongen om me heen en lachten me uit.
Vanmorgen was het echter vrij waarschijnlijk dat ze me ook in werkelijkheid uitlachten. Ik had Farber er in gehaald. Ik. Na alles wat er gebeurd was. Ik had Farber de kans gegeven zijn voet tussen de deur te zetten. En nu moest ik maar zien dat ik die deur weer dicht kreeg en hem er buiten sloot. Dat had ik al eens eerder gedaan. Zou het me weer lukken? Ik was er niet zeker van. Ditmaal was het mijn eigen schuld.
'Goedenmorgen, mijnheer Johnny,' klonk Christophers stem opgewekt naast mijn bed. Ik kwam verbaasd overeind. Zijn zwarte gezicht glom van genoegen en zijn grote, witte tanden blonken tussen zijn rode lippen.
'Morgen, Christopher!' riep ik verrast. 'Hoe wist je dat ik hier was?' Ik had hem verscheidene weken vrijaf gegeven, omdat ik niet verwachtte zo spoedig terug te zijn.
Hij keek me nu ernstig aan. 'Ik heb in de krant gezien dat mijnheer Peter ziek was en ik dacht wel dat u hierheen zou komen om hem te bezoeken.'
Ik gaf geen antwoord. Had iedereen dan geweten hoe ik op het bericht dat Peter ziek was zou reageren, behalve ikzelf? Christopher wist alles van de breuk tussen Peter en mij en toch wist ook hij dat ik terug zou komen. Ik kon het niet ontkennen – ze hadden gelijk gehad, want hier was ik.
Christopher zette mijn ontbijt voor me klaar. De kranten lagen keurig opgevouwen naast mijn bord. Ik nam een slokje van mijn sinaasappelsap en nam de bovenste krant op. Het hoofdartikel in de 'Reporter' luidde als volgt:

FARBER MET EEN MILJOEN DOLLAR IN
MAGNUM PICTURES?

Het was juist, maar niet voor lange tijd, zwoer ik mezelf. Als Ronsen niet net op het moment dat ik mijn been af had was binnengekomen, dan was het hem nooit gelukt. Ik las het artikel met belangstelling.

'Er wordt druk gegist naar de betekenis van Stanley Farbers lening van een miljoen dollar aan Magnum Pictures. Het is algemeen bekend dat Farber van het moment af dat Peter Kessler zijn aandeel in Magnum Pictures aan Laurence G. Ronsen heeft verkocht, de grootste moeite heeft gedaan een aandeel in Magnum te krijgen. Het is eveneens bekend dat Ronsen genegen was hem dit te geven, maar dat de president van Magnum Pictures, John Edge, dit tot op heden heeft weten tegen te houden. Edge en Farber hadden al vijftien jaar lang onenigheid over het feit dat Edge in een meningsverschil over de theaters, die Farber voor Magnum dreef, de laatste heeft gedwongen zijn ontslag te nemen.
Farbers neef, David Roth, is twee maanden geleden, voordat Edge tot president van Magnum Pictures werd gekozen, tot eerste assistent van de cameraregisseur benoemd. Dat de verhouding tussen Ronsen en Edge wel iets te wensen overlaat, bleek ook aan het begin van deze week, toen Edge tegen de wil van Ronsen naar Californië vloog om Peter Kessler, die een attaque heeft gehad, te bezoeken.
Het gerucht gaat dat Farber als waarborg voor zijn lening een belangrijk aandeel in Magnum zal krijgen en dat Roth en hij in het bestuur zullen worden opgenomen. Dit is echter niet bevestigd. Er wordt eveneens gefluisterd dat Roth belast zal worden met de algehele leiding over Magnums produktie.
Verder gaan er geruchten dat Bob Gordon, de tegenwoordige cameraregisseur, zich geheel zal terugtrekken, daar hij er zich niet mee kan verenigen dat hem een dergelijk belangrijk deel van de verantwoordelijkheid zal worden ontnomen. Hierdoor zou Edge zijn belangrijkste steunpilaar in de studio's verliezen en zich wellicht eveneens gedwongen zien heen te gaan.
Farber heeft bovendien een overeenkomst met Magnum gesloten, waarin hij zich verbindt alle films, die door Magnum worden geproduceerd, in de Westcotheaters te doen vertonen.'
Ik vouwde de krant weer dicht en dronk mijn sinaasappelsap op. Geruchten behoorden in Hollywood evengoed bij het ontbijt als bacon en koffie. Als er geen geruchten bij waren, had je het gevoel dat je niet gegeten had. Maar voor vandaag had ik genoeg.
Christopher schonk me een kop koffie in en opende de schaal met bacon en eieren. De pittige geur van de bacon verkwikte me en plotseling had ik toch weer trek. Ik knikte hem dankbaar toe. 'Ik ben blij dat je er weer bent, Christopher.'

Zijn tanden blonken. 'Ik ook, mijnheer Johnny. Ik ben er nooit gerust op als u alleen thuis bent.'

Ik stond op het trottoir en stak een sigaret op, terwijl ik wachtte totdat Christopher de wagen voorreed. Het was een stralende morgen en ik voelde me al een heel stuk beter. De sombere stemming, die zich van me had meester gemaakt toen ik de slechte berichten over Peter vernam, begon langzamerhand te wijken. Het was eigenaardig, maar ik voelde me altijd op mijn best wanneer ik genoodzaakt was te vechten, en op vechten kwam het nu aan.
Tot nu toe had ik alleen behoeven te vechten om Magnum Pictures op gang te houden. Ik had Ronsen nooit als een direct gevaar beschouwd. Met de eigenlijke produktie had hij niets te maken, hij was een vreemde, een noodzakelijk kwaad dat je op de koop toe nam zolang dit nu eenmaal niet anders kon, maar dat je zo gauw mogelijk probeerde kwijt te raken als het op een gegeven moment wel anders kon. Maar nu Farber er ook nog bij was gekomen, werd het een kwestie van persoonlijk belang. Het was nu niet langer een strijd om Magnum Pictures draaiende te houden, 't was een strijd geworden over de vraag wié Magnum Pictures draaiende zou houden. Er was één lichtpuntje: Als Farber zich er zo voor interesseerde, betekende dit dat hij er nog altijd een flinke verdienste in zag. Het was nu aan mij om te trachten uit te vorsen wat hij van plan was en hem dan buiten gevecht te stellen en tegelijkertijd iets te doen dat nog beter was. Het filmbedrijf was nu eenmaal een schaakspel, waarbij elk van beide partijen er voortdurend op uit was de ander mat te zetten.
De wagen reed voor en ik stapte in. Christopher keek achterom. 'Naar de studio, mijnheer Johnny?'
'Nee,' antwoordde ik, 'eerst naar het huis van mijnheer Kessler.'
Hij keerde zich weer om en de wagen gleed weg. De studio kon nog wel wat wachten. Het was verstandiger als ik Ronsen en Farber eerst hun plannen liet maken. Als ik eenmaal precies wist wat ze wilden kon ik mijn slag slaan. Ik moest inwendig lachen. Ik had waarachtig geen reden me zo opgewekt te gevoelen– maar het was nu eenmaal zo.

De verpleegster kwam de hal binnen en deed de deur zacht achter zich dicht. Ze sprak op gedempte toon, opdat men haar in de ziekenkamer niet zou verstaan. 'U kunt wel binnengaan, mijnheer Edge, maar blijf niet te lang – hij is nog erg zwak.'
Ik keek Doris vragend aan. Ze maakte aanstalten om met me mee naar binnen te gaan, maar de verpleegster legde haar hand op haar arm. 'Liever maar een tegelijk.'

Doris glimlachte tegen me en hield de deur voor me open. 'Ga maar binnen, Johnny. Ik heb hem vanmorgen al gezien en ik weet dat hij naar je verlangt.'
Ik deed de deur zacht achter me dicht. Peter lag in half zittende houding in bed. Hij lag heel stil en eerst dacht ik dat hij sliep. Zijn gezicht was spierwit en erg vermagerd en zijn ogen lagen diep in hun kassen. Hij keerde langzaam zijn hoofd in mijn richting en opende de ogen. Toen glimlachte hij.
'Johnny!' Zijn stem, hoe zwak ook, klonk blij. Ik liep op het bed toe en keek op hem neer. Het verbaasde me dat zijn ogen zo helder stonden. Hij bewoog even zijn hand. 'Johnny!' Zijn stem klonk nu wat krachtiger en op dezelfde blije toon.
Ik nam zijn hand in de mijne en ging op de stoel naast het bed zitten. Zijn hand was heel licht en ik voelde de beenderen als hij zijn vingers bewoog. Ik was niet in staat een woord uit te brengen.
'Johnny, ik ben een grote dwaas geweest,' zei hij, me vast in de ogen ziende.
Nu dreigde de ontroering zich geheel van me meester te maken. 'Ik ook, Peter,' stootte ik uit. Het klonk zonderling schril.
Hij glimlachte flauwtjes. 'Een mens schijnt zijn leven lang fouten te maken, waarvoor hij zijn leven lang nodig heeft om ze weer goed te maken.'
Ik kon niet antwoorden. Ik zat daar maar, met zijn hand in de mijne. Zijn ogen vielen langzaam dicht en ik dacht dat hij sliep. Ik bleef doodstil zitten om hem niet te storen. Zijn hand lag roerloos in de mijne. Ik keek naar die hand, die ik zo goed kende. Ik zag de dunne, blauwe ader zich bij de vingers vertakken en ik bleef als betoverd naar het trage pulseren van die ader zitten kijken. Zijn stem deed me opschrikken. 'Hoe gaan de zaken, Johnny?' Zijn ogen keken me levendig en vol belangstelling aan. Het was weer net als vroeger. Honderden malen had hij me deze vraag gesteld – de eerste van drie vragen. De tweede en de derde luidden: 'Hoe staat het met de betalingen?' en 'Hoe staan de koersen?'
Voordat ik besefte wat ik deed zat ik al te vertellen. Dat George bereid was om de 'Terrible Ten' te kopen. Over Ronsens gehengel naar de dollars van Farber, maar van alles wat daar achter zat gewaagde ik niet.
Terwijl ik vertelde kwam er kleur op zijn wangen en begon hij meer en meer op de Peter van vroeger te lijken. Hij viel me geen enkele keer in de rede, maar luisterde aandachtig en toen ik klaar was slaakte hij een diepe zucht. Het leek nu alsof hij nog dieper in de kussens wegzonk.
Ik keek hem angstig aan – als ik hem maar niet teveel vermoeid had. Maar ik behoefde me niet bezorgd te maken. Over Magnum Pictures te horen

scheen op hem dezelfde uitwerking te hebben als een tonicum. Na enige minuten begon hij te spreken.
'Het zijn grote ezels, Johnny. Het leek allemaal zo mooi – alles wat ze te doen hadden om geld te verdienen was wat geld er in steken en zorgen dat er een stuk of wat films werden geproduceerd. Maar nu de moeilijkheden komen, zoals dat ons zo dikwijls is gebeurd, zijn ze doodsbenauwd. Ze rennen rond als kippen zonder kop en klemmen zich wanhopig aan iedereen vast die hen misschien zou kunnen helpen.' Hij wendde zijn gelaat naar me toe. Er was nu een echte glimlach om zijn lippen en zijn ogen schitterden. 'Ze kunnen het niet winnen, Johnny, als wij het niet willen. We hebben ons eens bang laten maken door hun geld, maar nu weten we beter. Geld heeft nooit zoveel te betekenen gehad in het filmbedrijf. De films zelf moeten het doen. En daar lopen ze op vast. Wij kunnen films maken en dat kunnen zij niet.'
De deur ging open en de verpleegster kwam binnen. Ze liep met een gewichtig gezicht op het bed toe en voelde zijn pols. Daarop keek ze mij verwijtend aan. 'U moet nu heengaan, mijnheer Edge. Mijnheer Kessler moet nodig wat rusten.'
Ik lachte eens tegen Peter en stond op. Voordat ik bij de deur was deed zijn stem me nog eens omzien.
'Kom morgen weer, Johnny.'
Ik keek de verpleegster vragend aan. Ze knikte toestemmend. 'Natuurlijk Peter,' zei ik. 'Ik zal je nauwkeurig op de hoogte houden.'
Hij glimlachte en zijn hoofd zonk terug in de kussens. De verpleegster nam een thermometer en stak die in zijn mond. Een sigaar zou daar heel wat beter staan, dacht ik met een tikje ironie, terwijl ik de kamer verliet.
Doris wachtte nog in de hal. 'Hoe is het met hem?'
Ik lachte vrolijk. 'Ik geloof dat hij maar liefst weer aan het werk zou gaan.' Ik stak een sigaret op en voegde er aan toe: 'Het zou misschien helemaal niet zo'n gek idee zijn. Het zou ons beiden goed doen.'
Mijn eigen woorden verrasten me. Toen ik daar naast zijn bed zat, had ik niets gezegd van alles wat ik had willen zeggen – niets over mijn gevoelens ten opzichte van hem, niets over onze vriendschap: de vriendschap tussen twee mannen, die het grootste gedeelte van hun leven samen hebben doorgebracht. Ik schudde het hoofd. Was dan het enige waarover we konden spreken, het enige wat we na al deze jaren gemeen hadden, de film – de film, en niets meer dan dat?

Even over enen trad ik de grote eetzaal binnen. Het was lunchtijd en de zaal was overvol. Ik voelde hun ogen op me rusten terwijl ik de grote eetzaal door liep om naar de kleinere te gaan, die er achter lag. Deze

heette de Sun Room. Boven de deur hing een bord, met het opschrift: 'Alle tafels gereserveerd.' Dat betekende voor de gewone filmmensen zoveel als: 'Hier niet binnentreden – alleen toegang voor goden.'
Mijn tafeltje stond geheel apart in een erker en bovendien nog op een kleine verhoging. Van hieruit had ik door drie grote vensters een onbelemmerd uitzicht op de studio's. In het voorbijgaan wierp ik een blik op Ronsens tafel. Hij was er nog niet. Ik ging zitten en er trad meteen een kelnerin op me toe.
'Goeden middag, mijnheer Edge,' glimlachte ze.
'Middag, Ginny. Wat schaft de pot?'
'Gebakken zwezerik. Uw lievelingskostje.'
'Besteld!' riep ik enthousiast.
Ze ging heen en ik keek het zaaltje eens rond. Gordon kwam juist binnen. Hij zag me zitten en kwam meteen naar me toe. Ik wees op de stoel tegenover me aan tafel. 'Ga zitten, Bob.'
Hij liet zich zwaar in zijn stoel vallen. 'Scotch old fashioned, dry, zonder suiker,' bestelde hij Ginny, die onmiddellijk toeschoot. Hij keek me verontschuldigend aan. 'Ik heb dorst.'
Ik glimlachte. 'Dat heb ik al meer van je gehoord.'
'Je zult het ook nog wel meer van me horen, voordat deze picknick voorbij is,' beloofde hij. 'Farber ziet al zo rood als een kalkoense haan,' voegde hij er kwaadaardig aan toe.
Ik ging er niet op in.
Hij keek me vragend aan. Ginny zette zijn whisky voor hem neer. Hij nam het glas gretig op en dronk het in één teug leeg. 'Ik dacht dat je niet van plan was hem er in te nemen,' polste hij.
'Ik ben van gedachten veranderd.'
'Waarom? Ik dacht dat je hem niet moest. Gisteren . . .'
Ik liet hem niet uitspreken. 'Ik moet hem nóg niet. Maar een miljoen dollar is een miljoen dollar. Het bespaart je veel moeilijkheden.'
'Het kan je ook veel moeilijkheden bezorgen,' merkte hij sarcastisch op. 'Ronsen, Farber en Roth waren vanmorgen alle drie bij me. Ze vertelden me dat je had afgesproken dat Dave 'The Snow Queen' op zich zou nemen.'
'The Snow Queen' was onze beste film van dat jaar. Het was een musical, waarin een meisje speelde, dat Robert met veel moeite Borden afhandig had gemaakt. Ze was pas veertien jaar, maar Bob behaalde al goede resultaten met haar. Ze had een stem als een volwassen zangeres. Hij had een scenario in elkaar gezet, dat op zichzelf al dat geheimzinnige, onverklaarbare *iets* bezat, dat een enorm succes beloofde en we zagen de dollars al binnenstromen. Het was zijn stokpaardje geworden en nu hij eenmaal alles

voor elkaar had, zou Dave met de eer gaan strijken! Ik kon het Bob niet kwalijk nemen dat hij woedend was.
Bob had zijn tweede old fashioned naar binnen gegoten, toen ik eindelijk sprak. 'Dat is interessant,' merkte ik zo onverschillig mogelijk op.
Hij verslikte zich bijna in zijn whisky. 'Is dat alles wat je er over te zeggen hebt?'
Hij werd vuurrood en maakte aanstalten om op te staan.
Ik lachte hem bemoedigend toe. 'Blijf zitten, Bob, en houd je jasje maar aan – niemand zal je een strobreed in de weg leggen. Laat ze zich maar met ons associëren, als het niet hoger of lager kan – het blijft een Robert Gordon produktie.'
'Zo is het mij niet verteld!' wierp hij verontwaardigd tegen.
'Maar zo zál het gebeuren en als het ze niet bevalt dan kunnen ze vertrekken.'
Hij ging weer zitten en nam peinzend een teugje van zijn whisky. 'Is het soms een valstrik, Johnny?'
Ook dit was Hollywood. Valstrikken waren hier aan de orde van de dag en menigeen had er zijn ziel en zaligheid voor over om iemand die hij niet kon zetten financieel de nek om te draaien.
'Een valstrik waar we een miljoen dollar mee moeten vangen,' glimlachte ik.
De lach brak plotseling weer door op zijn gezicht. 'Ik had ook wel beter kunnen weten, Johnny. Het spijt me dat ik me zo heb laten gaan.'
'Geeft niets, Bob,' troostte ik. Ik kon het me veroorloven edelmoedig te zijn, want het kostte me niets.
'Wat ben je van plan?' fluisterde hij, terwijl hij zich over de tafel heen boog.
Ik wierp een blik in het zaaltje en liet mijn stem eveneens dalen. De beste acteurs van ons bedrijf bewogen zich niet altijd op het witte doek. Achter de schrijftafels in onze kantoren werd dikwijls in één minuut meer en beter geacteerd dan in een heel jaar voor de camera's. 'Dit is niet de plaats om er over te praten, Bob, ik zal het je later vertellen.'
Zijn hele gezicht straalde nu en hij blaakte plotseling van zelfvertrouwen. Hij keek uitdagend de zaal in en verwaardigde zich zelfs tegen een paar mensen te glimlachen. Het was verbazingwekkend hoe dit de gehele sfeer in de zaal veranderde.
Tot nu toe hadden de bezoekers op gedempte toon met elkaar gesproken, telkens bezorgde blikken in onze richting werpend. Ze vroegen zich af of wij morgen hun bazen nog wel zouden zijn en ze waren al bezig plannen te maken ingeval dit niet zo zou zijn. Dan moesten ze weer proberen bij anderen in het gevlij te komen, anderen om de tuin te leiden. Sommigen

zouden misschien zelfs een andere baan moeten zoeken. Maar nu zagen ze plotseling aan Gordons gezicht dat ze weer voor een poosje veilig waren.

Ik keek over Gordons hoofd heen naar de deur. Ronsen, Farber en Roth waren juist binnen gekomen. Zodra Ronsen me zag, stevende hij recht op me af. Farber liep naast hem en waar ze niet tegelijk konden passeren, liet hij Farber eerbiedig voorgaan. Dave liep als een dwergpinchertje achter zijn bazen aan.

Ik moest hardop lachen toen ik hen zo zag aankomen. Peter had gelijk – Ronsen kroop voor Farber en hij deed niet eens moeite het te verbergen. Ronsen was wel een beetje veranderd sedert hij Peter er uit had weten te werken. Hij was destijds een en al zelfvertrouwen en zelfingenomenheid. Ik wist nog goed wat hij zei: 'De grote fout is dat alles veel te veel van de mensen in de studio afhangt en er te weinig vertrouwen is in het goede, oude principe van 'zakendoen'. En het is toch allemaal heel eenvoudig. De studio is eigenlijk niets anders dan een fabriek. Alles wat je te doen hebt is films fabriceren, ze op de markt brengen en ze zien kwijt te raken. Dat zal van nu af mijn taak zijn: de producenten tonen hoe hun zaak eigenlijk gedreven moet worden. Het zal niet lang duren of Magnum Pictures loopt even gesmeerd als de Ford Motor Company.'

Ik schoot bijna in de lach toen ik aan deze woorden van hem dacht. De Ford Motor Company! Het eerste wat hij deed was proberen onze contracten met de Staten te verbreken. In plaats daarvan brak hij ons bijna de nek. Negen weken lang werd er geen opname gemaakt. Hij liep als een waanzinnige door de studio en tierde aan een stuk door over deze 'Communistische Terreur'. Het hielp hem echter niet veel. En eindelijk, in de laatste week van de staking, toen alle bioscoopexploitanten van de gehele Verenigde Staten weigerden ook maar één film van ons in hun theaters te vertonen en ons faillissement voor de deur stond, bond hij in en kon ik de boel weer op poten gaan zetten.

Peter had gelijk. Ze moesten ten slotte altijd weer met hangende pootjes bij ons terugkomen. Misschien kwam dat omdat wij niets te verliezen hadden en zij alles. Wij waren met niets begonnen – we konden ons daarom veroorloven ook met niets te eindigen. Wij wisten dat het gehele bedrijf op een doodgewone gok berustte. We wisten ook dat elke film die we maakten een gok was en als rechtgeaarde gokkers stelden we ons niet tevreden met maar rustig op het resultaat van die ene waaghalzerij te wachten. Voordat de film op de trein ging, gokten we op de goede ontvangst en zetten meteen nog hoger in, een nieuwe gok – en zo bleven we draaien.

Maar dat konden zij zich niet veroorloven. Ze begonnen met hun zakken vol dollars, met geld dat ze sedert hun jeugd hadden gehad en dat hun vaders vóór hen hadden bezeten en als ze dat verspeelden dan wisten ze zich geen raad meer. Als er gevaar dreigde dan kwamen ze bij ons om raad.

Bij hun nadering stond ik op en keek eerst naar Stanley. De jaren hadden hem maar weinig veranderd. Zijn haar was een beetje grijs geworden en zijn wat bol gezicht had het voorbeeld van zijn buikje gevolgd, maar het had zijn eeuwige glimlach, waaraan alle warmte ontbrak, nog niet verloren. Zijn ogen deden je nog altijd denken dat ze voortdurend aan het optellen en aftrekken waren. Nee, hij was niet veel veranderd en ik had weer hetzelfde gevoel als vroeger, wanneer ik hem ontmoette: als een kat die de verkeerde kant op wordt geaaid – ik mocht hem niet.

Larry Ronsen nam het woord. 'Goeden middag, Johnny,' zei hij met zijn diepe, krachtige stem, die tot in de verste hoeken van de zaal moest doordringen. 'Je kent Stanley geloof ik al?'

Alle ogen in de zaal waren op ons gericht. Ik stak hem glimlachend de hand toe. 'Ja zeker, en ik zou hem overal herkennen.' We drukten elkaar de hand. Ook dit was nog hetzelfde – zijn hand gaf je een gevoel alsof je een dode vis oppakte. 'Hoe is het, kerel,' vervolgde ik hartelijk, 'blij je te zien.'

Zijn gezicht was een beetje bleker dan gewoonlijk, maar in zijn ogen was een onmiskenbare glans – die van de overwinnaar. 'Johnny! Dat is jaren geleden!'

Ik liet zijn hand los en we stonden elkaar daar glimlachend aan te zien. Iemand die niet beter wist zou denken dat we oude vrienden waren, die elkaar in lang niet hadden gezien. En intussen zouden we elkaar met genoegen de strot hebben afgebeten.

'Gaat u zitten, heren.' Ik wees uitnodigend op de stoelen om het tafeltje. Er stonden er echter maar vier en aangezien Bob en ik al zaten, waren er nog maar twee vrij. Larry ging rechts van me zitten en Stanley plofte aan mijn linkerhand neer. Dave zag zich daardoor gedwongen te blijven staan en om zich heen te kijken naar nog een stoel.

Ginny, die hem zag staan, maakte aanstalten er een voor hem te halen, maar ze ving mijn blik op. Ze lachte ondeugend en verdween in de keuken.

Dave stond intussen met een rood hoofd om zich heen te kijken of niemand hem een stoel kwam brengen en wist kennelijk met zichzelf geen raad. Hij keek me smekend aan. Ik knikte hem vriendelijk toe. 'Zoek een stoel, mijn zoon, en ga zitten,' ried ik hem op gemoedelijke toon aan. Ik glimlachte verontschuldigend tegen de anderen. 'Wat die kelnerinnetjes toch mankeert – ze zijn er nooit als je ze nodig hebt.'

Dave zag zich genoodzaakt de zaal in te gaan en zich daar een stoel te

halen. Ik keek hem met een vaderlijke blik na en zei, zo luid dat het in de hele zaal verstaanbaar moest zijn, tegen Stanley: 'Flinke jongen, die neef van je. Hij doet me aan jou denken, zoals je vroeger was. Hij zal het ver brengen, als hij in het begin niet te hard van stapel loopt.'
Ik gluurde van terzijde naar Stanley en zag hem tot mijn genoegen vuurrood worden. Toen keek ik weer naar Dave. Het was alsof hij gedurende een fractie van een seconde bleef staan, toen mijn woorden hem bereikten; hij zag erg bleek, toen hij met een stoel terugkwam en bij ons ging zitten.
Ik keek Stanley aan. 'Je ziet er goed uit, kerel! Een beetje dikker geworden, als ik me niet vergis?'
Ik herinnerde me niet veel van het gesprek dat volgde. Ik moest aldoor denken aan de laatste keer dat Stanley en ik samen aan een tafeltje hadden gezeten; die keer dat hij bij me was gekomen met het voorstel dat wij ons zouden associëren en Peter eenvoudig aan de kant zouden zetten. Het was trouwens helemaal niet zo lang geleden. Maar vijftien jaar. Het was in 1923.

Het mannetje stond langzaam op. Zijn blauwe ogen schitterden; de rand grijzend haar, die hem was overgebleven, stond als een staalborstel om zijn glimmende schedel. Hij sprak met een zwaar Duits accent.
'Ik denk dat het zo wel gaat, mijnheer Etch.'
Ik keek naar mijn benen. Het waren er twee. Het ene was van mij en had de normale kleur van elk menselijk lichaamsdeel. Het andere was niet van mij. Het was van hout en de gewrichten waren van aluminium. Het paste precies om de stomp van mijn been en was met twee riemen bevestigd. De ene riem zat om mijn dij en de andere zat aan een leren gordel om mijn heupen. Ik keek hem ongelovig aan.
Hij las mijn gedachten. 'Maakt u zich maar niet ongerust, mijnheer Etch,' haastte hij zich me gerust te stellen, 'het zal u best bevallen. Trek uw broek aan, dan proberen we het meteen.'
Plotseling verlangde ik vurig het te proberen. Als het lukte dan kon ik weer lopen! Dan zou ik weer net als andere mensen zijn. Het was bijna niet te geloven!
'Kan ik het niet meteen proberen, zonder die broek?'
Hij schudde het hoofd. 'Nee, eerst de broek, geloof me maar. Ik weet er alles van. Als u uw broek niet aan hebt, dan kijkt u er naar, maar u moet er juist niet aan denken.'
Ik trok mijn broek dus aan en hij hielp me met de bretels. Daarop rolde hij een zonderling wagentje naar me toe. Het leek het meest op zo'n toestelletje waarmee ze baby's leren lopen; het was alleen veel hoger. Het bestond uit twee evenwijdige, horizontale stangen, die op vier verticale

stangen rustten. Onder elk van de vier opstaande stangen was een klein, rubber wieltje.
'Kijk, mijnheer Etch,' verklaarde hij, 'u houdt u aan deze twee stangen vast en trekt u er aan op.'
Ik greep de stangen en trok me op. De kleine man bleef vlak bij me staan.
'Steun met uw oksels op de stangen,' beval hij.
Ik gehoorzaamde.
'En nu,' vervolgde hij, terwijl hij naar de andere kant van de kamer liep, 'komt u naar me toe.'
Ik keek naar mijn benen. Mijn broekspijpen hingen alle twee recht naar beneden. Het was een zonderling gezicht – alle twee. Een uur geleden reikte er nog maar een tot op de grond – de andere was opgespeld tegen mijn dij.
'Kijk niet naar beneden, mijnheer Etch,' zei hij op scherpe toon. 'Ik zei: 'Kom naar me toe'.'
Ik keek weer naar hem en deed aarzelend een stap. Het wagentje rolde en ik zou voorover gevallen zijn als de stangen me niet hadden tegengehouden.
'Niet stilstaan, mijnheer Etch! Doorlopen!'
Ik deed nog een stap en toen nog een en nog een. Ik had wel duizend mijl kunnen lopen. Het wagentje rolde trouw met me mee. Ik stond voor de kleine man.
Hij legde zijn handen op de stangen en hield het wagentje tegen. 'Ho, niet verder!' Hij knielde naast me neer en trok de riem om mijn dij wat vaster aan. Toen richtte hij zich op en liep achteruit de kamer door. 'Loop nu achter mij aan.'
Langzaam volgde ik hem. Hij bleef maar steeds in een wijde cirkel achteruit lopen en ik volgde hem trouw. Hij keek niet één keer achterom, maar hield zijn ogen onafgewend op mijn benen gevestigd.
Ik begon moe te worden. Ik kreeg scheuten door mijn dijen en ik had pijn in mijn schouders van het zware rusten op de stangen. De gordel om mijn heupen sneed me bij elke ademtocht in het vlees. Eindelijk bleef hij staan.
'Zo is het genoeg, mijnheer Etch. Gaat u maar zitten, dan nemen we het been nu af. Binnen een maand loopt u als ieder mens.'
Ik viel hijgend op een stoel neer. Ik maakte mijn broek los en hij trok hem uit. Daarop maakte hij vlug de riemen los en het been gleed op de grond. Nu begon hij met vaardige hand mijn dijen te masseren.
'Pijn?' vroeg hij.
Ik knikte.
'Dat is altijd zo in het begin. Maar dat wordt met de dag minder.'
De kracht, die het kunstbeen me gegeven scheen te hebben van het ogen-

blik af dat ik het onder mij voelde, ebde weg zodra het op de grond gleed.
'Ik zal er nooit aan wennen,' zei ik verdrietig, 'ik zal het nooit langer dan een paar minuten achtereen aan kunnen hebben.'
Hij trok zijn ene broekspijp op en keek me aan. 'Als ik het heb kunnen leren, mijnheer Etch, dan zal een jongeman zoals u er zeker geen moeite mee hebben.'
Ik keek verbijsterd naar zijn been. Het was een kunstbeen. Toen keek ik hem aan. Hij glimlachte en plotseling lachte ik hardop.
'U ziet het, het is niet zo erg als het lijkt.'
Ik knikte dankbaar.
'Ik zei tegen mijnheer Kessler, toen hij in Duitsland was, dat dit het was, wat u moest hebben,' vervolgde hij. 'Herr Heink,' zei hij tegen me, 'als u het zegt dan is het zo. Als u die vriend van mij kunt leren lopen, dan zal ik zorgen dat u met uw hele gezin naar Amerika kunt komen.' En ik zei tegen hem: 'Herr Kessler, ik ben al zo goed als een Amerikaans burger'.'
Ik knikte hem toe. Het leven leek me plotseling weer de moeite waard. Zo druk bezet als Peter geweest was, had hij toch nog de tijd gevonden aan mij te denken. Het zou heel wat makkelijker voor hem geweest zijn rustig bij zijn zaken te blijven, in plaats van een verre reis te ondernemen naar het stadje waar, naar hij vernomen had, Herr Heink woonde. Maar Peter had de tijd er af genomen, ofschoon het zijn zaken een week had vertraagd.
Toen hij Herr Heinks prachtige resultaten met eigen ogen gezien had, zond hij hem met zijn gehele gezin naar Amerika en betaalde hun reis, want dit was de prijs die Herr Heink hem vroeg. En mij had hij niets van dit alles geschreven. Hij wist van de teleurstellingen die ik had gehad met de kunstbenen die hier vervaardigd werden. Het waren helemaal geen benen. Het waren plompe, onwrikbare palen.
Ik hoorde voor het eerst van Herr Heink toen deze naar mijn kantoor kwam en Jane me zijn visitekaartje liet afgeven, met een briefje van Peter er bij. Het briefje luidde heel eenvoudig als volgt: 'Deze heer is Herr Joseph Heink, die naar de Verenigde Staten is gekomen om hier een zaak te beginnen. Hij vervaardigt kunstledematen. Misschien kan hij je van dienst zijn. Peter.'
Geen woord over de kosten, die hij hiervoor gemaakt had. Pas later hoorde ik van Herr Heink wat Peter voor me had gedaan.
Herr Heink moest wel een zeer bekwaam vakman zijn. Het zat hem in de wijze waarop de scharnieren werkten. Vanzelf, net als bij je eigen benen. Je kon zonder enige moeite alle noodzakelijke bewegingen maken. Ik zou nooit geloofd hebben dat de man zelf een kunstbeen had, als hij het me niet had laten zien.

Peter was nog in Europa. Doris en Esther waren met hem meegegaan. Ze zouden daar nog zes maanden blijven en de hele zaak dreef nu op mij. Ik stond op en leunde op mijn krukken.
'U komt morgenochtend terug, mijnheer Etch,' beval het mannetje. 'Dan krijgt u weer les.'
Toen ik terugkwam op mijn kantoor zat Rocco al naar me uit te kijken.
'Hoe is het gegaan?'
Ik lachte blij. 'Goed. Ik geloof dat dit het is.'
'Prachtig!'
Ik ging achter mijn schrijftafel zitten en hij zette mijn krukken tegen de muur. 'Nog wat bijzonders geweest vanmorgen?' vroeg ik.
'Niets van belang,' antwoordde hij. Hij liep naar de deur om weg te gaan, maar kwam toen weer terug. 'O ja, Farber heeft opgebeld en gevraagd of je vrij was voor de lunch.'
'Wat heb je gezegd?'
'Dat ik het niet wist en dat je er nog niet was.'
Ik dacht even na. Ik mocht Farber niet – waarom, dat wist ik zelf niet. Hij deed zijn werk goed, maar hij had iets over zich dat me afstootte. Misschien kwam het ook nog wel door die brief die hij me had geschreven, vlak voordat ik in dienst ging – waarin hij me bedankte voor een baan die ik hem nog niet had gegeven. Maar George had gezegd dat het goed was en daarom liet ik het maar zo. Ik stond op het punt te vertrekken en schonk er verder niet veel aandacht aan. Maar nu dreef hij al onze theaters en dat waren er tweehonderd. George had zijn handen vol aan zijn eigen theaters en het was logisch dat Farber zich met de theaters bemoeide, die we samen hadden.
'Weet je wat hij van me wil?' vroeg ik.
Rocco schudde het hoofd.
Ik dacht even na. 'Verduiveld,' bromde ik, 'ik kan het beter maar meteen doen, anders blijft hij toch zaniken. Zeg hem maar dat hij me om halftwee op de club kan vinden.'
Rocco verdween. Door de gesloten deur heen hoorde ik hem met Jane praten.
Stanley stond al op me te wachten toen ik de vestibule van de club binnenkwam. Hij had nog iemand bij zich – een grote, zware man, met staalgrijs haar en blauwe ogen.
Hij trad met uitgestoken hand op me toe. 'Goeden middag, Johnny, hoe gaat het?' Het klonk een beetje te luid om ongedwongen te zijn.
Ik wist mijn gelaat tot een glimlach te bewegen en vroeg me af waarom hij zo zenuwachtig was. 'Met mij goed, Stan,' antwoordde ik. 'Hoe is het met jou?'

'Beter dan ooit,' antwoordde hij, met dezelfde geforceerde lach.
Ik zei verder niets, maar leunde gemakkelijk op mijn krukken. Ik keek hem daarbij enigszins verwonderd aan. Zijn gezicht verstrakte, alsof hij zich zijn dwaas gelach plotseling bewust werd. 'Johnny, ik zou je graag aan mijn zwager voorstellen.' Hij wendde zich tot de andere man. 'Sid, dit is Johnny Edge, over wie ik je heb verteld.' En mij aanziende, vervolgde hij: 'Mijn zwager, Sidney Roth.'
Wij drukten elkaar de hand. Zijn handdruk deed me aangenaam aan. Deze was flink, mannelijk. Ook de manier waarop de man me aankeek, beviel mij – rechtuit, eerlijk.
'Blij u te leren kennen, mijnheer Roth,' zei ik.
Zijn stem was ongewoon zacht voor zo'n fors iemand.
'Het genoegen is geheel aan mijn kant, mijnheer Edge.'
Stanley trad op een tafeltje toe. 'Zullen we gaan eten?' stelde hij voor, met dezelfde schaapachtige lach als straks.
Ik volgde hem, me afvragend wat hem er in hemelsnaam toe bracht met mij te willen lunchen. Ik behoefde niet lang te gissen. Stanley stak van wal toen de soep op tafel stond.
'Je zit al lang in het filmbedrijf, is het niet, Johnny?'
Ik keek hem onderzoekend aan. Hij wist even goed als ik hoe lang ik al in het bedrijf zat, maar ik wilde niet onbeleefd zijn en daarom antwoordde ik: 'Vijftien jaar – sedert 1908.' Ik was er plotseling zelf verbaasd van. Ik kon me haast niet voorstellen dat het al zo lang was.
'Heb je er eigenlijk wel eens over gedacht om voor jezelf te beginnen?' vervolgde Stanley.
Ik schudde het hoofd. 'Ik heb altijd het gevoel gehad dat het mijn eigen bedrijf was.'
Stanley wierp zijn zwager een blik van verstandhouding toe. 'Wat heb ik je gezegd?' zei die blik. Hij keek onmiddellijk weer naar me. 'Om een geheel nieuw bedrijf te stichten of een ander over te nemen, bedoel ik.'
'Nee,' antwoordde ik. 'Daarvoor heb ik geen enkele reden – ik heb het altijd uitstekend met Kessler kunnen vinden.'
Stanley wachtte even, alsof hij naar een nieuw aanloopje zocht. Hij had het weldra gevonden. Hij sprak nu op gedempte toon. 'Naar wat ik alzo gehoord heb, ben jij eigenlijk de man geweest, die de ideeën had. Alles wat hij gedaan heeft, geschiedde op jouw aanraden. Hij heeft zijn succes aan jou te danken.'
Deze wending van het gesprek beviel me in het geheel niet, maar ik liet niets blijken. Ik moest weten wat hij eigenlijk van me wilde. 'Dat zou ik niet durven beweren, Stan,' zei ik op luchtige toon, 'we hebben allemaal ons best gedaan.'

Hij lachte schamper. 'Je moet niet zo bescheiden zijn, Johnny – we zijn vrienden onder elkaar. Iedereen weet dat jij het werk doet en dat Peter met de eer en de centen gaat strijken.'
'Ik ben er zelf ook niet slecht bij gevaren,' protesteerde ik zachtzinnig.
'Het zal wat zijn, in vergelijking met wat hij er uit heeft gehaald!' Stanley wuifde afwerend met de hand. 'Weet je wel dat hij miljonair is? En toen je hem leerde kennen was het een ijzerhandelaartje in een provinciestadje.'
Ik veinsde belangstelling en boog me over de tafel heen, als om hem beter te kunnen verstaan.
Hij wierp zijn zwager weer een veelbetekenende blik toe. 'Vind je niet dat het langzamerhand tijd wordt dat je je rechtmatig deel eens krijgt?' vroeg hij plotseling op de man af.
Ik hief met een hulpeloos gebaar de handen op. 'Hoe?'
'Iedereen weet dat Kessler precies doet wat jij zegt. Het is dus doodeenvoudig. Zijn lening bij de Bank of Independence vervalt dit jaar en zoals gewoonlijk zal hij wel weer een hernieuwing vragen. Waarom stel je hem niet voor een aandeel in de zaak te verkopen, in plaats van een nieuwe lening te sluiten?'
Ik hield me van den domme. 'Wie zou daar het geld voor hebben?'
'Mijn zwager zou wel een compagnonschap willen aangaan van vijftig procent.'
Ik keek naar de heer Roth. Hij had gedurende ons gehele gesprek geen woord gezegd. 'En waar blijf ik dan?' vroeg ik zachtzinnig.
'Bij ons – als we ons samen met even grote aandelen inkopen, dan kan ik Pappas' aandeel in de theaters nog kopen. Dat geeft ons automatisch de leiding over alle theaters. Als we dat eenmaal hebben is het maar één stap naar de leiding over het hele bedrijf.'
Ik leunde achterover in mijn stoel en keek hem met een niets-zeggend gezicht aan. Stanley was plotseling hevig opgewonden. 'Ik zeg je dat we het redden, Johnny! Met wat jij van de filmproduktie weet en ik van de theaters, kunnen we een fortuin maken!' Hij hield een lucifer tegen de sigaret, die ik tussen mijn lippen had gestoken. 'En in minder dan geen tijd zullen we Kessler er uit gewerkt hebben!'
Ik inhaleerde diep en keek hem doordringend aan. Daarop keek ik zijn zwager aan. De wat bejaarde man doorstond mijn blik. 'Mijnheer Roth, in wat voor soort zaken zit u?' vroeg ik plotseling.
'In oud ijzer,' antwoordde hij bedaard.
Mijn stem klonk even kalm als de zijne. 'Het moet u wel aardig goed zijn gegaan, dat u hier vier miljoen dollar in zou kunnen steken.'
Hij haalde de schouders op. 'Niet slecht,' antwoordde hij ontwijkend.

'Het moet aardig goed zijn,' hield ik hardnekkig vol.
'Er was in de oorlog een massa in te verdienen,' gaf hij luchtig toe. 'Het is nu niet meer zo best, maar het gaat toch nog wel.'
Ik keek een ogenblik zwijgend van de een naar de ander. 'Wat denkt u van een dergelijk plan, mijnheer Roth?'
Hij haalde gewild onverschillig de schouders op. 'Het klinkt heel goed, mijnheer Edge.'
Ik wuifde afwerend met de hand. 'Ik heb het niet over de financiële kant, mijnheer Roth. Ik bedoel de morele kant.'
Zijn lippen plooiden zich langzaam tot een glimlach en er kwam een warme blik in zijn ogen. 'De morele kant is uw zaak, niet de mijne, mijnheer Edge.' Hij legde zijn handen voor zich op tafel en bekeek ze aandachtig. 'Wat denkt ú er van?'
Ik leunde op mijn gemak achterover in mijn stoel. Mijn gezicht bleef effen en ik keek de twee mannen vast in de ogen, maar ik was zelf verrast over het venijn in mijn stem. 'Ik vind dat het ten hemel schreit, mijnheer Roth.' Ik boog me voorover. 'En als u die vuige verrader niet van mijn tafel wegsleept, dan zal ik hem met mijn eigen handen wurgen.'
Stanley vloog overeind. Zijn gezicht was spierwit en zijn stem klonk hees. 'Je bedoelt dat je er niet op in gaat, nadat je me eerst hebt laten denken dat je er iets voor voelde?'
Ik zag dat de gezichten in het restaurant zich in onze richting wendden. Roth bleef mij strak aanzien. Ik keek op naar Stanley. 'Als ik op mijn kantoor kom, verwacht ik je ontslagaanvraag op mijn schrijftafel,' zei ik op ijskoude toon.
Stanley bleef roerloos staan. Ik keurde hem verder geen blik waardig, maar wendde me weer tot Roth. Ik zag dat hij me begrepen had. Stanley wilde nog iets zeggen, maar Roth hief afwerend de hand op. 'Ga vast naar buiten, Stanley,' zei hij kalm, 'en wacht daar op me. Ik wil nog even onder vier ogen met de heer Edge spreken.'
Stanley keek ons beurtelings woedend aan, maar gehoorzaamde toch. We zaten daar lange tijd, zonder een woord te zeggen. We keken elkaar alleen maar aan. Eindelijk nam Roth het woord. 'Ik bied u wel mijn verontschuldigingen aan voor de houding van mijn zwager, mijnheer Edge,' zei hij zacht. 'Ik heb hem er altijd van verdacht dat hij een *schlemiel* was, maar nu weet ik het zeker.'
Ik bleef zwijgen. Ook hij wachtte even en vervolgde toen: 'Ik bied u ook mijn verontschuldigingen aan voor mezelf. Ik schaam me er voor dat ik me hiermee heb ingelaten.'
Ik zei nog altijd niets.
Hij stond op en keek van zijn hoogte op mij neer. Ik keek naar hem op.

Zijn gelaat stond zeer ernstig, bijna stuurs. 'Een man doet veel voor zijn enige zuster, mijnheer Edge. Ik ben ruim twintig jaar ouder dan zij en toen mijn moeder stierf, beloofde ik dat ik voor haar zou zorgen. Ik meende dat ik door de man van mijn zuster te helpen, ook haar zou helpen. Maar ik heb me vergist.' Hij stak me de hand toe.
Ik stond langzaam op en drukte hem de hand. Er was iets verdrietigs in zijn ogen. Toen knikte hij met het hoofd in een soort buiging en ging heen.
Stanley's verzoek om ontslag lag op mijn schrijftafel toen ik weer op mijn kantoor kwam en ik vergat hem nadien. Later hoorde ik dat hij met zijn zwager naar Chicago was teruggekeerd en daar enige theaters had geopend, maar ik schonk er nauwelijks aandacht aan. Ik had het te druk met leren lopen.

Ik keek de tafel eens rond. Larry was nu aan het woord, maar ik wist in de verste verte niet waar hij het over had. Plotseling was ik nieuwsgierig hoe de man het maakte, die ik vijftien jaar geleden slechts eenmaal had ontmoet. Ik keek naar Dave. Het drong nu pas tot me door dat hij de zoon van die man was.
Larry's betoog onderbrekend alsof hij eenvoudig niet bestond, vroeg ik over de tafel heen: 'Hoe maakt je vader het, Dave?'
Mijn vraag verraste hem. Het bloed steeg hem naar het hoofd. 'Wie – eh – bedoelt u *mijn* vader?' hakkelde hij.
Ik lachte hem vriendelijk toe. Larry bleef met open mond zitten, stomverbaasd dat ik hem zo maar in de rede viel. Hij was dat niet gewend. Ik sloeg geen acht op hem. 'Ja,' zei ik tegen Dave, 'je vader. Ik heb hem eenmaal ontmoet – jaren geleden. Een echte gentleman.'
Ik zag dat mijn woorden hem genoegen deden. Zo leek hij heel veel op zijn vader, vond ik ineens. Maar zijn gezicht was niet zo wilskrachtig.
'Mijn vader is dood,' zei hij zacht. 'Hij is twee jaar geleden gestorven.'
Deze mededeling trof me werkelijk en dat zei ik ook. 'Het spijt me oprecht dat we niet de kans hebben gehad elkaar beter te leren kennen,' zei ik. 'Ik geloof dat we goede vrienden zouden zijn geweest.'
Ik keek van Dave naar Stanley en plotseling kwam er een dwaze gedachte in me op. Kunnen mensen die slechts door een huwelijk verwanten worden, op elkaar gaan lijken? Ze hadden beiden dezelfde zelfzuchtige, sensuele trek in hun gezicht. Hun mond was rond en klein en verwend.
Plotseling begon ik echter te glimlachen. Ik wendde mijn blik van Dave af en keek weer naar Stanley. Hij zag er uit alsof hij zich niet op zijn gemak voelde. En eensklaps ging me een licht op. Waar maakte ik me in 's hemelsnaam bezorgd over – hij was niet de man die hij graag wilde

schijnen. Het wás helemaal zijn geld niet – het was het geld van zijn vrouw! Hij had al dat geld niet bij elkaar weten te krijgen – zijn vrouw had het twee jaar geleden van haar broer geërfd. Zij en Dave. Daarom hielp Stanley zijn neef zo graag vooruit.
Ik begon plotseling hard te lachen. Ze keken me aan of ik gek geworden was. Maar ik bleef lachen. Het zou helemaal zo'n zware strijd niet worden als ik had gedacht!

DERTIG JAREN 1923

Johnny hield zijn hand op de microfoon en keerde zich om naar Rocco: 'Rij de wagen voor – ik kom zodra ik met Peter klaar ben.'
Rocco knikte en verliet zacht het kantoor.
Johnny nam zijn hand weer van de microfoon en vervolgde zijn gesprek met Peter. Hij sprak op kalmerende, overredende toon. Peter zat weer eens te mopperen over Will Hays, die de filmmaatschappijen tot voorzitter van hun Bond hadden gekozen, en ditmaal maakte hij zich al bijzonder dik. Volgens hem betekende Will Hays de wisse ondergang van de hele filmindustrie. 'Je moet het toch heus niet zo somber zien, Peter,' probeerde Johnny hem een beetje op te beuren, 'Hays doet zijn best om de hem gestelde taak zo goed mogelijk te volbrengen, maar het is een bijzonder zware en weinig benijdenswaardige taak. De filmindustrie heeft een enorme omvang gekregen en de ogen van de hele wereld zijn er op gevestigd; daardoor staat hij aan alle mogelijke kritiek bloot, waar wij voor gevrijwaard blijven, en hij doet het natuurlijk nooit goed. En jullie hebben de M.P.P.D.A. gevormd om jezelf te beschermen . . .'
Peter viel hem bruusk in de rede. 'Maar weet je dan niet wat hij van ons verlangt? Hij wil nota bene dat wij hem precies op de hoogte houden van wat er bij ons omgaat! Je kunt je zeker wel voorstellen wat Laemmle, Fox en Mayer zouden doen als ze wisten dat Magnum alleen in New York al een omzet heeft van twee miljoen per jaar en dat nog wel grotendeels in hún theaters. Ze zouden eenvoudig geen film van ons meer vertonen en als ze dat dan al deden, dan zouden we toch in geen geval onze prijzen nog kunnen maken. Je behoeft me niets te vertellen – ik vertrouw ze voor geen cent!'
'Maar dat kunnen ze immers niet?' suste Johnny. 'Wij vertonen hún films immers in ónze theaters? We zouden ze met gelijke munt betalen. En bovendien spreekt het toch vanzelf dat alle gegevens die hij krijgt strikt

geheim blijven en dat alleen de statistieken van de totale industrie bekend worden gemaakt. De maatschappijen komen niets over elkaar te weten, daar behoef je je heus niet ongerust over te maken.'
Peter bromde wat in zijn baard. 'Nou, voor mijn part. Maar bevallen doet het me niets. Volgens mij had Hays maar beter brievenbesteller kunnen blijven.'
Johnny schoot in de lach. Hij zag de directeur-generaal der posterijen al met een tas brieven door de straten van New York lopen. Hij veranderde van onderwerp. 'Hoe staat het met de produktie? Zoals je weet is Paramount zojuist uitgekomen met 'The covered Wagon' en Universal met 'Hunchback of Notre Dame'. En Pathé vertoont momenteel de film 'Safety Last', met Harold Lloyd. Alle drie uitstekende films. Het wordt tijd dat wij ook weer eens met iets goeds voor den dag komen.'
Peters stem klonk somber. 'Daarmee zit ik ook al in de knel. Ik kom terug uit Europa met een flinke dosis energie om aan het werk te gaan en er is hier geen opname te maken. Films die al lang klaar hadden moeten zijn liggen er nog net zo. Ik kan hier geen minuut gemist worden, Johnny, en ik kan evenmin op vijftien plaatsen tegelijk zijn. Ik zou een kerel moeten hebben als Mayer bij de Metro, of als Thalberg; mensen die de studio niet kalmweg in slaap laten vallen zodra ik mijn hielen heb gelicht.'
'Zie dan dat je zo iemand krijgt,' ried Johnny hem lakoniek aan. 'We moeten nieuwe films hebben.'
'Wat je zegt,' smaalde Peter. 'Of je de Thalbergs hier van de sinaasappelbomen kunt plukken! Jij hebt makkelijk praten, Johnny. Jij zit daar maar rustig in New York en je steekt je neus niet buiten je kantoor. Je hebt geen flauw idee met wat voor problemen we hier zitten. Wij moeten zien dat we veertig films per jaar produceren!'
'Dat weet ik wel,' kwam het kalme antwoord uit New York, 'maar als ik hier kans zie om ze te verkopen, dan moet jij kans zien om ze te maken.'
Peters stem sloeg over van drift. 'Als je dat dan zo goed weet, waarom kom je dan niet naar Californië om een handje te helpen? Het is makkelijk genoeg om in New York op je achterste te blijven zitten en te vertellen hoe het wel en niet moet, maar als je hierheen kwam zou je wel anders piepen!'
Nu werd het Johnny toch te bar. 'Best, als jij dat wenst, dan kom ik naar Californië, al is het vandaag nog!'
'Dat is goed, kom hierheen. Je moet dan maar eens met eigen ogen zien waar ik hier mee te kampen heb. Dan zul je misschien een beetje meer waardering hebben voor wat ik nog klaarspeel. Wanneer kun je uit New York weg?'
Johnny dacht snel na. Hij had een paar weken nodig om orde op zijn

zaken te stellen. 'Wat dunkt je van begin volgend jaar?' stelde hij voor.
'Over een week of vier dus. Dat is uitstekend.'
Er heerste een ogenblik stilte aan beide kanten van de lijn. Ze schaamden zich allebei een beetje over hun heethoofdigheid. Ten slotte schraapte Peter zijn keel en vervolgde op heel andere toon: 'Ik ben blij dat je komt, Johnny. Het zal weer net zijn als vroeger. Als er moeilijkheden zijn kunnen we ze ten slotte toch altijd maar het beste samen oplossen.'
'Ik hoop werkelijk dat ik je kan helpen, Peter,' antwoordde Johnny hartelijk.
'Je kunt me helpen, daar ben ik van overtuigd,' verzekerde Peter hem. 'Ik zal Esther zeggen dat je in aantocht bent, dan kan ze je kamer vast in orde maken.'
'Zeg haar maar dat ze zorgt voor kippesoep en *knedloch*!'
'Ik zal de boodschap overbrengen,' beloofde Peter.
Ze spraken nog even en eindigden toen het gesprek. Johnny keerde zich om in zijn stoel en keek peinzend uit het raam. Het was gaan sneeuwen en er lag al een wit waas over de daken van de lagere gebouwen. Hij liep naar de vestiaire en trok zijn overjas aan.
In gedachten verzonken verliet hij zijn kamer. Sinds Peter uit Europa terug was, had hij aldoor wat te mopperen en zijn stem klonk vermoeid en wrevelig. Hij had daar in Europa een berg werk verzet. Magnum Pictures was langzamerhand wereldberoemd geworden. Ze hadden nu kantoren in Engeland, Frankrijk, Italië, België, Zwitserland, Spanje en nog verscheidene andere landen in Europa. Ze hadden filialen in Azië, het Nabije Oosten en in Zuid-Amerika en Magnum kon zich beroemen op de grootste uitvoer naar alle landen ter wereld. En dit enorme werk was door één man gedaan: Peter.
Geen wonder, dat hij dodelijk vermoeid was. Hij had doorlopend achttien uur per dag gewerkt en toen hij eindelijk naar huis kon terugkeren moest hij merken dat daar alles spaak was gelopen. Het was een veel te zware taak geweest voor één man en toch had hij het klaar gespeeld en bovendien nog tijd gevonden om aan Johnny te denken.
Johnny keek naar zijn been. Als je het niet wist, dan kon je absoluut niet zien welk van de twee het kunstbeen was. Midden in al zijn werk had Peter nog de moeite genomen om dat grappige, kleine kereltje naar Amerika te sturen, dat hem weer had leren lopen. Johnny schudde het hoofd. Een man deed dat niet allemaal voor een jongere vriend als hij hem niet als zijn eigen zoon beschouwde. Toen hij bij de auto kwam, had Rocco de motor al aangezet. Johnny opende het voorportier en ging naast hem zitten. Hij keek achterom, naar de achterbank. Daar zat Jane, diep weggedoken in de kraag van haar mantel.

'Ben je lekker warm, Jane?'
Ze knikte.
Rocco bracht de wagen op gang. 'Wat had de oude baas?' vroeg hij Johnny.
'Hij wil dat ik naar Californië kom om hem een handje te helpen.'
Rocco gaf geen antwoord.
Johnny keek hem van terzijde aan. 'Wat is er?'
'Niets,' bromde Rocco.
'Een uitstapje naar de kust is niet zo gek, in deze tijd van het jaar,' merkte Johnny voorzichtig op.
Rocco bleef recht voor zich uit kijken en gaf weer geen antwoord. Johnny sloeg hem nu opmerkzaam gade. 'Wat is er toch, Rock?' herhaalde hij zijn vraag na enige tijd. 'Heb je er geen zin in?'
Rocco bromde iets dat hij niet verstond. Johnny nam een pakje sigaretten uit zijn zak en haalde er twee uit. Hij stak Rocco er een tussen de lippen en nam zelf de andere. Daarop streek hij een lucifer af en hield het vlammetje bij Rocco's sigaret. Toen hij ook zijn eigen sigaret had aangestoken, installeerde hij zich wat gemakkelijker in de verende kussens en rookte enige minuten zwijgend. Iedereen was de laatste tijd uit zijn humeur en nerveus. Zelfs Rock, die anders toch altijd zo evenwichtig was. Hoe kwam dat toch? Hij keek nog eens naar Rocco, die met een effen gezicht achter het stuur zat. Hij zou er maar niet over praten. Als Rocco het niet wilde zeggen, dan kreeg hij het er toch niet uit. En misschien zat het in het weer. Californië zou hem wel opknappen.
De wagen stopte voor de ingang van de schouwburg.
'Jullie moeten maar vast uitstappen, dan ga ik de auto even parkeren,' zei Rocco. 'Ik ben met een paar minuten terug.'
Ze stapten uit en keken hoe hij de lange wagen langs de andere auto's heen manoeuvreerde. Toen hij om de hoek was verdwenen wendde Johnny zich met een bezorgd gezicht tot Jane. 'Wat heeft Rocco toch de laatste tijd?'
Ze keek hem met een vorsende blik aan. 'Begrijp je dat niet?'
Hij schudde het hoofd. 'Nee. Ik weet alleen dat hij de laatste tijd erg prikkelbaar is. Er is iets dat hem hindert, maar ik heb geen flauw idee wat het kan zijn.'
Ze wilde hem juist antwoorden, toen Rocco zich weer bij hen voegde. Ze gingen de schouwburg binnen. Er heerste een drukkend stilzwijgen tussen hen en Johnny liep er juist over te denken hoe hij de situatie zou kunnen redden, toen Jane in de lach schoot. 'Het dringt nu pas tot me door dat we naar Warren Craig gaan kijken – stel je voor, na alles wat er is gebeurd!'

Johnny lachte dankbaar met haar mee. 'Het zou nog grappiger zijn als hij wist dat wij hier vanavond in de zaal zijn. Ik vraag me af wat hij doen zou als we hem na afloop van de voorstelling in zijn kleedkamer gingen opzoeken.'
'Ik vermoed dat hij je er aan je oor weer uit zou zetten,' merkte Rocco langs zijn neus weg op.

Het applaus werd nog luider toen het gordijn langzaam open schoof. Warren Craig stond geheel alleen midden op het toneel. Johnny kon niet nalaten eveneens te applaudisseren. Hij keek even naar Jane. Ook zij klapte opgetogen in de handen.
Ze ving zijn blik op en trok een gezicht tegen hem.
'Ik kan hem nog altijd niet uitstaan,' lachte ze, 'maar . . .'
'Maar toneelspelen kan hij,' vulde Johnny aan.
Hij keek weer naar het toneel. Warren Craig was er met de jaren nog op vooruitgegaan. Hij was tot een man gerijpt, zonder dat hij de charme van de jeugd had verloren. Hij leek evenwichtiger geworden en zijn stem was nog welluidender dan vroeger.
Het gordijn schoof langzaam weer dicht. Het applaus stierf weg en de toeschouwers begonnen de zaal te verlaten. Johnny bleef in gedachten verzonken zitten.
'Zullen we gaan?' stelde Jane voor.
Hij schrok op uit zijn overpeinzingen. Jane keek hem argwanend aan. 'Waar zat je over te denken, Johnny?'
Hij keek haar aan als een schooljongen die op spieken wordt betrapt. 'Je hebt het geraden,' bekende hij.
'O, Johnny!' riep ze uit. 'Begin daar toch niet weer aan!'
'Jawel. Hij is te goed om hem onze neus voorbij te laten gaan. We hebben hem nodig.'
'Hij zal je niet eens willen ontvangen, Johnny!' protesteerde ze.
Hij stond op. 'Ik kan het in elk geval proberen. Ga je mee?'
Ze schudde het hoofd. 'Ik zou je danken. Jij bent misschien vergeten wat Sam en ik met hem hebben uitgehaald, maar hij beslist niet.'
Daar kon Johnny niets tegen inbrengen. Hij keek Rocco aan. 'Zou jij Jane naar huis willen brengen? Ik heb zo'n gevoel dat hij nu misschien voor rede vatbaar is.'
Rocco glimlachte. 'Niets liever dan dat.'
'Ik kom wel alleen thuis,' zei Jane snel. 'Laat Rocco met jou meegaan.'

Johnny begreep haar onmiddellijk en knikte haar toe. 'Maak je over mij geen zorgen, beste meid,' lachte hij, op zijn kunstbeen kloppend. 'Ik kan het best alleen af.'
'Weet je het zeker?'
'Ja, ik weet het zeker.'

Toen ze uit het gedrang bij de ingang van de schouwburg waren, zei Jane tegen Rocco: 'Het was misschien een beetje dwaas van me, maar ik had liever gehad dat hij jou mee had genomen.'
Rocco haalde de schouders op. 'Je hoeft je over hem geen zorgen meer te maken. Hij kan zich nu weer redden.' Ze liepen enige minuten zwijgend verder. Toen vervolgde Rocco: 'Hij heeft niemand meer nodig om hem geestelijk te steunen en ik vraag me af wat ik hier eigenlijk nog doe.'
Ze keek hem onthutst aan. 'Maar Rock, je hebt hier toch een goede baan en Johnny kan je werkelijk niet missen.'
Zijn gezicht stond strak en zelfs een beetje stuurs. Ze begreep er natuurlijk niets van. 'Ik ben daar helemaal niet zo zeker van,' antwoordde hij stroef.
Ze zei niets en hij keek haar even van opzij aan. Ze betrapte hem echter net op die blik en nu zag ze pas hoe verdrietig zijn ogen stonden. Ze legde haar hand op zijn arm. 'Wat is er toch Rock, je bent jezelf niet meer.'
Hun ogen ontmoetten elkaar. Er was een vriendelijke, begrijpende blik in de hare. 'Niets,' weerde hij luchtig af. 'Ik geloof dat ik een beetje uit mijn humeur ben, dat is alles.'
Ze bleef hem echter aanzien en hij las een zacht verwijt in haar ogen, dat hem wonderlijk goed deed. Ze wist dat hij de waarheid niet zei en dat deed haar pijn. Er was dus toch nog iemand die belang in hem stelde. Hij voelde zich de laatste tijd eenzaam en overbodig en de vele dollars voor het weinige werk dat hij deed voelde hij bijna als een belediging. Maar nu leek het ineens allemaal zo erg niet meer. Hij bleef staan en keek haar doordringend aan. 'Interesseert het je werkelijk?'
Ze sloeg de ogen neer. 'Dat weet je heel goed, Rock.'
Haar woorden gaven hem een schok en zijn hart begon plotseling sneller te kloppen. Hij greep haar hand en keek haar diep in de ogen.
Toen liepen ze langzaam weer verder. Het was heel vreemd, maar datgene wat hem eerst zo terneer had gedrukt, was nu ineens niet meer van belang. Een prettig gevoel was dat – haar hand in de zijne. Alsof het zo hoorde. Hij keek haar aan. 'De auto staat hier om de hoek,' zei hij zacht.
Ze glimlachte tegen hem, maar gaf geen antwoord. Ook deze glimlach was iets bijzonders. Ze had hem nog nooit op deze manier aangezien. Misschien was dit allemaal wel veel belangrijker dan het feit dat Johnny hem niet meer nodig had.

Johnny baande zich een weg door de bezoekers in de kleedkamer. Het was een nieuwe schouwburg en deze kleedkamer was veel groter, maar verder was alles nog net als de eerste keer dat hij Warren Craig in zijn kleedkamer had bezocht.
Craig zat zich voor zijn kaptafel af te schminken en keek onderwijl in de spiegel naar de mensen in de kamer achter hem. Ook hier was hij het middelpunt van de belangstelling.
Johnny wist zeker dat Craig hem had gezien, maar omdat hij geen enkel blijk van herkenning gaf, liep hij naar een stoel aan de andere kant van het vertrek en ging rustig zitten wachten. Hij stak een sigaret op en keek eens om zich heen.
Ook de bezoekers waren nog precies als vroeger. Toen Craig eindelijk opstond en zich omkeerde, drongen ze allemaal om hem heen. Verscheidene dames gaven hem haar programma om het door hem te laten tekenen en allen feliciteerden zij hem opgetogen met zijn succes. Craig had voor ieder een vriendelijk woord en een glimlach. Hij was in zijn element.
Johnny wendde zijn blik af van het toneeltje voor de kaptafel en keek de corridor in. De deur stond wijd open en hij kon van hier uit de deuren van de andere kleedkamers zien. Uit een er van kwam juist een jonge vrouw. Ze bleef in de deur staan alsof ze er over stond te denken welke kant ze uit moest en kwam toen naar de richting van Craigs kleedkamer. Ze stapte licht en veerkrachtig en in het zachte, gedempte licht in de corridor had zij iets doorschijnends, iets vrouwelijks en teers. Even, heel even leek het Johnny alsof hij dwars door de nauwsluitende jurk kon kijken die ze droeg, alsof hij de soepele lijnen van haar dijen kon zien, de ronding van haar borsten.
Ademloos staarde hij naar haar toen ze de kleedkamer binnentrad. Nu ze in het volle licht kwam, zag hij wel dat ze geen etherisch wezen van een andere planeet was, maar toch in elk geval een buitengewoon knappe jonge vrouw. Het goudblonde haar hing in glanzende golven los om haar schouders en haar bewegingen waren gracieus als die van een danseres. Ze bleef even in de deur staan om aan het felle licht in de kleedkamer te wennen en trad toen op Craig toe.
Johnny kon zijn ogen niet van haar afhouden. Ze was anders dan andere vrouwen, maar hij zou niet meteen kunnen zeggen waar dit nu eigenlijk aan lag. Plotseling wist hij het echter. De slanke lijn en de jongenskop waren bezig de wereld te veroveren en er was praktisch geen vrouw die zich tegen de strenge voorschriften van de mode durfde te verzetten. Zij scheen daar echter niet aan mee te doen. Ze had een figuur zoals een vrouw dat hoort te hebben, slank, maar toch gevuld, met vrouwelijke vormen, en haar haar viel in grote, grove krullen tot op haar rug.

Haar diepe, welluidende stem deed aan die van Warren denken en ofschoon Johnny aan de andere kant van de kleedkamer zat, kon hij woord voor woord verstaan wat ze zei. Het was een geoefende stem en hij begreep hieruit dat ze actrice was.
'Warren,' zei het meisje, 'Cynthia komt een beetje later. Ze is nog niet helemaal klaar.'
Craig knikte haar toe. 'Zeg maar dat ik op haar zal wachten, Dulcie.'
Het meisje keerde zich om en verliet de kleedkamer. Johnny keek haar zo lang mogelijk na. De indirecte verlichting in de corridor speelde weer het geheimzinnige spel van licht en lijnen en weer was het alsof zij daar als een fee uit een sprookje door de gang zweefde.
Johnny wendde zich met een ruk weer naar Craig. Inwendig glimlachte hij. 'Als ze wist wat ik dacht zou ze me een klap in mijn gezicht geven,' dacht hij.
De bezoekers begonnen de kleedkamer te verlaten. Hij stak een tweede sigaret op en besloot te wachten totdat de laatste vertrokken zou zijn. Voordat het goed tot hem doordrong was hij echter alleen overgebleven. Craig trad op hem toe en hij stond langzaam op.
Ze keken elkaar wel een minuut lang doordringend aan. Toen stak Warren hem de hand toe. 'Hallo, Johnny.'
Johnny drukte hem de hand. 'Hoe gaat het, Warren?'
Craig grinnikte. 'Ik had niet gedacht je ooit weer te zien.'
'Ikzelf evenmin,' lachte Johnny. 'Maar ik wilde vanavond beslist eens een goed stuk zien en ik móést je vertellen, dat ik er van genoten heb.'
'Daar ben ik erg blij om, Johnny,' zei Craig met nadruk. 'Ik heb vaak op het punt gestaan je mijn verontschuldigen voor mijn miserabele houding van toen aan te bieden, maar ik ben er nooit toe kunnen komen. Ik was blij toen ik hoorde dat jullie het er ondanks alles goed hebben afgebracht.'
Johnny hoorde aan de hartelijke toon waarop hij sprak dat hij het werkelijk meende. Hij klopte Craig op de schouders. 'Ik ben blij dat je er zo over denkt, Warren, want ik ben met dezelfde bedoeling hier gekomen als toen.'
Craig wierp het hoofd in de nek en lachte hartelijk. 'Je bent nog niets veranderd, Johnny!'
Johnny lachte met hem mee. 'Dat zal ik ook wel nooit, Warren. En vergeet niet dat je me een film schuldig bent.'
Craigs gezicht werd plotseling weer ernstig. 'Ik weet werkelijk niet of ik het wel doen kan, Johnny. Je weet hoe ik over de film denk.'
Johnny wist het maar al te goed. Toen Craig zijn contract met Magnum verbroken had, had hij openlijk voor de pers verklaard dat hij de film niet

belangrijk genoeg achtte om zich er voor te interesseren. Hij keek Craig scherp aan. 'Dat heb ik gehoord. Maar de tijden zijn veranderd en een mens kan van gedachten veranderen. De Barrymores spelen ook voor de film – waarom zou jij het niet doen?' Hij wachtte even en voegde er toen luchtig aan toe: 'Ik weet wel dat het jou niet om het geld te doen is, maar één maand werken voor de camera levert je evenveel op als een jaar op het toneel.'
Craig keek verre van onverschillig bij deze mededeling. Het stuk waarin hij speelde had zijn tijd gehad. Misschien zou het 't eind van het jaar nog halen, maar het was evengoed mogelijk van niet. Het ging nu al bijna een jaar en hij had nog geen plannen voor een volgend. 'Weet je wat, Johnny, we gaan souperen en praten er nog eens over. Je kunt me in elk geval eens vertellen wat je van plan bent. Maar denk er om – ik beloof niets.'
Johnny knikte. 'Ik stel het op prijs dat je tenminste de moeite wilt nemen naar me te luisteren, Warren. En als we alsnog tot zaken kunnen komen, dan zullen we beiden maar vergeten wat er is gebeurd.'
Craig trok een scheef gezicht. 'Ik kan je niet kwalijk nemen dat je het me nog eens onder m'n neus wrijft, kerel.'
Johnny glimlachte en wachtte totdat Craig zijn jas en hoed had gehaald.
'We pikken meteen Cynthia op in haar kleedkamer,' zei Warren, toen hij zich weer bij hem had gevoegd.
Johnny hief verschrikt de hand op. 'Neem me niet kwalijk – het was niet mijn bedoeling je avond in de war te sturen!'
Craig lachte hartelijk. 'Doe niet zo dwaas, ouwe jongen. Je stuurt niets in de war. Cynthia en ik gaan na de voorstelling altijd samen souperen en eerlijk gezegd kom je zeer gelegen. Mijn nicht, Dulcie Warren, gaat vanavond met ons mee. Haar hartewens is ook aan het toneel te gaan en ofschoon Cynthia en ik er ons uiterste best voor doen haar er van terug te houden, zet ze door dik en dun door. Ze zal het prachtig vinden iemand van de film te ontmoeten. En wat voor een! En mijn vrouw zal het ook heel interessant vinden.'
Johnny keek hem verrast aan. Toen herinnerde hij zich dat hij in het programma gelezen had dat Craig en de vertolkster van de vrouwelijke hoofdrol onlangs waren getrouwd. Hij stak hem glimlachend de hand toe. 'Ik vergat helemaal dat je pas getrouwd bent. Van harte gelukgewenst!'
Ze schudden elkaar de hand. 'Dank je, Johnny. Zullen we dan maar gaan?'
Johnny knikte. Hij keerde zich om en nam zijn jas van de stoel waar hij hem op had neergelegd. De vloer was echter spiegelglad en daardoor verloor hij de macht over zijn kunstbeen, zodat hij zeker gevallen zou zijn als

Craig hem niet bij de schouders had gegrepen.
'Heb je er nu al een teveel op?' grinnikte de acteur.
Johnny lachte spijtig. 'Was het maar waar. Mijn ene been ligt in Frankrijk.'
Craigs gezicht werd plotseling ernstig. 'Neem me niet kwalijk,' zei hij zacht. 'Ik schijn me tegenover jou altijd als een idioot te moeten gedragen – maar ik wist het werkelijk niet.'
'Het doet er niet toe, Warren,' stelde Johnny hem gerust. Hij klopte glimlachend op zijn kunstbeen. 'Het prettige van deze prothese is dat je zelf vergeet dat het je eigen been niet is.'

Hij kwam fluitend zijn kantoor binnen. Jane keek verbaasd op – ze had hem in lang niet zo vrolijk gezien. 'Hoe is het gisteravond gegaan? Heeft hij getekend?'
Johnny bleef voor haar schrijftafel staan en maakte lachend haar haar in de war. 'Nee, hij voelde er niets voor.' Hij liep fluitend naar de vestiaire om zijn hoed en jas weg te hangen. Nu begreep Jane er helemaal niets meer van. Even later trad hij weer op haar schrijftafel toe. 'Nog iets bijzonders vanmorgen?'
'George Pappas zit op je te wachten. Weet je niet meer dat je met hem hebt afgesproken dat hij om negen uur hier zou zijn?'
Hij keek op zijn horloge. Het was bijna tien uur. Hij was het helemaal vergeten. Haastig ging hij zijn kamer binnen.
George stond op zodra de deur openging.
'George!' glimlachte Johnny berouwvol. 'Het spijt me ontzettend dat ik zo laat ben. Het was niet mijn bedoeling je te laten wachten, maar ik heb me vanmorgen verslapen.'
George lachte vrolijk. 'Dat is prachtig, Johnny. Een mens moet op zijn tijd een beetje rust hebben.'
Johnny ging achter zijn schrijftafel zitten. 'Hoe staan de zaken, George?'
'Goed, Johnny; ál te goed. Het maakt me bijna angstig.'
'Hoezo?'
George ging in de stoel tegenover Johnny's schrijftafel zitten en keek hem ernstig aan. 'Er worden dagelijks tientallen bioscopen afgebouwd en verkocht. De kranten staan er vol van. En de prijzen blijven maar steeds stijgen. Twee jaar geleden betaalden we voor een bioscoop van twaalfhonderd plaatsen ongeveer dertigduizend dollar. Nu kost hetzelfde theater tweemaal zoveel.'

’En waarom is dat zo erg? Het betekent volgens mij dat onze bezittingen tweemaal zoveel waard zijn geworden.’
George schudde mistroostig het hoofd. ’Dat zou zo zijn als het aantal bioscopen hetzelfde was gebleven, maar er zullen er binnen afzienbare tijd zoveel zijn, dat de prijs wel moet zakken. En als hij eenmaal aan het zakken is . . .’
Johnny hief met een ruk het hoofd op en keek hem doordringend aan. Hij begreep wat George bedoelde. Zolang er een tekort aan bioscopen was, hadden ze niets te vrezen; maar als het zo doorging waren er binnen afzienbare tijd meer bioscopen dan bezoekers en wat dan? ’En wat was nu je bedoeling, George?’
George dacht even na. ’We hebben nu meer dan tweehonderd bioscopen; ik vermoed dat ze nog wel een paar jaar safe zullen zijn, maar dan . . .’ Hij haalde veelbetekenend de schouders op.
’En?’
’Het lijkt me verstandig nauwkeurig na te gaan welke het beste lopen en de rest te verkopen nu de prijs nog goed is.’ Hij keek Johnny vragend aan.
Johnny stak peinzend een sigaret op. ’Ik weet niet of Peter er iets voor voelt. Hij is erg trots op zijn ’Magnum Theaters’.’
’We moeten hem aan het verstand zien te brengen dat op een gegeven moment het oude zuurdesem moet worden weggeworpen, omdat het zijn kracht heeft verloren.’
’En als hij ze niet wil verkopen?’
’Mijn broer Nick en ik hebben het er over gehad dat hij in dat geval misschien ons aandeel zou willen kopen.’
Johnny keek hem ernstig aan. ’Geloof je dus werkelijk dat ze vroeg of laat over de kop gaan?’
’Zo erg zal het misschien niet zijn, maar dat ze zullen kelderen is wel zeker,’ antwoordde George met zijn zachte, vriendelijke stem.
’En heb je al bekeken welke je kwijt zou willen?’
George opende zijn aktentas en nam er een stapel papieren uit. ’Hier heb je de analyse van alle theaters. Degene die we zouden moeten verkopen zijn met rood potlood aangegeven. De redenen heb ik er ook bij gezet.’
Johnny legde de papieren voor zich neer en keek ze door. ’Maar dat is meer dan de helft, George.’
George knikte nadrukkelijk. ’Honderdvijftien bioscopen.’
’Maar als we er toe mochten overgaan, wie zal dan al die dingen van ons kopen?’
George haalde de schouders op. ’Misschien Loew, of Proctor. Misschien zelfs Borden wel. Hij is nog steeds aan het uitbreiden.’
’Hoeveel zouden we er voor kunnen krijgen?’

'Ongeveer vier miljoen dollar als ze ineens worden verkocht en wat meer als ze stuk voor stuk gaan.'
Johnny leunde peinzend achterover in zijn stoel. De helft van wat ze er voor zouden krijgen zou Magnum toekomen. Hij berekende wat ze gekost hadden en kwam tot de conclusie dat Magnum alleen al een winst van een miljoen dollar zou maken. Hij keek George met een zeker respect aan. Zijn aandeel was even groot als dat van Magnum. Geen wonder dat hij ze graag kwijt wilde. Je kreeg niet elke dag zo'n kans.
'Weet je wat, George, over een paar weken ga ik naar de studio's en dan zal ik er meteen over spreken. Als ik terugkom zal ik je laten weten wat Peter er van denkt. Is dat goed?'
George stond op. 'Uitstekend. We hebben geen haast. Misschien hebben we nog wel een jaar de tijd. Misschien zelfs nog wel twee. Maar we moeten het zekere voor het onzekere nemen.'
Johnny stond eveneens op en stak George de hand toe. 'Het is mooi van je dat je ons waarschuwt, George.'
George glimlachte. 'Daarvoor zijn we toch oude vrienden? Jullie hebben mij destijds ook geholpen.'
Toen George vertrokken was, ging Johnny weer achter zijn schrijftafel zitten en dacht na. George had gemakkelijk zijn aandeel kunnen verkopen, zonder er hun iets van te zeggen. Maar in dat geval zou hij een ander de kans hebben gegeven zich in Magnum Theater Company te dringen, zoals Farber destijds had geprobeerd – en daar wilde hij hen voor behoeden. Er gleed een schaduw over Johnny's gelaat. Farber. Het was een goede zet geweest dat hij hem er uit had gegooid! Maar het was nog nooit zó goed tot hem doorgedrongen welk een belangrijke rol Farber al had gespeeld. De meeste directeuren waren door hem aangesteld en hij had zich ook al de nodige connecties bij de filmproducenten weten te verschaffen. Ze waren aan een groot gevaar ontsnapt.
Hij nam de telefoon van de haak. 'Is Rocco al terug, Jane?' Rocco was weggegaan om de wagen te parkeren.
'Hij is net terug.'
'Zeg hem dan dat ik hem moet spreken.' Johnny legde de hoorn weer op de haak en nog geen minuut later kwam Rocco de kamer binnen. 'Wat is er van je dienst, baas?' glimlachte hij.
Johnny keek verrast op. Rocco scheen weer een beetje te zijn opgeknapt.
'Ga naar een bloemist en zoek een dozijn van de mooiste American Beauty rozen uit. Nee –,' hij aarzelde even, 'maak er twee dozijn van en laat ze bezorgen bij juffrouw Dulcie Warren, Rockefeller Plaza. Doe mijn kaartje er bij.'
Nu was het Rocco's beurt verbaasd te kijken, maar hij had zijn gezicht

onmiddellijk weer in bedwang. 'Het komt voor elkaar.' Hij wilde de kamer verlaten.
Johnny riep hem echter nog eens terug. 'Weet je de naam nu goed?'
Rocco glimlachte. 'Ja baas – Dulcie Warren, op de Plaza. Twee dozijn American Beauties, met je kaartje.'
Johnny knikte vergenoegd. 'Zo is het goed.'
Rocco deed de deur zacht achter zich dicht, maar hij prevelde binnensmonds een hele serie verwensingen. Hij stapte strijdlustig op Jane's schrijftafel toe. 'Wat is er gisteravond met hem gebeurd, Jane?'
Ze schudde het hoofd. 'Ik weet het echt niet. Hij kwam fluitend binnen, en toen ik hem vroeg of Craig getekend had, zei hij 'nee', op een toon alsof het een enorme buitenkans was. Hij ging onmiddellijk zijn kamer binnen, naar George, die al een uur lang op hem zat te wachten. Waarom?'
Rocco krabde zich achter het oor. 'Weet je wat ik voor hem moet doen?'
'Nee – wat dan?'
'Ik moet niet minder dan twee dozijn American Beauty rozen bestellen voor een dame aan de Plaza.' Hij blies van kwaadaardigheid. 'Twee dozijn rozen voor juffrouw Dulcie Warren. Wie is dat in 's hemelsnaam?'
'Dat weet ik niet. Ik heb die naam nooit eerder gehoord.'
Rocco keek haar uitdagend aan. 'Had ik gisteravond gelijk of niet, toen ik tegen je zei dat het enige waarvoor hij me nog nodig heeft is om zijn boodschappen te doen? Het is maar 'Rock, rij de wagen voor', 'Rock, geef me mijn aktentas eens aan, wil je?' Nu moet ik weer bloemen bestellen voor een of andere juffer. Ik ben hier de loopjongen, Jane, en meer niet!'
'Stil toch,' waarschuwde Jane. 'Hij kan je misschien horen!'
'En wat dan nog?' raasde Rocco.
Ze gaf geen antwoord, maar keek hem smekend aan. Er was ook geen antwoord op. De vorige avond had hij haar verteld hoe hij zich voelde en hoe hij geaarzeld had om het 'baantje' dat Peter hem aanbood aan te nemen, omdat hij wel begreep dat hij ten slotte niets anders meer zou zijn dan een bediende. 'Ik zou beter af zijn als ik weer in een kapsalon stond,' had hij gezegd. 'Dan dééd ik tenminste iets en behoefde ik niet aldoor voor allerlei onbenulligheden klaar te staan.'
Ze probeerde hem er van te overtuigen dat hij het verkeerd zag en dat Johnny hem beslist ander en beter werk zou geven, zodra hij maar even tijd had, maar hij lachte schamper. 'En wat zou ik dan moeten doen? Ik hoor hier eenvoudig niet – er is hier niet het minste werk voor me.'
Ook daar kon ze niets op zeggen. Maar er was iets tussen hen gegroeid. Hij wist dat ze hem begreep, ook al sprak ze hem tegen. Hij had haar hand weer in de zijne genomen en zij had zich plotseling niet meer zo een-

zaam gevoeld. Want ze was ten slotte ook maar een weduwe met een kindje, die verder niemand had die zich om haar bekommerde. Toen hij de wagen voor haar deur had laten stoppen, had zij plotseling haar armen om zijn hals geslagen en hem gekust. En toen had hij haar in zijn armen genomen en zijn lippen op de hare gedrukt. Zijn stem klonk plotseling heel zacht en teder. 'Is dit liefde?' vroeg hij, zonder haar aan te zien.
'Ja,' fluisterde ze.
Toen ze naar boven liep neuriede ze zacht voor zich heen. Haar kleine jongen lag rustig in zijn bedje te slapen, met zijn ene knuistje aan zijn oor en het andere voor zijn mondje. Ze boog zich diep over hem heen en bleef lang naar hem kijken. Ze voelde zich dwaas gelukkig en jong.
Ze keek Rocco verschrikt aan. Johnny was vanmorgen fluitende binnen gekomen. Ze was zelf zo gelukkig over Rocco dat ze er verder niet meer over had nagedacht. Maar nu begreep ze ineens waarom hij zo vrolijk was en haar hart kromp ineen. Arme Doris. Ze had gehoopt dat ten slotte alles nog voor haar in orde zou komen, als hij maar eenmaal weer geheel de oude was. Dan zou hij zichzelf en zijn liefde voor Doris wel weer terugvinden. Maar nu besefte ze ineens dat hij allang weer de oude Johnny was. Het was bijna onmerkbaar gegaan, sinds het ogenblik waarop hij voor het eerst met zijn kunstbeen naar kantoor was gekomen. Langzaam maar zeker, naarmate zijn zelfvertrouwen terugkeerde, was hij tot de oude Johnny teruggekeerd en nu was hij weer volkomen de zelfbewuste jongeman die hij geweest was voordat hij in de oorlog ging. Voor hem bestond het leven weer enkel uit films en Johnny Edge; Doris was hij eenvoudig vergeten.
Haar stem was niet meer dan een gefluister. 'Hoe zei je ook weer dat dat meisje heette, Rocco?'
'Warren,' antwoordde hij. 'Dulcie Warren.'
Ze knikte peinzend. Ze hield niet van die naam. Hij was te gezocht, té lief, té vrouwelijk. En ze zou evenmin van de draagster zelf houden – dat wist ze al voordat ze haar had gezien.

Haar gehele lichaam begon te tintelen toen de mist van naaldfijne druppels op haar neerdaalde. Een koude douche was het heerlijkste wat je je denken kon – dan voelde je in elke vezel van je lichaam dat je leefde. Ze boog zich ver achterover en liet het water haar borsten striemen. Ze vóélde haar bloed als het ware stromen. Ze keek omlaag, naar haar tepels die langzaam naar voren kwamen door de streling van het water. Het was alsof de hand van een minnaar haar verlangend aftastte. Ze lachte hardop.

Ze hield van haar volmaakte lichaam en was er trots op.
De vrouwen van tegenwoordig hadden allemaal jongensfiguren; de een of andere dwaze modegril schreef dat voor. Maar zij lachte er om. Ze had de moed een vrouw te zijn en er als een vrouw uit te zien en dat mocht iedereen weten. En iedereen wist het ook. Als ze ergens binnentrad wendden alle mannen hun gezicht onmiddellijk in haar richting en hoe lang ze naar haar bleven kijken hing enkel af van het gezelschap, waarin ze zich bevonden. Als ze met hun vrouw of een vriendinnetje waren, keken ze onmiddellijk weer schuw voor zich en wierpen alleen van tijd tot tijd een zijdelingse blik op haar, om haar toch nog maar éven te zien. Maar als ze alleen waren deden zij geen moeite hun bewondering te verbergen en dan zag ze aan hun ogen wat ze dachten. Ze vond het prettig als mannen op die manier naar haar keken.
Dat was altijd al zo geweest, ook toen ze nog een meisje was. Haar vriendinnen wisten het maar al te goed en ze hadden niet graag dat haar vrienden kennis met haar maakten. De onnozele ganzen! Wat konden haar die blagen schelen? Zij was voorbestemd om een groot actrice te worden. Ze was er voor geboren. Haar ouders en haar grootouders hadden op de planken gestaan. De zuster van haar vader was de moeder van Warren Craig, een van de beroemdste acteurs van de Verenigde Staten. Haar vader had haar dikwijls verteld van het huwelijk van zijn zuster, waardoor de twee voornaamste toneelspelers-families, de Warrens en de Craigs, met elkaar verbonden werden. Alle beroemdheden waren op die schitterende trouwpartij aanwezig geweest. De Colts, de Drews, de Barrymores, de Costello's en ontelbare anderen. En Warren Craig was hun enige zoon. Ze hadden hem Warren genoemd ter ere van zijn moeders familie. Bij zijn doop had zijn vader vol trots gezegd: 'Eens zal hij de beroemdste van ons allen zijn.' En alles wees er op dat zijn voorspelling uit zou komen.
Daarom kon ze zich maar niet begrijpen dat Warren niet wilde dat zij ook aan het toneel ging. Als klein meisje had ze al niets liever gedaan dan toneelstukjes opvoeren. Het was haar spel. Haar hele leven bestond uit toneel. Bij haar thuis was het een voortdurende strijd wie de hoofdrol zou spelen. Meestal was haar vader het en een enkele keer zij. Haar moeder kreeg maar zelden de kans – haar man en haar dochter waren een veel te sterke tegenpartij voor de arme vrouw. De enige werkelijk grote scene die zij haar ooit toestonden was toen zij stierf en zelfs toen probeerde haar man haar nog opzij te dringen.
Dulcie herinnerde het zich nog heel goed, al was ze nog pas elf jaar toen het gebeurde. Het was donker en heel stil in de kamer en plotseling was haar vader in snikken uitgebarsten en had zich op zijn knieën voor het bed geworpen. 'Verlaat me niet, lieveling!' had hij geroepen, 'verlaat me niet!'

De andere mensen in het vertrek, de dokter, de verpleegster en de dienstbode, werden onrustig. Ook zij kenden haar vader. Daarom legde Dulcie haar hand op zijn schouder en fluisterde, zo zacht dat niemand behalve hij het kon verstaan: 'Dit is úw scene niet, papa.' Hij begreep haar onmiddellijk, want hij knikte en fluisterde terug: 'Dat weet ik wel, liefje, maar zo heeft je moeder het het liefst.'
Ze had het toneel in haar bloed. Ze was geboren om te acteren zoals anderen geboren zijn om te schilderen of muziek te maken. Ze was naar New York gekomen met de vaste overtuiging dat Warren, haar neef, haar wel op weg zou helpen, maar ze had niet op neef Warrens vrouw gerekend.
Cynthia Craig had één blik op Dulcie geworpen en wist meteen hoe laat het was. Deze geboren cocotte was niet bepaald een verkieslijke huisgenote voor een echtpaar in de wittebroodsweken. Maar er was niets aan te doen. Warren stond er op dat Dulcie bij hen zou blijven zolang ze maar wenste en Dulcie wenste blijkbaar heel lang te blijven.
Om een goed figuur te slaan tegenover haar man deed Cynthia zelfs moeite om Dulcie in een cabaret te krijgen, maar Warren toonde zich hierover erg gebelgd. 'Dat is nu juist wat we haar niet moeten laten doen – het verknoeit haar talent. Dramatische training, dat heeft ze nodig en ik zal zorgen dat ze die krijgt!'
Cynthia wierp een blik op Dulcies gestalte en concludeerde dat een meisje met een dergelijk figuur beslist niet deugde voor de dramatische kunst en maar liever naar Ziegfield moest gaan. Hij zou wel weten wat hij met haar doen moest. Hij zou haar negentig procent van haar kleren uittrekken en haar dan op het publiek loslaten. Maar Cynthia vergat één belangrijk ding: Dulcie kon toneelspelen en alles wat ze nodig had was een kans.
Zelfs Cynthia moest dit ten slotte toegeven en zij verwaardigde zich Dulcie van advies te dienen. 'Het zou je niet de minste moeite kosten een behoorlijke rol te krijgen als je maar zorgde dat je wat slanker werd en je haar liet knippen. Dan zag je er tenminste niet meer uit als een meisje uit de vorige eeuw en misschien zou de een of andere filmproducent je dan een kans geven.'
Dulcie liet haar blik taxerend langs Cynthia's jongensgestalte glijden en er was zoveel brutaliteit in die blik dat Cynthia bloosde. Toen schudde ze lachend haar lange, blonde lokken naar achteren. 'Ik ben goed zoals ik ben, Cynthia!'
Dulcie kon maar niet genoeg krijgen van de douche. Ze liet het water nu eens over haar rug stromen, dan weer langs haar borst. Plotseling hief ze echter het hoofd op en luisterde scherp. De telefoon ging! Ze wachtte even of er soms iemand kwam om hem aan te nemen, maar ineens herinnerde

ze zich dat het dienstmeisje haar vrije dag had en dat ze alleen thuis was. Ze draaide zuchtend de kraan dicht, sloeg een badhanddoek om en snelde naar de huiskamer. 'Hallo!'
'Ben jij het, Dulcie?'
Ze wist onmiddellijk wie het was, maar liet niets blijken. 'Ja, met Dulcie Warren.'
'Je spreekt met Johnny, Dulcie!' klonk het blij. 'Heb je al plannen voor het diner?'
Johnny Edge was een beste jongen, maar er was niet opwindends aan hem. Het enige waar hij over kon praten was de studio, de bioscopen en de film. En hij begreep nog niet eens haar vurige wens actrice te worden. Hij was al verscheidene keren met haar uit geweest en hij had haar elke keer prachtige bloemen gezonden, maar vandaag was ze niet in de stemming. Haar stem klonk verwijtend. 'Och, Johnny, waarom heb je niet wat vroeger gebeld? Ik heb juist met een vriendin van me afgesproken dat ik vanavond bij haar zou komen – ik kon er eenvoudig niet onderuit.'
'Morgen dan?' klonk het teleurgesteld.
'Het is best mogelijk dat Warren en Cynthia al plannen hebben gemaakt. Waarom bel je me morgenochtend niet?'
'Dat doe ik!' Het klonk alweer een beetje vrolijker. 'Tot ziens dan, Dulcie!'
'Tot ziens, Johnny!' Ze legde de hoorn op de haak en vroeg zich af wat ze morgen weer zou verzinnen. Plotseling schrok ze. Zij voelde dat ze niet meer alleen was – er was iemand de kamer binnengekomen. Langzaam keerde ze zich om.
Warren stond bij de deur naar haar te kijken. Onwillekeurig trok ze de handdoek vaster om zich heen. 'Warren! Je hebt me laten schrikken!'
Hij grinnikte. 'Dat zou ik wel eens willen zien. Jij schrikt nergens van – zelfs niet van Cynthia.'
Ze keek hem verrast aan. Ze hoorde aan zijn stem dat hij de nodige cocktails had gehad. 'Hoe bedoel je dat?' vroeg ze met een onschuldig stemmetje.
Hij lachte luid. 'Je behoeft voor mij niet te acteren, Dulcie! Ik weet heel goed hoe de verhouding tussen Cynthia en jou is. Ik geloof dat ze een beetje bang voor je is.'
Dulcie stond glimlachend op. Ze zag dat Warren naar haar benen keek, die van onder de badhanddoek uit kwamen, en ze genoot. Dit was voor het eerst dat Warren op deze wijze naar haar keek en zij wist wat die blik betekende. Zij schudde verwonderd het hoofd. 'Ik zou niet weten waarom zij bang voor me zou zijn. Ik heb haar nooit aanleiding gegeven zich zorgen te maken.' Ze wilde langs hem heen lopen om weer naar de bad-

kamer te gaan, maar hij hield haar tegen.
'O nee?' vroeg hij met een raadselachtig lachje. 'Weet je dat wel heel zeker? Ik heb zo'n idee dat ze zich wel een klein beetje bezorgd zou maken als ze wist hoe jij hier door het huis loopt.'
'Dat is helemaal niet nodig – er is niemand thuis,' antwoordde ze onschuldig. Ze duwde zijn hand echter niet weg.
Ze keken elkaar wel een minuut lang doordringend aan – toen trok hij haar naar zich toe. Ze verzette zich niet en hief zelfs haar gezicht naar hem op. De handdoek viel op de grond maar ze letten er niet op. Hij tilde haar op en droeg haar naar zijn kamer. Bij de deur hield ze hem even tegen. 'Cynthia?' vroeg ze.
Zijn stem klonk hees. 'Die dineert met haar agent. Ik zie haar vanavond in de schouwburg.'

Het was stil en donker in de kamer. De avond was gevallen. Ze keerde zich loom naar hem om. 'Heb je misschien een sigaret voor me?'
Hij nam een pakje sigaretten van het tafeltje naast het bed, gaf er haar een, en nam er zelf ook een. Eerst stak hij zijn eigen sigaret aan en gaf deze toen aan haar om de hare aan te steken. Hij keek hoe ze overeind ging zitten en gulzig de rook inademde. Tegen het vage schemerlicht van het raam kon hij haar borsten zien rijzen en dalen. Hij legde zijn hand tegen haar lichaam, dat warm en stevig aanvoelde. Ze pakte zijn hand en legde die op haar dij.
'Waar denk je aan, Warren?' vroeg ze.
Hij kwam eveneens overeind. 'Dat weet je verdomd goed. Ik ben hier bang voor geweest van het moment af dat je hier kwam en toch had ik niet de kracht je weg te sturen.'
Ze pakte zijn hand en leidde die over haar lichaam. 'En nu is het gebeurd en het heeft geen zin er over na te kaarten,' stelde ze nuchter vast.
Hij drukte op het knopje van het bedlampje en keek haar verbaasd aan. Er was een koude, onverschillige blik in haar ogen en hij kon bijna niet geloven dat dit de vrouw was die zich een paar minuten geleden nog in mateloze hartstocht aan hem had vastgeklemd.
'Geen zin er over na te kaarten?' barstte hij uit. 'Hoe lang denk je hier te kunnen blijven zonder dat Cynthia het in de gaten krijgt?'
'Cynthia behoeft er niets van te merken.'
Hij lachte schamper. 'Onderschat haar niet, Dulcie. Ze is niet blind.' Hij liet zich van het bed glijden en sloeg een kamerjas om. 'Ik zal je weg moeten sturen – zo ver mogelijk weg. Dit mag niet weer gebeuren.'
Ze sloeg de ogen neer en keek naar het bed. Met een timide stemmetje vroeg ze: 'Waarom, Warren? Mag je me niet?'

Hij begon luid te lachen. 'Juist omdat ik je veel te veel mag!' Hij liep naar de kaptafel en begon zijn haar te borstelen. 'Laat eens kijken,' peinsde hij hardop, 'waar zou ik je heen kunnen sturen . . .'
Zij sprong van het bed, ging achter hem staan en drukte zich tegen hem aan. Haar armen sloeg ze onder zijn jas om hem heen.
Hij keerde zich met een ruk om. 'Je kunt er vast op rekenen dat je wél gaat, Dulcie,' antwoordde hij kortaf.
Ze kuste hem op de borst. 'Je bent gemeen.'
Hij trok haar hoofd ruw achterover en kuste haar op de lippen. 'Niet gemeen, alleen maar verstandig. Hier kan voor geen van ons beiden iets goeds uit voortvloeien.' Hij liet haar los en begon zijn haar weer te borstelen. 'Wie belde je daar op toen ik binnenkwam?' vroeg hij plotseling.
'Johnny Edge.'
Hij trok zijn ene wenkbrauw vragend op. 'Jullie zien elkaar nogal dikwijls, is het niet?'
'Ja – maar ik heb genoeg van hem. Het enige waar hij over praten kan is de film.' Ze hield het hoofd een beetje schuin en keek hem in de spiegel aan. 'Ik geloof dat hij verliefd op me is, maar hij verveelt me allang. Ik moet zien dat ik van hem af kom.'
Hij keerde zich weer naar haar om. 'Denk je dat het zijn bedoeling is met je te trouwen?'
'Best mogelijk.'
'Waarom trouw je dan niet met hem? Hij kan veel voor je doen. Er is een massa te verdienen bij de film.'
'Ik wil aan het toneel,' wierp ze tegen. 'En zelfs als hij me niet verveelde, dan zou ik nog niet met hem kunnen trouwen. Hij is invalide.'
Hij greep haar met beide handen bij de schouders. 'Kind, wees toch verstandig!' riep hij hevig opgewonden uit. 'Er is niets op tegen voor de film te spelen. Denk je dat ik het zelf ook niet zou doen, als ik destijds niet zo stom was geweest om te beweren dat ik het beneden mijn waardigheid achtte?'
Ze keek hem diep in de ogen. 'Wil je soms dat ik met Johnny trouw om zelf van me af te zijn?'
'Nee, kleine gans,' antwoordde hij, 'integendeel – als jij getrouwd was, behoefden we ons niet bezorgd te maken over Cynthia. Ze zou lang niet zo gauw argwaan koesteren.'
Ze sloeg haar armen om zijn hals en kuste hem. Zo stonden ze lange tijd. Eindelijk maakte ze zich uit zijn omhelzing los en liep naar de andere kamer. Hij volgde haar, zich afvragend wat ze ging doen. Ze liep regelrecht naar de telefoon, nam hem van de haak en gaf de telefonist een nummer op.

'Wie bel je?' vroeg hij nieuwsgierig.
Ze keek hem aan. Haar ogen schitterden. 'Johnny,' antwoordde ze. 'Hij vroeg of ik met hem ging dineren.'
Hij nam haar de hoorn uit de hand en legde hem weer op de haak. 'Dat kan morgen wel,' glimlachte hij. 'Vanavond dineer ik met een kleine, naakte feeks.'

De telefoon op Jane's schrijftafel ging. Ze nam de hoorn van de haak. 'Met het bureau van mijnheer Edge.'
Het was een diepe, welluidende vrouwenstem. 'Is mijnheer Edge daar?'
Jane wist al wie het was voordat ze het had gevraagd. 'Met wie spreek ik?' vroeg ze desondanks.
'Met Dulcie Warren.'
'Een ogenblikje alstublieft.' Ze schakelde om op Johnny's telefoon en hoorde de zoemer in zijn kamer. 'Wat is er, Jane?' klonk even later zijn stem.
'Hier is een juffrouw Dulcie Warren voor je aan de telefoon,' deelde ze hem kortaf mee.
'Wat?' riep hij opgewonden. 'Verbind haar door, alsjeblieft!' Ze schakelde weer over op Dulcie. 'Hier is mijnheer Edge, spreekt u maar.' Ze haalde nijdig het palletje over, waardoor Dulcie met Johnny verbonden werd.
Een paar minuten later kwam Johnny uit zijn kamer. Hij had een kleur van opwinding. 'Om twaalf uur komt hier een zekere juffrouw Dulcie Warren. Bel me op zodra ze er is. Ik heb haar beloofd haar het kantoor te laten zien.'
Jane maakte een aantekening op haar bloknoot. 'Verder nog iets?'
Hij merkte het sarcasme in haar stem niet op. 'Nee, Jane, dank je wel,' antwoordde hij vriendelijk en verdween weer in z'n kamer.
Jane had een intens leedvermaak toen Peter onverwacht uit Californië opbelde, juist terwijl ze Dulcie bij Johnny binnenliet.
Hij lachte verontschuldigend tegen Dulcie. 'Ik vrees dat het wel een minuut of tien zal duren – het is de baas.' Hij wendde zich tot Jane. 'Zoek Rocco even voor me. Dan kan hij juffrouw Warren vast het een en ander laten zien.'
Toen Jane de deur achter zich sloot, hoorde ze Dulcie Johnny verzekeren dat ze het helemaal niet erg vond even te wachten. Johnny's antwoord verstond ze niet meer.
De geur van Dulcie's parfum hing nog in het vertrek toen ze met woeste

bewegingen de palletjes begon over te halen, die haar met de verschillende afdelingen verbonden. Natuurlijk was Rocco nergens te vinden. Dulcie was precies zoals Jane zich haar had voorgesteld en ze moest toegeven dat ze mooi was. Ze begreep ook heel goed waarom Johnny verliefd op haar geworden was – zo waren mannen nu eenmaal.
Eindelijk vond ze Rocco bij Irving Bannon op het nieuwsbureau. Hij nam zelf de telefoon aan. Ze was zo boos dat ze nauwelijks kon spreken. 'Ze is er, Rocco!'
Hij begreep haar niet meteen. 'Wat . . . wie . . .'
'Nou, *zij* natuurlijk. Dat nest waar Johnny al die bloemen naar toe stuurt. Johnny vraagt of je hierheen komt om haar het kantoor te laten zien!'
Hij floot tussen de tanden. 'Ik kan uit je vriendelijke woorden wel opmaken dat je het tegen haar aflegt?'
'Stel je niet aan, Rock. Ze laat me volkomen koud.'
'Natuurlijk, Jane, dat begrijp ik wel,' suste hij. 'Ik kom direct – dan kan ik zelf eens poolshoogte nemen.'
Hij legde de hoorn op de haak. Het rode lichtje op het schakelbord begon te knipogen. Dat betekende dat Peter het wachten moe werd. Ze drukte op de zoemer, maar kreeg geen antwoord uit Johnny's kamer. Daarom drukte ze hem nogmaals in.
Nu kreeg ze antwoord. 'Hier is Peter,' snauwde ze bijna. Hij scheen even te aarzelen. 'Ga zitten, Dulcie,' hoorde ze hem zeggen. 'Rocco is er met een paar minuten.' Toen klonk zijn stem weer door de telefoon: 'In orde – verbind me door.'
Rocco kwam juist binnen toen ze Peter met Johnny verbond. Ze wees zwijgend naar Johnny's kamer. Hij ging meteen naar binnen en liet de deur achter zich open.
'Rock,' hoorde ze Johnny zeggen, 'dit is juffrouw Warren. Wil je haar het een en ander laten zien, terwijl ik met Peter spreek?'
Ze hoorde Rocco's antwoord niet, omdat op hetzelfde moment Peter doorkwam. 'Hallo, Johnny,' klonk zijn stem uit Californië.
'Ja, Peter, met Johnny.' Jane hing de hoorn op de haak.
Rocco en Dulcie kwamen haar kamer binnen. Hij trad met ondeugend tintelende ogen op haar schrijftafel toe.
'Misschien wilt u even kennis maken met juffrouw Andersen, Johnny's secretaresse,' zei hij beleefd. 'Juffrouw Andersen, dit is juffrouw Warren.'
Dulcie glimlachte tegen haar. Jane voelde er iets neerbuigends in en van dat moment af haatte ze Dulcie.
Rocco bood Dulcie zijn arm en leidde haar eerbiedig naar de deur; ze verdwenen in de corridor. Twee seconden later glipte hij weer naar binnen, ditmaal zonder Dulcie. Hij grinnikte tegen Jane, die hem woedend

zat aan te kijken. 'Geen wonder dat Johnny het te pakken heeft! Wat een grietje!' Hij floot tussen de tanden. 'Het sist al als je haar aanraakt!'
Jane stak haar tong tegen hem uit. 'Jullie zijn allemaal hetzelfde.'
Hij lachte nu hardop. 'Ik kwam nog wel terug om je te zeggen dat je je over mij niet ongerust behoeft te maken. Ik zal je trouw zijn!' Hij keerde zich om en opende de deur. 'Maar die arme Johnny!' fluisterde hij nog over zijn schouder heen.

Dulcie wist dat hij naar haar zat te kijken, maar ze deed alsof ze al haar aandacht bij de paren op de dansvloer had. De muziek was zacht en melodieus en in het gedempte licht van de schemerlampen bewogen de dansenden zich als in een verre, geheimzinnige droomwereld.
Ze dacht aan wat Warren die morgen tegen haar had gezegd. Ze zaten aan het ontbijt en Cynthia was er nog niet. 'Hoe staat het met onze grote filmproducent, Dulcie? Maak je al enige vorderingen?'
'Het kan niet beter. Ik vermoed dat hij bezig is genoeg moed te verzamelen om me de grote vraag te stellen.'
Hij lachte spottend. 'Ik denk dat je nog een beetje méér je best zult moeten doen, liefje, anders kon de vis je haak wel eens voorbij zwemmen. Ik lees net in de krant dat hij morgen naar de studo's gaat.'
Johnny's stem schrikte haar op. 'Dulcie?'
Ze keek hem met stralende ogen aan. 'Ja, Johnny?'
'Ik vrees dat je er niet veel aan vindt om met mij naar een dancing te gaan.'
Ze begreep onmiddellijk wat hij bedoelde en het was misschien heel dwaas, maar ze had plotseling medelijden met hem. Ze legde haar hand op de zijne. 'Toch wel, Johnny. Als het niet zo was, zou ik hier niet zitten.'
Hij legde zijn andere hand over de hare. Haar handje was klein en zacht – wat heerlijk om het zo vast te kunnen houden. 'Het is erg lief van je dat je je de laatste weken zoveel met me hebt bemoeid,' zei hij, met neergeslagen ogen.
Ze glimlachte. 'Ik heb het prettig gevonden, Johnny.'
Hij durfde haar nog niet aan te kijken. 'Het betekent heel veel voor me. De meeste mensen hebben er geen begrip van hoe een man als ik zich eigenlijk voelt – een invalide. We zitten als het ware altijd in een zaal en kijken naar het toneel waar de normale, gezonde mensen zich bewegen. We zijn nooit temidden van hen.' Hij hief het hoofd op en keek haar aan. Zijn blauwe ogen waren heel donker en er was een warme, dankbare blik

in, die haar zonderling ontroerde. 'Jij hebt me dat een poosje doen vergeten.'
'Wat een sufferd,' dacht ze wanhopig. 'Waarom zegt hij niet wat hij op zijn hart heeft, dan is hij er af.' Maar diep in haar hart begreep ze hem veel beter dan ze zichzelf wilde toegeven: dat hij het haar niet móchten vragen.
Ze wachtte.
Hij keek haar nog steeds aan. 'Ik zal je missen, Dulcie.'
Hij vroeg het dus niet! Haar stem verried haar verbazing en teleurstelling. 'Hoe bedoel je dat?'
Zijn hart sprong op. Hij hoorde de teleurstelling in haar stem, maar gaf er een verkeerde uitleg aan. 'Weet je het niet meer? Ik ga morgen immers naar Californië?'
'O, Johnny, moet je werkelijk weg?'
Hij knikte. 'Ja, het kan niet anders – zaken.'
Ze wierp haar haar woest naar achteren en keek hem met fonkelende ogen aan. 'Ik geloof dat dat het enige is wat je interesseert! Zaken! Je ziet eenvoudig geen kans om ze ook maar een minuut te vergeten en plezier te maken.'
Hij lachte bedroefd. 'Plezier – dat is niet meer voor mij. Alles wat ik kan doen is werken.'
Ze boog zich voorover en keek hem diep in de ogen. 'Je moet oppassen dat je geen medelijden met jezelf krijgt, Johnny. Je bent precies zoals iedereen. Wat er gebeurd is, was een ongeluk en het maakt in wezen helemaal geen verschil. Niet voor jou en . . . ook niet voor mij.' Ze sloot de ogen en wachtte op zijn kus. 'Dit was de klap op de vuurpijl,' dacht ze triomfantelijk.
Ze voelde dat zijn vingers de hare vaster omklemden en – hoorde weer zijn stem. Ze opende de ogen met een gevoel alsof ze zich onsterfelijk belachelijk had gemaakt. 'Het is erg lief van je dat je dat zegt, Dulcie. Ik zal het nooit vergeten.'
Hij keek op zijn horloge. 'Hemel, ik wist niet dat het al zo laat was! Zullen we gaan?'
Ze staarde hem verbijsterd aan. Spéélde hij maar wat met haar? Ze stond op het punt woedend tegen hem uit te varen, maar toen zag ze dat hij het werkelijk meende – de onnozele hals. Hij was werkelijk van mening dat hij het haar niet kón vragen, omdat hij invalide was. Ze nam haar lippenstift uit haar avondtasje. 'Ik ben direct klaar,' zei ze stug.
In de taxi op weg naar huis zeiden ze geen woord. Hij betaalde de chauffeur en volgde haar naar binnen. Ze wachtten zwijgend op de lift, die hen naar de appartementen van Warren Craig bracht. In de hal brandde een klein lampje, dat hun gezicht maar flauw verlichtte. Ze was hem tot nu

toe voorgegaan, maar nu keerde ze zich naar hem om.
Hij stond slungelachtig voor haar en wist blijkbaar met zijn figuur geen raad. Eindelijk stak hij haar de hand toe. 'Tot ziens dan, Dulcie.'
Ze legde haar hand in de zijne. 'Blijf je lang weg, Johnny?'
'Tot maart.'
'O!' riep ze verschrikt. 'Wat lang!'
Hij lachte vaderlijk. 'Dat is toch niet zo lang, Dulcie. Als ik terugkom zien we elkaar weer.'
Ze wendde het gelaat van hem af. 'Dat weet ik nog niet – Warren wil dat ik naar huis ga. Hij vindt het niet goed dat ik aan het toneel ga.' Het klonk zacht en verdrietig en ditmaal acteerde ze niet.
Hij sloeg haar ontroerd gade en toen hij sprak beefde zijn stem. 'Misschien heeft Warren wel gelijk – het is een vermoeiend leven.'
Ze hief het hoofd met een ruk naar hem op. Haar ogen fonkelden en haar wangen gloeiden. 'Nee! Dat is niet waar! Warren heeft géén gelijk!' Haar lippen begonnen te trillen. 'Maar er is niets aan te doen. Hij wil me niet helpen en ik denk dat ik wel terug zal moeten.'
Hij legde zijn hand onder haar kin en dwong haar hem aan te zien. Zijn stem klonk zacht en teder, alsof hij tegen een kind sprak. 'Je moet niet zo verdrietig zijn, Dulcie. Als je werkelijk wilt dat iets gebeurt, dan gebeurt het ook.'
'Zou dat werkelijk zo zijn, Johnny? Ik wil actrice worden, een groot actrice!' Ze sprak op hartstochtelijke toon en ook ditmaal was ze geheel zichzelf. 'Denk je dat het me zal lukken?'
Hij knikte. 'Als je er met hart en ziel naar verlangt, dan lukt het je zeker.'
Ze sloeg haar armen om zijn hals en kuste hem. Hij was een ogenblik zo in de war dat hij bijna zijn evenwicht verloor; toen sloeg hij zijn armen om haar heen. Ze klemde zich aan hem vast. 'Ik weet niet wat ik zonder jou moet beginnen, Johnny!'
Hij maakte zich uit haar omhelzing los en keek haar aan. Hij voelde zich plotseling plomp en onbehouwen – een man met een houten been. Zijn verstand zei hem dat het niet waar kón zijn: dit gezonde, beeldschone meisje verliefd op hém, een man met één been. Het enige wat ze misschien voor hem voelde, was medelijden, maar meer ook niet.
'Ik moet nu werkelijk gaan, Dulcie,' zei hij hees.
Ze staarde hem ongelovig aan. Die man was stapelgek! Wat verlangde hij in 's hemelsnaam nog meer? Een schriftelijk aanzoek? Ze werd plotseling razend. Als hij maar weg was, hier vandaan, voordat ze hem aanvloog. Wit van woede stak ze hem de hand toe. Hij bemerkte haar woede niet eens en nam haar hand zacht in de zijne. 'Dag Dulcie.'
Ze gaf geen antwoord. Het duizelde haar. De deur ging zacht achter hem

dicht. Nu was ze haar drift niet langer meester. Ze rukte een schoen van haar voet en slingerde hem uit alle macht tegen de gesloten deur.
Plotseling baadde de hal in een zee van licht. Ze keerde zich met een verschrikte kreet om en staarde in de spottende ogen van Warren Craig. Hij leunde op zijn gemak tegen de binnendeur en er speelde een flauwe glimlach om zijn lippen. Hij klapte zacht in de handen. 'Doek, tweede akte!' grinnikte hij.
'Wat had ik dan moeten doen?' snauwde ze. 'Hem bij zijn broekspijpen vasthouden?'
Hij schudde vaderlijk het hoofd. 'Geduld, kindje. Zie je dan niet dat deze man een idealist is en op en top een gentleman?'
Zijn woorden kalmeerden haar. Ze trad op hem toe, sloeg haar armen om zijn hals en keek glimlachend naar hem op. 'En wat nu, Warren? Ik heb mijn best gedaan.'
Hij maakte zich uit haar omhelzing los. 'Ik weet niet wat je verder van plan bent, liefje, maar in elk geval ga je hier weg.'
Ze staarde hem verbijsterd aan. Het bloed vloog haar naar de wangen. Ditmaal wist ze zich echter te beheersen. Met een ondoorgrondelijke glimlach om de lippen liet ze hem los en liep naar de deur. Ze nam haar schoen op en trok hem bedaard weer aan. 'Lieveling,' zei ze op honingzoete toon, 'heb je wel eens iets verlangd wat je niet kon krijgen?'
Hij keek haar verwonderd aan. 'Nee – waarom?'
Ze liep hem voorbij naar de binnendeur en legde haar hand op de kruk. Toen keerde ze zich nog eens om en keek hem vast in de ogen. Ze liet haar avondjapon van haar schouders glijden. 'Kijk dan nog maar eens goed, lieveling,' zei ze, 'want er komt een dag dat je daar heel hevig naar zult verlangen en het niet krijgt.'

Johnny keek verveeld uit het coupéraam. Ze waren nu midden in de prairies – onafzienbare, golvende vlakten, met lang, stug gras, dat ritmisch wuifde in de lichte wind. Hij zou blij zijn als de reis achter de rug was. Er werd geklopt. Het zou Rocco wel zijn, met de kranten of zijn koffie. Misschien had hij zijn handen vol en kon de deur niet zelf openschuiven. Hij stond op en opende de deur.
'Mag ik binnenkomen, Johnny?' klonk het nederig.
Hij stond als aan de grond genageld. 'Dulcie! Wat doe jij hier!'
Ze trad de coupé binnen en deed de deur zorgvuldig achter zich dicht. 'Ik verlangde naar je, Johnny.'
Zijn verbazing maakte plaats voor waanzinnige vreugde. Ademloos stak hij haar de hand toe. 'Maar hoe moet het nu met je toneelplannen?' bracht hij uit.

Ze sloeg haar armen om zijn hals en drukte zich tegen hem aan. 'Gisteravond toen je me kuste wist ik ineens wat ik wilde. Ik verlangde er plotseling helemaal niet meer naar om actrice te worden. Het enige wat ik verlang ben jij.'
'Maar . . .'
'Geen gemaar!' viel ze hem in de rede. 'Ik ben blank, ongehuwd en vierentwintig jaar en ik weet wat ik wil.' Ze drukte haar lippen op de zijne. Hij drukte haar vast tegen zich aan. Haar lippen zeiden hem dat ze het meende. Haar woorden klonken nog in hem na: 'Ik weet wat ik wil.'
Het ongeluk was dat hij niet wist wat zij wilde.

Het frisse gekletter van de douche in de badkamer wekte hem. Hij bleef er een paar minuten stil naar liggen luisteren en rolde zich toen langzaam op zijn rug. De badkamerdeur stond wijd open en het geluid van het stromende water deed hem naar een bad verlangen. Hij ging rechtop zitten en keek op zijn horloge. Al bijna zes uur! Haastig boog hij zich over de rand van het bed en greep zijn krukken, die hij daar de vorige avond achteloos had neergegooid! Het bed kraakte toen hij zich er met enige moeite uit omhoog werkte.
'Ben je wakker, lieveling?' klonk Dulcie's stem uit de badkamer.
Hij lachte zacht. Zelfs als hij nog geslapen had, zou hij nu toch op slag klaar wakker zijn bij het horen van die stem. Een innige vreugde doortintelde hem, een geluksgevoel dat hij in jaren niet had gekend. Het gevoel van jong te zijn en een doel te hebben in het leven. 'Ja!' riep hij opgewekt.
'Er ligt een briefje voor je op de kaptafel. Ik heb het onder de deur gevonden, toen ik opstond!'
Hij liep naar de kaptafel en nam het briefje op. Het was een eenvoudige, witte envelop, met de naam van het hotel in de linkerbovenhoek. Hij was aan hem geadresseerd en hij herkende het handschrift onmiddellijk. Het was van Rocco. Hij scheurde hem verbaasd open.
'Beste Johnny,' stond er, 'ik heb het personeel opdracht gegeven er voor te zorgen, dat er om kwart over zeven een auto voor jullie zou zijn en zelf heb ik de trein van vijf uur tien naar New York genomen. Er is geen plaats voor een derde in de wittebroodsweken. Ik wens jullie veel geluk. Rocco.'
Hij tikte nadenkend met het briefje tegen de rand van de kaptafel. Hij had gisteren al gevonden dat Rocco een beetje eigenaardig deed. Dulcie en hij

waren aan de eerste halte voorbij de Californische grens getrouwd en 's avonds waren ze in Pasadena uitgestapt, waar ze een hotel hadden genomen. Hij had Rocco verzocht een auto te bestellen voor kwart over zeven de volgende morgen, waarop Rocco hem lachend had gevraagd of hij werkelijk geloofde dat hij zo vroeg wakker zou zijn.
Hij had nogal onnozel teruggelachen en Rocco verteld dat hij Peter beloofd had vóór het ontbijt bij hem te zijn.
Toen hij Rocco de hand drukte en hem goedenacht wenste, had hij zich wel een beetje verlegen gevoeld. Hij wist maar al te goed wat Rocco dacht. Daarop was hij naar boven gegaan en had zacht op de deur van hun slaapkamer geklopt.
'Binnen!' Dulcies stem klonk heel zacht en verlegen, alsof ze een beetje bang was. Ze lag al in bed en had een blauw zijden sjaal om haar schouders, die ze met beide handen op haar borst bijeenhield. Het schemerlampje op het nachtkastje naast het bed wierp een zacht schijnsel over haar haar en haar bleke gezichtje en ze keek hem met grote, verschrikte ogen aan.
Hij lachte haar bemoedigend toe. 'Zenuwachtig?'
Ze knikte. 'Een beetje wel. Ik ben nog nooit eerder getrouwd geweest.'
Hij lachte om haar scherts, ging op de rand van het bed zitten en sloeg zijn armen om haar heen. Ze keek hem aan en hij kuste haar. Hij keek op haar neer, op haar gesloten ogen en kuste die teder. 'Niet bang zijn, liefste,' fluisterde hij. 'Ik zal niet ruw zijn.'
Hij wist het niet, maar het was precies andersom. Zij ging niet bruut met hem om. Ze was zo teder, zo lief, dat hij zelfs niet vermoedde hoeveel ervaring ze bezat.
Nu kwam ze, met een kamerjas losjes om de schouders, uit de badkamer. 'Waar gaat het over?'
Het drong niet meteen tot hem door dat zij op het briefje doelde. De jas hing open en wat hij zag was prachtig. 'Van Rocco,' zei hij naar haar kijkend.
Ze trok de jas dichter om zich heen. 'Wat schrijft hij?' herhaalde ze, op hem toetredend.
Hij overhandigde haar zwijgend het briefje. Haar ogen gleden snel langs de regels. Ze voelde zich eensklaps zonderling opgelucht – diep in haar hart was ze altijd een beetje bang voor Rocco geweest. Ze gaf hem het briefje terug. 'Wat vreemd – hij heeft er gisteravond niets van gezegd.'
Johnny knikte peinzend. 'Het is zeker vreemd – ik . . . hoe moet ik het zeggen . . . ik kan hem niet goed missen.'
Ze stond met haar gezicht naar de spiegel en wilde juist haar haar gaan borstelen, maar nu keerde zij zich verbaasd om. 'Hoe bedoel je dat?'

Hij keek verlegen naar de grond. 'Dit is voor het eerst sedert de oorlog dat Rocco niet bij me is.'
Ze trad op hem toe en sloeg haar armen om zijn hals. 'Je hebt hem nu toch niet meer nodig, lieveling – je hebt mij nu.'
Hij keek glimlachend op haar neer en kuste het lelletje van haar oor dat net onder haar haar uitkwam. 'Zo bedoel ik het niet, liefste. Het is iets anders.' Zijn geweten plaagde hem. Het begon langzamerhand tot hem door te dringen dat hij Rocco de laatste tijd verwaarloosd had.
Ze drukte zich nog dichter tegen hem aan. 'Wat is er dan?'
Hij lachte verlegen. Het had geen nut het haar te vertellen – ze zou het toch niet begrijpen. 'Ik weet nog niet goed wat ik zonder hem beginnen moet. Om een voorbeeld te noemen: wie moet ons straks naar Peters huis rijden?' Hij schaamde zich voor zijn eigen woorden.
Ze kuste hem vluchtig op de wang. 'Je weet nog niet wat voor talenten ik allemaal heb, lieveling. Ik kan chaufferen ook.'

Ze was erg nieuwsgierig naar Peter en zijn gezin en op weg naar zijn huis vroeg ze hem honderd uit. Ze vroeg zoveel dat het hem niet opviel dat haar meeste vragen Doris betroffen. Ten slotte sloeg hij zijn arm om haar schouders en lachte hartelijk. 'Wat is mijn vrouwtje toch nieuwsgierig!'
Ze hield de ogen strak op de weg gevestigd. 'Ik stel alleen maar belang in hen omdat ze jou al zo lang kennen,' zei ze enigszins snibbig. 'En ik weet niet of ze mij wel aardig zullen vinden.'
Hij boog zich naar haar toe en kuste haar wang. 'Nu vis je naar complimentjes, lieveling – je weet heel goed dat ze je allerliefst zullen vinden.'
Ze gaf geen antwoord en ook hij zweeg verder. Alleen gaf hij haar van tijd tot tijd een aanwijzing betreffende de weg die ze moest nemen.
Dulcie dacht intussen diep na. Toen ze besloten had met Johnny te trouwen, had ze zich voorgenomen zoveel mogelijk over hem te weten te komen. Warren had haar alles verteld wat hij van Johnny wist, maar dat was lang niet genoeg. Een paar kennissen, die op het secretariaat werkten en die ze voorzichtig had uitgehoord, hadden haar echter meer kunnen vertellen en van hen had ze voor het eerst van Peter en zijn gezin gehoord. Ze stelde veel belang in Doris. Ze voelde dat hier wel eens een addertje in het gras kon schuilen. Ze had ook gehoord van de roman die Doris had geschreven en die een paar maanden geleden was uitgekomen. Natuurlijk had ze het boek onmiddellijk gelezen en toen ze het uit had, wist ze dat ze zich niet had vergist. De held in het verhaal leek genoeg op Johnny om Johnny zelf te kunnen zijn.
Zijn stem schrikte haar op. 'Nu die hoek om en dan zijn we er.'

Ze keek hem even van terzijde aan. Hij tuurde in gespannen verwachting de weg af naar de eerste glimp van Peters huis. Zijn ogen schitterden en er was een glimlach om zijn lippen. Ze hield nu bijna werkelijk van hem. Hij was eigenlijk nog maar een kind. Ze legde haar hand op de zijne. 'Ben je gelukkig, Johnny?'
Hij keek haar met stralende ogen aan. 'Wat dacht jij dan?'

Doris staarde hen met lege ogen aan. Ze was volkomen lamgeslagen en het was alsof haar hart stilstond. Zijn woorden klonken nog na in haar oren. 'We zijn gisteren getrouwd!' Ze zag haar vader opspringen, om de tafel heenlopen en hem hartelijk de hand schudden. Het was haar alsof die luttele seconden uren waren. Wat zei Johnny toch? Ze hield haar hoofd een beetje schuin om het beter te kunnen verstaan. Ja, hij had het tegen haar. Ze deed wanhopige pogingen om het te begrijpen. 'Kom je je oom Johnny niet eens een kus brengen?' Hij vroeg het op een toon alsof ze nog een klein meisje was.
Ze stond werktuiglijk op. Was ze nog maar een klein meisje! Kleine meisjes konden tenminste gaan huilen als ze zich zo verschrikkelijk hadden bezeerd.

Conrad von Elster zat met zijn hoofd in zijn handen naar de foto's te staren, die voor hem op de schrijftafel lagen. Hij voelde zich diep ongelukkig. Hij zocht een vrouw en kon er geen vinden.
Niet dat het hem in zijn particuliere leven aan vrouwen ontbrak. Integendeel. In weerwil van zijn zorgvuldig gecultiveerde nonchalance, die dikwijls aan onbehouwenheid grensde, zijn ongekamd haar, dat een kleur had alsof het nog nooit was gewassen, zijn enigszins bolle, maar verre van onnozele ogen en zijn vettige huid, scheen hij een grote aantrekkingskracht voor vrouwen te hebben. Hij zocht echter geen vrouw voor zichzelf. Hij zocht een vrouw voor een film die hij wilde maken.
Conrad von Elster kwam uit Duitsland, waar hij een bekend cameraregisseur was geweest en hij was op aandringen van Peter Kessler naar Amerika gekomen. Deze had hem namelijk verteld dat Amerika op zijn films zat te wachten en hem verzocht in zijn studio te komen werken. Voor duizend Amerikaanse dollars per week had hij graag aan dat verzoek voldaan. De inflatie nam in Duitsland steeds dreigender vormen aan. Het diner dat de heer Kessler had besteld op de avond dat hij von Elster zijn aanbod deed, kostte tweehonderdduizend mark, die Kessler met één Ame-

rikaans tiendollarbiljet met een adelaar er op betaalde. Het eten was uitstekend. Von Elster boerde discreet en deelde de heer Kessler mee dat hij gaarne bereid was naar Amerika te komen. Dat was vier maanden geleden.

Hij was omstreeks midden november met Kessler in Hollywood aangekomen. Hij had meteen een eigen kantoor gekregen en was aan het werk gegaan.

Het draaiboek van de film die hij zou gaan maken was al goedgekeurd en nu moest hij voor de bezetting zorgen. Dat leverde volstrekt geen moeilijkheden op, totdat hij aan de vrouwelijke hoofdrol kwam. Geen van de actrices die een contract met Magnum hadden beviel hem. Derhalve droeg de heer Kessler de fotoafdeling op Herr von Elster alle mogelijke hulp te bieden en nog geen dag later zwom von Elster in foto's van talloze bekoorlijke vrouwen. Zijn telefoon stond niet stil; elke minuut waren er weer nieuwe foto's van nieuwe gegadigden, die naar een persoonlijk onderhoud met hem hunkerden.

Von Elster had nu alle foto's grondig bestudeerd en talloze hoopvolle meisjes op zijn bureau ontvangen, maar er was er niet één bij die hem voldeed. De foto's die voor hem op tafel lagen waren de beste die hij ooit had gezien, maar hij schudde mistroostig het hoofd en slaakte een diepe zucht. De foto's waren goed, maar de vrouwen leken nergens naar.

Toch zou hij een van deze juffertjes moeten uitkiezen, of anders die cheque van duizend dollar, die hem elke week zo keurig in een envelop op zijn bureau werd gebracht, vaarwel moeten zeggen. De gedachte aan die cheque deed hem in zoete mijmeringen verzinken. Een ogenblik slechts – toen keerden zijn gedachten met een schok terug naar het briefje van mijnheer Kessler, dat hij die morgen op zijn schrijftafel had gevonden.

Het was maar een heel eenvoudig briefje, op een klein stukje papier, maar bovenaan stond in drukletters: 'Uit het bureau van Peter Kessler, president van Magnum Pictures', en daaronder stond keurig getypt: 'Verzoeke om 11.30 uur voormiddag op mijn bureau aanwezig te zijn." Het was niet ondertekend.

Als dit briefje voor 1 januari op zijn schrijftafel had gelegen, zou von Elster zich niet ongerust hebben gemaakt. Integendeel. Hij zou zich ten zeerste op het onderhoud met de heer Kessler hebben verheugd. Ze konden altijd zo gezellig samen praten over 'die Heimat'. Maar er was veel veranderd. Op 2 januari was er namelijk een zekere mijnheer Edge uit New York gekomen om de heer Kessler te helpen.

Von Elster had zijn ogen niet in zijn zak. Hij merkte de algehele verandering in de sfeer in de studio onmiddellijk op. Zelfs de secretaressen zaten 's morgens op tijd achter hun schrijftafel. En de prettige telefoontjes van mijnheer Kessler, die van tijd tot tijd eens heel bescheiden had geïnformeerd of hij al iemand voor de hoofdrol had, lieten op zich wachten. Het was nu al bijna eind januari en dit was het eerste levensteken dat hij die hele maand van mijnheer Kessler had gehad.

Zijn bezorgdheid was niet geheel ongegrond. Hij had gehoord dat verscheidene afdelingschefs en enige schrijvers waren ontslagen, omdat ze niet vlot genoeg werkten. Het waren vege tekenen, waarvoor hij in het begin echter de ogen wist te sluiten. Had mijnheer Kessler hem niet elke keer dat hij hem sprak gezegd dat hij niet behoefde te beginnen voordat alles hem volkomen bevredigde?

Maar toen de gezellige telefoontjes van mijnheer Kessler ophielden, kon hij de feiten niet langer voorbijzien. Dat was de reden waarom hij zich zo diep ongelukkig voelde. Die wekelijkse cheque van duizend dollar lag hem na aan het hart.

Hij keek op zijn polshorloge. Het was nu bijna elf uur. Om elf uur kwam de bediende altijd met de cheque. Een enkele keer was hij wel eens wat later; hij hoopte echter dat hij vandaag niét later zou zijn. Hij zou zich beslist prettiger voelen als hij straks naar mijnheer Kessler kon gaan met deze cheque alvast weer in zijn zak.

Er werd geklopt. Von Elster herademde: de cheque was op tijd. De bediende legde de envelop zwijgend op zijn schrijftafel en wachtte totdat von Elster voor ontvangst getekend had. Toen hij was weggegaan, borg hij de envelop liefdevol in de binnenzak van zijn jasje. Die was vast weer binnen.

Toen keek hij weer naar de foto's op zijn schrijftafel en haalde verachtelijk de neus op. Noemden ze dit hier vrouwen? Bah! in Duitsland, daar zag je vrouwen! Echte vrouwen. Hier leken ze allemaal sprekend op elkaar. Masaproduktie, net als de auto's op straat. Veel te mager, veel te opgemaakt, veel te kort haar. In Duitsland, daar zag je vrouwen; daar had je vrouwen met wat hij de drie B's noemde – billen, buik en buste. Wat was een vrouw zonder die drie?

Hij liep peinzend naar het raam en keek naar buiten. Het raam zag uit op de fotoafdeling. Hij nam een sigaar uit zijn zak en begon er mistroostig op te kauwen.

De deur van de fotoafdeling ging open en er kwam een meisje naar buiten. Ze bleef even op de stoep staan, nam een sigaret uit haar tasje en stak haar aan. Het zonlicht glansde op haar lange, blonde haar. Ze trok een paar maal aan haar sigaret totdat hij goed brandde en liep vervolgens de stenen treden af. Von Elster sloeg haar ademloos gade. Dat was een vrouw, die had de drie B's, en hoe!

Ze droeg een eenvoudige witte, strak spannende jumper en haar korte

rokje liet haar lange, slanke benen vrij. Toen ze de paar treden was afgedaald, bleef ze weer staan en keek om zich heen, alsof ze niet goed wist welke richting ze uit zou gaan. Ten slotte nam ze het grindpad in de richting van zijn bureau.
De telefoon op zijn schrijftafel ging. Hij vloekte binnensmonds en liep er haastig naar toe. 'Met Conrad von Elster.' Hij keek over zijn schouder naar buiten. Het meisje was nu vlak bij.
'Mijnheer Kessler vraagt of het u schikt vanmiddag om halfvijf bij hem te komen, in plaats van om elf uur.' Het was Kesslers secretaresse.
'Uitstekend,' antwoordde hij.
'Dank u.' Hij hoorde de klik, toen ze de hoorn weer op de haak legde.
Hij liep vlug weer naar het raam. Ze was nu zo dicht bij dat hij haar gelaatstrekken kon onderscheiden. *'Gott im Himmel!'* mompelde hij, 'het is compleet een schoonheid! Waarom sturen ze me er niet zo een?'
Hij keerde zich half om en nam een lucifer uit de houder op zijn schrijftafel. Hij streek hem af tegen de nagel van zijn duim en hield het vlammetje bij de punt van zijn sigaar. Onderwijl keek hij peinzend naar de foto's op zijn schrijftafel. Nee, er was er niet een bij, die hij gebruiken kon. Plotseling kreeg hij een ingeving; het gaf hem zo'n schok dat de lucifer brandend op de grond viel.
'Dummkopf!' schold hij zichzelf uit. Hij vloog naar de deur, rukte hem open, rende de gang door naar de voordeur en stoof de straat op. Hij keek snel naar alle kanten, want hij wist niet welke kant ze uit was gegaan. Gelukkig, daar liep ze – in de richting van de Administratie. Haar witte rokje schitterde in het vrolijke zonlicht.
'Fräulein!' schreeuwde hij, zijn Engels totaal vergetend. 'Fräulein!' Hij rende achter haar aan. Zijn hart bonsde; het was lang geleden dat hij een dergelijke inspanning van zijn lichaam had geëist. Gelukkig, hij begon haar al in te halen. 'Fräulein!' schreeuwde hij nog eens. Ze hoorde hem echter niet en was nu angstwekkend dicht bij de Administratie. Hij probeerde nog harder te lopen, maar nu gingen er venijnige scheuten door zijn zij. 'Fräulein!' Het was een schrille, wanhopige kreet.
Goddank, ze hoorde hem! Ze bleef staan en keerde zich om. Hij waagde het wat langzamer te gaan lopen, maar hij zwaaide met beide armen om haar te beduiden, dat het om haar te doen was en dat ze móést wachten. Toen hij haar eindelijk bereikt had, hijgde hij zo dat hij geen woord kon uitbrengen. Ze trok vragend haar linker wenkbrauw op en keek hem enigszins minachtend aan. Haar pose was prachtig, vond hij.
Hij hapte naar lucht om eindelijk te kunnen zeggen wat hij op zijn hart had. Ze was nog te jong om enig begrip te kunnen hebben voor de hulpeloosheid van de middelbare leeftijd. Maar ze was prachtig en die stomme-

lingen hadden haar natuurlijk weggestuurd. Eindelijk kreeg hij zijn stem terug. 'Bent u actrice?'
Ze scheen even te aarzelen, maar toen knikte ze.
'Prachtig!' juichte hij. 'Voor de film behoef je niet te spreken!' Hij hief zijn armen pathetisch in de lucht. 'Ik, Conrad von Elster, zal u tot de beroemdste filmster ter wereld maken!'
Dulcie kreeg een hevige aanvechting om in lachen uit te barsten. Ze stond op het punt het grappige, kleine mannetje te vertellen wie ze was, maar plotseling bedacht ze zich. Het zou wel grappig zijn om te zien wat er verder gebeurde. Johnny was de hele dag in de studio en ze wist met haar tijd geen raad. Dat rondhangen begon haar knap te vervelen.
Von Elster wachtte haar antwoord niet af. Hij nam haar bij de arm en voerde haar triomfantelijk terug naar zijn bureau. 'We zullen onmiddellijk een proefopname maken.'
Een proefopname! Dat moest Johnny eens horen! Ze wist heel goed dat hij het niet prettig zou vinden en ze was al druk bezig een verklaring te bedenken. Maar waar maakte ze zich eigenlijk druk over? Als ze iets deed, dan deed ze dat voor zichzelf en niemand had daar verder iets mee te maken, zelfs Johnny niet.
Ze hadden von Elsters kamer nu bereikt. Hij wees op een stoel en greep meteen naar zijn telefoon. 'Mijnheer Reilly, alstublieft!' Hij moest even wachten voordat mijnheer Reilly aan de telefoon was.
'Mijnheer Reilly, met von Elster! Ik heb hier een meisje op mijn bureau, waar ik onmiddellijk een proefopname van wil maken.' Hij luisterde even. 'Nee, mijnheer Reilly, niet vanmiddag. Nu meteen! Ik heb om halfvijf een bespreking met mijnheer Kessler.' Hij luisterde weer even en keerde zich plotseling om naar Dulcie. Hij legde zijn hand over de microfoon en fluisterde: 'Uw naam, vlug!'
Dulcie aarzelde een fractie van een seconde. Ze kon zich nu nog terugtrekken. Maar dat wenste ze helemaal niet. Ze wilde actrice worden – het was altijd haar hartewens geweest. Waarom zou dat anders zijn nu ze met Johnny getrouwd was? Ze keek von Elster bijna uitdagend aan. 'Dulcie,' antwoordde ze. 'Dulcie Warren.' Ze hield de adem in toen von Elster haar naam voor de telefoon herhaalde maar Reilly scheen haar meisjesnaam niet te kennen. Er gebeurde tenminste niets bijzonders. Ze slaakte een zucht van verlichting. Johnny zou het niet prettig vinden, maar wat deed dat er toe? Ze was onder andere met hem getrouwd om een kans bij de film te krijgen en nu deze haar werd geboden, moest ze hem benutten ook.
De proefopnamen waren goed. Het was niet nodig dat iemand haar dat vertelde, ze wist het zelf wel. Ze had genoeg aan toneel gedaan om te

voelen wanneer ze iets goed deed en anders wist ze het wel uit de wijze waarop het camerapersoneel reageerde. Zij hadden met een effen gezicht hun voorbereidingen getroffen. Het was voor hen een vervelend routinewerk – een van de vele proefopnamen die ze dagelijks maakten – en ze hadden geen enkele reden om aan te nemen dat deze anders zou zijn. Maar hij wás anders.

In het begin amuseerden ze zich zichtbaar over de kleine, nerveuze von Elster, die in zijn opwinding zijn Engels bijna geheel vergat, zodat ze zijn aanwijzingen nauwelijks konden verstaan, maar toen ze eindelijk zijn bedoeling begrepen, werden hun ogen groot van verbazing. Zijn stijl en zijn techniek waren iets heel bijzonders en ze hadden nog nooit zoiets gezien. Maar ze waren volkomen thuis in dit soort werk en het duurde ook niet lang of ze begrepen hem volkomen en in stilte verbaasden ze zich er over dat ze in Amerika nooit op dit idee waren gekomen. Het bleek eenvoudig en het was goed.

Tot het moment waarop Dulcie voor de camera trad, hadden hun belangstelling en hun opwinding zich zuiver tot de technische zijde van hun werkzaamheden bepaald, maar toen Dulcie daar in het volle licht trad, kreeg elk woord dat de kleine man zei nog een geheel andere betekenis. Toen beseften ze ineens dat de nieuwe techniek die dit zonderlinge kereltje hun had geleerd, speciaal voor deze ene actrice bestemd was en ze luisterden met groeiende verbazing en bewondering naar hem. Von Elster gaf Dulcie zijn laatste instructies; toen ging hij voor de camera vandaan en nam plaats in een grote leunstoel, die hij speciaal voor dat doel had laten halen. Aller ogen vestigden zich op het meisje toen Herr von Elster zijn opgeheven hand liet zakken. Het werd doodstil in het zaaltje en de camera begon te snorren. De bovenlichten verspreidden een intense hitte, maar niemand voelde het. Allen keken ademloos naar het meisje.

Het zweet gutste von Elster langs het gelaat. Het móést goed zijn. Het was zijn laatste kans. En plotseling heerste er een hevige spanning in het zaaltje. Het was alsof er een elektrische vonk van het meisje op de toeschouwers was overgeslagen en contact had gemaakt. Von Elsters adem ontsnapte met een fluitend geluid door zijn half geopende lippen. Hij slaakte een diepe zucht en gluurde voorzichtig opzij, naar de andere toeschouwers. De script-girl had haar manuscript vergeten; het lag op haar schoot en ze staarde ademloos naar de actrice voor de camera. Nu keek hij naar de mannelijke toeschouwers. Hún reactie zou de doorslag geven. En hij had zich niet vergist. De technici, de elektriciens, allen stonden ze roerloos naar het meisje te staren, met een blik die even oud was als het menselijk geslacht. Von Elster kende die blik.

Hij keek nu weer naar de actrice en installeerde zich nog gemakkelijker in zijn grote stoel. Hij keek met het oog van de camera en dat oog bedroog hem niet: ze projecteerde. En in stilte dankte hij de hemel, want een eindeloze reeks van duizenddollarbiljetten ontvouwde zich voor zijn verrukte ogen.

Ze legde de krant weg en trok haar bedjasje dichter om haar schouders. Het begon kil te worden. Ze keek op de wekker. Het was bijna middernacht en Johnny was nog niet thuis. Het was een opwindende dag geweest.
Zij hoorde nog altijd von Elsters verschrikte kreet door de gesloten deuren van de projectiezaal. Ze stond in de corridor te wachten.
'Maar mijnheer Edge, hoe kon ik nu weten, dat zij uw vrouw was? Dat heeft ze me niet verteld!' Toen was ze gevlucht.
De schrik in von Elsters stem had haar duidelijk genoeg verteld hoe Johnny gereageerd had, toen hij zijn eigen vrouw op het doek zag verschijnen en ze had niet de minste zin hem onder de ogen te komen. Tenminste niet in de studio – niet in zijn domein. Ze zou hem het hoofd bieden in hun kamers in het hotel, waar ze met háár wapens kon strijden. Daar behoefde ze niet enkel met haar lippen te spreken; ze kon haar gehele lichaam te hulp roepen en daar had ze vertrouwen in. Ze kende Johnny.
Ze was de hele middag in de buurt van de telefoon gebleven. Johnny zou haar waarschijnlijk wel opbellen en tekst en uitleg vragen. Maar hij belde pas om zeven uur.
Zijn stem klonk koel en zakelijk. 'Ik kan niet met je dineren, lieveling. Ik moet vanavond in de studio zijn. Ga jij maar naar bed. Ik ben pas tegen twaalf uur thuis.'
'Ja, Johnny,' antwoordde ze gedwee. Ze wachtte of hij soms iets over de proefopname zou zeggen. Hij scheen even te aarzelen en ze hoorde hem zijn keel schrapen. 'Tot vanavond dan, Dulcie.'
'Tot vanavond, Johnny,' antwoordde ze zoet. Ze hoorde de klik van de hoorn. De verbinding was verbroken. Ze was even een beetje teleurgesteld. Hij had er niets over gezegd. Maar toen glimlachte ze. Des te beter: de strijd zou op nog gunstiger terrein worden gevoerd dan ze had durven verwachten.
Ze hoorde voetstappen in de hal en het geknars van een sleutel die in het slot gestoken werd. Ze kwam bliksemsnel overeind en draaide het lampje naast het bed uit. Ze slingerde haar bedjasje op een stoel en ging liggen.

De deur van de zitkamer ging open en ze hoorde hem naar de slaapkamer komen. Op de drempel bleef hij staan.
Ze kwam in het donker overeind. 'Ben jij het, Johnny?' vroeg ze met een angstig stemmetje.
Ze hoorde hem zuchten. 'Ja.'
Ze strekte haar hand uit naar het lampje en draaide het licht aan. Ze voelde hoe een schouderbandje van haar nachtjapon omlaag gleed toen ze haar arm uitstak en voor ze het licht aanknipte liet ze het bandje helemaal naar beneden glijden. Ze keek naar hem, hij zag er verdrietig uit.
'Ik geloof dat ik in slaap ben gevallen terwijl ik op je lag te wachten,' zei ze verontschuldigend.
Hij gaf geen antwoord, maar liep naar de kleedkamer en trok zijn jas uit. Zijn bewegingen waren langzaam en houterig, alsof hij niet zeker van zichzelf was.
Ze ging weer liggen, maar bleef hem met de ogen volgen. 'Heb je het druk gehad, lieveling?'
Nu keerde hij zich naar haar om. Zijn gezicht stond strak en ze kon er niet uit opmaken wat hij dacht. Het duurde lang voordat hij antwoordde. 'En jij hebt het me niet gemakkelijker gemaakt.' De woorden kwamen moeilijk over zijn lippen.
Ze keek hem verschrikt aan. 'Ik geloof dat je boos op me bent,' fluisterde ze met een klaaglijk stemmetje.
Hij deed zijn das af en hing hem aan de hanger. Daarop maakte hij zijn boord los. 'Nee, niet boos, Dulcie,' zei hij langzaam, terwijl hij op het bed toekwam. 'Je hebt me verdriet gedaan.' Ze zag een spier in zijn gezicht vertrekken, alsof hij het met moeite in bedwang hield. Hij keerde zich om en liep naar de kaptafel. Hij legde zijn boord er op en deed zijn manchetten af. 'Dulcie, waarom heb je dat gedaan?' Hij keerde zich niet om. Ze sprong uit bed en vloog op hem toe. Hij keerde zich half naar haar om en ze sloeg haar armen om zijn middel en drukte haar hoofd tegen zijn borst. Zijn armen bleven slap naar beneden hangen.
'O, Johnny,' fluisterde ze, 'zo heb ik het niet bedoeld! Ik dacht dat je het grappig zou vinden.'
Onwillekeurig sloeg hij zijn armen om haar heen. Ze was zo warm tegen hem aan. 'Ik vond het helemaal niet grappig,' fluisterde hij met trillende stem.
Zijn overhemd was al los en ze kuste hem op zijn borst. Zonder hem aan te zien wist ze al dat ze het gewonnen had. 'O, Johnny, ik geloof dat we kibbelen,' fluisterde ze, op een toon alsof ze op het punt stond in tranen uit te barsten.
Hij greep haar bij de kin en dwong haar hem aan te zien. 'Nee, lieveling,

we kibbelen niet,' fluisterde hij. 'Maar waarom heb je het gedaan? Ben je niet gelukkig? Ik dacht dat je vergeten was dat je actrice had willen worden.'
'Dat was ook zo, Johnny,' zei ze snel. 'Werkelijk. Maar er is iets gebeurd – ik weet zelf niet hoe het gekomen is. Misschien kwam het doordat ik altijd maar alleen was. Je bent altijd in de studio en je hebt het zo druk. En toen dat grappige kleine kereltje me achterna liep, had ik niet eens de tijd om na te denken. Het was gebeurd voordat ik er erg in had. En toen dacht ik dat het wel eens een aardige afwisseling zou zijn, een soort tijdverdrijf in de uren, dat jij er niet bent.' Ze aarzelde even. 'Ik voel me dikwijls zo eenzaam hier, in het hotel – ik ken hier niemand.'
'Het spijt me, lieveling,' zei hij zacht. 'Ik had daaraan moeten denken.' Hij kuste haar op de wang. 'Gelukkig behoeven we hier niet lang te blijven – over een paar weken kunnen we weer terug naar New York.' Ze zag dat er plotseling nog een andere gedachte bij hem opkwam. Er kwam een tedere glimlach om zijn lippen en hij drukte haar innig tegen zich aan. 'Misschien zul je binnenkort wel een ander en veel beter tijdverdrijf hebben,' fluisterde hij betekenisvol.
Ze stond heel stil in zijn armen. Het werd tijd dat hij zijn eerste lesje leerde. Dit was niet het soort tijdverdrijf dat zij zich wenste. Ze hief het gezicht naar hem op en hij zag dat haar ogen vol tranen stonden.
Hij keek haar ontroerd aan, maar toen ze bleef zwijgen, kwam er een vragende, bijna angstige uitdrukking op zijn gezicht.
Ze rukte zich plotseling uit zijn armen los, keerde zich om en liet zich voorover op bed vallen. Ze snikte het uit.
Hij liep op haar toe en ging naast haar zitten. Na een paar minuten legde hij zijn handen op haar schouders en probeerde haar naar zich toe te trekken. Maar ze wilde niet en snikte nog harder. Hij begon zich nu werkelijk ongerust te maken. 'Dulcie, lieveling, wat is er toch? Heb ik iets verkeerds gezegd?'
Ze keerde zich langzaam om en kwam overeind. Haar nachtjapon gleed tot haar middel omlaag en de tranen stroomden haar over de wangen. 'Johnny,' snikte ze, 'je zult me gaan haten! Ik heb je bedrogen!'
Hij sloeg zijn armen om haar heen en trok haar tegen zich aan. 'Ik zal je niet gaan haten, liefste. Waar huil je zo om?'
Ze verborg haar gezicht tegen zijn schouder. 'Ik had het je eerder moeten zeggen, maar ik was bang dat je dan niet met me zou trouwen.'
Ze voelde dat hij begon te beven. Ze moest zich geweld aandoen om het hoofd niet op te heffen en haar triomf op zijn gezicht te lezen. Maar haar ogen zouden haar wel eens kunnen verraden. Zijn handen klemden zich krampachtig om haar schouders. Het deed haar pijn, maar dat was niet

erg, want het was een bewijs van de macht die ze over hem had.
'Dulcie, je moet niets voor me verborgen houden. Wat is er?'
Ze hief het hoofd nu op en keek hem door haar tranen heen aan. Haar stem klonk heel zacht en berouwvol. 'Ik heb een ongeluk gehad – jaren geleden, toen ik nog een meisje was.' Ze sloeg de ogen neer. 'De dokter zei dat ik nooit kinderen zou kunnen krijgen.' Hij zag weer nieuwe tranen onder haar wimpers blinken.
De spanning week langzaam van zijn gelaat.
'O, Johnny, je bent teleurgesteld!' jammerde ze, opnieuw in tranen uitbarstend. 'Je had een kind willen hebben!'
Er kwam een zachte, tedere blik in zijn ogen. Ze had ze nooit eerder zo gezien. Ze wist niet dat de teleurstelling ze zo zacht en liefdevol maakte, want ze had er geen vermoeden van hoe dicht ze bij de waarheid was.
Hij drukte haar hoofd tegen zijn borst. 'Nee, lieveling,' loog hij, terwijl zijn ogen over haar hoofd heen somber naar het portret van Peter staarden, dat op zijn schrijftafel stond. Hij had zijn eerste zoon naar hem willen noemen. 'Het is helemaal niet erg.'
Ze kuste zijn wang, zijn kin, zijn lippen. Kleine, vlugge vlinderkusjes. 'Johnny, wat ben je toch lief voor me!'
Hij glimlachte vertederd. 'Hoe zou ik anders kunnen? Jij bent immers mijn baby?'
Ze wreef haar gezicht langs zijn schouder. 'Is papa dus niet boos op me?' vroeg ze met een hoog kinderstemmetje.
Hij kuste haar in de hals en zij drukte zijn gezicht tegen zich aan en langzaam gleden zijn lippen naar haar borst. Wat was hij toch eenvoudig en pretentieloos. Het was zo gemakkelijk hem gelukkig te maken.
'Johnny,' vroeg ze, 'hoe waren de opnamen?'
Ze voelde dat hij schrok. Hij had stellig niet verwacht dat ze daar nu nog op terug zou komen. Hij probeerde het hoofd op te heffen, maar ze bleef zijn gezicht tegen haar borst drukken en vlijde zich met haar hele lichaam tegen hem aan.
'Ze waren heel goed,' klonk het gesmoord.
Ze wachtte even. Zijn handen gleden langs haar lichaam. Ze liet hem stil begaan. 'Waren ze werkelijk goed, Johnny?'
'De beste die ik ooit gezien heb,' antwoordde hij zonder bedenken. Ze strekte haar arm uit en draaide het licht uit. Daarop begon ze zijn overhemd verder los te knopen. Hij lachte blij en liet zich van het bed glijden. Ze hoorde hem zich in het donker haastig uitkleden. Even later waren zijn lippen op de hare, zijn lichaam warm tegen haar lichaam.

Ze lagen stil naast elkaar. Hun sigaretten gloeiden geheimzinnig in het

donker. Haar hand gleed strelend over zijn borst.
'Johnny?'
'Ja?'
'Johnny, ik bedenk daar net iets . . .'
'Wat dan, lieveling?' Het klonk loom, maar niet zonder belangstelling.
'Die film van von Elster . . .' ze voltooide haar zin niet. Haar hart begon wild te bonzen. 'We blijven tot eind maart hier, is het niet?'
Hij keerde zich op zijn zij om haar gelaatstrekken te onderscheiden. 'Wil je hem toch maken?'
Ze durfde niet te antwoorden.
'Waarom?' vroeg hij, haar zwijgen begrijpend.
Ze aarzelde nog even, maar toen kwam het antwoord als vanzelf over haar lippen. 'Omdat ik altijd heb gezegd dat ik talent had en een groot actrice zou kunnen worden en omdat Cynthia en Warren me niet willen geloven. Ik wil het ze laten zien, Johnny. Ze hebben me altijd uitgelachen, maar jij zegt zelf dat de opnamen goed waren. Och, Johnny, laat me deze ene film maken. Dat is alles wat ik vraag.' Ze acteerde nu niet, want ze begreep heel goed dat alles van zijn toestemming afhing. 'Laat me deze ene film maken – het is mijn enige kans om het ze te laten zien. Ik zal het je nooit weer vragen!'
Hij liet de rook diep in zijn longen dringen en blies hem toen langzaam door zijn neusgaten weer uit. Eén film, dat was alles wat ze vroeg. En ze wás een actrice. De opnamen waren de beste die hij ooit had gezien. Daarom was hij zo boos geworden in de projectiezaal. Toen hij haar glimlachend gezicht op het doek zag verschijnen, had een hevige angst zich van hem meester gemaakt. Hij mocht nauwelijks verwachten dat hij een dergelijk talent voor de camera vandaan zou kunnen houden – dat hij háár voor zichzelf zou kunnen houden.
Hij keek de projectiezaal rond. In het flauwe licht zag hij dat alle aanwezigen ademloos naar het doek staarden. Ze leefden mee met elke gemoedsaandoening die ze vertolkte. Peter was er ook bij. Het eerste ogenblik had hij Johnny verbaasd bij de arm gegrepen – ook voor hem was het een verrassing. Maar toen ging ook hij geheel op in Dulcie's spel.
Peter was erg sportief geweest – hij had niet eens op een beslissing aangedrongen.
Hij had haar lief, maar hij had ook de film lief. Mocht hij haar wel terughouden van het werk waartoe ze beiden bestemd waren? De gedachte deed hem pijn. Deed hij haar geen onrecht? Maar hij was zo bang dat hij haar zou verliezen. Het zou niet bij deze ene film blijven. Hij rookte peinzend. Hij hoorde haar ademen, maar verder lag ze zo stil dat het wel leek alsof ze bang was zich te verroeren, bang ook maar iets te doen dat hem

wellicht onaangenaam was. Lieve, kleine Dulcie – ze had het niet aan hem verdiend dat hij zo egoïstisch zou zijn. Ze was zo goed voor hem. Hij had dat nooit van enige vrouw durven verwachten en zij – ze gaf hem alles. Hij had plotseling innig medelijden met haar. Wat was hij voor een kerel, dat hij zo wreed en egoïstisch kon zijn, terwijl zij toch maar zo weinig terugverlangde?
Hij drukte zijn sigaret uit in de asbak en sloeg zijn armen om haar heen.
'Deze ene film?' vroeg hij zacht.
'Deze ene, Johnny,' smeekte ze.
Hij keek naar haar. De gordijnen waren open en in het flauwe licht van de sterren kon hij juist haar gelaatstrekken onderscheiden. Ze was mooier dan ooit. Haar ogen waren onafgewend op zijn gelaat gevestigd – groot, donker en hoopvol. Haar onderlip trilde.
'Goed dan,' zei hij kalm.
Plotseling lag ze boven op hem en haar lichaam drukte het zijne tegen het bed. Ze kuste hem wild, opgewonden. 'Johnny, Johnny!'
Hij voelde dat ze over haar gehele lichaam beefde en een ongekende angst maakte zich plotseling van hem meester. Hij trok haar gezicht tegen het zijne om haar warmte te voelen, want hij wist zich plotseling wanhopig eenzaam.
'Johnny,' fluisterde ze hartstochtelijk en haar tanden beten in zijn lip. 'Johnny, ik hou van je!' En ditmaal meende ze het werkelijk.

Peter zette zijn lege koffiekop met een smak op tafel en keek Esther woedend aan. 'Ik zeg je nog eens dat ik het grote waanzin vind, Esther. Het idee alleen al, dat een jong meisje als Doris helemaal alleen naar Europa zou gaan! Het kan niet goed zijn.'
Esther lachte verontschuldigend. 'Een jong meisje heeft het soms wel eens nodig een poosje uit haar gewone omgeving weg te zijn en alleen te zijn met zichzelf,' verdedigde ze haar dochter.
Peter keek haar uitdagend aan. 'Ik zou wel eens willen weten waarom! Heeft ze hier niet alles wat haar hartje begeert?'
Esther schudde bedroefd het hoofd. Wat waren mannen soms toch ezels; en Peter was in dat opzicht al geen haar beter dan de rest. Zag hij nu werkelijk niet wat er met Doris aan de hand was? Had hij dan niet gemerkt hoe stil en afwezig ze was sinds die morgen dat Johnny zijn vrouw voorstelde? Ze gaf geen antwoord.
Buiten klonken geweerschoten en een luid geschreeuw. Peter nam haastig

zijn horloge uit zijn vestzak. 'Drommels, wat is het al laat!' Hij sprong op en liep met grote stappen naar de deur. 'Ze zijn al met de opnamen voor de Wild-West bezig en ik had er vanmorgen bij willen zijn!'
De film waarover hij het had werd gedeeltelijk opgenomen aan de voet van de heuvel achter hun huis en hij zou zich moeten haasten om nog op tijd te zijn. Bij de deur draaide hij zich nog eens om en keek zijn vrouw scherp aan. 'Ik ga, maar ik zeg je nog eens dat ik die reis van Doris grote dwaasheid vind.'
Esther trad op hem toe en kuste hem op zijn wang. 'Ga maar gerust, papa, en tob niet over haar. Ze zal niet in zeven sloten tegelijk lopen.'
Hij keek haar half boos, half lachend aan. 'Papa kan eigenlijk even goed zijn mond houden. Er is er hier in huis toch niet één die naar hem luistert!'
Hij trok de deur achter zich dicht.
Toen hij de top van de heuvel had bereikt, keerde hij zich om en keek neer op zijn huis. Hij schudde zuchtend het hoofd. Er was daar de laatste maand iets niet in orde en het betrof Doris, maar hij had er geen idee van wat het nu eigenlijk was. Wel had hij opgemerkt dat ze de laatste weken sterk vermagerd was en blauwe kringen onder haar ogen had, alsof ze slecht sliep, maar verder stond hij voor een raadsel.
Het getrappel van paardehoeven en een luid geschreeuw deden hem zich snel omkeren. Hij keek neer in de vallei aan de andere kant van de heuvel. Aan de voet van de heuvel liep een smalle zandweg en daarlangs naderde nu in vliegende vaart een open wagen met een camera er in. Ongeveer een dozijn ruiters galoppeerde er, in een dichte stofwolk gehuld, achteraan.
Peter lachte inwendig toen hij de heuvel begon af te dalen in de richting van de zandweg. Hij zou zich nog wel eens een huis moeten bouwen buiten de terreinen van de studio, zodat het lawaai van de Wild-West films de bewoners niet meer kon doen wakker schrikken op morgens dat ze wilden uitslapen. Maar tot nu toe verveelde het hem nog niets. De geluiden die elke morgen als hij aan zijn ontbijt zat naar binnen daverden, vervulden hem telkens weer met trots, net als in de tijd toen ze 'The Bandit' verfilmden.
Hij had de zandweg nu bereikt en bleef aan de kant staan wachten. Ze waren hem al voorbij en een bocht van de weg onttrok hen aan zijn oog, maar ze zouden met een paar minuten terug zijn. Hij berekende hoeveel tijd ze ongeveer nodig zouden hebben voor een nieuwe set-up. Ongeveer zeven minuten, meende hij. Hij nam zijn horloge uit zijn vestzak en keek er op. Hij ging van het standpunt uit dat niets het personeel zo tot werken aanspoort als de aanwezigheid van de baas.
Precies vijf minuten later hoorde hij hun geschreeuw weer en op hetzelfde moment kwamen ze de bocht al om vliegen. Hij stak zijn horloge vlug in

zijn zak, ging midden op de weg staan en stak de hand op. Dit was een goede regisseur – hij had twee minuten minder nodig gehad om zijn mensen op te stellen dan de baas had berekend.
De voerman zag hem en hield zijn paard in en de regisseur, die achter in de wagen bij de camera zat, zwaaide wild met zijn armen, om de ruiters die achter de wagen aan kwamen galopperen te beduiden dat ze moesten stoppen. Ze trokken uit alle macht aan de teugels en de paarden steigerden hoog op. De cameraman trok de sluiter met een klap dicht.
Peter liep langzaam op de wagen toe en keek omhoog naar de regisseur. Hij herkende hem onmiddellijk, maar het was niet de man die hier op dit moment aan het werk moest zijn. Het was een van diens assistenten, een zekere Gordon. Zijn voornaam herinnerde Peter zich niet. 'Dat was een snelle set-up, Gordon,' prees hij.
'Dank u, mijnheer Kessler.'
Peter keek in de wagen. 'Waar is Marran?' Marran was de regisseur van deze film.
Gordon keek verlegen naar de grond. Marran lag stomdronken in zijn kantoor. Hij was vanmorgen zwaaiende in de studio gekomen en Gordon had hem naar de sofa gedirigeerd en was vervolgens met de spelers naar de heuvel getrokken om de jachtscenes op te nemen. 'Hij voelde zich niet goed,' zei hij aarzelend. 'Daarom vroeg hij mij deze opnamen te maken.'
Peter zei niets. Er gingen zonderlinge geruchten over die ziektes van Marran. Hij klom in de wagen. Zijn plezier over de snelle set-up was ineens verdwenen. Hij betaalde een regisseur geen tweehonderd dollar per week om tot de ontdekking te komen dat een assistent van vijftig dollar diens werk beter deed. 'Zet me aan het eind van de weg af,' bromde hij nors. Vandaar was het nog maar vijf minuten naar het bureau van Marran.
De wagen zette zich weer in beweging. Gordon keerde zich om en beduidde de ruiters dat ze hen moesten volgen. Hij keek naar de lucht. 'Ik zou maar doorgaan met de opnamen,' zei hij tegen de cameraman. 'Het ziet er naar uit dat er bewolking komt.'
Peter hoorde het en knikte goedkeurend. Een prima kracht, deze jongeman. Hij verspilde geen licht. Licht was van onschatbare waarde in het filmbedrijf. Je moest te allen tijde gereed staan om het te benutten. Hij keerde zich om op de bok en keek naar zijn metgezellen in de wagen. Gordon zat met zijn rug naar hem toe, achter de camera. Hij drukte zijn knieën stijf tegen de zijkant van de wagen en hield zich zo in evenwicht in het hevig schommelende voertuig. Hij hief juist de rechterhand op en beschreef er een cirkel mee. Een van de ruiters tuimelde van zijn paard, rolde een paar maal over de kop en bleef liggen.

Peter knikte wederom goedkeurend en draaide zich weer om. In gedachten verzonken staarde hij voor zich uit. Het lawaai achter hem hoorde hij niet meer. Er waren teveel dingen, die hem innerlijk bezig hielden.
Daar had je die kwestie van de theaters, die George wilde verkopen. Volgens hem zag George het veel te somber. Hij voelde er tenminste niets voor. De faam van Magnum Pictures was voor een groot deel aan de theaters te danken en ze waren een veel te goede reclame voor de zaak. Hij had Johnny gezegd dat hij George wel uit wilde kopen. Deze had hem echter voorgerekend dat hij hiertoe veel meer contanten moest hebben dan er op het ogenblik ter beschikking waren. Daarop had Peter voorgesteld naar Al Santos te gaan en te proberen het nodige kapitaal van hem te lenen. Ze zouden Al vandaag op zijn kantoor in Los Angeles bezoeken. Hij was er echter niet zeker van dat hij het geld los zou krijgen – ze waren hem al vier miljoen dollar verschuldigd. Het was weer een heel vraagstuk, maar de oplossing moest toch binnen afzienbare tijd gevonden worden.
De wagen hield stil. Peter keek verbaasd om zich heen. Hoe was het mogelijk – ze waren er al! Hij klom uit de wagen en wendde zich tot Gordon.
'Netjes gedaan, Tom.'
'Bob, mijnheer Kessler,' verbeterde Gordon.
Peter keek hem met opgetrokken wenkbrauwen aan. Hoe zat dat ook weer . . . Toen glimlachte hij. 'Och ja, dat is waar ook – Bob.'
Zonder verder nog iets te zeggen keerde hij zich om en ging heen.

Al Santos had zijn kantoor aan de achterkant van de twee verdiepingen hoge Bank of Independence en door de glazen wanden van het vertrek kon hij het hele gebouw overzien. Het vertrek was eenvoudig en smaakvol ingericht en ook Al Santos zelf herinnerde in niets meer aan de enigszins protserig geklede circusdirecteur van vijftien jaar geleden. Hij droeg nu een effen pak van dure stof, maar eenvoudig en enigszins ouderwets van snit en hij had zijn talloze gouden ringen afgelegd. Van zijn stogie had hij echter geen afstand kunnen doen. Ook zijn ogen waren nog hetzelfde – vriendelijke, bruine ogen, waarin humor twinkelde.
Hij was vanmorgen bijzonder in zijn nopjes. De rook van een pas opgestoken stogie krinkelde in blauwige spiralen omhoog en hij leunde op zijn gemak achterover in zijn brede bureaustoel, terwijl hij door half gesloten ogen naar Johnny keek. Peter was aan het woord.
Johnny zag er moe uit, vond hij. Hij werkte te hard in de studio. Al had gehoord hoe de studio er een maand geleden voor stond en hoeveel Johnny

in die korte tijd alweer op poten had gezet. Er gebeurde maar weinig in de verschillende studio's dat hem niet vroeg of laat ter ore kwam.
Al Santos was trots op Johnny. Magnum zoemde na deze maand alweer als een bijenkorf en dat was grotendeels Johnny's werk.
Maar de jongen zag er vermoeid uit. Er waren scherpe lijnen bij zijn ogen en zijn mondhoeken; hij zou dit op den duur niet kunnen volhouden.
En dan had je daar bovendien nog die jonge vrouw van hem. Al lachte ondeugend en keek Johnny nog scherper aan. Dat zou er ook wel geen goed aan doen. Een man had nu eenmaal ook een beetje rust nodig.
Hij luisterde maar met een half oor naar Peter. Het was voor hem niets ongewoons dat er filmproducenten bij hem kwamen om geld van hem te lenen. Het deed er niet toe hoeveel ze hadden, ze moesten altijd meer hebben om weer wat anders te doen, dat ze zonder geld niet konden klaarspelen. Gewoonlijk gaf hij hun het geld en het was tot nu toe altijd goed afgelopen.
Hij dacht aan het jaar dat hij naar Californië was gekomen. Hij had zijn circus voordelig verkocht en het allerlaatste wat hij verwacht had te zullen gaan doen was wel een bank openen. Hij zou het zelf niet geloofd hebben als iemand het hem destijds had verteld. Maar op zekere dag, toen hij met zijn broer Luigi op de voorveranda van zijn farm zat en de schuldbekentenissen sorteerde, die ze in het kleine geldkistje in het kabinet bewaarden, had hij de bedragen eens opgeteld en was tot de conclusie gekomen dat de filmproducenten in de omgeving hem al bijna een kwart miljoen dollar verschuldigd waren. Hij had schertsend opgemerkt dat hij best een bank zou kunnen openen omdat ze van de banken in Los Angeles toch geen geld schenen los te kunnen krijgen. Zijn boekhouder, Vittorio Guido, de zoon van een buurman, die op een bank in Los Angeles werkte en Al gedurende de weekends zijn boeken hielp bijwerken, was toevallig op dat moment de veranda opgekomen. Hij had Al eens aangekeken en gevraagd: 'Waarom doet u het eigenlijk niet, mijnheer Santos?'
En hij had het gedaan. Eerst in een klein winkeltje in Los Angeles. Boven de deur hadden ze een houten uithangbord gehangen met het opschrift: 'The Bank of Independence', en daaronder in kleinere letters: 'Leningen aan de Filmindustrie.'
De filmindustrie breidde zich uit en de bank eveneens. Het leek wel of ze hand in hand gingen. Van dat kleine winkeltje naar dit vorstelijk gebouw was wel een hele stap geweest. Nu stond er in gouden letters boven de ingang: 'Kapitaal $ 50.000.000.'
Peter was klaar met zijn uiteenzetting en wachtte nu op zijn antwoord. Al rukte zich uit zijn overpeinzingen los en keek Peter doordringend aan. Hij had voldoende van zijn betoog gehoord om te begrijpen waar het hem om

te doen was. Hij wilde nog twee miljoen dollar van hem lenen om George's aandeel in de theaters, die zij samen bezaten, te kunnen kopen.
'Waarom wil George ze verkopen?' vroeg hij.
'Om meer aandacht te kunnen schenken aan zijn eigen theaters,' haastte Peter zich te antwoorden.
Al dacht een ogenblik na. Hij geloofde niet dat dit de enige reden was, maar er moesten toch ook nog andere factoren overwogen worden, voordat hij eventueel tot lening overging. 'Je bent me nu drie en een kwart miljoen dollar verschuldigd,' stelde hij vast. 'Het heeft me vorig jaar vrij veel moeite gekost het bestuur er toe over te halen deze lening te vernieuwen en het zal niet meevallen ze zover te krijgen dat ze je er nog twee miljoen bij lenen.'
'Vorig jaar hadden ze ook alle reden om er tegen op te zien,' erkende Peter. 'We waren toen juist bezig onze handel met het buitenland uit te breiden en dat kostte veel geld.' Hij opende zijn tas en rommelde er wat in. Eindelijk vond hij de papieren die hij zocht en legde ze voor Al Santos op de schrijftafel. 'Maar dit jaar staan we niet voor zulke uitgaven en aan het eind er van zullen we in staat zijn onze schuld af te lossen.'
Al keek niet eens naar de papieren. Dat deed hij nooit. Ze hadden altijd hun papieren klaar en daar mankeerde natuurlijk nooit iets aan. Zijn personeel kon dat wel uitzoeken, om een eventuele lening te verantwoorden tegenover het bestuur. Hij baseerde een lening altijd op zijn persoonlijke opinie over de man die hem geld kwam vragen en hij vergiste zich zelden.
'En hoe wil je dat klaarspelen?' vroeg hij Peter.
Peter kuchte een beetje nerveus. Soms vroeg hij zich wel eens af waarom hij toch altijd maar weer meer geld wilde verdienen. Hoe meer hij had, hoe groter zijn zorgen. Hij besefte zelf niet dat dit nu juist de bekoring was, die het zakenleven voor hem had: de schijnbaar onbegrensde mogelijkheden die er inzaten. 'Ik had het me als volgt voorgesteld.' Hij boog zich voorover en liet onbewust zijn stem dalen. 'We veranderen de huidige lening in schuldbekentenissen van vijfenzeventigduizend dollar, wekelijks af te lossen. Op deze wijze is het binnen een jaar afbetaald en wordt de lening in een dergelijk tempo gereduceerd dat het bestuur er geen bezwaar meer tegen kan hebben. In ruil voor deze nieuwe lening geven wij je een hypotheek van tien jaar op de Magnum Theaters. Ze zijn ongeveer tweemaal zoveel waard als deze hypotheek en ik geloof niet dat er enig bezwaar tegen kan zijn.'
'Vijfenzeventigduizend dollar is een macht geld om elke week af te betalen,' peinsde Al hardop. 'Weet je zeker dat je dat kunt?'
'Jazeker,' antwoordde Peter, met meer overtuiging dan hij feitelijk verantwoorden kon. 'We hebben een omzet van ruim driehonderdduizend dollar

per week en tegen het einde van dit jaar, als de zaken in het buitenland op volle toeren draaien, zullen het er vier zijn.'
Al vergeleek in gedachten de bedragen die Peter noemde met de hem bekende getallen. Het klopte. Magnum had een omzet van vijftien miljoen per jaar. 'Wie exploiteert de theaters als George er uit gaat?'
Peter knikte in de richting van Johnny. 'Johnny.'
Al wendde zich tot zijn pleegzoon. 'En denk je dat ze safe zijn?'
Johnny keek hem recht in de ogen. Hij had tot nu toe geen woord gezegd. 'Het zal niet meevallen,' erkende hij eerlijk, 'maar ik geloof dat ik het wel klaarspeel.'
Al trok peinzend aan zijn sigaar. George's standpunt bevredigde hem niet helemaal, maar overigens leek de basis voor de lening hem wel goed. Een hypotheek van twee miljoen tegenover een kapitaal van vier was niet ongunstig. Hij stond op, ten teken dat het onderhoud ten einde was. 'Het klinkt niet zo gek,' deelde hij Peter mee, terwijl hij de papieren opnam. 'Ik zal deze dingen aan Vittorio geven, dan kan hij ze nakijken – met een dag of twee, drie hoor je wel van me.'
Peter slaakte een zucht van verlichting. De ervaring had hem geleerd dat als Al zei dat iets hem wel leek, het meestal wel in orde kwam, onverschillig wat Vittorio er van dacht. Hij stond eveneens op en stak Al de hand toe. 'Dank je, Al.'
Al schudde hem de hand en bracht hen naar de deur. Daar legde hij zijn hand op Johnny's schouder en zei verwijtend: 'Je bent nog maar één keer op de farm geweest, sedert je hier bent.'
Johnny keek hem berouwvol aan. Het was waar, maar hij had het te druk gehad en Dulcie voelde er niets voor naar de farm te gaan. Ze zei dat de stilte haar terneer drukte. 'Ik werk tot diep in de nacht,' verontschuldigde hij zich.
Al glimlachte. Er was een warme, liefdevolle blik in zijn ogen. 'Je doet alsof je een vreemde bent en ik zou in elk geval je knappe, jonge vrouwtje wel wat meer willen zien. Ik ben wel een oud man, maar nog niet zo oud dat ik een mooie vrouw niet meer kan appreciëren, vooral niet als ze praktisch familie van me is.'
Johnny kreeg een kleur en Al lachte hem hartelijk uit. 'Die jonggehuwden zijn allemaal hetzelfde!' zei hij tegen Peter.
Hij deed hen uitgeleide tot aan de straat en wachtte totdat Peters auto was weggereden. Daarop keerde hij zich om en ging hoofdschuddend terug naar zijn kamer. Er was iets niet in orde met Johnny en het betrof niet alleen zijn al te drukke werkzaamheden; daarvoor kende hij Johnny te goed. Zou het zijn vrouw zijn? Ze leek hem niet het soort vrouw dat rustig thuis blijft zitten en een nageslacht ter wereld brengt. En nu ze eenmaal

in een film optrad . . . Hij sloot de deur van zijn kamer en liet zich zwaar in zijn stoel vallen. Wat kon er toch met Johnny aan de hand zijn? Hij streek zich met de hand over het voorhoofd en staarde enige tijd in gedachten verzonken voor zich uit.
Zijn sigaar was uitgegaan en dit bracht hem tot de werkelijkheid terug. Hij drukte op de zoemer en begon in de papieren te bladeren, die nog op zijn schrijftafel lagen, maar zijn gedachten waren nog steeds bij Johnny. Jammer dat het niets was geworden met die dochter van Peter. Zij was meer zijn type. Dat vrouwtje dat hij nu had . . . De deur ging open en Vittorio kwam binnen.
'Wat is er, Al?'
Hij schoof Vittorio de papieren toe. 'Kijk dit eens na en laat me weten of het in orde is – Kessler heeft me nog om twee miljoen dollar gevraagd.'
Vittorio nam de papieren zwijgend op en verliet het vertrek. Al staarde weer peinzend voor zich uit. Eindelijk slaakte hij een diepe zucht en stak een nieuwe stogie op. Waarom voelde hij zich toch zo terneergeslagen? Hij keek wantrouwig naar het dunne, zwarte sigaartje. Het was al zijn vierde vandaag en de dokter had gezegd dat hij er niet meer dan drie mocht roken. 'Ik geloof dat ik oud word,' peinsde hij hardop.

Gedurende de terugrit naar de studio zei Peter geen woord en pas toen ze het hek waren binnengereden, scheen hij zich Johnny's aanwezigheid weer bewust te worden.
'Ik was vanmorgen op het terrein achter mijn huis, waar die Wild-West wordt opgenomen, en merkte daar tot mijn verbazing dat Marran er niet bij was. Een zekere Gordon voerde de regie en hij deed het niet onverdienstelijk.'
'Dat weet ik,' antwoordde Johnny. 'Marran kwam vanmorgen dronken in de studio.'
Peter keek hem verrast aan. Johnny wist ook letterlijk alles. 'Ik vrees dat we hem zullen moeten ontslaan,' zuchtte hij. Hij had er een hekel aan personeel te ontslaan.
'Dat heb ik vanmorgen al gedaan,' deelde Johnny hem zonder omhaal mee.
Peter herademde. 'Dan zullen we Gordon in zijn plaats stellen.'
'Ja,' stemde Johnny in. 'Het is een harde werker en een eerlijke kerel.'
De auto stopte voor de Administratie. Ze stapten uit en Johnny volgde Peter naar diens kamer. Peter ging achter zijn bureau zitten en keek peinzend uit het raam. Johnny zag wel dat hij iets op zijn hart had, maar het scheen hem moeite te kosten er mee voor de dag te komen.
'Ik vrees dat jij weer naar New York zult moeten, als we die twee miljoen

dollar krijgen,' zei Peter ten slotte, zonder Johnny aan te zien. 'Er zal daar hard aangepakt moeten worden om die vijfenzeventigduizend per week te halen.'
Johnny gaf geen antwoord. Hij liep langzaam naar het raam en keek naar buiten. Peter kwam naast hem staan. 'Je bent hier zo ongeveer klaar – de zaak loopt weer. Ik kan het verder wel alleen af. Je moet nu nodig weer naar New York om daar het oog op de zaken te houden.'
'En Dulcie?' Het klonk bitter, bijna als een verwijt.
Peter kuchte eens. Hij voelde zich niets op zijn gemak. Ze waren pas een maand getrouwd en zouden nu alweer gescheiden worden. Maar Johnny kon niet langer gemist worden in New York en zij móést hier blijven voor die film. Peter ging langzaam weer achter zijn schrijftafel zitten en speelde in gedachten verzonken met een presse-papier. 'Ik zal wel een beetje op haar letten en haar terugsturen zodra de film klaar is.' Zijn stem klonk hees.
Johnny keerde zich om en keek peinzend op Peter neer. Er was niets aan te doen. Er was een massa geld in die film gestoken en de opnamen waren al veertien dagen aan de gang. En hij móést naar New York. Ze konden geen enkel risico nemen als ze vijfenzeventigduizend dollar per week moesten afbetalen.
'Voordat ik toch ooit weer een vrouw meeneem naar de studio!' blafte hij plotseling. Hij had meteen al spijt van zijn uitval. Peter kon er ten slotte ook niets aan doen. Het was dit krankzinnige bedrijf. Je wist de ene minuut niet waar je de volgende zou zitten.

'Rock!' Het was hem alsof hij de echo van zijn stem hoorde in de stille vertrekken. Er kwam geen antwoord.
Hij liep terug naar de hal om de deur te sluiten en zijn koffer te halen en liep toen zonder de koffer neer te zetten regelrecht naar Rocco's kamer. 'Rock!' riep hij nog eens, voor de gesloten deur. Geen antwoord. Hij opende de deur en draaide het licht aan. De kamer was leeg. Hij ging weer naar zijn eigen kamer en tilde de koffer op zijn bed. Gek dat Rocco er niet was. Misschien had Jane vergeten hem te vertellen dat hij vandaag terugkwam. Hij had het haar getelegrafeerd. Maar nee, dat was onzin; Jane vergat niets. Waar kon hij toch zitten?
Hij trok zijn jas uit en begon de koffer uit te pakken. Het eerste wat hij er uit nam was een grote foto van Dulcie. Hij zette hem op de kast, ging een paar stappen achteruit en bleef er toen verliefd naar staan kijken. Het

was een foto die ze een paar dagen geleden speciaal voor hem had laten maken, een bijzonder goede foto, die de diepte van haar ogen, de verleidelijke welving van haar lippen en de bevallige lijn van haar lange haar uitstekend tot hun recht deed komen.
Wat was ze toch een goed vrouwtje, dacht hij vertederd, terwijl hij langzaam verder ging met uitpakken. Ze was helemaal overstuur geweest toen ze hoorde dat hij zo plotseling moest vertrekken. Ze wilde met alle geweld met hem mee – die hele film liet haar plotseling koud. Hij glimlachte bij de herinnering. Wat had hij moeten redeneren om haar te doen begrijpen, dat ze móést blijven en die film afmaken. Wat kon het toch wonderlijk gaan. Een paar weken geleden had ze hem gesmeekt die film te mogen maken en nu wilde ze alles ineens in de steek laten en moest hij haar overreden om te blijven.
Ze had er geen idee van wat er allemaal kwam kijken voordat er met de opnamen van een film kon worden begonnen. En als er eenmaal een begin was gemaakt, dan was er geen terug meer. Het was niet enkel een kwestie van geld, had hij getracht haar aan het verstand te brengen. De andere acteurs en actrices, en het gehele personeel zouden er nadeel van hebben als zij zich terugtrok. Hij kwam op het gelukkige idee de film met het toneel te vergelijken en dat overtuigde haar ten slotte. Het was voor de camera al net als op de planken: 'de voorstelling móést doorgaan'. Haar gezichtje was ineens opgeklaard. Dát kon ze begrijpen. Haar familie stond niet voor niets al zo lang op de planken.
Wat glimlachte ze lief tegen hem op die foto. Hij kon niet nalaten ook tegen háár te lachen. Lief vrouwtje – hij zou morgen meteen voor een lijst zorgen. Nog voordat hij naar kantoor ging. Ze verdiende het. Ze had bij hun afscheid zelfs een beetje gehuild. Ze had haar best gedaan het te verbergen, maar hij had het toch gezien en het had hem goed gedaan.
De koffer was leeg. Hij rekte zich geeuwend uit en begon zich langzaam uit te kleden. Zijn blik viel daarbij op zijn horloge. Het was al over tweeën. Hij fronste de wenkbrauwen. Waar zat Rocco toch?
Plotseling schoot hij in de lach. 'Je lijkt wel een oud wijf,' verweet hij zichzelf. 'Een man zal toch wel eens een keer uit mogen gaan.'
Hij had zich nu uitgekleed en ging naar de badkamer om zijn tanden te poetsen. Toen hij dat had gedaan, trok hij zijn pyjama aan en ging op de rand van het bed zitten om zijn been af te doen. Maar plotseling bleef hij heel stil zitten. Hij voelde zich eenzaam, vergeten.
Het was nu bijna drie uur. Misschien had Rocco een briefje voor hem achtergelaten in zijn kamer. Hij stond op en liep weer naar Rocco's kamer. Het licht brandde nog. Hij had vergeten het uit te draaien. Hij liep de kamer in en keek om zich heen. Nergens een briefje. Aan een ingeving

gehoor gevend, trok hij een la van de kast open. Die was leeg. Snel trok hij achtereenvolgens alle laden open. Ze waren alle leeg. Daarop liep hij naar de kleedkamer en keek naar binnen. Rocco's kleren hingen er niet meer. Hij sloot langzaam de deur en keerde in gedachten verzonken naar zijn kamer terug. Waar was Rocco heen gegaan en waarom had hij het hem niet verteld? Ze hadden elkaar niet gesproken sinds die avond in Californië. Weliswaar had hij verscheidene telefoongesprekken met New York gehad, maar er was nooit een bijzondere reden geweest om Rocco aan het toestel te roepen. Hij stak een sigaret op en ging op de rand van zijn bed zitten.

Het was zo vreemd dat Rocco er niet was. De kamers leken zo leeg zonder hem en het was hier zo stil.

Plotseling klaarde zijn gezicht op. Natuurlijk, dat was het! Rocco had gedacht dat Dulcie mee zou komen en daarom was hij weggegaan!

Hij drukte glimlachend zijn sigaret uit. Morgen in de studio zou hij hem behoorlijk onder handen nemen. Was dat een manier om iemand zo in ongerustheid te laten zitten?

Nu maakte hij eindelijk zijn been los en kroop onder de dekens. Maar hij lag nog lange tijd in het donker te staren. Hij zou Rock missen. Toen kwam Dulcie's gezicht hem voor de geest. 'Wat drommel, je kunt ook niet alles hebben!' Met deze gedachte viel hij in slaap.

Maar hij sliep niet rustig. Het gevoel van verlatenheid dat die avond over hem was gekomen, bleef hem nog in zijn dromen kwellen en vervolgen en zelfs Dulcie's gelaat was niet bij machte het te verdrijven.

Hij kwam opgewekt fluitend Jane's kamer binnen. 'Goede morgen, Jane!'

Ze sprong op en snelde met uitgestoken hand op hem toe. 'Nu heb je het dus toch gedaan!' lachte ze. 'En mij heb je verlaten!'

Hij lachte luid en greep haar hand. 'Dat is dus je welkom nu je baas in het huwelijk is getreden!'

Ze keek hem even aan en gluurde toen om hem heen naar de deur. 'Ik geloof overigens dat de kust vrij is,' lachte ze. 'Je hebt je vrouw niet meegebracht en ik kan je dus best een kus geven.'

Hij hield haar hand nog steeds in de zijne. 'Inderdaad, dat zou je best kunnen doen.'

Ze drukte een kus op zijn lippen en keek hem nu ernstig aan. 'Ik wens je heel veel geluk, Johnny,' zei ze zacht.

'Dat komt best in orde, Jane.' Hij klopte haar lachend op de schouder. 'Ik ben voor het geluk geboren.' Hij trok zijn jas uit en gaf hem aan Jane, die hem op een hanger hing en ging opbergen. Johnny liep naar de deur van zijn kamer. 'Zeg tegen Rocco dat hij onmiddellijk bij me komt, zodra

hij hier is. Ik heb een appeltje met dat heerschap te schillen.'
Ze knikte en hij verdween in zijn kamer.
De post lag keurig opgestapeld op zijn schrijftafel en hij begon die meteen door te kijken. Even later ging de telefoon.
'Irving Bannon zou je graag een ogenblik spreken,' deelde Jane hem mee.
'Okay, verbind hem door.' Hij hoorde de klik en onmiddellijk daarop Irvings stem. 'Hallo, Irving.'
'Johnny, lelijke schooier, je hebt ons daar een mooie poets gebakken!'
Hij glimlachte: hij zou dit wel de hele dag door te horen krijgen. 'Ik kon er niets aan doen, Irving. Het was voor mij net zo'n verrassing als voor jullie allemaal.'
'Probeer dat een ander maar wijs te maken,' lachte Irving. 'Maar ik ben bereid het je te vergeven als je me een klein rendez-vous met het nieuwbakken mevrouwtje toestaat zodra ze weer in de stad is. Ik heb foto's van haar gezien en het is compleet een schoonheid!'
Johnny voelde zich gevleid. 'Dat komt in orde,' beloofde hij.
'Ik houd je er aan, Johnny,' lachte Irving. 'Nu ben ik in staat je geluk te wensen en ik hoop dat je zorgen klein zullen zijn.'
Johnny's hart kromp ineen bij dit oude, onschuldige grapje. 'Dank je, Irving,' antwoordde hij ernstig. 'Ik zal mijn vrouw vertellen dat je hebt opgebeld. Het zal haar genoegen doen.– ik heb haar veel over je verteld.'
'Het zal me benieuwen wat ze doet als ik over jou aan het vertellen ga,' lachte Irving. 'En nu goede morgen, Johnny, en nogmaals mijn beste wensen.'
'Dank je, Irving.' Johnny hing de hoorn glimlachend op de haak. Ze zouden allemaal wel aardig nieuwsgierig zijn naar Dulcie. Zodra ze terug was, zou hij een partijtje geven en haar met het gehele personeel kennis laten maken.
Hij nam de hoorn weer op. 'Verbind me met George Pappas,' verzocht hij Jane.
Een paar minuten later kwam George door. 'Hallo, Johnny,' klonk het opgewekt. 'Mijn hartelijke gelukwensen.'
'Dank je, George.'
'Toen we in de krant lazen dat je getrouwd was, zeiden mijn broer Nick en ik tegen elkaar: 'Net iets voor Johnny, om te trouwen op een plaats waar zijn vrienden geen drukte bij hem kunnen komen maken.' Hoe is dat zo ineens gekomen?'
Johnny lachte. 'Dat moet je me niet vragen, George. Ik kan het zelf nog nauwelijks geloven. Ik geloof dat ik een geluksvogel ben.'
'Dat ben je zeker,' stemde George in. 'Het is een mooie vrouw.'
Een onuitsprekelijke vreugde vervulde Johnny plotseling. Iedereen vond

haar mooi. Dat hij toch het hart van een vrouw had kunnen winnen, die zo door iedereen bewonderd werd! 'Dank je, George.' Hij veranderde van onderwerp. 'Ik heb met Peter gesproken en ik heb nieuws voor je.'
George grinnikte. Zijn gedachten waren nog bij Johnny's onverwachte huwelijk. Wat een prachtige vrouw! Ze zou wel lief en eenvoudig zijn ook, anders was Johnny niet met haar getrouwd. 'Wat voor nieuws?' vroeg hij afwezig.
'Peter wil de theaters niet verkopen.'
George moest dit even verwerken. 'Wat wil hij dan, Johnny?'
'Hij zou liefst op de gewone voet voortgaan.'
'En als ik dat niet wil?'
'Dan zou hij jouw aandeel kopen, mits jullie tot overeenstemming kunnen komen betreffende de prijs.'
George dacht even over Johnny's woorden na. Wat bedoelde hij? Bedoelde hij dat Peter ze wilde kopen tegen de prijs die ze er eertijds voor betaald hadden? Dat zou grote dwaasheid zijn. De theaters waren nu veel meer waard. Peter wist dat even goed als hij. 'We zouden natuurlijk tot overeenstemming kunnen komen, als hij bereid is de huidige marktwaarde te betalen,' antwoordde hij voorzichtig.
'Je weet dat de prijzen de laatste tijd erg opgedreven zijn,' bracht Johnny hier tegen in.
George erkende dit grif. 'Zeker, dat is zo. Maar ten slotte bepaalt de huidige prijs de waarde die ze op het ogenblik hebben.'
Johnny schoot in de lach. 'Kijk eens, George, we zijn oude vrienden, en we kunnen gerust open kaart met elkaar spelen. We hebben anderhalf miljoen ter beschikking voor de aankoop van jouw aandeel in de theaters. Het spreekt vanzelf dat wij de overdracht en verdere onkosten zullen betalen en op deze manier heb je er in elk geval een half miljoen aan verdiend.'
George aarzelde even. Het bod was niet slecht, de prijs die ze er voor betaald hadden in aanmerking genomen, maar de marktwaarde was momenteel veel hoger. Bovendien had hij veel meer nodig om zijn plannen te kunnen verwezenlijken. Hij wilde een paar nieuwe bioscopen bouwen en hij had enkele ideeën in zijn hoofd, die de kosten van de bouw tot de helft zouden reduceren, maar er was toch altijd nog veel geld mee gemoeid. 'Maak er één en driekwart miljoen van, en de zaak is okay,' stelde hij voor.
'Aangenomen,' ging Johnny er gretig op in. 'Ik zal de aktes meteen laten opmaken.' Hij was meer dan tevreden en Peter zou ook blij zijn dat hij kans had gezien tweehonderdvijftigduizend dollar te redden. Het was meer dan hij had durven verwachten.

George was ook in zijn nopjes. Hij kreeg veel meer dan de theaters in feite waard waren en hij had er ruim voldoende aan om zijn plannen ten uitvoer te brengen.

Ze spraken af de volgende dag samen te lunchen en de zaak verder te bespreken.

Johnny legde de hoorn op de haak en drukte meteen op de zoemer. Jane trad de kamer binnen. 'Waar is Rock?' vroeg hij.

Ze keek hem verbaasd aan. 'Ik weet het niet. Maar ik zal Bannon even bellen. Misschien is hij eerst naar hem toe gegaan toen hij de auto had weggebracht.'

Nu begreep Johnny er helemaal niets meer van. 'Toen hij de auto had weggebracht? Wat voor auto?'

Jane, die alweer halfweg de deur was, keerde zich plotseling om en keek hem met grote ogen aan. Ze had eensklaps een angstig voorgevoel. Er was iets niet in orde! 'Jouw auto, natuurlijk. Hij heeft jou toch eerst hierheen gebracht?' Haar hart klopte in haar keel.

'Mijn auto? Ik ben met een taxi gekomen!'

Ze voelde het bloed uit haar gezicht wegtrekken. 'Heeft hij je dan niet gereden?' Haar stem beefde.

'Nee – hij was niet thuis, toen ik vannacht aankwam. Ik heb hem sedert de dag van mijn huwelijk niet meer gezien. Hij ging de volgende ochtend meteen terug naar New York.'

'Naar New York?' klonk het zwakjes uit Jane's mond. Ze had een gevoel alsof ze flauw zou vallen. Ze wist ineens wat er gebeurd was. Rocco was er vandoor gegaan, zoals hij destijds al had gezegd. Haar ogen schoten vol tranen. 'Hij is niet teruggekomen.' Ze wankelde.

Johnny sprong op en ondersteunde haar. Ze beefde over haar gehele lichaam. 'Kalm maar, Jane,' zei hij zacht. 'Wat is er nu eigenlijk aan de hand?'

Ze drukte haar gezicht tegen zijn schouder. 'Weet je dat dan niet?' klonk het gesmoord.

Hij stond een ogenblik als met stomheid geslagen. Toen keek hij neer op haar glanzende haar. 'Jij en Rocco?'

Ze knikte.

'Wel verduiveld, wat ben ik toch . . .' hij voltooide zijn zin niet. Wat was hij toch een blinde idioot. Hij had dat toch moeten zien! En daar liep hij maar steeds over zichzelf te piekeren, terwijl Jane . . . Hij boog zich over haar heen. 'Misschien vond hij wel dat hij een beetje vakantie had verdiend,' zei hij zacht en zonder het zelf te geloven. 'Hij zag er de laatste tijd . . .' Hij bleef weer midden in zijn zin steken. Hij had willen zeggen dat Rocco er de laatste tijd niet erg goed had uitgezien, maar dat zou de

zaak nog erger maken. Nu wist hij helemaal niet meer wat hij zeggen moest.
Ze was zichzelf nu weer meester; ze deed een stap achteruit en streek met haar hand door haar haar. 'Hemel, ik zie er natuurlijk uit als een vogelverschrikker!'
Johnny moest lachen, of hij wilde of niet. Waar een vrouw zich toch al geen zorgen over maakte – en dan op een moment als dit! Hij liep naar zijn schrijftafel en haalde er een fles en twee glazen uit. 'Een borrel zal je goed doen.'
Hij vulde de glazen. *'L'chayim,'* zei hij, zich het woord herinnerend dat Peter altijd zei als hij toostte. Het betekende zoveel als 'op de goede afloop'. Nu, die wenste hij haar van harte toe!
Ze dronk het glas in één teug leeg en er kwam meteen weer kleur op haar wangen. 'Zo is het beter,' zuchtte ze.
'Voel je je nu weer goed?' vroeg hij angstig.
Ze knikte en slaagde er in te glimlachen. 'Okay.'
Hij glimlachte eveneens. 'Waarschijnlijk maken we ons nodeloos ongerust,' zei hij, heel wat opgewekter dan hij zich voelde. 'Rocco heeft natuurlijk vakantie genomen en omdat hij me niet zo gauw terug verwachtte, is hij nog niet op komen dagen.'
Ze keek hem strak aan en gaf geen antwoord. Ze had eigenlijk een beetje medelijden met hem. Hij begreep er niets van. Maar het was niet aan haar het hem duidelijk te maken, hij moest het zelf maar ontdekken. De telefoon in haar kamer ging. 'De telefoon!' Ze verliet haastig het vertrek.
Johnny staarde een ogenblik naar de gesloten deur en ging toen weer achter zijn schrijftafel zitten. Hij keek met afkeer naar de brieven, die daar lagen te wachten. Hij moest ze lezen, maar zijn hoofd stond er in het geheel niet naar. Rocco had hem moeten meedelen wat hij van plan was. Zijn hart deed hem pijn. Het was niet mooi van Rocco, maar . . . was hij zelf ook niet een beetje te kort geschoten? Arme Jane, wat was ze overstuur geweest toen het tot haar doordrong dat Rocco weg was. Wat vreemd ook van Rocco, om zo te doen. Dat was toch anders niets voor hem. Hij begon nu werkelijk een beetje boos te worden. Het was toch eigenlijk geen manier. Plotseling was het hem echter alsof een stem iets tegen hem fluisterde. 'Wat heb je eigenlijk voor recht om boos te worden? Rocco is jou niets verschuldigd. Het is eerder andersom.'
Hij wendde snel het hoofd om, alsof er werkelijk iemand tegen hem had gesproken. 'Maar Jane heeft hij toch ook niet mooi behandeld,' mompelde hij.
'Dat is jouw zaak niet,' antwoordde de stem. 'Dat gaat alleen Rocco en haar aan. Jij hebt niet eens gezien dat ze van elkaar hielden!'

'Wat bedoel je toch?' vroeg hij hardop.
De telefoon op zijn schrijftafel ging. Hij nam de hoorn van de haak. Het was maar een kort gesprek, maar toen hij zich na afloop probeerde te herinneren welke gedachtengang hij had gevolgd, wilde het hem niet meer te binnen schieten. Hij begon zuchtend aan de stapel correspondentie, maar in zijn binnenste had hij een vervelend, knagend gevoel, dat hem maar niet met rust liet en zelfs voortdurend sterker werd: het gevoel dat hij ergens in tekort geschoten was; maar hoe en in welk opzicht dat wist hij nog niet.

Dinsdagsavonds werd het altijd laat voor Jane, want dan werd de laatste hand aan het journaal gelegd. Tegen het einde van kantoortijd liet Johnny koffie en sandwiches komen en als ze dit eenvoudige maal genuttigd hadden, was het bij zevenen en tijd voor Johnny om naar beneden te gaan. Hij hielp Bannon dan met de montage van het journaal. Tegen negenen placht hij terug te komen en dan kon Jane naar huis gaan. Terwijl Johnny beneden was behandelde zij de correspondentie die gedurende de eerste twee dagen van de week was binnengekomen. 's Maandags en dinsdags was er altijd de meeste post.
Vanavond was het al niet anders, ofschoon Johnny nog maar net terug was uit Californië, en het was over achten toen Jane met een diepe zucht de laatste brief uit haar machine draaide. Het was een zware dag geweest, een dag vol schrik en angst, en ze was doodmoe. Ze dacht er een ogenblik over naar huis te gaan, maar ze besloot toch maar te wachten totdat hij terug was. Rocco's geheimzinnig verdwijnen had hem een beetje uit zijn evenwicht gebracht. Ze hoorde voetstappen in de corridor. Misschien waren ze vandaag vroeg klaar beneden. Ze hoopte dat maar; dan kon ze naar huis gaan, een bad nemen en naar bed gaan. Ze was werkelijk volkomen uitgeput.
De deur ging open. Jane, die juist de kap over haar schrijfmachine zette, keek niet op. Maar toen ze verder niets hoorde, hief ze toch het hoofd op om te zien waarom Johnny in de corridor bleef staan en niet binnenkwam.
In de geopende deur stond Rocco. Hij lachte een beetje verlegen, maar toch was het een heel andere Rocco dan die zes weken geleden afscheid van haar genomen had. Zijn ogen hadden hun vriendelijke blik terug en de gemelijke trek om zijn mond was verdwenen. Hij trad de kamer binnen en deed de deur zacht achter zich dicht.

Voor de tweede maal die dag had Jane het gevoel dat ze flauw ging vallen, maar ditmaal was het van vreugde. 'Hij is teruggekomen. Hij is niet voorgoed weggegaan!' zong het in haar. Ze zei geen woord totdat hij vlak bij haar was en toen lag ze plotseling in zijn armen. 'Rocco, Rocco, Rocco,' herhaalde ze maar steeds, zonder het zelf te weten.
'Kindje,' fluisterde hij, terwijl hij haar zacht over het haar streelde.
Dit woord, zo teder uitgesproken, klonk haar grappig in de oren. Ze glimlachte door haar tranen heen en keek hem met stralende ogen aan. 'Zeg dat nog eens, Rocco,' fluisterde zij.
Hij kuste haar op de lippen, en zei toen nogmaals heel zacht: 'Kindje.'
Het klonk teder en eerbiedig tegelijk. Sommige vrouwen werden graag lieveling, of liefste genoemd, maar zij zou altijd tevreden zijn met dat eenvoudige 'kindje', als hij het op deze toon zei.
'Blijf dat altijd tegen me zeggen, Rocco,' fluisterde ze.
Hij glimlachte liefdevol. 'Dat zal ik doen, kindje.'
Ze sloeg haar armen om zijn hals en hij drukte haar zo vast tegen zijn borst dat ze bijna geen adem meer kon halen. Daarom bood ze hem haar lippen nog maar eens voor een kus en sloot de ogen. Ze had een gevoel alsof ze op een regenboog stond. Ze wist wel dat daar beneden ergens de aarde nog was, maar het kon haar niets schelen. Als Rocco haar maar liefhad.
Eindelijk lieten ze elkaar los. Ze keek hem onderzoekend aan. Hij zag er goed uit: opgewekt en zelfbewust, en zijn ogen hadden niet meer die schuwe blik, die ze de laatste tijd hadden gehad, toen hij zich teveel begon te voelen.
'En heb je een besluit genomen?' vroeg ze.
Hij hield haar hand nog steeds vast, alsof hij bang was dat ze weg zou lopen zodra hij haar losliet. 'Ja, ik heb een besluit genomen.'
'En wat ben je nu van plan?'
Hij liet haar hand nu los en stak zijn kin uitdagend vooruit, alsof hij zich al bij voorbaat tegen haar spot of haar afkeuring verdedigde. Toen begon hij demonstratief zijn overjas los te knopen.
Ze keek met grote ogen naar het pak dat hij er onder droeg. Het was van wit linnen en links op zijn borst zat een grote zak, waar met kleine, rode lettertjes iets op geborduurd was. Ze kwam een stap dichterbij om te lezen. 'Kapperssalon Hotel Savoy', stond er op. Ze keek hem ongelovig aan. Hij had wel gezegd dat hij weer bij een kapper wilde gaan werken, maar ze had het niet kunnen geloven.
'Is er iets niet in orde?' Het klonk uitdagend, bijna strijdlustig.
Ze hief het hoofd op en nu zag ze de blik in zijn bruine ogen. Hij was bang voor haar antwoord, daarom hield hij zich zo groot. Maar hij be-

hoefde niet bang te zijn. 'Nee, het is . . . het is prachtig, als je maar gelukkig bent.'
Ze zag de harde blik uit zijn ogen verdwijnen. Ze glimlachten nu weer tegen haar. 'Ik ben gelukkig,' luidde zijn eenvoudig antwoord. 'Dit hier is niets voor mij.'
Ze moest inwendig toegeven dat hij gelijk had. Dit bedrijf moest in je zitten – zoals het in Johnny zat. Dan kon je er in opgaan. Maar als je er geen liefde voor had, dan was het moordend, omdat het je geheel opeiste. Johnny had die liefde; hij was er als het ware door bezeten. Ze had het al gevoeld die morgen dat hij Sam Sharpe's kantoor was binnengestapt. En plotseling was ze erg blij dat het niets voor Rocco was.
'Johnny zal het niet erg prettig vinden,' merkte ze op.
'Zo zal hij het misschien doen voorkomen, maar in wezen kan het hem niets schelen.'
Het klonk hard, maar het was misschien niet helemaal onjuist, meende Jane.
'Hij zal zich wellicht een beetje gekwetst voelen, maar hij weet even goed als ik dat hij me niet meer nodig heeft,' vervolgde Rocco bitter. 'Voor hem ben ik niets meer dan de krukken naast zijn bed. Hij gebruikt ze alleen maar als hij zijn been niet aan heeft en dan is het meestal om naar het toilet te gaan.'
Ze glimlachte om zijn vergelijking. Hij had er genoeg van om Johnny's vuile werk op te knappen en hij had gelijk. Nu Johnny weer kon lopen en zeker nu hij nog getrouwd was ook, was Rocco eigenlijk niets meer dan een extra kruk.
Hij zag haar glimlach en lachte. 'Waar denk je aan?'
Er dansten ondeugende lichtjes in haar ogen. 'Ik vraag me af wanneer je me eindelijk zult vragen of ik met je trouwen wil,' antwoordde ze.
Hij lachte blij. 'Ik veronderstel dat je je antwoord gereed hebt?'
'Ja,' antwoordde ze.
Zijn stem werd plotseling ernstig. 'En wat is je antwoord?'
De glimlach in haar ogen maakte plaats voor een innige, tedere blik. 'Je hebt het net gehoord,' zei ze zacht.
Hij trok haar wild naar zich toe. 'Waar wachten we dan eigenlijk nog op?' juichte hij.

Ze zaten samen op de sofa toen Johnny weer boven kwam. Hij bleef stokstijf staan en staarde hen met open mond aan. Toen trad hij met uitgestoken hand op Rocco toe.
Rocco stond langzaam op en drukte de hem toegestoken hand. Ze keken elkaar een beetje verlegen aan.

Johnny verbrak ten slotte het stilzwijgen. 'Hoe heb je het in je hoofd kunnen halen om ons zo in ongerustheid te laten zitten? Jane viel bijna in mijn armen flauw toen ze vanmorgen ontdekte dat je er vandoor was.'
Rocco wierp een zijdelingse blik op Jane. Daar had ze hem niets van verteld. Ze gaf hem een knipoogje en hij wendde zich weer tot Johnny.
Johnny zag de blik die ze wisselden en schoot in de lach. Hij liep naar zijn schrijftafel en ging er achter zitten. Hij voelde zich een stuk beter, nu Rocco terecht was. 'Waar heb je voor de drommel al die tijd gezeten?'
Rocco trad op de schrijftafel toe en keek Johnny ernstig aan. 'Ik heb gewerkt,' zei hij rustig.
'Gewerkt?' vloog Johnny op. Hij boog zich zo heftig over de schrijftafel heen dat de stoel bijna onder hem uitvloog. 'Waar?'
'In een kapperssalon,' antwoordde Rocco, even bedaard als straks.
'Maak dat je grootmoeder wijs,' lachte Johnny.
Rocco's gezicht bleef ernstig. 'Het is werkelijk zoals ik zeg. Ik had er al toe besloten toen ik terugging naar New York. Er is hier niets voor me te doen.'
'Wát zeg je,' blafte Johnny. 'Je werkte toch voor mij?'
Rocco lachte smalend.
'Een loopjongen kan hetzelfde werk doen voor de helft van het geld, dat jullie me betalen.'
Johnny wist hier niets op te zeggen. Hij keek Rocco een beetje schuw aan. Rocco had gelijk, maar hij had er nooit zo over nagedacht. Hij nam een pakje sigaretten uit zijn zak en bood er Rocco een aan. Daarop streek hij een lucifer af en gaf hem vuur. Al die tijd zei hij geen woord. Hij schaamde zich diep.
'Het spijt me, Rock, ik heb daar nooit over nagedacht. Maar ik had het moeten begrijpen. Zeg me wat voor baan je wilt en je hebt hem meteen.'
Rocco keek peinzend op hem neer. Hij was wel wat hard geweest in zijn oordeel over Johnny. Johnny had eenvoudig niet kunnen begrijpen hoe hij zich had gevoeld. Voor hem bestond er maar één ding: de film. En iedereen die op de een of andere manier bij de film werkzaam was, moest zich volgens hem wel volmaakt gelukkig voelen. Hij kreeg nu wel een beetje medelijden met Johnny. 'Ik heb de baan die ik wil,' zei hij zacht.
'In een kapperssalon?' vroeg Johnny ongelovig.
'In een kapperssalon.'
'Wacht eens even . . .' Johnny stond op en stapte bijna dreigend op hem toe. 'Ik wens het niet te geloven.'
Rocco moest om hem lachen. Johnny kon zich eenvoudig niet voorstellen dat er mensen waren, die liever met schaar en scheermes werkten dan met repen celluloid. 'Het is werkelijk waar.'

Johnny keek hem scherp aan. De man meende het werkelijk. 'Begin dan tenminste een eigen zaak,' opperde hij.
'Misschien zal ik dat binnenkort ook wel doen,' antwoordde Rocco langzaam.
Johnny bleef hem aanzien. Plotseling had hij een ingeving. Misschien was dit een mogelijkheid om Rocco zijn dankbaarheid te tonen voor alles wat hij voor hem had gedaan. 'Ik heb geld voor je . . . je kunt het meteen doen, als je er iets voor voelt.'
Rocco keek glimlachend naar Jane. De jongen meende het werkelijk goed.
'Het gaat niet om het geld, Johnny,' verklaarde hij. 'Ik heb genoeg overgespaard in de tijd dat ik bij jou was, om een zaak te kunnen beginnen. Maar ik doe het nu nog niet.'
'Is er dan niets wat ik voor je doen kan?' Het klonk bijna smekend.
'Niets,' antwoordde Rocco zacht.
Johnny keek van de een naar de ander. Hij zag er ineens oud uit, vond Jane. Er waren vermoeide lijnen bij zijn ogen en mond.
'Het spijt me dat ik het niet eerder heb begrepen, Rock.'
Rocco keek hem medelijdend aan. 'Het was niet helemaal jouw schuld, Johnny. En ik ben blij dat je het nu begrijpt. Het zou me spijten als je je hierdoor beledigd voelde.' Hij stak zijn vriend de hand toe.
'Ik kan het niet anders dan waarderen, Rock. Ik weet dat ik je heel veel verschuldigd ben.' Hij drukte Rocco de hand. 'Bedankt voor alles, ouwe jongen.'
Rocco wist niet goed hoe hij zich moest houden. 'Je bent me niets verschuldigd, Johnny,' zei hij hees. 'Het enige wat ik je zou willen vragen is dat je je bij mij laat scheren.' Zijn poging om te schertsen mislukte deerlijk.
'Dat zal ik beslist doen, Rock,' beloofde Johnny.
Ze keken elkaar een beetje schuw aan. Ze wisten geen van beiden wat ze verder nog moesten zeggen. Ditmaal was het Rocco die het stilzwijgen verbrak. 'Vind je goed dat ik Jane nu meeneem? We hebben een paar dingen te bespreken.'
Johnny lachte flauwtjes. 'Dat behoef je niet te vragen.'
Hij leunde tegen zijn schrijftafel en keek hen na. Bij de deur keerde ze zich nog eens om. 'Welterusten, Johnny,' zeiden ze, bijna tegelijk.
'Welterusten.' De deur ging achter hen dicht. Hij stond nog lange tijd peinzend voor zich uit te staren. Hij voelde zich plotseling zo eenzaam. Was Dulcie er nu maar.
Hij greep naar de telefoon achter zich. Toen keek hij op zijn horloge. Het was halftien. Dat was halfzeven in de studio. Ze was nog aan het werk. Hij wist dat ze 's avonds langer werkten om eerder klaar te zijn met

de film. Ze zou niet voor elven thuis zijn. Hij legde de hoorn langzaam weer neer. Hij moest haar maar liever vanavond op zijn kamers opbellen.
Wat was het hier stil. Hij voelde zich moe en terneergeslagen. Wat deed hij hier eigenlijk nog? Als hij Dulcie's stem maar weer eens had gehoord, dan zou het wel beter gaan.

De taxi stopte voor de ingang van het hotel. De portier kwam naar buiten en opende de deur van de wagen.
'Zorg dat je morgen op tijd bent, Dulcie,' glimlachte von Elster. 'We moeten nog een paar scenes repeteren voordat ze opgenomen kunnen worden.'
Dulcie knikte hem vriendelijk toe. Dit zonderlinge mannetje bezat, in weerwil van zijn onverzorgde uiterlijk, een onweerstaanbare charme. Misschien kwam het doordat hij in de volle zin van het woord een kunstenaar was en zijn vak tot in de puntjes verstond. Ze was plotseling benieuwd hoe hij buiten de studio, in zijn particuliere leven, zou zijn. 'Het is nog vroeg, Conrad. Ga met me mee naar boven, dan drinken we nog wat. Dan kunnen we meteen vast het een en ander bespreken voor morgen.'
Von Elster keek haar verrast aan. Had ze een bepaalde bedoeling met deze uitnodiging? Hij wist maar al te goed wat dergelijke invitaties gewoonlijk betekenden, maar ditmaal twijfelde hij toch. Ze was ten slotte pas getrouwd en haar man was jong, aantrekkelijk en rijk. Maar hij kon licht eens kijken wat voor mogelijkheden er in zaten. Als hij zich vergiste – hij haalde onwillekeurig de schouders op – dan zouden ze in elk geval hun tijd nuttig besteden door over die scenes te praten. 'Dat is een goed idee,' antwoordde hij dus.
Toen hij haar echter in haar zitkamer volgde, wachtte hem een nieuwe verrassing. Bij de open haard stond een tafeltje, dat keurig voor twee personen was gedekt. Naast het tafeltje stond een dienwagen met een kasserol er op. Onder de kasserol brandde een klein, geel vlammetje.
'In dat kabinet daar kun je een borrel vinden.' Ze knikte in de richting van een hoge kast tegen de muur. 'Bedien je maar. Ik ga eerst een douche nemen. Het valt niet mee, zo de hele dag onder die hete lampen.'
Hij boog hoffelijk en ze verliet de kamer. Hij liep onmiddellijk op de kast toe en opende hem. Daar stond een hele rij veelbelovende flessen – wijnen, likeuren, whisky. Hij opende er een en rook er aan. Dat was nog eens echte schnaps! Net als thuis! Hij moest te weten zien te komen, wie daar de leverancier van was. Hij schonk wat van de vloeistof in een glaasje en proefde voorzichtig. *Ach, gut!* Hij dronk het glas verder in één teug leeg en schonk het meteen weer vol. Door de gesloten deur heen hoorde hij

het geklater van stromend water. Het was een opwindend gehoor. Snel ledigde hij zijn tweede glas en schonk zich een derde in.
Nog geen kwartier later kwam ze de kamer weer binnen. 'Heb ik het niet gauw gedaan?' glimlachte ze.
Hij werkte zich met moeite uit de diepe armstoel omhoog, waar hij zich in genesteld had. Zijn gezicht zag rozerood van de vijf borrels waarop hij zichzelf gul had getrakteerd. Hij boog. 'Dulcie, je hebt me werkelijk verrast.'
Toen hij zich oprichtte wachtte hem weer een nieuwe verrassing en deze was zo groot dat zijn mond bijna open viel van verbazing. *Gott im Himmel!* Zij had niets aan onder dat négligé! Haar hele lichaam glansde door de doorschijnende, perzikkleurige zijde heen. Ze was prachtig, in één woord prachtig.
Ze scheen zich niet bewust te zijn dat hij haar stond aan te staren. 'Blijf zitten, Conrad. Ik zal je wel wat te eten brengen.'
Ze schepte op elk van de twee borden wat van de pastei in de kasserol, spreidde een servet op zijn knieën uit en bracht hem zijn bord. Zelf ging ze op een haardbankje vlak bij zijn knieën zitten en keek met een onschuldig gezicht naar hem op. 'Nu kunnen we gezellig praten,' zei ze opgewekt. Ze leek wel een jong meisje, met haar lange, blonde haren, die ze met een dun blauw lintje op haar achterhoofd had samengebonden.
Hij staarde haar nog altijd sprakeloos aan. Wist ze niet dat haar négligé aan de hals was opengegaan, toen ze was gaan zitten en dat hij eigenlijk meer kon zien dan hij als man zou durven verwachten? Hij boog zich voorover en keek op haar neer. 'Je weet natuurlijk dat je een heel mooie vrouw bent, Dulcie, en nog gevaarlijk ook.'
Haar lach klaterde door de stilte. 'Werkelijk, Conrad?'
'Ja.' Hij knikte ernstig. 'Misschien wel de gevaarlijkste vrouw die ik ooit heb ontmoet.' Hij zette zijn bord voorzichtig naast zich op de grond en legde zijn handen op haar schouders. Daarop boog hij zich nog verder naar voren en drukte kuis een kus op haar voorhoofd. 'Weet je wel dat je een man in vuur en vlam zet?'
Hij keek haar aan om te zien welke uitwerking zijn woorden hadden. Tot zijn verbazing zag hij dat door de aanraking van zijn handen haar négligé was afgegleden en ze naakt was tot haar middel. Haar antwoord verraste hem nog meer. 'Is dit al het vuur dat ik in je doe ontbranden, Conrad?' vroeg ze, met een onschuldig stemmetje. Haar ogen daagden hem echter uit.

Johnny keek op de klok. Californië zou nu wel gauw doorkomen. Ze zou langzamerhand wel thuis zijn. Op hetzelfde ogenblik ging de telefoon.

'Hier is Californië voor u. U kunt spreken!'
'Hallo, Johnny!' hoorde hij onmiddellijk daarop Dulcie's stem. Ze hijgde een beetje, alsof ze ademloos van verrukking was dat hij haar opbelde.
'Dulcie – hoe is het met je, lieveling!'
'O, schat, ik ben zo blij dat je me opbelt. Ik mis je zo ontzettend.'
'Ik mis jou ook, lieveling. Gaat alles goed?'
'Uitstekend. Maar ik verlang zo naar je!'
Hij lachte blij. 'Dat gaat zo bij de film, liefste. Je weet vandaag niet waar je morgen zult zitten. Schiet de film goed op?'
'Ja, dat gaat best. Maar ik wou maar dat ik er nooit aan begonnen was. Ik moet zo hard werken en als ik 's avonds thuiskom, kan ik mijn ogen gewoon niet meer openhouden.' Hij hoorde een onderdrukte geeuw.
Hij had plotseling innig medelijden met haar. Arm vrouwtje, ze had niet geweten wat ze begon. Het werk voor de camera putte haar volkomen uit.
'Je bent veel te moe, liefste – ik zal je niet langer uit je slaap houden. Je hebt je rust nodig, want morgen moet je er weer fris uitzien. Ik wilde alleen je stem maar even horen. Ik voelde me zo eenzaam.'
'Och nee, breek het gesprek nog niet af, Johnny,' smeekte ze. 'Ik wil zo graag nog wat met je babbelen.'
Hij lachte. Je moest soms wel eens streng tegen haar zijn. 'We kunnen ons hele leven nog babbelen, kindje. Nu ga je als een zoete meid naar bed.'
'Ja, Johnny,' onderwierp ze zich gehoorzaam aan zijn mannelijk gezag.
'Ik heb je lief, Dulcie.'
'En ik heb jou lief, Johnny.'
'Welterusten, liefste,' zei hij teder.
'Welterusten, Johnny.'
Hij hing de hoorn weer op de haak en trok de dekens over zich heen. Hij kon van hieruit haar foto zien. Hij glimlachte. Toen herinnerde hij zich ineens dat hij haar niet van Rocco had verteld. En daarvoor had hij haar nu juist opgebeld! Het gevoel van verlatenheid, dat hem de hele avond had gekweld, maakte zich alweer van hem meester.

Von Elster keek hoe ze de hoorn neerlegde. 'Doodjammer dat hij niet goed vindt dat je voor de film blijft werken. Als er binnenkort sprekende films komen, dan staan je kansen nog beter. Je hebt een prachtige stem.'
Ze keek hem met een eigenaardige blik in de ogen aan. 'Wie zegt dat hij dat niet wil?' vroeg ze zacht.
Hij keek haar een ogenblik scherp aan en bracht toen haar hand naar zijn lippen. 'Vergeef me, Dulcie.' Er klonk bewondering in zijn stem. 'Je bent een nog groter actrice dan ik dacht.'

Ze keek over zijn hoofd heen de kamer in. Er kwam een peinzende blik in haar ogen. Het was een koud kunstje Johnny naar haar hand te zetten, hij hield zo veel van haar. Ze schaamde zich nu bijna. Plotseling begon ze hartelijk te lachen. Waarom zou ze zich zorgen maken? Ze had nooit echt van hem gehouden en ze was maar om één reden met hem getrouwd. Hij kreeg wat hij verlangde – ze onthield hem niets. Het was niet meer dan billijk dat zij ook kreeg wat ze verlangde. Ze kende zichzelf voldoende om te weten dat ze toch nooit genoeg zou hebben aan één man. En volmaakt gelukkig zou ze pas zijn als alle mannen in de hele wereld haar bewonderden en begeerden. Ze lachte trots.
Dat zou binnenkort zo zijn. Als haar film uitkwam.

VRIJDAG 1938

Het was een van die dagen waarop ik beter in bed had kunnen blijven. Alles liep dan verkeerd en ik kon er niets tegen doen. Vrijdag was nu eenmaal mijn ongeluksdag.

Het begon al meteen 's morgens, toen ik naar Peter ging. Ik werd niet bij hem toegelaten; zijn temperatuur was gestegen en de dokter had alle bezoek verboden.

Ik praatte een poosje met Doris en Esther en trachtte haar wat op te vrolijken. Ik weet niet in hoeverre me dat lukte, maar zelf werd ik steeds neerslachtiger, hoe meer ik praatte.

De narigheid op zulke dagen begint meestal heel onschuldig – met een vaag voorgevoel van iets vervelends, een slechte luim. Dan pakt het zich samen als de wolken aan de horizon tegen dat er regen komt. Eerst schenk je er geen aandacht aan. Je zult er geen last van hebben, het komt jouw kant niet uit. En dan ineens ben je midden in de gietbui! Zo ging het die dag met mij.

Toen ik Peters huis verliet om naar de studio te gaan, probeerde ik het nog van me af te zetten, maar toen ik op mijn kamer kwam, wist ik dat er geen ontkomen meer aan was. Ik was weer midden in de stortbui en er was nergens een portiek om in te schuilen totdat zij was overgedreven. Het gaf allemaal niets. Ik móést er doorheen.

Ik was langer bij Doris en Esther gebleven dan mijn bedoeling was geweest en ik kwam pas na de lunch in de studio. Het was bijna twee uur toen ik achter mijn schrijftafel ging zitten en Larry's briefje vond.

'Bel me even zodra je er bent. Larry.'

Ik kreeg een aanvechting naar huis te gaan en de ontmoeting tot maandag uit te stellen, maar ik besloot toch maar liever meteen door de zure appel heen te bijten. Ik drukte op de zoemer en hoorde meteen zijn stem.

'Stan en ik zouden je graag even willen spreken als je een paar minuten tijd hebt.' De huistelefoon gaf zijn stem een zonderlinge, metaalachtige klank.

Ik aarzelde nog even. 'Kom meteen maar,' zei ik toen.

'Goed, we zijn er direct.'

Ik hoefde me niet af te vragen wat ze nu weer van me moesten. De deur ging open en hij duwde Farber letterlijk voor zich uit mijn kamer binnen.

Ik stak een sigaret op. 'Ga zitten, jongens,' huichelde ik opgewekt. 'Wat heb je op je hart?'

Ronsen stak meteen van wal. 'Ik heb besloten aanstaande woensdag in

New York een extra bestuursvergadering te beleggen. Ik ben van mening dat Stans positie ten opzichte van Magnum ten spoedigste nader moet worden bepaald.'
Ik bleef glimlachen. 'Dat lijkt me een goed idee. En wat was je bedoeling?'
'In de eerste plaats dit:' – Ronsen keek even naar Farber; hij scheen zich al heel wat minder zeker van zichzelf te voelen – 'ik meen dat we Dave's werkzaamheden bij ons scherp zullen moeten omlijnen. Hij werkt nu al verscheidene maanden in de studio en hij weet nog steeds niet wat voor functie hij nu eigenlijk wel heeft.'
'Ik heb dienaangaande een heel goed voorstel,' antwoordde ik zachtzinnig, 'maar ik vrees dat jullie het er niet mee eens zullen zijn.'
Farber liep rood aan, maar Ronsen deed alsof hij het niet hoorde. Hij begon echter een beetje te stotteren. 'Wat we – eh –, ik bedoel, wat ik zou willen voorstellen – ik zou wel genegen zijn hem tot vice-president te maken en hem met de leiding van de produktie te belasten. Dan weet hij tenminste waar hij aan toe is.'
Ik keek hem vriendelijk aan. 'Dat is een heel mooie titel,' stemde ik zoetsappig in. 'Vice-president met de functie van produktieleider. Een zekere Thalberg heeft die functie eertijds bij de Metro bekleed. Zanuck deed hetzelfde bij Twentieth Century-Fox.' Ik wachtte even om mijn woorden goed tot hen te laten doordringen en vervolgde toen: 'Maar deze mannen verstonden hun vak. Wat weet onze knaap er van? Hij weet de voorkant van een camera niet van de achterkant te onderscheiden.' Ik schudde bedroefd het hoofd. 'En daar komt nog bij, heren, dat wij al een produktieleider hebben, die zijn vak tot in de puntjes verstaat. Als jullie hém vice-president willen maken, dan vind ik het best, maar Dave wil ik niet in die functie zien. Hij weet niet voldoende van dit soort werk af.'
Ronsen keek smekend naar Farber, maar deze was onvermurwbaar. Hij wendde zich daarom maar weer tot mij. 'Het is toch eigenlijk helemaal zo erg niet, Johnny,' trachtte hij te vergoelijken. 'Het is vanzelfsprekend alleen maar een titel. In werkelijkheid behoudt Gordon de leiding; maar we kunnen Dave nu eenmaal niet als een kwajongen blijven behandelen. Hij moet, zij het dan ook alleen maar in naam, een belangrijke functie bij ons bekleden.'
Ik keek hem strak aan en wachtte even met mijn antwoord. Hij doorstond mijn blik niet en keek verlegen naar de grond. 'Waarom?' vroeg ik ten slotte vriendelijk.
Voor het eerst sedert hij was binnengekomen, nam Farber het woord. 'Dat behoort tot de prijs die jullie te betalen zullen hebben voor een miljoen dollar,' zei hij op effen toon.

Ik draaide me met stoel en al in zijn richting. Nu speelde hij dus eindelijk eens open kaart. Het was maar het beste dat ik de knoop meteen doorhakte. 'En wat is de rest van de prijs die we te betalen zullen hebben, Stan?' vroeg ik zacht.
Hij gaf geen antwoord en weer was het Larry, die het woord deed. Terwijl hij sprak hield ik mijn ogen onafgewend op Stan gevestigd.
'Stanley wil dat hij op die vergadering tezamen met Dave wordt opgenomen in het bestuur en dat hij de bevoegdheid krijgt de verkoop te reorganiseren volgens een bepaald programma dat hij hiertoe heeft opgesteld.'
Mijn stem klonk enigszins sarcastisch toen ik antwoordde. 'Misschien zal ik wel zo vrij mogen zijn te vragen wat dat programma van hem behelst? Of zijn daar soms ook een paar relaties van hem bij betrokken, zodat hij er maar liever over zwijgt?'
'Een ogenblikje, Johnny,' haastte Ronsen zich me het zwijgen op te leggen. 'Je kent zijn plannen nog niet, en daarom ben je bevooroordeeld; maar het bestuur heeft ze in principe al goedgekeurd.'
Ik veinsde verrassing. 'Och zo – maar hoe komt het dan dat ik er nog niets over heb gehoord? Ik meen toch dat ik ook in het bestuur zit?'
Hij knipperde een paar maal met zijn ogen. 'Het gebeurde allemaal nadat jij vertrokken was en we konden er geen gras over laten groeien. Een dergelijk aanbod wordt je niet elke dag gedaan. We hebben nog moeite gedaan om met je in contact te komen, maar dat is niet gelukt.'
Ik ging er eens echt gemakkelijk bij zitten en trok een gezicht als een schoolmeester die voor een klas niet al te snuggere leerlingen staat.
'Als president van deze maatschappij ben ik verantwoordelijk voor alles wat er gebeurt. Als zodanig heb ik dus de taak zowel het oog te houden op de verkoop als op de produktie, met andere woorden op het gehele bedrijf. Jouw verantwoordelijkheid, Larry, is echter beperkt tot het financiële gedeelte – jij moet er dus voor zorgen dat de maatschappij te allen tijde een gezonde financiële basis houdt. Zodra je je buiten je terrein gaat begeven, breng je de financiële positie van het bedrijf in gevaar en daarmee ook je eigen positie. Ik kan me heel goed begrijpen dat jij en de andere leden van het bestuur het geld dat jullie in dit bedrijf hebben gestoken zoveel mogelijk wensen te beveiligen, maar hierbij dient één belangrijke factor in overweging genomen te worden, namelijk in hoeverre jullie bekwaam zijn enige zeggingschap uit te oefenen in de exploitatie van dit bedrijf en wat betreft eventuele reorganisaties.'
Mijn sigaret was uitgegaan en ik stak een andere op. 'Laten we jullie bekwaamheden eens nagaan. In de eerste plaats de jouwe. Je ervaring in dit soort zaken lijkt me niet erg groot. Voordat je Peter Kesslers aandeel in Magnum overnam, was je geassocieerd met de bankiers, die momenteel de

controle hebben over de Borden Company. En wat is er gebeurd? Die bankiers hebben de koppen bij elkaar gestoken en een tijdlang geprobeerd het bedrijf volgens hun eigen inzichten te exploiteren. Ze verloren daarbij miljoenen en zagen zich ten slotte genoodzaakt iemand te zoeken, die er wél verstand van had. Gelukkig vonden ze zo iemand – George Pappas. En vanaf dat ogenblik droeg hij de verantwoording en had hij ook de leiding. En dat ze hieraan verstandig hebben gedaan, blijkt wel uit hun huidige financiële positie. En dan onze andere achtenswaardige bestuursleden – wat weten zij van het filmbedrijf? Even weinig of nog minder dan jij. Een van hen is bankier, een ander makelaar in effecten.' Terwijl ik sprak telde ik hen op mijn vingers op. 'De derde heeft een grossierderij in conserven en nummer vijf is hoteleigenaar. En dan is er ten slotte nog een aardige, rijke oude baas, wiens geërfd vermogen hem in staat stelt van de ene plaats naar de andere te trekken, al naar gelang het seizoen het voorschrijft en die daar tussendoor ook nog wel eens deelneemt aan de bestuursvergaderingen van de verschillende maatschappijen waar hij geld in heeft zitten. En op al deze vergaderingen komt hij met hetzelfde vriendelijke gezicht en hetzelfde gemis aan inzicht als op de onze.'
Ze staarden gefascineerd naar mijn vingers en ik wachtte even totdat ze mij weer aankeken. 'Zal ik verder gaan, heren?' vroeg ik op vriendelijke toon. 'Of is dit voldoende?'
Ik sprak met grote nadruk. 'Ik zal niet toelaten, heren, dat zich in de leidende functies in de studio personen dringen, die aan hetzelfde euvel mank gaan als de geachte leden van het bestuur. Dit is een filmbedrijf – een bedrijf dus, dat mensen eist, die verstand hebben van de filmtechniek. En daar komt nog bij dat wij een moeilijke en onzekere toekomst tegemoet gaan. We hebben ervaren personeel nodig, geen amateurs. Als jullie het geld dat je er in hebt gestoken veilig wilt stellen, dan kan ik je maar één raad geven: houd je neus buiten de zaken, zolang je er niet méér van afweet. Het filmbedrijf is heel iets anders dan alles waarmee je tot dusver in contact gekomen bent.'
Ik knikte Larry bemoedigend toe. Zijn gezicht was wit van ingehouden woede.
'Het enige wat dit bedrijf van júllie eist is geld. En dát hebben jullie óf je weet waar je het kunt krijgen. Ik onderschat de waarde van jullie geld geenszins als ik zeg: doen jullie je eigen werk, dan zal ik het mijne doen.'
Larry's stem beefde van woede toen hij antwoordde. Hij had waarschijnlijk sedert de tijd dat hij een kwajongen was nooit meer zo onomwonden de waarheid gehoord. Het vernisje hoffelijkheid, dat al zijn woorden en gedragingen altijd zo schoon sierde, was er nu volkomen af. Hij werd bijna grof. 'Je mag wel bedenken, Johnny, dat het bestuur, in weerwil van jouw

eigenwijze beweringen, zijn goedkeuring al aan Stans voorstel heeft gehecht en dat wij van plan zijn het door dik en dun door te zetten. Wij hebben de leiding over dit bedrijf, niet jij. De zeggingschap berust niet meer, zoals in de dagen van Kessler, bij één man en als je voornemens bent het op deze basis voort te zetten, dan wordt het tijd dat je tot andere inzichten komt.' Hij was onder het spreken opgestaan en stond nu dreigend voor me.
Ik keek rustig naar hem op. Dat was tenminste duidelijke, klare taal.
Mijn stem klonk kalm en zakelijk en er speelde een flauwe glimlach om mijn lippen. 'Jij en je jongens hebben drie miljoen dollar verspeeld met prutsen aan deze zaak, voordat jullie mij kwamen vragen om de kastanjes voor je uit het vuur te halen. Wel, ik zal ze er uithalen, maar dan op mijn manier. Ik doe het niet met een troep balkende ezels om me heen, die met hun koppigheid de boel nog meer in het honderd sturen.'
Hij stond op het punt weer te gaan zitten, maar door mijn laatste woorden, die aan duidelijkheid niets te wensen over lieten, bleef hij halfweg deze beweging steken. Ik schoot bijna in de lach toen ik hem daar met zijn brede zitvlak achteruit boven zijn stoel zag hangen. Gedurende één seconde las ik de schrik in zijn ogen, maar hij was zichzelf meteen weer meester. Hij had niet gedacht dat ik zover zou gaan als ik deed voorkomen. Hij had gedacht dat ik zo op mijn functie gesteld was, dat ik die ten koste van alles zou willen behouden en het was maar goed dat hij niet wist hoe dicht hij bij de waarheid was geweest. Hij had zijn kalmte herwonnen. 'Waarom winden we ons eigenlijk zo op?' vroeg hij op verzoenende toon. 'Het is een meningsverschil, maar meer ook niet. Ik ben er van overtuigd dat wij tot een voor alle partijen bevredigende oplossing kunnen komen.'
Ik zag aan zijn gezicht dat die drie miljoen hem ernstig te denken gaven. Hij wendde zich bijna smekend tot Stanley. 'Denk jij ook niet, Stan, dat de zaak tot een alleszins bevredigende oplossing gebracht zal kunnen worden?'
Farber keek me doordringend aan. Ik wist echter dat er niets op mijn gezicht te lezen was. Daarop keek hij Ronsen aan. Er was iets temerigs in zijn stem, een klank die ik er jaren geleden ook al eens in had gehoord. 'Maar wat schiet ik nu met dit alles op? Ik ben ten slotte de man die een miljoen dollar levert.'
Nu keek Ronsen mij smekend aan. Hij zag er uit als een hond die een pak slaag heeft gehad en met de staart tussen de benen bij de baas terugkomt. Ik wist dat ik het voorlopig gewonnen had. Dat was juist het ongeluk – het was maar voorlopig. En het zou steeds moeilijker worden het te winnen, daar ze zich steeds beter zouden verschansen. Ik wist wat er ging gebeuren. Vroeg of laat zou ik er het loodje bij leggen. De enige manier om

zeker van mijn overwinning te zijn was Farber eenvoudig met zijn miljoen buiten de deur te zetten. Maar dat ging niet. Ik had ze al geaccepteerd. Het enige wat ik kon doen was de wederdienst zo lang mogelijk uitstellen.
Ik boog me naar hen toe terwijl ik sprak. 'Ik ben werkelijk niet onredelijk, heren,' zei ik op een toon alsof ik tegen een paar kleine kinderen sprak. 'Ik houd me bij mijn zaken en ik verlang van anderen alleen dat zij hetzelfde doen. Ik ben graag bereid Stan in het bestuur op te nemen, maar niet met een bepaalde volmacht en ik ben ook bereid Dave een kans te geven in de studio. En als hij zich dan behoorlijk op de hoogte heeft gesteld, ben ik zelfs bereid hem de kans te geven die hij wenst. Maar nu nog niet. Er staat te veel op het spel om enig risico te kunnen nemen.'
Ronsen keek Farber aan. 'Dat klinkt heel aannemelijk, Stan. Wat denk jij er van?'
In Farbers ogen las ik de vurige wens dat ik naar de duivel zou lopen, maar hij hield zijn lippen stijf op elkaar. Zijn miljoen dollar zat al in de pot en er was niets meer aan te doen. Hij kon er vijfentwintigduizend aandelen voor krijgen en dat was alles wat er voor hem in zat – op papier. De nieuwe reglementen stonden geen enkele verdere schriftelijke overeenkomst toe. Ik zag hem er toe besluiten mijn voorstel voorlopig aan te nemen – de strijd was nu pas goed begonnen. En ik zag ook dat hij het niet op zou geven voordat hij mij er uit had gewerkt. Maar hij zou zijn tijd echter afwachten. Hij was er zeker van dat die zou komen.
Hij stond op. 'Ik zal er over denken,' antwoordde hij en liep meteen naar de deur.
Ronsen sprong snel op en keek eerst mij aan en toen naar Farber, die al bijna bij de deur was. Ik had bijna medelijden met hem. Hij stond tussen twee vuren – het was een strijd geworden tussen Farber en mij en hij mocht de weinig benijdenswaardige rol van scheidsrechter vervullen. De deur viel achter Farber dicht.
Ik knikte Larry vaderlijk toe. 'Je moest maar gauw achter je kabeljauw aangaan, Larry, en zien dat je het spierinkje, dat je hem als enig aas kunt voorhouden, toch nog aanlokkelijk voor hem maakt.'
Hij gaf geen antwoord, maar in zijn ogen fonkelde haat. Hij keerde zich om en haastte zich achter Farber aan.
De deur viel met een harde slag achter hem dicht en ik wist dat ik nu twee doodsvijanden had. Maar dat kon me niet schelen. Ik had liever dat ze mij op klaarlichte dag, in volle wapenrusting, tegemoettraden, dan dat ik in het donker voor hen op mijn hoede moest zijn.

Het klokje op het dashboard van Doris' auto wees tien uur. De radio speelde zacht, het was een zoele avond.

Ik keek haar van opzij aan, terwijl ze de wagen de oprijlaan naar Peters huis deed inzwenken. Het ging nu wat langzamer, want de heuvel, op de top waarvan Peters huis was gelegen, was vrij steil. Sedert we 't restaurant hadden verlaten, had ze nog geen woord gezegd. Toen we 't gazon voor het huis bijna bereikt hadden, liet ze de wagen stoppen en draaide 't contactsleuteltje om. We staken een sigaret op en luisterden zwijgend naar de radio.
We begonnen tegelijk te spreken. Het was erg grappig en we moesten beiden lachen. De gedrukte stemming, die zich van ons had meester gemaakt op het moment dat Dulcie het restaurant was binnengekomen, was plotseling verdwenen.
'Wat wilde je zeggen?' lachte ik.
Haar ogen stonden nu weer ernstig. 'Niets.'
'Je wilde iets zeggen,' hield ik vol. 'Vooruit, zeg op.'
Ze trok hard aan haar sigaret en ik zag haar ogen enigszins weemoedig over het gazon staren. 'Eens hield je heel veel van haar.'
Ik keek peinzend voor me uit. Had ik van haar gehouden? Ik had er wel eens aan getwijfeld. Had ik haar wel ooit goed gekend? Dat betwijfelde ik zeker. Ik had de vrouw liefgehad, die ik in haar zag, of liever, die ze had voorgewend te zijn. Als ik tegen Doris zei dat ik Dulcie nooit had liefgehad of dat ik het niet wist, dan zou ze me niet geloven. Daarom zei ik de waarheid. 'Ik heb haar eens liefgehad.'
Ze gaf geen antwoord, maar trok peinzend aan haar sigaret. Ik wist echter dat er nog meer kwam en daarom wachtte ik totdat ze weer iets zou zeggen. Ik had me niet vergist.
'Johnny,' vroeg ze met een lage stem, 'hoe was ze nu eigenlijk? Ik bedoel in wezen. Ik heb zoveel verhalen over haar gehoord . . . Maar ik heb haar nooit persoonlijk leren kennen.'
Ja, hoe was ze nu eigenlijk. Ik wist het niet. Ik haalde mijn schouders op. 'Je hebt die verhalen dus gehoord?'
Ze knikte.
'Wel, ze zijn waar.'
Ze brandde zich bijna aan haar sigaret en wierp hem door het raampje naar buiten. We zagen hem nog even gloeien toen hij in een wijde boog door de lucht vloog; toen verdween hij in het gras. Ze bewoog zich even en ik voelde plotseling haar hand in de mijne. Ik keek haar glimlachend in het opgeheven gezicht.
'Wat zal je een verdriet hebben gehad.'
Dat was waar, maar het was uiteindelijk toch niet zo erg geweest als ik aanvankelijk gedacht had. Ik dacht aan de nacht dat ik Warren Craig bij haar in bed had gevonden en ik sloot de ogen. Ik wilde daar niet meer

aan denken. Maar ik hoorde nog altijd haar woeste kreten – woorden die ik nog nooit uit de mond van een vrouw had gehoord. En ineens die stilte, toen ik haar in het gezicht sloeg. Ik zag haar daar nog naakt op de grond liggen – en ik huiverde nog als ik aan die triomfantelijke blik in haar ogen dacht en de wrede glimlach om haar lippen, toen ze zei: 'Dat had ik wel kunnen verwachten . . . hinkepoot!'
Ik keek Doris weer aan. Haar ogen rustten vol deernis op me. 'Nee,' peinsde ik hardop, 'ik geloof niet dat ik ooit echt verdriet heb gehad. Verdriet heb ik later pas gehad, veel later. Toen ik ging beseffen wat ik al die jaren had gemist – door mijn eigen schuld.'
Ze keek mij onderzoekend aan. 'Wat dan?' vroeg ze zacht.
Ik boog me over haar heen. 'Jou,' zei ik even zacht. 'Ik begon toen in te zien, dat al die jaren verloren waren. En toch durfde ik niet naar je toe te komen – ik weet zelf niet waarom niet.'
Ze legde haar hoofd op mijn schouder en keek omhoog naar de sterren. Zo zaten we lange tijd.
Eindelijk sprak ze. 'Ik was ook bang.'
Ik keek glimlachend op haar neer. 'Waarvoor was je bang?'
Ze wreef met haar wang over mijn schouder en keek me toen vol vertrouwen aan. 'Ik was bang dat je haar nooit zou vergeten en dat je nooit terug zou komen. Ik was zelfs vanavond nog bang dat je aan háár dacht.'
Ik kuste haar op de lippen. 'Je weet niet wat het is om je niet zeker te voelen van iemand die je liefhebt,' voegde ze er heel zacht aan toe.
Ik kuste haar weer. Haar lippen waren zacht. 'Je behoeft nooit meer bang te zijn, lieveling.'
Ze glimlachte en ik voelde haar adem tegen mijn wang. 'Ik weet het, Johnny – nú weet ik het.'
De avond was heel stil en we hoorden alleen het getjirp van de krekels in het gras langs de weg. Zo nu en dan glom er een vuurvliegje tegen het diepe zwart van het struikgewas.
Diep beneden ons, in de vallei, schitterden de diamanten snoeren van honderden lichtjes. De lichten van de huizen, de straatlantarens en de neonlampen. Ze twinkelden als sterren boven ons.
Ze ging plotseling rechtop zitten en keek me onderzoekend aan. 'Wat is er aan de hand in de studio, Johnny? Is er iets niet in orde?'
Ik stak eerst een sigaret op, voordat ik antwoordde. 'Niets van belang,' loog ik.
Ik zag aan haar gezicht dat ze me niet geloofde. Daarvoor kende ze Hollywood te goed. 'Probeer me dat maar niet wijs te maken, Johnny,' zei ze kalm. 'Ik lees óók kranten. Ik heb gelezen wat de 'Reporter' gisteren te vertellen had. Is het waar?'

Ik schudde het hoofd. 'Gedeeltelijk – maar ik geloof dat ik ze te slim af ben geweest.'
'Je bent in moeilijkheden gekomen doordat je hierheen bent gegaan om papa te bezoeken.' Ze aarzelde even. 'Ik had daar aan moeten denken voordat ik je opbelde.'
Ik keek haar diep in de ogen en zag dat ze zich ernstig bezorgd over me maakte. Het deed me goed. In weerwil van het vele, dat haar werkelijk reden tot bezorgdheid gaf, dacht ze aan mij. Ik nam haar hand en drukte er een kus op. 'Ik zou toch in elk geval gekomen zijn, lieveling. Zelfs al had het me mijn positie gekost. Jou en Peter terugzien is voor mij belangrijker dan de hele filmindustrie.'
'Ik hoop dat je er geen moeilijkheden door krijgt, Johnny,' fluisterde ze.
Ik nam haar beide handen in de mijne. 'Tob maar niet over je oude oom Johnny, lieveling. Hij is de situatie volkomen meester.' Ik was me bewust, dat dit wel een beetje al te optimistisch was uitgedrukt, maar ik had ten slotte toch ook geen reden om het hoofd te laten hangen. Voorlopig had ik het gewonnen.
Nog geen tien minuten later werd me duidelijk hoe volkomen ik er naast zat. We hoorden achter ons een auto de oprijlaan opkomen.
Doris keek me vragend aan. 'Wie zou dat zijn?'
Ik keek achterom en herkende de wagen onmiddellijk. 'Het is Christopher. Ik heb hem gezegd dat hij me even over elven hier moest komen halen.'
De wagen stond naast ons stil en Christopher stak zijn zwarte hoofd door het raampje. 'Bent u het, mijnheer John?'
'Ja, Christopher.'
'Ik heb een boodschap voor u, van mijnheer Gordon. Hij vraagt of u hem meteen wilt opbellen. Het is heel dringend.'
'Dank je, Christopher.' Ik stapte uit en keerde me om naar Doris. 'Ik mag jullie telefoon wel even gebruiken?'
Ze knikte en ik haastte me over het grasveld naar het huis. Wat zou hij nu weer hebben? Achter me hoorde ik Christophers vrolijk geluid: 'Goede avond, juffrouw Doris. Hoe gaat het met mijnheer Peter?'
Ik verstond haar antwoord niet, want ik was al in de hal en bij de telefoon. Ik draaide haastig Bobs nummer en wachtte. Zijn telefoon belde eenmaal en werd toen meteen van de haak genomen. Hij had blijkbaar steeds op me staan wachten. 'Hallo, Bob, met Johnny.'
'Ik dacht dat je had gezegd dat ik de zaak wel aan jou kon overlaten!' brulde hij.
Waar maakte hij zich in hemelsnaam zo dik over? 'Houd je koest, kerel,' ried ik hem, 'anders heb ik de telefoon niet eens nodig om je te horen. Natuurlijk kun je de kwestie aan mij overlaten. Wat is er aan de hand?'

Hij trok zich er niets van aan. 'Je hebt me eenvoudig bedonderd! En ik wilde je maar even zeggen dat ik er genoeg van heb. Ik neem m'n ontslag.'
Nu was het mijn beurt om boos te worden. 'Vertel me dan in elk geval eerst eens wat er gebeurd is. Dat weet ik nog steeds niet.'
'Wéét je dat nog niet?'
'Nee, hoe zou ik dat weten!'
Het bleef even stil aan de andere kant van de lijn, alsof hij mijn antwoord eerst moest verwerken. Toen hij weer sprak klonk zijn stem heel anders dan tevoren. Er was iets van berusting in, alsof hij besloten had de strijd op te geven. 'Dan zijn we allebei bij de neus genomen, Johnny. Ik kreeg net een telefoontje van Billy, die bij de 'Reporter' werkt. Hij zei dat er juist bericht was binnengekomen van het bureau van Ronsen, dat op een extra bestuursvergadering in New York Roth en Farber in het bestuur zijn opgenomen en dat Roth tot vice-president is benoemd en belast zal worden met de produktieleiding!'
Nu was het mijn beurt om te zwijgen. De zwijnen waren me te slim af geweest! Farber moest wel een heel gladde tong hebben dat hij Larry hiertoe had kunnen bewegen. Larry had ten slotte toch altijd nog wel een beetje ontzag voor mijn oordeel. Ik begreep heel goed hoe hij het had aangepakt: 'Je moet het er op wagen, Larry. Edge gáát er niet uit. Hij zit veel te lang in deze zaak om die zo maar in de steek te kunnen laten. Het is zijn troetelkind.' En hij had nog gelijk ook. Ik vond mijn stem terug. 'Je doet niets voordat we elkaar hebben gesproken, Bob. En je houdt je kiezen op elkaar. Als we elkaar dit weekend niet zien, dan zien we elkaar maandag in de studio.'
Ik legde de hoorn op de haak en wachtte even. Toen nam ik hem weer op en draaide intercommunaal. 'Geef me New-York, alstublieft.' Ik gaf Jane's nummer op.
Het was in New York nu bijna twee uur in de nacht, maar ik móést weten wat er gebeurd was.
Rocco nam de telefoon aan. 'Hallo,' bromde hij slaperig.
'Rock, je spreekt met Johnny,' zei ik snel. 'Het spijt me dat ik je zo laat nog stoor, maar ik moet Jane spreken.'
Hij was meteen klaar wakker. 'Okay, wacht even.'
Onmiddellijk daarop hoorde ik Jane's stem. 'Hallo, Johnny.'
'Om hoe laat heeft die vergadering vanavond plaatsgevonden?'
'Ongeveer om negen uur. De telex waarschuwde al om zes uur, maar het was negen uur voordat ze voldoende wisten om een bericht te kunnen samenstellen. Ik dacht dat jij er wel van af wist, maar ik heb je voor alle zekerheid vanavond nog een telegram gestuurd.'

'Juist, ik begrijp het al,' zei ik langzaam. Ik begreep het zeker. Waarschijnlijk lagen er op dit moment twee mededelingen op mijn schrijftafel in de studio. Ik was vroeg weggegaan, omdat ik nog even naar Peter wilde.
'Moet je nog meer weten, Johnny?' klonk het angstig uit New York.
Ik voelde me plotseling doodmoe. 'Nee,' zuchtte ik. 'Dank je wel. Het spijt me dat ik jullie wakker heb gemaakt.'
'Het geeft niets, Johnny.'
'Welterusten, Jane.' Ik hoorde haar antwoorden en legde toen de hoorn maar weer op de haak. Ik keerde me langzaam om.
Doris stond in de deur van de hal naar me uit te kijken. Mijn gezicht had haar het slechte nieuws al verteld. Ze haalde diep adem. 'Moeilijkheden, Johnny?'
Ik knikte bijna onmerkbaar. Niets dan moeilijkheden. Het water was me nu tot de lippen gestegen. Als ik het accepteerde dan was ik er geweest en als ik het niet accepteerde dan was ik er ook geweest, alleen nog een beetje eerder. Ik zonk langzaam neer in een fauteuil. Wat een dag!
Was ik maar in bed gebleven.

DERTIG JAREN 1925

Johnny keek de zaal rond of hij Dulcie ook zag. Een minuut geleden was ze nog bij hem, maar ze was opeens tussen de talrijke bezoekers verdwenen. Waar kon ze heen zijn gegaan?
Plotseling hoorde hij op gedempte toon zijn naam roepen. Hij keerde zich om en zag een tenger vrouwtje, met een smal, mager gezicht, dat hem wenkte. 'Kom je een praatje met me maken, Johnny? We hebben zo weinig gelegenheid met elkaar te babbelen. Ik begin werkelijk te vergeten hoe charmant je kunt zijn.' Ze had een hoge, enigszins geaffecteerde, maar toch niet onprettige stem.
Johnny trad glimlachend op haar toe. Geen mens in heel Hollywood had de moed Marian Andrews te negeren. Ze schreef een rubriek die in alle kranten in de Verenigde Staten verscheen en die rubriek ging over Hollywood. Haar oordeel kon je carrière maken of breken en ze aarzelde nooit van haar macht gebruik te maken als dit in haar kraam te pas kwam. Maar ze wist de scherpte van haar pen te verdoezelen door van elk artikel een genoeglijk praatje te maken, waarin ze op moederlijke toon haar mening uiteenzette en dat de lezer het gevoel gaf dat zijn buurman hem het

nieuws over de heg van zijn tuintje heen vertrouwelijk had toegefluisterd.
'Marian!' Hij drukte hartelijk de hem toegestoken hand. 'Ik zag je niet!'
Ze trok haar ene wenkbrauw op en keek hem met een ondeugende tinteling in de ogen aan. 'Ik dacht héél even dat je me niet wilde zien.'
Hij schoot in de lach. 'Hoe kun je nu zo iets denken? Ik liep ergens over te piekeren.'
Ze gaf hem een knipoogje. 'Zeker over de vraag waar je beeldschone vrouwtje ineens gebleven is?'
Hij keek haar verrast aan. 'Bij voorbeeld,' gaf hij toe.
Ze lachte trots omdat ze het goed geraden had. 'Maak je over haar maar geen zorgen, beste jongen. Ze is naar buiten gegaan om een luchtje te scheppen. Haar neef Warren is bij haar en jij kunt rustig een beetje bij me komen zitten en een praatje maken.' Ze klopte op de stoel naast haar.
Hij keek glimlachend op haar neer. 'Jij ziet alles, is het niet, Marian?'
Ze knikte trots. 'Dat is mijn vak, Johnny. Vergeet niet dat ik verslaggeefster ben. En ga nu zitten.'
Hij gehoorzaamde. Verslaggeefster – zo noemde ze zichzelf bij voorkeur; nieuwtjesjaagster, zo kon je het beter noemen, dacht hij een beetje schamper.
Ze boog zich naar hem toe. 'Vind je het geen enig idee dat Peter een partij geeft ter ere van de neef van je vrouw? En het is zo buitengewoon geslaagd! Hij beschouwt het blijkbaar als een grote eer dat Warren voor zijn camera wil optreden. En vind jij het niet verrukkelijk dat Dulcie in dezelfde film de vrouwelijke hoofdrol vertolkt?'
'Ja,' antwoordde hij braaf. 'We zijn er allemaal erg blij om. Warren is een van de beroemdste acteurs ter wereld en het betekent heel veel voor ons dat hij bereid is in deze film op te treden.' Hij keek haar plotseling scherp aan. 'Het is trouwens van het grootste belang voor de hele industrie. We hebben jarenlang achter hem aan gezeten.'
'Ik heb horen vertellen dat je Dulcie door hem hebt leren kennen,' glunderde ze. 'Toen je hem in zijn kleedkamer opzocht.' Ze lachte vrolijk. 'Het moet wel een zonderlinge gewaarwording voor je zijn geweest. Je stapt achter de coulissen in de hoop Amerika's grootste acteur te vangen en je komt te voorschijn met een beeldschone vrouw, maar zonder de acteur, die je wilde hebben. En twee jaar later stemt hij toch toe om in een film op te treden en je charmante vrouw, die inmiddels een van de beroemdste sterren is geworden, treedt tezamen met hem in die film op. Inderdaad, echt iets voor de film.' Ze keek hem onschuldig lachend aan. 'Is het geen prachtig verhaal? Mag ik het in de krant zetten? Ik denk dat iedereen er verrukt van zal zijn.'
'Ga je gang maar,' glimlachte hij. 'Je zou het toch doen, ook als ik nee

zei,' voegde hij er in gedachten aan toe. Hij stak een sigaret op en keek de zaal weer rond.
'Wat zul je trots op Dulcie zijn,' vervolgde ze. 'Het is niet iedere actrice gegeven in haar eerste film al beroemd te zijn en dan in de twee volgende, waarin ze nog beter is dan in de eerste, te bewijzen dat die roem haar ook werkelijk toekomt. Ik heb gehoord dat haar films de beste zijn die jullie de laatste tijd hebben gemaakt.'
Ze had de vervelende gewoonte in één adem verschillende vragen te stellen, zodat je nooit goed wist waar je het eerst mee zou beginnen. Hij trok een paar maal zwijgend aan zijn sigaret. 'Ja, ik ben trots op haar,' zei hij ten slotte. 'Ze heeft altijd graag actrice willen worden en ik wist dat ze ook werkelijk talent had, maar ik geloof niet dat een van ons beiden vermoed heeft dat ze zo'n succes zou hebben. Je weet waarschijnlijk wel dat ze enkel aan die eerste film begonnen is om iets te doen te hebben. Ik had het destijds erg druk in de studio.'
'En toen bleek ze zo'n goede actrice te zijn dat je haar eenvoudig niet voor de camera weg kon houden.'
Hij trok een zuur gezicht. 'Dat is het juist. Ze was té goed.'
Ze keek hem scherp aan. 'Had je liever gehad dat ze er na die eerste film mee op was gehouden?'
Hij keek haar recht in de ogen. 'Officieus, Marian?'
'Officieus,' beloofde ze.
'Welnu, eerlijk gezegd had ik dat liever gehad, maar toen ik die eerste film gezien had, wist ik, dat ik geen schijn van kans meer maakte.' Hij bad in stilte dat ze woord zou houden.
Ze knikte voldaan. 'Dat dacht ik al. Het lijkt me heel onprettig om met de mooiste en beroemdste vrouw van het land getrouwd te zijn en drieduizend mijl bij haar vandaan te moeten wonen.'
'Zo erg is het niet,' haastte hij zich haar te verzekeren. 'We begrijpen beiden dat ons werk dat van ons eist en we zijn zoveel mogelijk samen. Ik kom viermaal per jaar naar Hollywood en zij komt bijna even dikwijls naar New York.'
Ze boog zich naar hem toe en gaf hem een tikje op de wang. 'Je bent een beste jongen, Johnny. Soms heb ik wel eens een beetje medelijden met je.'
Hij keek haar onderzoekend aan. Wat bedoelde ze daarmee? Tijdens zijn laatste bezoeken aan de studio had hij al telkens het gevoel gehad, dat ze hem medelijdend aankeken. Maar dat was bij een enkele, tersluikse blik gebleven, maar nu werd het hem ook nog openlijk verteld. 'Dat is helemaal niet nodig,' zei hij een beetje stroef. 'We zijn heel gelukkig en in weerwil van de afstand die ons scheidt, heel dicht bij elkaar.'

'Natuurlijk, Johnny, natuurlijk,' stemde ze haastig met hem in. Ze keek de zaal rond. 'O, daar heb je Doug en Mary. Ik moet ze spreken. Je wilt me zeker wel excuseren?'
Hij glimlachte toegeeflijk. Ze wist nu blijkbaar alles wat ze wilde weten en schoot meteen weer op een ander slachtoffer af. 'Natuurlijk,' antwoordde hij, eveneens opstaande. 'Ga gerust je gang.'
Ze draalde echter nog even; haar gezicht stond plotseling ongewoon ernstig. 'Ik mag je graag, Johnny. Je bent een beste, brave jongen.'
Haar woorden en nog meer de ernst waarmee zij ze uitsprak, verbaasden hem. 'Dank je, Marian. Maar waarom . . .'
Ze legde haar hand op zijn arm. 'De film is een zonderling bedrijf, Johnny. We leven hier allemaal in een soort goudviskom. Ik weet het, want tot op zekere hoogte ben ik er zelf debet aan. En ik weet ook dat er heel veel over de mensen hier wordt verteld dat niet waar is en de oorzaak is van veel verdriet en moeilijkheden.'
Hij meende plotseling te begrijpen wat ze bedoelde. 'Dat weet ik ook, Marian,' zei hij zacht.
Haar gezicht klaarde op alsof ze door zijn woorden was gerustgesteld. 'Ik ben blij, dat je me begrijpt, Johnny. Ik zou niet graag hebben dat je onnodig verdriet werd gedaan. Je moet alles wat je hoort en leest maar met een korreltje zout nemen. En geloof niets voordat je het met eigen ogen hebt gezien. Er zijn kleinzielige, jaloerse mensen genoeg, die je je geluk niet gunnen en niet zouden aarzelen het te verwoesten als ze de kans kregen.' Met deze woorden verliet ze hem.
Hij zag haar haastig de zaal doordribbelen. Het gesprek had wel een zonderlinge wending genomen. Wat bedoelde ze toch? Hij zou werkelijk niemand weten, die hem met opzet verdriet zou willen doen.
Op dat moment zag hij Dulcie en Warren de zaal weer binnen komen en eensklaps ging hem een licht op. Dáár had Marian hem voor proberen te waarschuwen! Dulcie was mooier dan ooit. Ze zag er jong en gelukkig en zelfs een beetje opgewonden uit. Ze had zo snel carrière gemaakt dat er stellig mensen waren, die haar dit succes misgunden. Marian probeerde hem aan het verstand te brengen dat die mensen niet zouden aarzelen hen, zodra ze maar even kans zagen, in moeilijkheden te brengen en het sprak wel vanzelf dat ze dit via Dulcie zouden doen. Er was een zelfbewuste glimlach om zijn lippen toen hij op Dulcie en Warren toetrad. Wel, ze konden hun gang gaan, met hun eeuwig geklets en gelaster. Hij zou er toch geen geloof aan hechten, zelfs niet als Marian Andrews het zei.

Peter hield de deur voor zijn bezoekers open en liet hen voorgaan. Daarop volgde hij hen in zijn studeerkamer en draaide de deur resoluut op slot. Het was heel stil in het kleine, gezellige vertrek na het rumoer van de partij, die beneden werd gegeven. In de open haard brandde een helder vuur, dat een roodachtig schijnsel over hun gezicht wierp.
Peter wreef zich vergenoegd in de handen. 'Ziezo, nu worden we tenminste niet gestoord. Die feesten werken me gewoon op m'n zenuwen. Ik ben de hele dag al van streek als ik 's avonds op zo'n partij moet zijn.'
'Je behoeft me niets te vertellen,' stemde Bill Borden in. 'Ik ben blij dat ik weer naar New York ga. Het leven in Hollywood is niets voor mij. De filmindustrie is mijn lust en mijn leven, maar alles wat je moet doen om up-to-date te blijven kan me gestolen worden. Het is ook eigenlijk te dwaas. Mensen die er niets mee te maken hebben, hebben bepaalde ideeën over de manier waarop ons bedrijf moet worden aangepakt en wij moeten naar hun pijpen dansen.'
'Dat kunnen jullie nu wel zeggen,' bracht Sharpe in het midden, 'maar ik voor mij ben van mening dat je er eenvoudig niet buiten kunt. Daar beneden in de zaal lopen misschien wel twintig mensen rond wier beroep het is de hele wereld te vertellen wat hier gebeurt. In het artikel van Marian Andrews lezen morgen twintigmiljoen mensen dat heel Hollywood op de partij van Peter Kessler is geweest en dat hij die partij gaf ter ere van Warren Craig, die tegelijk met Dulcie Warren in een film van de Magnum Studio's optreedt. En dat is er nog maar één; zo komen er minstens twintig in de verschillende kranten. Het is de beste reclame die je je denken kunt en dan klagen jullie nog!'
'Maar jij behoeft je ook nergens zorgen over te maken,' wierp Peter tegen. 'Jij strijkt eenvoudig je tien procent op en verder kun je er bij gaan zitten. Maar wij moeten zorgen dat het zijn geld ook opbrengt en dat de mensen die voor ons van belang zijn ook werkelijk op komen dagen. Ik beloof je dat er heel wat komt kijken voordat zo'n avond in kannen en kruiken is.'
'Maar ik zeg je dat het de moeite waard is,' hield Sam vol. 'Het bezorgt je klanten aan de kassa.'
Peter schudde het hoofd en liep naar een van de kasten. Hij haalde een fles whisky en drie glazen te voorschijn en schonk voor ieder een matig glaasje in. 'Dit is de echte,' vertelde hij trots. 'Niet het gootwater, dat ze hier drinken.' Hij hief zijn glas op. *'L'chaim!'*
'L'chaim,' antwoordde Borden.
'Prosit,' zei Sam.
Ze dronken hun glas leeg en Peter ging met een diepe zucht in een grote stoel vlak bij het vuur zitten. Hij boog zich voorover, trok zijn glanzende lakschoenen uit en legde zijn voeten op een haardbankje. 'Ga zitten en

maak het je makkelijk.' Hij wees op de andere grote stoelen om het vuur.
'Hè, dat doet me goed. Die voeten, die voeten! Esther stond er op dat ik mijn nieuwe schoenen vanavond aantrok.'
Borden ging tegenover hem zitten en Sharpe verdween in de fauteuil naast hem. Ze keken een tijdlang zwijgend in de vlammen.
'Nog een glaasje?' Zonder hun antwoord af te wachten schonk hij de glazen weer vol.
Borden keek hem bezorgd aan. 'Je ziet er moe uit, Peter.'
'Ik ben doodop.'
'Ik vrees dat je te hard werkt.'
'Nee, dat is het niet. Ik maak me bezorgd over Johnny. Van het ogenblik af, dat Johnny hier eergisteren aankwam, heb ik lopen tobben.'
De twee mannen begrepen onmiddellijk, wat hij bedoelde.
'Zijn vrouw?' vroeg Sharpe.
Peter knikte met een somber gezicht.
'Ik ken dat soort,' merkte Borden op. 'Het is nu eenmaal niet anders in dit bedrijf. Maar deze maakt het wel wat al te bont. De verhalen die ik over haar heb gehoord!' Hij schudde het hoofd. 'Bijna niet te geloven!'
'Ze is niet goed snik,' gaf Sam onomwonden te kennen. 'Als ze zo doorgaat is er binnenkort geen man meer in Hollywood waar ze niet mee in bed heeft gelegen. En ik geloof dat dat nu juist haar bedoeling is.'
Peter keek hen ernstig aan. 'En jullie weten nog niet de helft. Ik heb al drie mensen moeten ontslaan die er meer van wisten en er hun mond niet over konden houden. Een paar dagen geleden kwam er een of andere fotograaf bij me met een stel foto's die hij genomen had. Ergens hier op het studioterrein met iemand van het technisch personeel. De rest kunnen jullie wel raden. Het kostte me duizend dollar om de negatieven en de afdrukken van hem los te krijgen en ik weet nog altijd niet of hij er niet een paar heeft achtergehouden.' Hij keek peinzend naar het glas in zijn hand en hief vervolgens het hoofd weer op. 'Ik liet haar bij me komen en overhandigde haar de foto's. Ik schaamde me zo dat ik niet in staat was iets te zeggen. Ze wierp een blik op de foto's en begon toen te lachen. En wat denk je dat ze zei? Ze zei: 'Wat een amateur, die fotograaf. Als hij even had gewacht had hij een veel betere opname van me kunnen maken'.'
Peter wachtte even, maar zijn bezoekers bleven zwijgen. Daarom vervolgde hij zijn verhaal. 'Dulcie,' zei ik tegen haar, 'je moest je schamen over een dergelijk gedrag. Begrijp je dan niet dat daar praatjes van komen?'
'Praatjes komen er toch,' antwoordde ze luchtig.
'Maar Dulcie,' zei ik tegen haar, 'je hebt toch geen enkele reden om zo te doen. Je hebt een knappe, flinke man. Wat zou hij zeggen als hij dit te weten kwam?'

Ze keek me ondeugend aan, met een van die verleidelijke lachjes van haar. 'Wie zal het hem dan vertellen,' vroeg ze. 'Jij soms?' Daar kon ik niets op antwoorden. Ik wist even goed als zij dat ik het Johnny natuurlijk niet zou vertellen. Hoe zou ik dat kunnen doen? Toen ik geen antwoord gaf, begon ze zacht te lachen. 'Ik wist wel dat jij het hem niet zou vertellen.' Ze liep naar de deur, maar plotseling keerde ze zich weer om. Ze stond daar wel een minuut lang zonder een woord te zeggen. Ik zag dat ze ergens over nadacht en ik wachtte.
Plotseling zag ik tranen in haar ogen komen en haar lippen begonnen te trillen. 'Je begrijpt er niets van, Peter,' fluisterde ze. 'Ik ben erg emotioneel en toen ik met Johnny trouwde dacht ik werkelijk dat ik gelukkig zou worden. Maar dat was niet zo. Johnny is in de oorlog erger getroffen dan jullie weten. Hij had niet mogen trouwen. En ik ben actrice en soms moet ik de gevoelens die ik moet vertolken wel eens persoonlijk ervaren; als ik dat niet kan, dan kan ik er beter mee ophouden.'
Een ogenblik had ik werkelijk medelijden met haar, maar toen bedacht ik dat een vrouw zich daarom toch maar niet als een snol mag gedragen! Ik zei dus dat zij zich voortaan fatsoenlijker moest gedragen en dat zij anders wel vertrekken kon. Dat beloofde ze. Ik slaakte gewoon een zucht van verlichting toen de deur achter haar dichtging.'
'Arme Johnny.' Borden keek hoofdschuddend in het vuur. 'Zou hij er werkelijk zo aan toe zijn?'
Peters gezicht werd rood. 'Ze loog,' zei hij hard.
'Hoe weet je dat?' vroeg Sam.
'Later op de dag dacht ik nog eens na over wat ze had gezegd, en belde Johnny's dokter in New York op. Hij zei dat er in dat opzicht niets met hem aan de hand was.' Hij kuchte verlegen.
'Ik vraag me af wat er zou gebeuren als Johnny het ontdekte,' peinsde Sam hardop.
'Ik moet er niet aan denken,' schrok Peter. 'Ze draait hem zo meesterlijk een rad voor ogen dat er geen schijntje twijfel of wantrouwen bij hem opkomt. Ik moet toegeven, dat ze een heel goede actrice is.'
'Dat is juist zo diep treurig,' merkte Borden op. 'Waarom is een dergelijk talent niet aan een fatsoenlijk meisje gegeven? Het lijkt bijna onrechtvaardig dat zo'n verdorven wezen zoveel heeft meegekregen, terwijl honderden andere vrouwen moeten tobben om op een fatsoenlijke manier aan een stuk brood te komen.'
Peter knikte instemmend. 'Rechtvaardig is het zeker niet, maar wat kun je er aan doen? De goeden moeten altijd vechten voor wat ze willen hebben, terwijl de kwaden de handen maar open behoeven te houden en het vliegt er vanzelf in.'

'Gaan die wijzigingen in je zaken nog door?' De vraag kwam van Peter, die hem onderzoekend opnam.
Sam nam de fles van de grond en schonk de glazen nog eens vol. Daarop wendde hij zich tot Borden. 'Wanneer ga je naar New York terug?'
'Over een dag of veertien. Ik heb eerst nog het een en ander te regelen, maar daarna vertrek ik onmiddellijk. Ik heb een huis gekocht op Long Island en mijn vrouw brandt van verlangen om het te gaan inrichten.'
'Zeker,' antwoordde Borden. 'Waarom niét?'
Peter gaf niet dadelijk antwoord. Borden was bezig zijn aandelen op de markt te brengen. Hij wilde er zelf slechts zoveel behouden dat hij financieel het heft in handen hield, maar verder had hij de leiding in handen gegeven van een bankiershuis in Wall Street en Peter had met schrik geconstateerd dat hij hun raad blindelings opvolgde. Het gehele bedrijf werd nu volgens hun ideeën gefinancierd. Ze werkten nu met twee soorten bedrijfskapitaal en de grootste aandeelhouders konden hun stem uitbrengen aangaande de organisatie van het gehele bedrijf. Later zou nog het systeem van preferente aandelen en obligatieleningen worden ingevoerd. Met het geld dat hij met het verkopen van de aandelen van zijn eigen bedrijf ontving, hoopte Borden een gedeelte van zijn leningen te kunnen afbetalen en in de toekomst grote leningen te kunnen voorkomen. Dat was allemaal niets voor Peter. Hij was van mening dat, wilde het goed gaan, maar één persoon de baas kon zijn.
'Het bevalt me niets,' zei Peter na een langdurig stilzwijgen.
Borden begon te lachen. 'Je bent ouderwets, Peter. Dit is tegenwoordig nu eenmaal de manier van zaken doen. Geen mens probeert meer in zijn eentje alles te regelen – het is eenvoudig gekkenwerk. Tegenwoordig is iedereen specialist in bepaald werk. Waarom zou ik proberen om een bankier, een aandeelhouder, een producent, een biscoopexploitant en een verkoopleider tegelijk te zijn? Het lijkt mij het verstandigst de beste experts op elk gebied in dienst te nemen, hen hier en daar een beetje te leiden en verder de gehele zaak van bovenaf te bezien. Het filmbedrijf breidt zich nog steeds uit. Wie weet hoe groot het nog zal worden. Geen mens kan dat toch in zijn eentje allemaal regelen? We hebben mensen nodig, die hun leven lang in het groot zaken hebben gedaan.'
'Ik vertrouw ze niet,' hield Peter vol. 'Ze zijn allemaal okay zolang de zaken goed gaan. Maar wat zullen ze doen als het eens mis loopt? Ik weet nog heel goed hoe ze jaren geleden deden toen we in New York geld van hen probeerden los te krijgen. Ze trokken hun neus voor ons op en je kon gewoon zien wat ze dachten: 'Een jodenzaakje.' En we kregen geen cent. Maar nu ze zien dat we op het paard zitten, willen ze ons natuurlijk wel helpen en liefst zelf een stem in het kapittel hebben. Ik vertrouw ze niet.

Waar bleven ze toen we werkelijk hulp nodig hadden? We zijn toen naar Santos gegaan – hij vertrouwde ons en gaf ons wat we nodig hadden.'
'Tegen twaalf procent interest!' bracht Borden er verontwaardigd tegenin.
'Twaalf procent was niets te veel, voor het risico dat hij nam,' verdedigde Peter zijn vriend. 'Hij was de enige die ons geld wilde lenen, vergeet dat niet.' Hij keek Borden met zijn schrandere oogjes scherp aan. 'Hoeveel behouden jouw bankiers voor zichzelf?'
'Maar vijf procent.'
Peter schudde somber het hoofd. 'Die vijf procent zijn meer dan genoeg om je een hoop moeilijkheden te bezorgen als de boel verkeerd gaat.'
'Wat kan er dan verkeerd gaan?' Borden beantwoordde zijn eigen vraag. 'Niets. Kijk maar eens naar de beurs. Onze aandelen hebben nog nooit zo hoog gestaan en ze stijgen nog elke dag. Het gaat met sprongen vooruit en het hele land gaat met sprongen vooruit, zeg ik je. Er wordt in alle industrieën goud verdiend. En bovendien, je kent deze bankiers niet. Het zijn op en top heren, fijne zakenlui. Ze zijn niet van het soort waar wij van jongsaf tussen hebben gezeten. Ze hebben zoveel geld dat ze niemand behóéven te bedriegen. Alles wat ze doen is het ons zo gemakkelijk mogelijk maken.'
Peter snoof verachtelijk. 'En sinds wanneer ken je ze zo goed? Wat weet je eigenlijk van ze?'
Borden lachte vrolijk. 'Ik ken ze goed genoeg,' klonk het met overtuiging. 'Verleden jaar, toen ik die grond op Long Island kocht, kwam ik met hen in aanraking. Ze wonen daar bijna allemaal. Ik was de eerste jood die daar grond kocht en in het begin was ik wel een beetje bang dat ze me links zouden laten liggen. Maar het tegendeel was waar. Ze nodigden me op hun clubs en bij hen thuis en stelden me volkomen op mijn gemak. Ze waren allemaal even vriendelijk en voorkomend en ze herinnerden mij er nooit aan dat ik een jood was.' Hij keek trots van de een naar de ander.
Peter keek nu heel ernstig. 'En baseer je daar je vertrouwen op?' Hij bewoog zich onrustig. 'Het was beter geweest als ze je er wél aan herinnerd hadden dat je een jood was. Misschien ben je zelf vergeten, dat je uit een verwaarloosde koudwater-flat in Rivington Street komt, waar de ratten over je balkonnetje trippelden.'
Borden keek nu een beetje boos. 'Ik vergeet niets. Maar ik ben niet zo dwaas aan hen te wijten dat ik uit zo'n arme buurt kom. Het is mij voldoende dat ze me nemen voor wat ik ben.'
Peter zag wel dat Borden uit zijn humeur begon te geraken, maar hij voelde zich gedrongen er toch nog een schepje bij te doen. 'Wie weet,' glimlachte hij, 'misschien vind ik je naam volgend jaar wel in het blauwboek.'

Borden stond op. 'En wat zou dat? We zijn hier in Amerika. Alles is hier mogelijk. Ik ben geen snob. Als ze mijn naam in het blauwboek willen zetten, dan kunnen ze dat gerust doen.'
Peter staarde hem met open mond aan. Borden ging er waarachtig op in! Hij schudde medelijdend het hoofd. Wat was er met hem aan de hand? De kleine Willie Bordanov uit Rivington Street in het blauwboek! Willie met de handkar! Hij hief kalmerend de hand op. 'Doe niet zo dwaas, Willie,' zei hij in het Jiddisch. 'Ik zeg het alleen voor je bestwil. Wees voorzichtig, dat is de enige raad die ik je geven wil.'
Borden trok weer een beetje bij. 'Tob maar niet over mij, Peter. Ik bén voorzichtig. Willie Borden laat zich niet beet nemen!'
Peter trok zijn schoenen weer aan en kwam moeizaam overeind. 'Ik geloof dat we maar weer eens naar beneden moesten gaan. Anders mist Esther me.'
Sam Sharpe sloeg de twee mannen ongemerkt gade. Ze hadden heel veel gemeen, dacht hij. Het leven had het hun niet gemakkelijk gemaakt; voor elke cent die ze bezaten hadden ze een verbitterde strijd moeten voeren. Maar dat was niet hun enige moeilijkheid. Op de achtergrond van hun denken zaten ze altijd met die ene vraag, die hun hele leven beheerste: zullen de mensen ons accepteren? We zijn immers joden? Misschien was dat wel de reden waarom ze zo verbeten vochten om alles wat ze wilden hebben. Hij volgde hen langzaam naar de deur. Zodra die openging had hun gezicht weer de uitdrukking die de wereld altijd te zien kreeg. Het leek wel een masker, dat ze aflegden zodra ze onder elkaar waren, maar dat ze onmiddellijk weer voor deden zodra ze zich onder andere mensen begaven. Sam wist zelf niet wat het nu eigenlijk was – misschien dat er een fellere blik in hun ogen kwam, of dat ze de lippen wat vaster opeen persten, of het hoofd wat trotser ophieven – hij wist het niet en waarschijnlijk wisten ze het zelf niet eens. Maar hij had plotseling met hen te doen. Het viel niet mee een jood te zijn. Hij was maar blij dat hij er zelf geen was.

Hij stond een ogenblik geheel alleen in een hoek van de zaal, met een glas wijn in de hand. Hij zag dat er een jonge vrouw op hem toetrad, maar het drong niet dadelijk tot hem door. Hij dacht aan wat Dulcie op de veranda tegen hem had gezegd.
Hij had geprobeerd haar te kussen, maar ze was onder zijn handen uit geglipt. 'Zo gauw alweer, Warren?' had ze geplaagd.

Hij strekte zijn armen opnieuw naar haar uit, maar ze wist hem weer te ontkomen. Onderwijl keek ze hem spottend en uitdagend aan.
'Dulcie,' fluisterde hij hartstochtelijk, 'je weet niet wat het voor me is geweest, al die maanden zonder jou. Ik kon niet eten, niet slapen en niet werken. Ik verlangde zo naar je dat ik er ten slotte toe besloot Johnny op te bellen en hem te vertellen dat ik bereid was in een film van hem op te treden.'
Ze lachte weer. Een zelfverzekerd, plagend lachje, dat hem het bloed naar het hoofd joeg. Ze kwam nu vlak bij hem staan en hij sloeg onmiddellijk zijn armen om haar heen. Hij voelde de warmte van haar lichaam door haar dunne avondjapon heen. Nu zou ze hem zeker kussen. Hij boog zijn gezicht glimlachend naar haar toe.
Ze wachtte totdat hun lippen elkaar bijna raakten en toen fluisterde ze zo zacht, dat hij het maar net kon verstaan: 'Weet je nog wat ik die laatste nacht tegen je heb gezegd?'
Hij glimlachte. 'Je was zo mooi. Ik had je nog nooit zo mooi gezien. En je was boos ook, dat weet ik nog.'
Ze sloot de ogen en vlijde zich nog dichter tegen hem aan.
Hij wilde juist zijn lippen op de hare drukken, toen ze de ogen weer opende. Hij schrok van de blik waarmee ze hem aankeek. Het was een valse, boosaardige blik, alsof ze hem haatte. De woorden kwamen kil en venijnig over haar lippen, maar haar stem bleef zacht en beheerst. 'Ik meende toen wat ik zei; en ik meen het nu ook. Iedere man kan van me krijgen, wat hij verlangt – behalve jij!'
Zijn armen vielen slap langs hem neer en het was alsof de koude van de nacht tot in zijn merg doordrong. Hij staarde haar verbijsterd aan. Plotseling schonk ze hem haar liefste glimlachje en nam zijn arm. 'Zullen we weer naar binnen gaan, Warren?'
Het duizelde hem, maar zodra hij de zaal weer binnentrad en de ogen van de bezoekers op zich gevestigd wist, was hij zichzelf weer meester en glimlachte zijn gezicht even blij en onbezorgd als het hare. Hij was te veel acteur om anderen te tonen wat er in hem omging.
'Mijnheer Craig,' zei de vrouw, 'ik heb er de hele avond naar verlangd eens een beetje met u te praten, maar ik wilde dat niet doen met een drom mensen om ons heen. Het is me om een echt gezellig babbeltje te doen.'
Hij maakte een lichte buiging. 'Het is me een grote eer, mevrouw.' Het gelukte hem een aangenaam verrast gezicht te trekken.
De vrouw schonk hem een stralende glimlach. 'Ik houd zo van uw stem, mijnheer Craig; hij is zo . . .' ze zocht even naar het juiste woord, 'zo getraind. De meeste acteurs hier in Hollywood weten volstrekt niet hoe ze hun stem moeten gebruiken.'

'Ik dank u zeer, juffrouw – eh, juffrouw . . .' Hij pauseerde nadrukkelijk.
'O, wat vreselijk dom van me!' riep ze uit. 'Ik vergat helemaal dat u hier nog maar pas bent en onmogelijk kunt weten wie ik ben!' Ze wachtte even om de spanning te verhogen en stak hem de hand toe.
'Ik ben Marian Andrews.'
'Toch niet dé Marian Andrews?' Zijn stem was een mengeling van verbazing en bewondering. Hij boog zich over haar hand en drukte er een kus op. 'Ik ben werkelijk zeer vereerd en bovendien verrast.'
Ze lachte. 'Waarover verrast, mijnheer Craig?'
'Ik had niet gedacht dat een wereldberoemde verslaggeefster nog zo jong zou kunnen zijn.' Hij had wel eens gehoord dat ze graag zo werd genoemd.
Ze lachte ondeugend. 'Je bent buitengewoon charmant en taktvol. Maar omdat ik erg gevoelig ben voor een beetje vleierij, zal ik je woorden nemen zoals ze klinken, Warren.' Ze keek hem vragend aan. 'Tenminste als ik je zo noemen mag. Wij westerlingen zijn niet zo vormelijk als de mensen in het oosten van het land. Je kunt mij Marian noemen.'
Hij boog. 'Vormen kunnen erg nuttig en mooi zijn, Marian,' merkte hij op, 'maar niet onder mensen die op het punt staan goede vrienden te worden.'
Ze ging nu recht op haar doel af. 'Ik heb zojuist nog even met Johnny Edge gesproken. Hij is zo blij dat je eindelijk bereid bent om 'Rendez-vous at Dawn' voor hem te doen. Het moet voor jou ook wel heel opwindend zijn met je beeldige nichtje te spelen.'
Hij moest lachen, omdat ze door haar overdreven manier van zich uit te drukken de spijker precies op zijn kop sloeg.
'Dat is het zeker, Marian, en je weet niet half hóé opwindend het is. Ik had er lang over gedacht om voor de film te gaan spelen, maar ik kon er nooit toe besluiten, maar een paar weken geleden kreeg ik zo'n onweerstaanbare zin het hier ook eens mee te proberen, dat ik ook werkelijk geen minuut langer meer kon wachten. Johnny heeft jaren achter me aan gezeten.'
'Dat weet ik,' glimlachte ze. 'De manier waarop Johnny en Dulcie elkaar hebben leren kennen was zeker ook wel heel romantisch? Is het waar dat ze elkaar voor het eerst in jouw kleedkamer hebben ontmoet?'
Hij knikte.
Ze keek hem scherp aan. 'En hoe vindt je charmante vrouw het? Zij speelt niet in die film, is het wel?'
Hij wierp een vluchtige, maar zeker niet minder scherpe blik op haar gezicht. 'Dat is het enige vervelende van het geval, Marian. Cynthia moet binenkort weer naar New York voor de repetities van een nieuw toneel-

stuk.' Op hetzelfde ogenblik zag hij Cynthia op hen toe komen. 'Kijk, daar is Cynthia net. Je kunt haar dus zelf vragen hoe zij er over denkt.'
Cynthia was nu bij hen. 'Cyn,' zei hij glimlachend, 'ik heb zojuist kennis gemaakt met Marian Andrews. Ze zou graag willen weten hoe jij over de film denkt.'
Cynthia knikte Marian glimlachend toe. 'Over de film in het algemeen of over jouw film, Warren?' vroeg ze.
'Is het niet te opwindend om onder woorden te brengen dat je man zijn eerste film tezamen met je allerliefste nichtje maakt?' kweelde Marian.
Cynthia keek Warren met een raadselachtige glimlach aan, die hem een beetje in de war bracht. 'Het is inderdaad zeer opwindend, Marian, maar ik ken enkele woorden waarmee ik er toch nog wel uitdrukking aan zou kunnen geven.'
Marian voelde zich onmiddellijk tot haar aangetrokken. Mensen die in haar bijzijn de waarheid durfden zeggen, dwongen altijd haar respect af. Er waren er maar weinigen die zich niet door haar scherpe pen lieten intimideren. Ze stak Cynthia de hand toe. 'Ik begrijp je volkomen, Cynthia. Ik geloof dat we goede vrienden zullen worden.'

Laurence G. Ronson verliet een beetje teleurgesteld zijn eerste grote partij in Hollywood. Hij had eigenlijk verwacht dat het een waar bacchanaal zou zijn, met bloemenkransen en dansende meisjes en dergelijke. De foyer was vol mensen en het kostte hem nogal moeite Bill Borden te vinden. Toen hij hem eindelijk in het oog kreeg zag hij echter dat Bill nog altijd in druk gesprek was met Peter Kessler. Hij zou blij zijn als Bill eindelijk klaar was, dan konden ze naar huis gaan.

Peter liet zich met een diepe zucht in een stoel vallen. 'Ik dank de hemel dat het afgelopen is.'
Esther keek glimlachend op hem neer. 'Ben jij daar zo blij om? Dacht je dat ik het niet was? Wie heeft er de drukte van als jij op groot wild wilt jagen en zo'n partij meent te moeten geven?'
Er tintelden ondeugende lichtjes in zijn ogen. 'Jij, mama,' gaf hij grif toe. Hij boog zich voorover en maakte haastig zijn schoenen los. 'Maar ik heb zo'n ontzettende last van mijn voeten gehad.' Hij schoot in zijn pantoffels en begon zich uit te kleden. 'En verder heb ik er over lopen denken een groter huis te laten bouwen. Dit huis wordt te klein voor ons.'
Ze was juist bezig haar japon uit te trekken, maar nu keerde ze zich ver-

baasd naar hem om. 'Ik zou wel eens willen weten wat er aan dit huis mankeert.'
'Er mankeert niets aan; het is te klein en te ouderwets, dat is alles. Vergeet niet dat het al van vóór de oorlog is. Ik heb mijn oog laten vallen op een mooi stuk grond in Beverly Hills. We kunnen daar een zwembad en een tennisbaan laten aanleggen en dan blijft er nog ruimte genoeg over.'
Ze keerde hem haar rug toe. 'Maak mijn corset eens los.' Hij boog zich gehoorzaam achter haar en begon aan de veters te morrelen. 'We moeten dus een zwembad hebben? Kan jij dan zwemmen? En een tennisbaan? Wou jij op jouw leeftijd nog een sportsman worden?'
'Het is niet voor mezelf, Esther,' suste hij. 'Het is voor de kinderen. Denk je dat zij het prettig vinden dat iedereen hier een zwembad heeft en wij niet?'
'Ik heb hen er nog niet over horen klagen,' antwoordde Esther. Ze keerde zich plotseling om en keek hem doordringend aan. 'Of ben jij soms degeen die Peter Kessler wel graag wat royaler behuisd zou willen zien?'
Hij keek haar een beetje onnozel aan en sloeg toen lachend zijn armen om haar heen. 'Het is onmogelijk jou een rad voor de ogen te draaien!'
Ze duwde hem glimlachend van zich af. 'Denk toch aan je jaren, Peter.'
Hij lachte verlegen. 'Zo oud ben ik toch nog niet!'
'Nee, dat zal wel niet, als je het nodig vindt een zwembad te laten aanleggen zonder dat je één slag kunt zwemmen.'
'Maar mama,' protesteerde hij, 'ik ben directeur van een grote filmmaatschappij en ik woon in een kleiner huis dan de helft van mijn personeel!'
Hij liep opgewonden naar de muurkast om zijn jasje weg te hangen. 'Het is gewoon belachelijk. De mensen zullen me voor een vrek houden.'
Zij wendde zich af om haar glimlach te verbergen. Soms was hij kinderlijker dan de kinderen ooit waren geweest. 'Welnu,' zei ze, 'dan bouw je een groter huis. Heeft er soms iemand nee gezegd?'
'Dus je vindt het goed, mama?' juichte hij, weer op haar toelopend.
Ze knikte.
De ramen stonden open en ze hoorden een auto het hek inzwenken. Peter liep naar een van de vensters en keek naar buiten. Hij keek recht in het felle licht van twee koplampen. 'Wie kan dat zijn?'
'Ik denk dat het Mark is,' antwoordde ze luchtig. 'Doris vertelde me dat hij vanavond naar George Polan was.'
Hij nam zijn horloge uit zijn vestzak. 'Het is over drieën,' constateerde hij verontwaardigd. 'Ik zal morgen eens een hartig woordje met hem moeten spreken. Het bevalt me niets dat hij nog zo laat op pad is.'
'Maak je over hem maar niet ongerust,' klonk het met moederlijke trots. 'Mark is een brave jongen.'

'En toch bevalt het me niet.' Hij keek hoofdschuddend naar buiten.
Ze sloeg hem een ogenblik peinzend gade. 'Ga nu bij dat open raam vandaan, anders vat je nog kou,' beval zij.

Mark was moe toen hij de trap naar zijn kamer op liep. Hij vroeg zich af of zijn ouders al zouden slapen. Zijn vader zou het beslist niet aanstaan dat hij zo laat thuis kwam. Maar wat donder, je was toch maar eenmaal jong. Hij voelde de opwinding weer in zich als hij aan de voorbije avond dacht. Plotseling sloeg er een golf van angst door hem heen. Stel je eens voor dat het meisje ziek was? Hij had van genoeg jongelui gehoord die een ziekte hadden opgelopen van dat slag meisjes. Even snel als de angst in hem was opgekomen verdween ze ook weer. Dit meisje niet, ze was te zindelijk op zichzelf. Hij was de eerste, had ze gezegd.
Hij ging zijn kamer binnen en begon zich in het donker vlug uit te kleden. Hij deed zijn pyjama aan, stak zijn hand in de zak van zijn broek en haalde er een tubetje uit. Met de tube in zijn hand zocht hij in het donker tastend de deur van de badkamer. Hij kon in ieder geval beter maar geen enkel risico lopen.

Doris lag in bed en keek door het open venster naar buiten. De sterren fonkelden aan de wolkeloze hemel en het maanlicht blonk zilverwit op de kozijnen. De stilte werd slechts verbroken door het getjirp van de krekels op het grasveld. Ze haalde diep adem en hield de lucht even in haar longen voordat ze haar langzaam weer uitademde. Ze voelde zich loom en tevreden. Ze had zich in lang niet zo prettig gevoeld.
'Probeer Johnny toch niet langer te ontlopen,' had haar moeder haar aangeraden, 'hij weet nergens van.'
Ze had aarzelend haar raad opgevolgd en in het begin had ze zich verlegen en onbeholpen gevoeld. Zou het hem niet zijn opgevallen dat ze hem elke keer dat hij in Californië was angstvallig uit de weg was gegaan? Toen ze echter merkte dat dit in het geheel niet tot hem was doorgedrongen, durfde ze hem weer lachend in de ogen zien. Haar moeder had gelijk – hij scheen niets te weten van haar gevoelens ten opzichte van hem, en ze had het ineens veel gemakkelijker met zichzelf.
Plotseling voelde ze warme tranen over haar wangen lopen. Ze bracht haar hand verbaasd naar haar ogen. Haar vingers werden nat. Ze knipperde snel een paar maal. Ze moest flink zijn en hem niet meer proberen te ontwijken. Wat was haar moeder toch een wijze vrouw. Hoe lang zou het duren voordat zij even verstandig was? Misschien werd ze dat wel nooit. Maar dat was nu ook niet van belang. Voor het eerst sinds maanden viel ze in een verkwikkende, droomloze slaap.

Johnny keek naar Dulcie's blonde hoofdje, dat moe tegen zijn schouder rustte. Hij rook de zoete, bedwelmende geur van haar haar en legde zijn wang even tegen de zachte, glanzende krullen. 'Dulcie, ben je wakker?' fluisterde hij.
Ze nestelde zich als een poes in zijn armen. 'Ja,' mompelde ze.
Hij glimlachte vertederd. 'Marian Andrews heeft vanavond geprobeerd me tegen je op te stoken.'
Ze zat plotseling rechtop en probeerde de duisternis met haar blik te doorboren. 'Wat zei ze dan?' Er klonk angst in haar stem.
Hij trok haar weer omlaag en streelde haar haar. 'Je behoeft niet zo te schrikken, kindje. Ze zei alleen maar dat veel mensen jaloers op je waren en dat ik de verhalen die ik misschien over je zou horen vooral niet moest geloven.'
Ze slaakte bijna een diepe zucht van verlichting en voelde zich plotseling doodmoe. 'Dat is aardig van haar,' kwam het zwakjes over haar lippen, 'maar ik zou niemand weten die kwaad over me zou willen spreken.'
Hij keek over haar hoofd heen in de duisternis. Hij voelde zich plotseling heel wijs en ervaren. Ze was nog zo jong en onschuldig. Ze wist nog niet hoe de mensen waren. Het was maar goed dat hij het wél wist. 'Je weet hoe het gaat,' zei hij vriendelijk. 'De mensen moeten nu eenmaal wat te praten hebben.'

Het licht in Marian Andrews kamer brandde nog, toen de zon al boven de horizon uitkwam. Ze zat achter haar schrijftafel; in een asbak er naast lag een brandende sigaret. Ze keek dromerig voor zich uit, met een tedere glimlach om de lippen.
Ze dacht aan die jonge dokter die ze een paar weken geleden had leren kennen, toen ze een infectie aan haar vinger had. Tot haar verbazing had deze jongeman haar in de spreekkamer van dr. Gannett ontvangen. Ze vroeg waar dr. Gannett was. Hij was met vakantie, omdat hij rust nodig had, vertelde de jonge dokter haar. Hij nam zijn praktijk waar. Daarop stelde hij zich aan haar voor. 'Hebt u geen eigen praktijk?' vroeg ze. Hij schudde het hoofd en vertelde haar dat hij van plan was er ergens een te kopen. 'Waarom doet u het niet hier, in Hollywood?' vroeg ze daarop. 'Ik houd niet van de mensen hier,' antwoordde hij. 'Ze hebben me hier te veel ingebeelde en te weinig echte kwalen.'
Ze had hem nadien verscheidene malen gesproken. Haar vinger was eigenlijk al zover beter dat er geen dokter meer naar behoefde te kijken, maar hij scheen er nog altijd belang in te stellen en hij zei niet dat zij geen reden meer had om op zijn spreekuur te komen.
De vorige dag had ze lachend opgemerkt dat hij wel moest denken dat zij

al evenzeer aan een ingebeelde kwaal leed als de rest. Hij had haar met zijn grijze ogen onderzoekend aangekeken en haar, eveneens lachend, verzekerd dat dit niet het geval was.
Voordat ze het zelf besefte had zij toen gevraagd wat hij dan wél dacht. Ze had een kleur gekregen, zo was ze van haar eigen woorden geschrokken. Zijn grijze ogen werden plotseling ernstig. 'We zijn verliefd,' antwoordde hij met overtuiging.
'Och kom, doe niet zo ouderwets,' lachte ze.
'Vind je dat ouderwets?' vroeg hij zacht, terwijl hij haar hand in de zijne nam.
'Je bent een machtige vrouw, Marian. Maar denk je dat je zo veel macht hebt, dat de liefde geen vat op je heeft?'
'Welnee, dat is het niet,' hield ze vol.
Hij begon weer te lachen en liet haar hand los. 'Goed dan, jij vertelt mij dus wat het wél is. Je wilt het niet toegeven, omdat je weet dat je mij niet kunt helpen, hoe machtig je overigens ook bent.'
Kort daarop was ze weggegaan, zich afvragend wat hij kon hebben bedoeld.
Ze nam haar sigaret op. Misschien had hij wel gelijk en waren ze inderdaad verliefd. Maar in één ding vergiste hij zich. Als ze getrouwd waren zou hij ontdekken dat ze hem wél kon helpen.
Ze glimlachte weer en keek toen naar het blad papier in de schrijfmachine. Ze begon te typen. Haar aanslag was snel en zeker en zij keek geen ogenblik naar de machine terwijl haar vingers over de toetsen vlogen. De woorden verschenen snel achtereen op het witte vel.

MARIAN ANDREWS BRIEF OVER DE STERREN

zaterdag, 22 aug. 1925

Beste lezers,

Gisteravond was ik op de partij, die Peter Kessler gaf ter ere van Warren Craig. Het was een feest, dat ik nooit zal vergeten. Letterlijk heel Hollywood was aanwezig . . .

Carroll Ragins gezicht was wit en vertrokken toen hij met lome schreden Johnny's kantoor binnenkwam. Hij had een stapel papieren onder de arm, die hij langzaam op Johnny's schrijftafel liet glijden. 'Hier zijn ze,

Johnny,' zei hij op moedeloze toon. 'Weer honderdentwintig met de ochtendpost.'
Johnny keek op van zijn werk. 'Nog meer opzeggingen?'
Ragin knikte. 'Kijk ze maar na. Een paar van onze beste afnemers.'
'Ga even zitten, Carrie,' zei Johnny. 'Je ziet er zo verslagen uit.'
Ragin liet zich in de stoel voor de schrijftafel vallen. 'Ik ben ook verslagen. Ik heb de hele morgen aan de telefoon gehangen om ze te bepraten, maar ik krijg overal hetzelfde antwoord. 'Jullie moeten met je tijd meegaan,' zeggen ze. 'Wanneer gaan jullie sprekende films maken? Die moeten we hebben, de rest kunnen we niet meer gebruiken'.'
Johnny gaf geen antwoord. Hij nam een van de contracten op en bekeek het. Dwars over het hele blad heen stond in grote, rode letters: 'Opgezegd, 10 september 1929.' Aan de voet van het blad stond de handtekening van de bioscoop-exploitant. Het was een van Magnums eerste klanten.
'Heb je ook met hem gepraat?' Hij tikte op het contract.
'Natuurlijk,' bromde Ragin. 'Hij zei precies hetzelfde als alle anderen. Het spijt hem zeer, maar . . .' Ragin schudde bedroefd het hoofd.
Johnny bladerde de stapel papieren door. Hij herkende nog veel meer namen. Daar was er weer een: een van de oudste en beste klanten. 'Wat zei Morris?'
Ragin sloot vermoeid de ogen. 'Hij was wat vriendelijker dan de rest, maar het kwam op hetzelfde neer.'
'Hij was de eerste die 'The Bandit' voor ons vertoonde, in 1912,' zei Johnny op bittere toon.
Ragin opende de ogen en keek hem aan. 'Dat weet ik; ik herinnerde hem daaraan en hij zei: 'Wat moet ik doen? Het publiek wil sprekende films en elke keer dat ik met een stomme aankom, mijden ze mijn theater als de pest.' Hij lachte honend. 'Iedereen geeft de voorkeur aan sprekende films, behalve Peter natuurlijk.' Hij boog zich voorover en vervolgde op heftige toon: 'Ik zeg je, dat je Peter de ogen moet openen Johnny, en anders geef ik geen twee cent meer voor zijn hele bedrijf.'
Johnny keek hem medelijdend aan. Hij had alle reden om zich op te winden. Hij was Magnums binnenlandse verkoopleider en tot nu toe had hij enorme successen voor Magnum geboekt. Maar nu stond hij volkomen machteloos, hoe hij ook zijn best deed iets te verkopen.
Als Peter twee jaar geleden maar naar hem had willen luisteren. Hij had toen voorgesteld om het eens met geluid te proberen, maar Peter had hem vierkant uitgelachen. 'Je reinste dwaasheid,' had hij gezegd. En toen Warner wat later in dat jaar uitkwam met 'The Jazz Singer', waarin de beroemde zanger Jolson met zijn talloze liedjes de hoofdrol vertolkte, terwijl er maar één regel dialoog in de hele film voorkwam, had Peter kort-

weg verklaard dat het weer eens een nieuwtje was, dat toch geen stand zou houden. Maar Peter had zich lelijk vergist. De 'Mammy-Singer' had de filmindustrie eenvoudig op zijn kop gezet.
De ene geluidsfilm na de andere verscheen. Er waren al verscheidene geheel sprekende films gemaakt en toch bleef Peter maar koppig volhouden dat het niets was. Het was al een maand geleden dat Fox met vette koppen in de kranten bekend had laten maken, dat hij de produktie van stomme films stopzette en voortaan enkel geluidsfilms zou produceren. Borden was de volgende dag met dezelfde mededeling gekomen en de anderen waren spoedig gevolgd. Toen begon Magnum het werkelijk te voelen.
Tegen het einde van die week hadden meer dan veertig exploitanten hun contract opgezegd, de volgende week meer dan tweehonderd en nu kwamen ze met ongeveer honderd per dag binnen. Johnny rekende snel uit. Ragin had gelijk. Het zou zo niet lang meer duren of ze waren al hun negenhonderd klanten kwijt.
'Goed, Carrie,' zei hij eindelijk. 'Ik zal weer met hem praten, maar ik weet niet of het enig nut zal hebben. Je weet hoe Peter is en als hij eenmaal iets in zijn kop heeft . . .' hij zweeg veelbetekenend.
Ragin stond op en keek somber op Johnny neer. 'Ja, ik weet hoe hij is en je kunt hem wel vertellen dat ik, als hij niet van gedachten verandert, een ander baantje ga zoeken, omdat er hier over een paar maanden dan toch geen werk meer voor me is.'
'Meen je dat werkelijk?'
'Natuurlijk. Ik ben niet van plan mezelf over de kop te helpen, al doet Peter dat nu.' Hij liep naar de deur en bleef daar nog even staan. 'Ik ga nu weer naar mijn kantoor om te zien wat de tweede post heeft gebracht. Je kunt me daar vinden als je me nodig hebt.'
Johnny knikte en Ragin ging heen. Johnny bladerde de papieren nog eens door. De schrik sloeg hem om het hart toen het tot hem doordrong wat de gevolgen zouden zijn als Peter in zijn koppigheid volhardde.
Maar het was niet zo eenvoudig hem van gedachten te doen veranderen; en het was bovendien nog de vraag of ze in staat zouden zijn het bedrijf om te schakelen als Peter zijn domheid inzag.
Als een film eenmaal opgenomen was, duurde het altijd nog bijna een half jaar en soms zelfs nog langer voordat hij zover was dat hij naar de bioscopen kon worden verzonden. De opnamen moesten gemonteerd worden en het commentaar moest worden geschreven. Daarmee gingen ongeveer drie maanden heen. Dan moesten de afdrukken worden gemaakt en de reclame moest worden opgesteld en ten slotte kon hij dan naar de diverse binnenlandse en buitenlandse vertegenwoordigers worden verzonden. Daar kwam dan nog bij dat ze met de censuur in de verschillende steden en lan-

den rekening hadden te houden. Elk had zijn eigen voorschriften en ideeën, waardoor ze zich dikwijls gedwongen zagen een film geheel opnieuw te monteren, terwijl er soms zelfs wel eens scenes opnieuw moesten worden opgenomen. De film had een lange, moeilijke weg te gaan voordat hij op het witte doek kon verschijnen.
Zo had elke maatschappij altijd een groot aantal films in de studio, die nog moesten worden afgewerkt of klaar lagen voor de verzending. Magnum maakte hierop geen uitzondering. Ze hadden op dit moment zestien films in de trommels, gereed voor verzending, terwijl ze in de studio bezig waren met de opnamen van vijf andere.
Johnny beet zich op de lippen toen hij aan al die films dacht. Onder normale omstandigheden was dit heel gunstig; het garandeerde zes maanden lang een regelmatige verkoop. Maar nu waren ze alleen maar een blok aan hun been: het waren allemaal stomme films.
Hij nam een potlood en krabbelde een reeks getallen op een stuk papier. Vier films van ongeveer een miljoen dollar per stuk, zes van vijfhonderdduizend per stuk en elf van ongeveer achttienduizend per stuk. Hij staarde in gedachten verzonken naar de getallen. In totaal kwam het op acht miljoen achthonderdentachtigduizend dollar, documentaire films, Wild-West films en serials nog niet eens meegerekend. En al dat geld zat in stomme films, die volgens het publiek niet waard waren er naar te gaan kijken.
'Negen miljoen dollar die naar de mestvaalt kunnen,' mompelde hij. Als ze geluidsfilms gingen maken, dan moesten ze allemaal opnieuw worden opgenomen.
Hij nam de telefoon van de haak. 'Verbind me even met Fred Collins, Jane.' Hij krabbelde peinzend een paar figuurtjes op het papier, terwijl hij zat te wachten. Collins was de kassier van Magnum Pictures.
'Hallo, Johnny!' daverde het plotseling in zijn oor.
Johnny hield de hoorn op eerbiedige afstand van zijn hoofd. Collins was een grote, zware man, met een zware stem en in een gewoon gesprek kon je hem zonder enige moeite op een halve mijl afstand verstaan. Behalve als hij met Peter sprak. Dan werd om de een of andere onverklaarbare reden zijn stem heel zacht en vriendelijk. 'Fred, hoe hoog is het saldo van gisteren?'
Collins' stem dreunde weer in zijn oor. 'Negenhonderdduizendtweeënveertig dollar en zesendertig cent,' antwoordde hij prompt.
'Is dat niet een beetje laag?'
'Ja!' Zijn geluid deed Johnny ineenkrimpen. 'Maar vandaag krijgen we dat anderhalf miljoen van de Bank of Independence.'
'Daarmee bedraagt onze lening dan zes miljoen dollar, is het niet?'

'Krek zo,' bulderde Collins. 'Dat is het maximum dat we volgens onze overeenkomst met de bank kunnen lenen. Nu kunnen we niets meer krijgen voordat we tot drie miljoen hebben afgelost.'
'Okay, Fred.' Johnny bedankte hem en hing de hoorn op de haak. Collins' stem dreunde hem nog in de oren. Hoe had Peter het in zijn hoofd kunnen halen een misthoorn als kassier te nemen, dacht hij wrevelig. Toen glimlachte hij. Collins was een beste kerel en hij deed zijn werk uitstekend. De glimlach verdween van zijn gezicht zodra hij zich weer over zijn papier boog.
Even later nam hij de hoorn weer op. 'Ed Kelly,' beval hij kortaf. Een paar seconden later hoorde hij Kelly's stem. 'Ja, mijnheer Edge.'
'Hoeveel contracten staan er op het programma negenentwintig-dertig van gisteren, Ed?'
'Een ogenblikje, mijnheer Edge, ik zal het nakijken. Zal ik u terugbellen?'
'Ik wacht wel even,' antwoordde Johnny. Hij hoorde dat de hoorn werd neergelegd. Kelly was het hoofd van de contractafdeling. Hij stelde de contracten op, zorgde voor de registratie en verzond de rekeningen. Het was bij de filmindustrie gebruikelijk een programma voor een geheel jaar op te stellen en dit de exploitanten voor te leggen. De contracten werden dikwijls al gesloten voordat de films waren gemaakt, en soms stond het nog niet eens vast wélke films er gemaakt zouden worden. De films waaraan ze bezig waren, of die ze voornemens waren te maken, werden volgens een bepaalde classificatie in de contracten vermeld. Deze classificatie luidde als volgt: 'Specials', 'Double A's (AA)', 'Single A's (A)', 'Exploitation Pictures', 'Idea Pictures', 'Westerns', 'Serials' en 'Shorts'.
De prijs die de exploitant voor elke film moest betalen, werd meestal door zijn classificatie bepaald. Onder Kelly's leiding werd er dan een overzicht van deze contracten gemaakt en op deze wijze wist Magnum ongeveer hoe groot de inkomsten van het komende jaar zouden zijn.
'Hallo,' klonk Kelly's stem weer.
'Ja, Ed.'
'Gisteravond hadden we achtduizend honderdentwaalf contracten. Hier zijn de opzeggingen die mijnheer Ragin vanmorgen heeft ontvangen nog niet afgetrokken.'
'Dank je, Ed,' antwoordde Johnny.
'Tot uw dienst, mijnheer Edge,' klonk het beleefde antwoord.
Johnny legde de hoorn weer op de haak en krabbelde nog een paar getallen op zijn kladje. Daarop bekeek hij ze peinzend. Het zag er niet best uit.
Er waren de laatste maand bijna duizend contracten opgezegd. Elk contract vertegenwoordigde ongeveer vijftig dollar per week. Het volgend

jaar zou de vermindering van de omzet dus meer dan twee en een half miljoen belopen.
Johnny keerde zijn stoel naar het venster en keek naar buiten. Het was een bijzonder mooie zonsondergang, maar hij zag er niets van. Hij zat nog steeds te rekenen. Als het nog drie maanden zo doorging, konden ze de zaak wel sluiten. Er zou niet voldoende geld binnenkomen om de omschakeling te overbruggen, gezwegen van de produktie van nieuwe films.
Hij nam zijn zakdoek uit zijn zak en wiste zich het voorhoofd af. Niemand kon zeggen wat er in de komende maanden zou gebeuren, maar één ding stond wel vast. Ze zouden sprekende films moeten gaan maken, of het Peter beviel of niet. Maar waar moesten ze het geld vandaan halen? Van de banken behoefden ze niets te verwachten, en de films die gereed waren zouden niet voldoende opbrengen om de klap van de omschakeling op te vangen. Zou Peter voldoende geld van zichzelf hebben om het te doen? Neen, beslist niet. Het zou ongeveer zes miljoen dollar kosten en het was onmogelijk dat Peter zoveel bezat.
Het probleem bleef echter. Ze zouden moeten overgaan tot de produktie van sprekende films, of ze het geld er voor hadden of niet. Op een of andere manier móést er een oplossing gevonden worden.

Hij nam zijn hoed en jas uit de vestiaire en liep op Jane's schrijftafel toe. 'Ik ga lunchen, Jane.'
Ze keek hem verbaasd aan. Gewoonlijk ging hij pas om een uur en nu was het nog maar net kwart over twaalf. Ze keek op haar bloknoot. 'Vergeet niet dat je om twee uur bij Rocco moet zijn,' zei ze streng.
Hij glimlachte. 'Dat zal ik vast niet vergeten met jou de hele dag om me heen.'
'Ik moet hem toch bezighouden,' lachte ze. 'Hij is ten slotte mijn man.'
Een ogenblik benijdde hij haar bijna. De trotse toon waarop ze dat zei getuigde van een innigheid en een wederzijds begrip dat Dulcie en hij nooit hadden gekend. Het kwam zeker doordat zij elkaar zo weinig zagen. Als ze meer samen konden zijn zou dat stellig anders worden. Hij zuchtte – later misschien . . . Hij bemerkte dat Jane hem opmerkzaam zat aan te kijken. 'Wat moet er met mij gebeuren? Alleen maar knippen?'
'Als je dat doet neem ik onmiddellijk mijn ontslag,' dreigde ze. 'Voor minder dan de volledige behandeling maak ik geen afspraak voor je. Vergeet niet dat hij op provisie werkt.'
Hij veinsde hevige ontsteltenis. 'Nee, nee, het is best, natuurlijk de volle-

dige behandeling! Ik heb geen tijd om een nieuwe secretaresse in te werken. Maar het is je reinste afpersing.'
Ze hielp hem in zijn jas. 'Het behoort tot de prijs die je voor mijn diensten moet betalen,' lachte ze.
'Ik geef het op!' Hij lachte eveneens. Zijn lach ging echter in een hevige hoestbui over, zodat de tranen hem ten slotte langs de wangen rolden.
Ze keek hem bezorgd aan. 'Je mag wel voorzichtig zijn. Doe je jas van boven dicht. Je bent nog niet van die verkoudheid af.'
Hij voelde een steek in zijn borst en plotseling kreeg hij het verschrikkelijk warm. Het zweet brak hem uit. Hij probeerde te glimlachen. 'Het komt van die vervloekte sigaretten,' hijgde hij.
'Wees in elk geval voorzichtig, Johnny.'
Hij knikte en ging heen. Het was buiten vrij koud, maar hij was blij dat hij even in de zon kwam. Hij maakte zijn jas weer los en stak een sigaret op. De rook kriebelde hem in de longen en hij begon weer hevig te hoesten. Hij vloekte binnensmonds, wierp zijn sigaret weg en haastte zich naar het restaurant. Het was toch koud.
Hij nam een krant van de leestafel en ging naar de eetzaal. De gerant trad terstond op hem toe.
'Alleen, mijnheer Edge?' vroeg hij, met een buiging.
Johnny knikte. 'Geef me maar een rustig tafeltje,' verzocht hij.
De gerant bracht hem naar een tafeltje in een hoek van de grote eetzaal. Hij bestelde een lichte maaltijd, want hij had hoegenaamd geen trek, en keek toen de zaal eens rond. Er waren gelukkig geen bekenden; hij was opzettelijk zo vroeg weggegaan, want hij wilde alleen zijn, om eens rustig te kunnen nadenken.
Na enige tijd vouwde hij zijn krant open en zocht meteen de filmpagina. Zijn blik viel terstond op het artikel van Marian Andrews.

'De Craigs gaan van elkaar scheiden. Gisteren sprak ik Cynthia Craig en ik vroeg of het werkelijk waar was. 'Ja,' zei ze, 'het is waar. Warren en ik hebben in de beste verstandhouding tot een scheiding besloten. Zijn werk houdt hem het gehele jaar door in Hollywood en ik moet altijd in New York zijn en daarom leek het ons zo het beste voor ons beiden.' Ik vind het echter heel erg, want ik ken Warren en Cynthia al verscheidene jaren en ze waren een zeer charmant paar. Ik hoop dat ze nog op hun besluit zullen terugkomen, maar ik vrees dat dit niet zal gebeuren. De scheiding is al bijna achter de rug en bovendien heb ik gehoord dat Warren zich voor een andere jonge vrouw schijnt te interesseren. Zij is eveneens een beroemde filmster, die al verscheidene harten schijnt te hebben gebroken. Ik vind het een verschrikkelijke gedachte.'

Hij keek het artikel verder vluchtig door, maar er was verder niets dat hem interesseerde. Dulcie en hij waren toch uiteindelijk nog goed af, dacht hij. Het feit dat ze elkaar zo weinig zagen deed niet de minste afbreuk aan hun goede verstandhouding en dat was al heel wat. Ze stonden elkaar misschien niet zo na als Rock en Jane, maar dat zou mettertijd ook wel komen.
De volgende pagina stond vol foto's van een partij in Hollywood. Een grote foto midden op het blad trok zijn aandacht. Het was een opname van Dulcie en Warren. Ze zaten hand in hand aan een tafeltje en glimlachten tegen elkaar. Het onderschrift luidde als volgt:

Dulcie Warren en Warren Craig, de beroemde sterren uit Magnums laatste produktie 'Day of Mourning', op de partij van John Gilbert. Dulcie Warren is gehuwd met Magnums adjunct-directeur, Johnny Edge, en Warren Craig heeft een dezer dagen de ontbinding van zijn huwelijk met Cynthia Wright, een vooraanstaande actrice uit New York, bekend gemaakt. Dulcie Warren en Warren Craig zijn nicht en neef.

Johnny bekeek de foto glimlachend. Dulcie had hem geschreven dat de reclame-afdeling wenste dat ze samen gefotografeerd zouden worden. Het was een goede reclame voor hun films. Ze hadden gelijk, meende hij. Hij had trouwens al meer foto's van hen in de krant gezien.
De kelner bracht hem zijn soep en hij legde de krant weg. De soep was goed warm en voortreffelijk gekruid, maar smaakte Johnny volstrekt niet. Zijn gedachten waren nog steeds bij het vraagstuk dat hij op moest lossen.
Hij wist wel zeker dat Peter bereid zou zijn tot de produktie van sprekende films over te gaan als hij hoorde dat al hun klanten bij hem wegliepen. Maar waar haalden ze het geld vandaan? Er bestond een kans dat ze in Wall Street geld zouden kunnen krijgen, maar hij wist dat Peter dát beslist nooit zou doen. Hij legde zijn mes en vork neer en vroeg om de rekening. Hij kon niet eten.
De gerant haastte zich op hem toe. 'Bent u niet tevreden over de maaltijd?' vroeg hij, met een verschrikte blik op de onaangeroerde schalen.
'Nee, dat is het geval niet,' antwoordde Johnny. 'Ik heb geen trek, dat is alles.'
Hij betaalde en verliet het restaurant. Buiten gekomen keek hij op zijn horloge. Het was halftwee. Misschien kon Rock hem een beetje vroeger hebben.
Hij ging de kapperssalon binnen en zag dat Rocco juist vrij was. De portier nam zijn jas van hem aan en hij liep naar Rocco's stoel.

'Je bent vroeg,' glimlachte Rocco.
Johnny knikte. 'Ik had zo'n idee dat je het op dit moment niet druk zou hebben. Ik heb alleen maar tijd om me te laten scheren.'
Rock verstelde de stoel en begon hem in te zepen.
'Hoe is het met je, Johnny?'
'Uitstekend, dank je wel.'
'Jane zei dat je een zware kou had gevat.'
'Dat is alweer over,' antwoordde Johnny kortaf.
Rocco schoor hem verder zwijgend. Toen hij klaar was, stond Johnny op en deed zijn das weer om.
Rocco sloeg hem opmerkzaam gade. 'Je ziet er niet best uit,' constateerde hij na enige tijd.
'Ik heb het erg druk, Rock,' antwoordde hij, zich omwendend. 'Jij ziet er uitstekend uit.'
Rocco grinnikte. 'Hoe kan het anders? Ik heb alles wat ik maar kan wensen.'
Johnny keek hem een ogenblik peinzend aan. 'Ja,' zei hij toen, met een tikje afgunst in zijn stem, 'dat heb je zeker.' Hij keerde zich weer om naar de spiegel en worstelde verder met zijn das. 'Ik wou dat ik hetzelfde kon zeggen.'
Er was een medelijdende blik in Rocco's ogen, terwijl hij in de spiegel naar hem keek, maar Johnny merkte het niet op. 'Weet je wie hier vandaag was?' veranderde hij van onderwerp.
Johnny slaakte een zucht van verlichting. De das zat eindelijk naar zijn zin. 'Wie dan?'
'Bill Borden! Hij was stomverbaasd mij hier te zien!'
Johnny lachte. 'Dat wil ik geloven. Had hij nog nieuws?'
'Niet veel. Maar hij zag er goed uit. Hij zei dat ze van plan waren nog meer theaters te kopen.'
Johnny staarde Rocco met open mond aan en schoot toen in de lach. Wat een ezel, dat hij daar niet aan had gedacht! Verleden jaar had Borden hun theaters willen kopen, maar Peter had geweigerd. Dat was de oplossing! Hij greep Rocco's handen en zwaaide ze opgetogen heen en weer. 'Rock!' juichte hij, 'je bent de beste barbier van New York!'
Hij rende naar de deur, greep zijn hoed en jas en vloog zonder betalen de straat op.
De chef trad op Rocco toe. 'Wat is er met hém aan de hand?' Hij knikte in de richting van de deur. 'Is hij gek geworden?'
Rocco grinnikte. 'Dat kun je net denken. Hij is zo slim als een vos.'
'Dat is hij zeker!' riep het meisje aan de kassa verontwaardigd uit. 'Hij heeft ons een halve dollar door de neus geboord!'

Rocco schudde het hoofd en liep naar de kassa om voor Johnny te betalen. Johnny was nog niets veranderd.

Hij kwam hevig opgewonden Jane's kamer binnenstormen. Zijn gezicht zag nu vuurrood. 'Verbind me met Bill Borden,' beval hij. Zonder zijn jas uit te trekken verdween hij meteen in zijn kantoor.
Een paar seconden later ging de telefoon. 'Hallo, Bill?' riep hij, nog voordat hij de hoorn tegen zijn oor had gedrukt.
'Hallo, Johnny,' klonk Bordens bekende stem. 'Hoe is het met jou?'
'Okay, Bill. Vertel me eens, stel je nog belang in onze theaters?'
'Natuurlijk. Waarom? Is Peter van gedachte veranderd?'
'Nee,' antwoordde Johnny, 'nog niet. Maar het is niet uitgesloten dat ik hem zover krijg.'
'Hoezo?'
'Wel, ik ga weer naar Californië en ik wil het nog eens proberen.'
'Denk je dat het je lukt?' vroeg Borden gretig. Hij wilde die theaters graag hebben, maar hij wist hoe koppig Peter kon zijn.
'Misschien wel,' antwoordde Johnny. Hij aarzelde even. 'Vooral als ik hem je cheque onder zijn neus kan duwen.'
Borden kuchte eens. 'Het is erg ongebruikelijk,' merkte hij op. 'Iemand een cheque van zes miljoen geven zonder te weten of hij geaccepteerd zal worden. De aandeelhouders zullen het er niet mee eens zijn. Ik moet ook met hen rekening houden. Ik kan maar niet zonder meer alles doen wat ik wil.'
'Niemand behoeft er toch iets van te weten,' probeerde Johnny hem te overreden. 'Als Peter weigert stuur ik je de cheque terug en er kraait verder geen haan naar. Als hij ja zegt, wat ik wel geloof, dan ben je de held.' Hij wachtte even. 'Vergeet niet dat die theaters op het ogenblik bijna acht miljoen waard zijn.'
Borden had zijn besluit al genomen. Johnny had gelijk. Als Peter zijn aanbod accepteerde dan was de Borden Theater Company de grootste ter wereld. 'Wanneer vertrek je?'
'Vóór vijf uur vanmiddag,' antwoordde Johnny snel.
'Ik zal de cheque schrijven,' beloofde Borden. 'Kun je hem laten halen?'
'Ik kom hem zelf halen,' antwoordde Johnny.
Hij hing de hoorn op de haak en stak zijn hoofd om de deur. Hij had zijn hoed nog op en zijn jas nog aan. 'Zorg voor een kaartje naar de kust op de eerste trein na vijven,' beval hij. 'Ik vertrek vandaan nog.' Hij verdween meteen weer in zijn kamer.
Ze zat nog verbijsterd naar de deur te staren toen de telefoon ging. 'Met het kantoor van mijnheer Edge.'

Het was Rocco. 'Wat is er aan de hand met de baas, kindje? Hij is hier zonder betalen weggerend.'
'Ik weet het werkelijk niet. Hij vroeg me nog geen minuut geleden voor een kaartje naar Californië te zorgen. Hij vertrekt vandaag nog.'
Johnny's lichtje op haar schakelbord begon te gloeien. 'Wacht even,' zei ze tegen Rocco. 'Hij wil me spreken.' Ze drukte een van de palletjes neer. 'Hallo, Johnny?'
'Zeg tegen Chris dat hij een koffer voor me pakt en hem meteen hier brengt.'
'Okay. Verder nog iets?'
'Nee.' Hij hing de hoorn meteen weer op en leunde toen moe achterover in zijn stoel. Het was vrijdagmiddag. Als hij de trein van vijf uur nam, was hij ongeveer vier uur 's nachts in Chicago. Zondagavond om elf uur kon hij in Los Angeles zijn. Hij strekte zijn arm uit naar de telefoon om Peter aan te vragen en hem te vertellen dat hij op komst was, maar bedacht zich nog net. Psychologisch bekeken kon hij beter onverwacht komen. Daarmee zou hij hem nog meer overdonderen.
'Ik zou Dulcie kunnen opbellen,' mompelde hij. Hij keek met verliefde ogen naar de foto op zijn schrijftafel. Nee, hij zou ook haar verrassen. Hij hoorde nu al hoe ze speels verwijtend, maar met een trilling van innige liefde in haar stem, zou zeggen: 'O, Johnny, wat heb je me laten schrikken. Je had me moeten berichten, dat je kwam.'
Hij trok een paar maal aan zijn sigaret en begon toen weer te hoesten. Zijn verkoudheid was nog niet helemaal over, maar een paar dagen in het zonnige Californië zouden hem er wel af helpen.

De trein reed het station van Los Angeles binnen. Hij keek lusteloos uit het raampje. De regen spetterde tegen de zijkant van de trein en striemde in vinnige vlagen tegen de ruiten. Hij had het plotseling koud, zo koud dat hij begon te rillen en te klappertanden. Hij bracht zijn hand naar zijn wang en voelde tot zijn verbazing dat die gloeide. Hij had zeker koorts.
Zijn verkoudheid was gedurende de treinreis weer erger geworden en hij had pijn in zijn keel en in zijn borst. Zijn hele lichaam deed hem trouwens pijn – een doffe, vervelende pijn, die zijn ledematen loodzwaar maakte. Hij opende een tube aspirine, stak twee tabletten in zijn mond en begon er langzaam op te kauwen. Het kleiachtige, bittere goedje deed hem de pijn in zijn keel wat minder voelen. Hij keek op.
De bediende van de slaapwagen stond naast zijn stoel. 'Bent u gereed,

mijnheer Edge?' Johnny stond op, knoopte zijn jas dicht en volgde de man, die zijn koffer inmiddels voor hem had gehaald. De trein remde, reed langzaam langs het perron en stond eindelijk stil.
Er schoot onmiddellijk een kruier toe, toen de bediende het portier opende. Hij gaf de kruier de koffer en hielp Johnny vervolgens met uitstappen.
'Goeie reis verder, mijnheer Edge,' glimlachte hij.
'Dank je, George,' antwoordde Johnny, terwijl hij hem een bankbiljet in de hand stopte.
'Dank u, mijnheer Edge,' zei de man verheugd. Johnny volgde de kruier.
'Een taxi, mijnheer?'
'Ja,' antwoordde Johnny. Hij keek op zijn horloge. Het was een paar minuten over tienen. Hij zou eerst naar Peter gaan en dan direct naar huis.
De regen kletterde genadeloos op hem neer toen hij voor Peters deur stond en op de bel drukte. Alles bleef stil in huis. Hij kreeg een hoestbui en drukte nu wat langer op de bel. Het was bijna middernacht en er brandde nergens meer licht. Plotseling zag hij echter een licht aanflitsen achter de vensters rechts van de deur. De deur ging op een kier open en de butler gluurde door de smalle opening.
'Laat me alsjeblieft gauw binnen, Max,' zei Johnny. 'Ik verdrink hier compleet.'
Nu zwaaide de deur wijd open en de butler haastte zich zijn koffer van hem aan te nemen. 'Mijnheer Edge!' riep hij verrast uit. 'We wisten toch niet dat u zou komen, is het wel?'
Johnny schoof haastig de vestibule binnen. 'Nee, Max, ik heb het niet bericht. Is mijnheer Kessler thuis?'
'Hij is al naar bed, mijnheer Edge,' antwoordde de butler.
'Maak hem dan wakker,' beval Johnny. 'Ik moet hem spreken. Ik ga zolang naar de bibliotheek.' Hij ging de bibliotheek binnen en draaide het licht aan.
Het vuur in de open haard smeulde nog. Hij porde wat tussen de sintels en wierp er een paar verse blokken op. Het droge hout vatte bijna onmiddellijk vlam. Hij keek om zich heen en zag een wijnkaraf op de cocktailtafel staan. Hij schonk zich een glas vol en liep terug naar de haard.
Peter kwam met een verschrikt gezicht de kamer binnen, op de voet gevolgd door Esther. Johnny stond met zijn rug naar de haard, en hief het volle glas glimlachend op.
Peter snelde op hem toe. 'Hoe kom jij hier? Ik kon het bijna niet geloven toen de butler het me vertelde.'
Johnny dronk zijn glas in een paar teugen leeg. De wijn brandde hem in de keel en hij begon weer te hoesten. 'Ik kwam eens kijken of ik een beetje gezond verstand in je eigenwijze kop kon stampen,' lachte hij.

Peter zonk in een stoel neer. 'Is dat alles?' Het klonk merkbaar opgelucht. 'Ik dacht dat er iets verschrikkelijks was gebeurd.'
'Er zál iets verschrikkelijks gebeuren als je niet op slag verstandig wordt.'
Peter keek hem argwanend aan. 'Zaken?'
'Ja.'
Peter stond op. 'Dat kan tot morgen wachten. We zullen eerst zorgen dat je iets warms te eten krijgt, terwijl jij andere kleren aantrekt. Je bent doornat.'
'Het heeft geen nut, ik moet er toch weer door.' Hij begon weer te hoesten. Ditmaal had hij het erg benauwd en hij drukte zijn beide handen tegen zijn voorhoofd. Tot overmaat van ramp kreeg hij nu ook nog een hevige hoofdpijn.
Peter wierp Esther een blik van verstandhouding toe. 'Mama, zorg dat hij iets warms te drinken krijgt.'
Ze verliet zwijgend het vertrek.
Johnny hief afwerend de hand op. 'Niet nodig,' bracht hij met moeite uit. 'Ik ga naar huis zodra ik met je heb gesproken.'
Peter keek hem met een eigenaardige blik in de ogen aan. 'Verwacht Dulcie je?'
Johnny schudde het hoofd. 'Nee; ik wilde haar verrassen.'
Peter keek naar buiten. 'Je moest er vanavond toch maar niet meer door gaan. Blijf vannacht hier. Je kunt haar evengoed morgenochtend verrassen.'
'Nee,' hield Johnny vol, 'het ergste is trouwens voorbij.'
Esther kwam de kamer weer binnen met een koffiepot. Ze zette hem op de cocktailtafel en schonk een kopje in. 'Hier, drink dat maar gauw op, het zal je goed doen.'
Hij nam de hete koffie dankbaar van haar aan.
Ze keek bezorgd naar hem. 'Je ziet er slecht uit, Johnny.'
'Ik heb een beetje kou gevat. Het heeft niets te betekenen.'
Ze gingen tegenover hem zitten. Esther trok haar peignoir wat dichter om zich heen. Ondanks het vrolijk knapperende vuur was het vochtig en kil in de bibliotheek. Ze was maar blij dat ze Peter eerst zijn badjas had laten omslaan. Toen hij hoorde dat Johnny er was, wilde hij in zijn pyjama naar beneden vliegen.
Peter keek Johnny vragend aan. 'Zo, en vertel me nu eens wat voor dringende reden je in het holst van de nacht van New York naar Californië doet stormen.'
Johnny dacht enige ogenblikken na. Ten slotte zette hij zijn kopje neer en keek Peter recht in de ogen. 'We zullen sprekende films moeten gaan maken,' zei hij op effen toon.

Peter sprong op. 'Ik dacht dat het laatste woord daarover gesproken was! Ik heb je al eens gezegd dat het geen stand houdt en daarmee is voor mij de kous af.'
Johnny bleef hem strak aanzien. 'Verleden maand zijn er duizend contracten opgezegd en nu komen er elke dag meer dan honderd binnen. Allemaal om dezelfde reden: geen sprekende films. Ragin zegt dat hij zijn ontslag wel kan nemen en een ander baantje zoeken, want dat er over drie maanden toch geen werk meer voor hem is. Als het zo doorgaat kunnen we de zaak wel sluiten.'
'Allemaal kletskoek!' Peter zwaaide woest met zijn armen. 'Wat wil hij dan dat ik doe? Moet ik soms al de films waar we nu aan werken op de mesthoop gooien? Al ons geld zit er nota bene in!'
'Maar ons geld komt er ook nooit meer uit als de exploitanten ze niet willen vertonen.'
Peter keek wel een minuut lang zwijgend op hem neer. Voor het eerst sedert Johnny er over begonnen was, begon er twijfel bij hem te rijzen. 'Meen je dat werkelijk?' Zijn stem beefde.
Johnny vertrok geen spier van zijn gezicht. 'Ik weet het zeker.'
Peter zonk langzaam neer in zijn stoel. Zijn gezicht was plotseling grauw. 'Dan ben ik geruïneerd,' fluisterde hij. De betekenis van Johnny's woorden drong nu ten volle tot hem door. Hij strekte de hand uit naar Esther. Ze voelde dat die ijskoud was.
'Niet als we meteen met een paar sprekende films beginnen,' zei Johnny.
Peter hief de handen wanhopig omhoog. 'Hoe kan dat nu? Al ons geld zit in het programma voor dit jaar.'
'Je zou je altijd nog tot Wall Street kunnen wenden, zoals Borden heeft gedaan,' stelde Johnny voor. Hij haatte zichzelf om zijn woorden, maar hij móést Peter nu volkomen murw maken.
Peter schudde het hoofd. 'Het is te laat. We zijn Santos zes miljoen dollar schuldig en volgens ons contract met hem kunnen we nu nergens meer geld lenen voordat deze lening tot drie miljoen is teruggebracht.'
Johnny stak zijn hand in zijn zak en haalde een envelop te voorschijn. Hij keek er even naar en gaf hem toen met een theatraal gebaar aan Peter. 'Misschien is dit de oplossing van ons probleem.'
Peter keek hem verbaasd aan, maar toen Johnny verder niets zei, opende hij de envelop. De cheque gleed er uit en viel op de grond. Hij raapte hem haastig op, keek er even naar en staarde Johnny toen wezenloos aan. 'Waar wil Borden zes miljoen dollar voor geven?'
'Voor de Magnum Theaters,' antwoordde Johnny met grote nadruk. Hij hield zijn ogen onafgewend op Peters gelaat gevestigd om te zien hoe deze op zijn woorden reageerde.

Peter keek beurtelings van de cheque in zijn handen naar Johnny. 'Maar ze zijn bijna acht miljoen waard,' protesteerde hij zwakjes.
Johnny keek naar de cheque. Hij kon zich nauwelijks weerhouden te glimlachen toen hij zag hoe vast Peters vingers die omklemden. Als hij er eenvoudig niet over dacht hem te accepteren, dan had hij hem wel in zijn gezicht gegooid. 'Dat weet ik wel,' zei hij zacht, 'maar we staan nu eenmaal voor de keus: de theaters verkopen of failliet gaan. Er is geen andere mogelijkheid.'
Peters ogen begonnen verraderlijk te glinsteren. Hij keek smekend naar Esther. Johnny zag die blik en plotseling had hij innig medelijden met hem. Hij stond op, trad op Peter toe en legde zijn hand op diens schouder. 'Wie weet of het uiteindelijk misschien niet heel goed is, Peter,' zei hij zacht. 'Misschien zijn we wel beter af dan we denken. George Pappas is van mening dat de prijs van de theaters nu elke dag kan kelderen. Misschien zijn we er nog net op tijd van af.'
Peter klopte op Johnny's hand, ten teken dat hij hem begrepen had. 'Ja,' zuchtte hij, 'wie weet.' Hij stond langzaam op. 'Ik vrees dat er geen andere uitweg is.'
'Zo is het,' antwoordde Johnny. 'Er is geen andere uitweg.'
Peter keek naar de grond. 'Ik had verstandiger moeten zijn,' klonk het benepen. 'Ik geloof dat ik oud word.' Plotseling hief hij het hoofd weer op en keek Johnny doordringend aan. 'Ik behoorde me langzamerhand terug te trekken en de zaken aan jongere mensen, zoals jij, over te laten.'
'Wat een dwaasheid!' barstte Johnny uit. 'Je bent nog helemaal niet te oud. Een vergissing is menselijk en jij hebt heel wat minder vergissingen gemaakt dan wie ook in dit bedrijf.'
Peter glimlachte. Hij voelde zich ineens een stuk opgewekter. 'Meen je dat, Johnny?'
'Natuurlijk meen ik dat,' antwoordde Johnny prompt.
Esther keek hem dankbaar aan. Wat was het toch een beste jongen. Hij begreep veel meer dan hij meestal liet blijken. Een vriendelijk woord kon een mens soms zo goed doen.
Johnny bleef er bij dat hij naar huis ging en Peter liet de chauffeur de wagen voorrijden. Hij bracht Johnny naar de deur en wuifde hem na toen de auto wegreed in de storm.
Daarop sloot hij de voordeur en keerde in gedachten verzonken naar de bibliotheek terug. Wat een stommeling was hij toch dat hij niet had begrepen dat de sprekende film tot de logische ontwikkeling van het bedrijf behoorde. Hij was onherroepelijk verloren geweest, als Johnny hem niet nog net op tijd de ogen geopend had. Er waren niet veel mensen waar je zo op kon bouwen als op Johnny.

Hij bleef plotseling stokstijf staan. Johnny had gezegd dat Dulcie hem niet verwachtte. Hij voelde zich ijskoud worden van schrik. Hij wist wie en wat Dulcie was, maar hij wist niet wat Johnny te zien zou krijgen als hij thuiskwam. Hij liep regelrecht naar de telefoon en gaf de telefonist Dulcies nummer op. Dat moest hij in elk geval voorkomen. Dulcie liet hem volkomen koud, maar Johnny moest hiervoor gespaard blijven.
Hij stond wel vijf minuten naar het bellen van de telefoon aan de andere kant van de lijn te luisteren, maar er kwam geen antwoord. Ten slotte legde hij de hoorn maar weer op de haak en klom met lood in zijn schoenen de trap op om weer naar bed te gaan. Hij had een angstig voorgevoel dat er iets verschrikkelijks ging gebeuren. Nee, het was meer dan een voorgevoel – hij wist het.
Op het trapportaal was nog een telefoon en opnieuw vroeg hij het nummer aan. Hij kreeg weer geen antwoord. Hij legde de hoorn langzaam weer op de haak. Misschien maakte hij zich nodeloos ongerust. Ze lag misschien rustig te slapen en hoorde de telefoon niet eens.
Hij ging de slaapkamer binnen. Esther zat rechtop in bed en keek hem gespannen aan. 'Wie belde je daar?'
'Johnny's vrouw.' Hij kon haar naam niet over zijn lippen krijgen. 'Ik was bang, dat zij misschien al te erg door Johnny's onverwachte komst verrast zou zijn.'
Esther begreep hem onmiddellijk. 'Wat een schande toch,' zei ze in het Jiddisch. 'Wat een ten hemel schreiende schande.'

Hij schrok wakker doordat de telefoon ging. Hij stak zijn arm buiten het bed en draaide het lampje op het nachtkastje aan.
Nu zag hij dat Dulcie eveneens wakker was. 'Waarom doe je dat?' vroeg ze een beetje wrevelig.
'De telefoon gaat.' Hij wilde de hoorn van de haak nemen om hem aan haar te geven, maar ze legde snel haar hand op zijn arm.
'Laat ze toch bellen, Warren. Het kan niets zijn.'
Hij aarzelde. 'Misschien is het iets belangrijks.'
'Waarschijnlijk een verkeerd nummer,' wierp ze tegen.
Om een of andere reden verontrustte het gerinkel hem. In de diepe stilte van de nacht klonk het als een waarschuwing, alsof het hem iets probeerde te vertellen. Hij ging overeind zitten en stak een sigaret op. Zijn handen beefden.
Ze wreef behaaglijk met haar achterhoofd over het kussen en keek hem

spottend aan. 'Ik geloof dat je een beetje nerveus bent, Warren,' plaagde ze.
Hij antwoordde niet, maar stapte uit bed en liep naar het raam. De regen viel bij stromen uit de inktzwarte hemel en de wind huilde. Hij keerde zich om en keek weer naar Dulcie. 'Het komt door het weer,' bromde hij. 'Het gaat een mens gewoon op zijn zenuwen werken. Al drie dagen lang niets dan regen.'
Ze kwam nu ook overeind en keek hem onderzoekend aan. Sinds hij bekend had gemaakt dat hij van Cynthia ging scheiden, was hij niet meer de zelfbewuste Warren Craig, die de wereld kende. Hij was dikwijls stil en prikkelbaar en er scheen zich een zekere onrust van hem te hebben meester gemaakt. Ze strekte de armen naar hem uit. 'Kom toch in bed, jongetje. Mammie heeft iets dat je zenuwen weer tot kalmte zal brengen.'
Het angstaanjagende gebel hield eindelijk op.
'Zie je nu wel?' Ze lachte triomfantelijk.
'Ik zei je toch al dat het vanzelf zou ophouden?' Ze schudde vrolijk haar blonde lokken.
Hij keerde langzaam naar het bed terug. De veren kraakten toen hij op de rand ging zitten en zijn sigaret in de asbak uitdrukte. 'Jij laat je geloof ik door niets van de wijs brengen, is het wel, Dulcie?'
Zij schaterde het uit en maakte een vlugge beweging met haar schouders waardoor haar nachtjapon tot op haar middel zakte. 'Waarom zou ik? Daar is geen enkele reden voor.' Ze nam zijn handen en legde die tegen haar borsten.
De telefoon begon weer te bellen en ze voelde dat hij schrok. 'Laat hem zijn gang maar gaan,' fluisterde ze. 'Het houdt zo wel weer op.'
Al zijn spieren waren gespannen, terwijl hij ademloos luisterde. Maar ze had gelijk. Na een paar keer bellen zweeg het toestel weer.
Ze lachte vrolijk. 'Zie je nu wel.' Ze strekte haar arm uit en legde de hoorn naast het toestel. 'Ziezo, nu kan niemand ons meer storen.' Ze trok hem weer naar zich toe en kuste hem. 'Jullie zijn allemaal hetzelfde,' fluisterde ze. 'Bang van lawaai in de nacht – net als kleine kindertjes.'
Haar lichaam was warm in zijn armen. De angst die zich van hem had meester gemaakt, ebde langzaam uit hem weg. Een laaiende begeerte kwam er voor in de plaats en een tijd lang was hun hijgende ademhaling het enige geluid in de kamer.
Hij stak zijn hand uit om het licht uit te draaien maar haar hand hield de zijne tegen. Hij keek op haar neer.
Haar borsten rezen en daalden in hetzelfde snelle ritme als haar ademhaling. 'Laat het aan,' zei ze en er gloeide een vreemd vuur in haar grote donkere ogen. 'Ik zie graag wat ik doe.'

Hij boog zijn hoofd naar het hare en hun lippen ontmoetten elkaar. Hij voelde haar tanden in zijn onderlip bijten. Ze sloeg haar armen om zijn nek en zo hield ze hem dicht tegen zich aan.
Hij sloot zijn ogen en minuten gingen voorbij. Haar ogen waren halfgesloten en keken hem door haar oogleden heen aan met een vreemde glans van vreugde, een vreugde die voortkwam uit de wetenschap welke macht haar lichaam bezat en wat dat lichaam verlangde. Haar roze tongpuntje kwam tussen haar glanzend witte tanden door. Haar adem kwam en ging tegen zijn gezicht met het opwindende tempo van de tam-tam.
Hij sloot zijn ogen weer en gaf zich over aan deze donkere golven van genot. Maar plotseling verstijfde hij. Een vreemd geluid drong tot hem door. Hij hief zijn hoofd op en keek naar de deur. De knop bewoog en de deur ging langzaam open.

Johnny leunde achterover in de zachte kussens en sloot de ogen. Hij was doodmoe en zijn hoofd deed hem verschrikkelijk pijn. Zijn tanden klapperden op elkaar en hij rilde over zijn hele lichaam. Hij stak een sigaret op, maar zodra de rook in zijn longen drong, kreeg hij een hoestbui, waar geen eind aan scheen te zullen komen. Toen het hoesten eindelijk bedaard was, nam hij zijn zakdoek uit zijn zak en streek er mee langs zijn voorhoofd. Hij zweette nu.
Hij keek door het achterruitje van de auto en zag Peters huis in de verte verdwijnen. Ze reden nu langs het zwembassin en hij zag de regendruppels in het donkere water spetteren. Hij glimlachte. Hoe ellendig hij zich ook voelde, hij was blij dat hij gekomen was. Peters dankbare gezicht, toen hij begreep dat alles nog niet verloren was, had hem meer dan voldoende voor zijn moeite beloond.
Hij liet het raampje van de auto een klein eindje zakken en wierp zijn sigaret naar buiten. Daarop nam hij zijn tube aspirine en stak twee tabletten in zijn mond. Zijn ogen vielen dicht, terwijl hij er langzaam op begon te kauwen.
Wat was het toch koud, ontzettend koud. Hij rilde en beefde over zijn hele lichaam. Hij opende de ogen.
De auto stond stil en de chauffeur keek achterom. 'U bent thuis, mijnheer Edge.'
Johnny keek naar buiten. Ja, hij was thuis. Het portiek van het flatgebouw zag er somber en verlaten uit. Hij huiverde.
'Zal ik uw koffer voor u boven brengen, mijnheer Edge?' vroeg de chauffeur.
Johnny keek hem eens aan. De man zag er moe uit. Waarschijnlijk was hij uit het diepst van zijn slaap gehaald om hem naar huis te brengen. En dan

in zo'n nacht! 'Nee, dank je. Ik draag hem zelf wel,' antwoordde hij.
Hij greep de koffer, stapte snel uit en liep naar de portiek van het huis. Hij hoorde de auto weer wegrijden en toen hij omkeek zag hij dat hij alweer halfweg het blok was, op weg naar huis, naar de warmte.
Hij ging het gebouw binnen. De nachtwaker zat aan zijn tafeltje te slapen. Hij liep glimlachend naar de lift en drukte op de knop. De lift zette zich geruisloos in beweging.
Hij stak zijn sleutel voorzichtig in het slot van de voordeur en draaide hem om. Het was doodstil in huis. Hij droeg zijn koffer naar de zitkamer. Zijn voetstappen maakten geen enkel gerucht op het dikke tapijt.
Hij keek naar de slaapkamerdeur. De deur was dicht, maar op de drempel glom een heel smal streepje licht. Hij glimlachte vertederd. Dulcie was weer met het licht op in slaap gevallen.
Hij liep op zijn tenen naar de slaapkamerdeur. Heerlijk, om weer thuis te zijn, schoot het door hem heen. Een goede nachtrust was waarschijnlijk alles wat hij nodig had. Hij had in de trein erg weinig geslapen.
Hij legde zijn hand op de deurknop en draaide hem voorzichtig om. Toen duwde hij de deur heel langzaam open.

Plotseling was hij doodziek. Zijn maag scheen ineen te krimpen en hij vluchtte blindelings uit de slaapkamer weg naar de keuken. Daar leunde hij hulpeloos over de rand van de gootsteen en vocht met een hevige onpasselijkheid. Zijn ogen brandden in hun kassen en de tranen rolden hem langs de wangen. Weer braakte hij en nog eens. Eindelijk voelde hij zich wat beter en hij keerde wezenloos als een slaapwandelaar naar de zitkamer terug.
Zijn hoofd was volkomen leeg en hij hield de ogen half gesloten als om datgene wat hij zo juist had gezien buiten zijn gedachten te sluiten. Een serie schrille kreten martelde zijn trommelvliezen. Hij opende langzaam en met grote inspanning de ogen. Zijn oogleden waren zo zwaar.
Dulcie stond voor hem. Ze was geheel naakt en haar gezicht was verwrongen van woede. Ze krijste iets tegen hem.
Hij liep haar voorbij naar zijn koffer. Hij tilde hem op en greep zijn hoed en zijn jas. Zijn gezicht was volkomen uitdrukkingloos. Ze liep hem na, nog altijd haar verwensingen uitgillende. Wat zei ze toch? Hij dwong zichzelf tot luisteren.
De betekenis van wat zij daar aldoor maar gilde drong met een schok tot hem door en plotseling sloten zijn handen zich om haar keel. Zijn handen waren sterk, heel sterk. Daar hadden lang geleden zijn krukken voor gezorgd.
Haar stem stierf weg tot een machteloos gegorgel en ze staarde hem met

uitpuilende ogen aan. Zij probeerde nog iets te zeggen, maar het ging niet meer. Ze kon geen lucht meer krijgen. Haar handen rukten vertwijfeld aan de zijne.
Hij schudde haar heen en weer. Hij schudde zo hevig dat ze dacht dat haar nek zou breken. Diep in zijn keel klonk een laag, dierlijk gegrom.
Hij keek over haar schouder heen, terwijl haar hoofd vlak bij zijn gezicht machteloos voor- en achterover zwaaide. In de deur van de slaapkamer stond Warren hem aan te staren. Zijn gezicht was spierwit en vertrokken. Hij stond daar als gehypnotiseerd.
Hij keek weer naar Dulcie en het was hem alsof hij haar nu pas voor het eerst zag. 'Wat doe ik eigenlijk met je?' kwam het vol walging over zijn lippen. Hij liet haar keel los en sloeg haar midden in het gezicht, twee, drie keer.
Ze viel op de grond. Hij keek op haar neer – bijna verbaasd. 'Dit is nu mijn vrouw, dit is nu mijn vrouw,' herhaalden zijn gedachten telkens en telkens weer.
Zij keek naar hem omhoog en plotseling was het alsof ze glimlachte – een wrede triomfantelijke glimlach. Haar hand ging naar haar keel. 'Dat had je toch kunnen verwachten – hinkepoot!' slingerde ze hem in het gezicht. 'Je hebt toch zeker nooit gedacht dat je voor iets anders deugde?'
Hij staarde nog wel een minuut lang op haar neer en keerde zich toen langzaam om en liep naar de deur. Hij deed hem zacht achter zich dicht en liep bedaard de hal door naar de lift.
De nachtwaker zat nog te slapen toen hij langs hem heen naar buiten liep en in de inktzwarte nacht verdween. De regen kletterde op hem neer en hij herinnerde zich dat hij zijn hoed en jas op de vloer had laten liggen, waar hij ze had neergegooid. Hij zette de kraag van zijn jasje op en begon te lopen.

Hij wist niet hoe lang hij had gelopen, maar de hemel boven hem begon wat minder zwart te worden. Het regende nog steeds en zijn kleren waren tot op zijn huid toe doorweekt. Zijn hoofd bonsde en zijn hele lichaam deed hem ondraaglijke pijn. Bij elke stap die hij deed gingen er priemende scheuten van de stomp door hem heen. Honende, verachtelijke woorden, die zij hem in het gezicht had geslingerd. Wat had zij ook weer gezegd? 'Ga terug naar Doris. Die kleine snol krijgt het nóg heet als jij in de buurt bent!' Toen had hij haar bij de keel gegrepen.
Plotseling kon hij weer helder denken. Alles was hem opeens duidelijk. Hij had het eerder moeten begrijpen. Hij keek om zich heen. Het was een bekende straat. Hij had die straat al eens eerder gezien.
Hij begon te draven. En opeens wist hij het weer. Dit was de straat uit zijn

droom. De straat die hij afrende om bij dat meisje te komen. Hij tuurde voor zich uit. Ginds, aan het eind van de straat, moest ze staan. Een ogenblik meende hij een gestalte te zien, die de hoek omsloeg. Ze stond daar. Ze móést er staan. Hij wist nu wie ze was.

Hij liep nu in de goot, maar hij wist het niet. Zijn stem was een schrille kreet. 'Doris! Doris! Wacht op me!' De echo van zijn stem klonk hol door de uitgestorven straat.

Hij struikelde en viel voorover, maar hij krabbelde weer overeind en begon weer te lopen. Na een paar stappen viel hij weer. Hij lag nu in een grote plas. Hij probeerde weer overeind te komen, maar het ging niet meer. Hij was te moe. Hij drukte zijn gezicht in het water. Het was zo zacht, zo koel en zijn gezicht brandde zo.

Als in een droom hoorde hij het knarsen van remmen. Even later klonk er heel in de verte een mannenstem. 'Het lijkt wel of daar iemand op de weg ligt.'

Hij hoorde naderende voetstappen en plotseling vlak boven hem een stem: 'Ja, het is een man!'

Hij voelde dat hij werd omgekeerd, zodat hij op zijn rug kwam te liggen. Lieten ze hem toch maar met rust! Hij begon zich juist wat beter te voelen.

'Mijn God, het is mijnheer Edge!' schreeuwde de mannenstem.

'En wat is daar voor bijzonders aan?' zei hij wrevelig in zichzelf. 'Dacht je dat ik iemand anders was?'

Hij voelde dat hij werd opgetild en weggedragen. Ze legden hem in de auto. Hij was nu weer koud en hij rilde over zijn hele lichaam.

'Wat moeten we nu met hem doen?' hoorde hij de man weer zeggen. 'Het lijkt wel of hij ziek is.'

Een vrouw antwoordde. 'Ik denk dat hij dronken is,' merkte ze onverschillig op. 'Weet je waar hij woont? We zullen hem thuis moeten brengen.'

Het woord 'thuis' sneed Johnny door de ziel. Met moeite opende hij de ogen. 'Niet naar huis.' Zijn stem was een hees gefluister. 'Ik heb geen huis.'

De twee mensen op de voorste bank keerden zich verschrikt naar hem om. Johnny herkende de man. Het was Bob Gordon, die de Wild-West films van Magnum regisseerde. De vrouw kende hij niet.

'Gordon,' fluisterde hij, zo zacht dat ze hem nauwelijks verstonden, 'breng me naar het huis van Doris Kessler.' Toen sloot hij de ogen weer.

Peter keerde zich rusteloos van zijn ene zij op de andere. Ten slotte opende hij de ogen en keek naar het raam. Gelukkig, het begon licht te worden. De regen viel echter nog altijd onafgebroken neer en hij hoorde het naargeestige ruisen van de overvolle goten en de regenpijpen langs de muren. Hij keek op de wekker naast zijn bed. Zes uur. Hij slaakte een zucht van verlichting. Nog maar een uur, dan kon hij opstaan. Hij had de hele nacht geen oog dicht gedaan.
Hij rekte zich uit; zijn ledematen waren zwaar van vermoeidheid. Het was dwaasheid van hem geweest om zo over Johnny te tobben; alles was waarschijnlijk goed afgelopen. Plotseling hoorde hij boven het ruisen van de regen uit een auto het huis naderen. Hij ging overeind zitten en luisterde scherp.
Even later knarsten er voetstappen over het grind. Hij hoorde ze de stoep opkomen. Gedurende een halve minuut hoorde hij niets anders dan het lugubere gezang van de goten en toen ging de bel. Het klonk als het luiden van een alarmklok door het stille huis. Hij sprong uit bed, greep zijn badjas en rende de trap af. Hij was nog bezig met het dichtbinden van het koord, toen hij al bij de voordeur was. Haastig schoof hij de knip er af.
Bob Gordon stond voor hem. Hij zag heel bleek en keek Peter ernstig in het dodelijk verschrikte gezicht. 'Mijnheer Kessler,' fluisterde hij opgewonden, 'ik heb mijnheer Edge hier in mijn auto.'
Peter staarde hem wezenloos aan.
'Ik vond hem midden in een plas water, twee blokken hier vandaan,' verklaarde Gordon. 'Ik geloof dat hij ziek is.'
Peter herkreeg zijn stem. 'Breng hem binnen, breng hem binnen. Waar wachten we nog op?'
Zonder te letten op de stromende regen, volgde hij Gordon naar diens auto. Hij zag Gordons vrouw voor in de auto zitten, maar vergat zelfs haar te groeten.
Gordon opende het portier. Johnny lag op de achterbank, in een bijna onmogelijke houding; zijn lippen waren blauw. Gordon stapte in de auto en probeerde hem op te tillen. Johnny verroerde zich niet. Gordon keek Peter vragend aan. Deze nam Johnny bij de benen en Gordon sloeg zijn armen onder zijn schouders door. Zo tilden ze hem uit de auto en droegen hem naar het huis.
Esther stond hevig verschrikt in de voordeur. 'Wat is er gebeurd?' Ze keek angstig naar Johnny, die slap tussen de twee mannen in hing.
'Ik weet het niet,' antwoordde Peter in het Jiddisch. Ze legden Johnny op de sofa in de hal. Het water liep bij straaltjes uit zijn kleren.
Esther knielde bij hem neer en maakte zijn das en overhemd los. Daarop legde ze haar hand op zijn voorhoofd. De butler was inmiddels ook be-

neden gekomen en de drie mannen stonden er hulpeloos omheen. 'Hij heeft hoge koorts,' constateerde Esther. Ze stond op en wendde zich tot haar man. 'Peter, bel onmiddellijk de dokter op.' Peter snelde weg. Daarop wendde ze zich tot de twee anderen. 'Draag hem naar boven, kleed hem uit en leg hem in bed.'

Zonder een woord te zeggen namen ze Johnny op. 'Leg hem maar in Marks bed,' voegde ze er aan toe. Mark was in Europa en de kamer was momenteel niet in gebruik. Ze volgde hen naar boven.

Een paar minuten later kwam Peter de slaapkamer binnen. 'De dokter komt direct,' vertelde hij. Hij keek angstig naar het bed. 'Hoe is 't met hem?'

'Ik weet het niet,' antwoordde Esther. 'Hij heeft hoge koorts.'

Peter niesde tweemaal achtereen. Zijn vrouw keek hem bezorgd aan. 'Papa, jij gaat eerst droge kleren aantrekken. Eén zieke is meer dan genoeg.'

Peter aarzelde even, maar verdween toch in zijn slaapkamer.

'U zult ook wel koud zijn, mijnheer Gordon,' merkte Esther op. 'Ga mee naar beneden, dan zal ik u een kop hete koffie geven.'

'Doet u toch geen moeite. Mijn vrouw zit in de auto en ik moet meteen door naar de studio.'

'Zit uw vrouw nog in de auto?' riep Esther verschrikt uit. 'Haal haar onmiddellijk binnen. Ik laat u niet gaan voordat u zich gewarmd hebt. De studio kan wel wachten.'

Peter kwam de eetkamer binnen, toen Gordon Esther zat te vertellen hoe ze Johnny hadden gevonden. Hij herhaalde het nog eens voor hem. 'Ik was op weg naar de studio, waar ik het een en ander wilde doen voordat het andere personeel er was, toen we hem midden op de weg zagen liggen.'

'Wat een geluk dat jullie hem gevonden hebben,' zuchtte Peter. Op hetzelfde moment ging de bel. Hij sprong op en snelde naar de deur.

Het was de dokter. Ze volgden hem naar boven en stonden met angstige gezichten om het bed heen, terwijl hij de zieke onderzocht. Het duurde lang voordat hij zich oprichtte. Zijn gezicht stond zeer ernstig. 'Hij is zwaar ziek, mijnheer Kessler. Hij moest eigenlijk naar het ziekenhuis, maar ik durf hem in dit weer niet te vervoeren. Het is een lelijk geval – dubbele pneumonie; en hij schijnt bovendien door een of andere oorzaak een zware schok te hebben gehad. Ik zal een zuurstofapparaat laten komen.'

Peter keek Esther even aan en wendde zich toen tot de dokter. 'U moet alles doen wat u nodig acht, dokter, en geen kosten sparen. De jongen moet beter worden.'

De dokter schudde het hoofd. 'Ik kan niets beloven, mijnheer Kessler, maar ik zal mijn best doen. Waar is de telefoon?'
Terwijl ze met gebogen hoofd om het bed heen stonden, hoorden ze hem zijn bevelen geven aan het ziekenhuis. Plotseling hief Esther het hoofd op en keek haar man aan. 'We moeten het Dulcie laten weten.'
Peter knikte. 'Ja, eigenlijk wel,' zei hij aarzelend.
Johnny bewoog zich onrustig. Toen opende hij de ogen en keek hen met een koortsachtige blik aan. Hij probeerde zijn hoofd op te heffen, maar het lukte hem niet; het zonk machteloos terug in het kussen en zijn ogen vielen langzaam weer dicht. Zijn stem was zo zwak dat ze hem nauwelijks verstonden, maar desondanks klonken de woorden die hij sprak zo beslist dat ze als een bom in de stilte vielen. 'Niets – tegen – Dulcie zeggen.' Zijn lippen bewogen zich ternauwernood. 'Ze – is – een slechte – vrouw.'
Zonder dat hij het zich bewust was had Peter Esthers hand gegrepen; hij klemde zich er wanhopig aan vast. Zijn ogen stonden vol tranen, terwijl hij op de zieke neerkeek. Nu wist hij wat er was gebeurd.

Het was een zondagmiddag drie weken later. De ondergaande zon spiegelde zich nog even in het gladde water van het zwembassin, dat fonkelde en schitterde in het laatste, purperen licht. Een matte weerschijn van die gloed blonk ook op het gezicht van de twee mannen, die zich in gespannen aandacht over het schaakbord bogen, dat op een laag tafeltje tussen hen in stond.
Peter deed een zet en hief meteen glimlachend het hoofd op. 'Toren naar H 7, schaak! Je kunt het wel opgeven, Johnny! Je bent verloren!'
Johnny bleef roerloos naar de stukken turen. Zijn positie was hopeloos, want bij Peters volgende zet zou hij mat zijn. Hij hief eveneens het hoofd op en glimlachte een beetje zuur. 'Ik vrees dat alleen de vlucht me kan redden.'
Peter lachte triomfantelijk. 'Welnu, zie dat je een goed heenkomen zoekt,' gniffelde hij. 'Je bent toch verloren.'
Johnny keek hem even onderzoekend aan en schoot toen in de lach. 'Beter een roemvol einde dan een smadelijke terugtocht. Ik geef me gewonnen!'
Peter begon de stukken weer op te stellen. 'Revanche?'
Johnny schudde het hoofd. 'Nee, dank je. Twee nederlagen op één dag is mij voldoende.'
Peter leunde achterover in zijn stoel en wendde zijn gezicht naar de ondergaande zon. Hij hield de ogen gesloten tegen het nog vrij sterke licht.
Johnny stak in gedachten verzonken een sigaret op en blies de rook langzaam door zijn neusgaten. Zo zaten ze lange tijd zwijgend tegenover elkaar.

Eindelijk opende Peter de ogen en keek naar zijn jonge vriend. Johnny's gezicht stond somber en verdrietig. 'Heb je je besluit genomen?' vroeg Peter.
Johnny knikte. 'Ja, ik ga er morgen heen. Ik wil het zo gauw mogelijk achter de rug hebben.'
'Dat begrijp ik. Maar voel je je al sterk genoeg?'
Johnny haalde de schouders op. 'Een mens is altijd sterk genoeg om een fout te herstellen.'
Ze zwegen weer enige tijd. 'Ik heb ze vrijdag het contract opgezegd. Wegens onzedelijk gedrag.' Peter keek zijn vriend bij deze woorden niet aan.
Johnny gaf niet onmiddellijk antwoord en toen hij eindelijk sprak klonk zijn stem hees. 'Dat had je niet behoeven te doen. Het gebeurde immers niet in de studio.'
Peter hief met een ruk het hoofd op. 'Denk je dat ik ze hierna nog in mijn studio wil zien?'
Johnny keek peinzend over het water van het zwembassin. 'Als ik het maar eerder geweten had! Als ik toch maar iets had kunnen vermoeden! Een blinde idioot ben ik geweest. Al die foto's in de kranten en die bedekte waarschuwingen – en ik lachte er om en versleet de mensen eenvoudig voor gek. En al die tijd was *ik* de grote gek!' Hij bedekte zijn gezicht met zijn handen. 'Daarom heeft niemand het me toch verteld?' Zijn stem eindigde in een snik.
Peter legde zijn hand zacht op Johnny's schouder. 'Niemand kón het je vertellen, Johnny,' zei hij zacht. 'Je moest het met eigen ogen zien.'

Het was heel stil in het oude, muffe gerechtshof toen de griffier met eentonige stem begon voor te lezen. 'Het proces John Edge versus Dulcie W. Edge. Is de aanklager aanwezig?'
'Aanwezig.' Johnny's advocaat gaf zijn cliënt een teken.
Johnny stond langzaam op en keek de grijze rechter aan. Er lag een verveelde trek op het gelaat van de oude man. Voor hem was deze echtscheiding een van de vele die hij wekelijks te behandelen kreeg. Hij sloot de ogen terwijl hij sprak. 'Mijnheer Edge,' vroeg hij met zachte, vermoeide stem. 'Is het uw wens dat de scheiding wordt uitgesproken?'
Johnny slikte een paar maal krampachtig. Zijn eigen stem klonk hem vreemd.
'Jawel, mijnheer de president.'
De rechter opende de ogen en keek hem even aan. Vervolgens nam hij zijn pen en zette langzaam zijn handtekening onder elk van de papieren die voor hem lagen en schoof ze achtereenvolgens de griffier toe, die met

een vloeiblok in de hand naast hem stond. Daarop keek hij Johnny weer aan. 'Dan is de uitspraak van het hof dat dit huwelijk ontbonden zij.'
De griffier nam de papieren op en keek de rechtszaal in. 'In het proces Edge versus Edge, luidt de uitspraak van het Tweede Districtshof van Nevada, onder presidentschap van Meester Miguel V. Cohane, dat de echtscheiding aan eiser is toegestaan op grond van overspel.'
Johnny's advocaat wendde zich glimlachend tot zijn cliënt. 'Dat is dus in orde, mijnheer Edge. U bent weer een vrij man.'
Johnny gaf geen antwoord. De advocaat liep op de griffier toe, nam de papieren van hem aan en kwam weer bij hem terug. Hij overhandigde Johnny de papieren en deze stak ze, zonder er ook maar een blik op te slaan, in zijn zak. Daarop stak hij de advocaat de hand toe. 'Dank u,' zei hij kortaf.
Hij boog voor de rechter en verliet langzaam de zaal. Bij de deur keerde hij zich nog eens om.
De gewitte muren van het vertrek waren overal afgebladderd en grauw van het stof. De bruine lambrizering zat vol gaatjes van de houtworm. In de gele banken waren namen en figuren gekrast. Het was een waardig kerkhof voor overleden huwelijksgeluk.
Zijn ogen waren plotseling nat en hij keerde zich haastig om en snelde de gang door naar buiten. Wat zei de advocaat ook weer? 'U bent nu weer een vrij man.' Hij schudde het hoofd. Zou hij ooit weer vrij zijn?
Hij bleef bij een kiosk staan en kocht een krant. De kop van het hoofdartikel was met vette, rode letters gedrukt.

DE EFFECTEN DALEN VOOR DE TWEEDE MAAL
IN EEN MAAND TIJD
Wall Street in Paniek. Miljoenen verloren.

N.Y.Pct29(AP) – De telex tikte heden nog drie uur na het gebruikelijke sluitingsuur van de beurs, terwijl voor de indrukwekkende New York Stock Exchange gewoonlijk zeer ingetogen zakenlieden zich met gebalde vuisten een weg baanden door de opdringende menigte. Hun enige gedachte was verkopen, verkopen! Verkopen voordat hun fortuin verloren was en hun aandelen nog meer zouden dalen in de grootste baisse in de geschiedenis van de effectenmarkt.

ZATERDAG 1938

Ik werd met een barstende hoofdpijn wakker. Steunend werkte ik me overeind en drukte mijn handen tegen mijn bonzende slapen. Maar het hielp niets. Integendeel, een hevige duizeling deed me omtollen en ik vocht uit alle macht tegen een opkomende onpasselijkheid. 'Christopher!' schreeuwde ik.
Geen antwoord. Ik keek om me heen. Verduiveld, waar zat hij nu weer? Hij was er ook nooit als ik hem nodig had! 'Christopher!' schreeuwde ik weer.
De deur ging open en hij kwam binnen met mijn ontbijt. Hij kwam haastig op me toe en zette het blad voor me neer. 'Ja, mijnheer Johnny,' zei hij vriendelijk, terwijl hij het deksel van de schaal met bacon en spiegeleieren nam.
De geur van het eten maakte me nog zieker. Het was of mijn maag zich in mijn lichaam binnenste buiten keerde. 'Wat bezielt jou vandaag?' brulde ik. 'Breng dat weg en geef me een maagpoeder!'
Chris wist niet hoe gauw hij het deksel weer op de schaal moest zetten. Hij nam het blad op en vloog er mee naar de deur. 'Hé,' schreeuwde ik, 'laat de kranten hier!'
Hij kwam weer terug en ik nam de kranten van het blad. Ik zag aan zijn gezicht dat ik hem pijn had gedaan, maar ik was nog niet in een stemming om het weer goed te maken. Ik keek naar het hoofdartikel in de 'Reporter'.
'Farber en Roth in bestuur van Magnum,' stond er.
Ik legde de krant weer neer en liet me met een plof achterover in de kussens vallen. Ik had het dus niet gedroomd! Dromen deden geen artikelen in de 'Hollywood Reporter' verschijnen.
Ik kwam weer overeind en begon het relaas langzaam te lezen. Het was precies hetzelfde als wat ik van Bob had gehoord. Op de bestuursvergadering van de vorige avond hadden ze Roth tot vice-president gekozen en hem belast met de produktie en Farber was in het bestuur opgenomen.
Ik verfrommelde de krant en slingerde hem vloekend in een hoek, juist op het moment dat Christopher weer binnenkwam met zijn poeder. 'Dat ze me dat toch hebben kunnen aandoen!' zei ik hardop.
Christopher keek me verschrikt aan en snelde op me toe. 'Wat zegt u, mijnheer Johnny?'
'Niets,' antwoordde ik kortaf, terwijl ik het glas van hem aannam en het haastig uitdronk. Ik bleef een ogenblik stil zitten en voelde hoe de poeder

mijn opstandige maag weer tot rust bracht. Gelukkig, ik knapte een beetje op.
'Wat wilt u vandaag aantrekken, mijnheer Johnny?' Christopher keek me bezorgd aan.
Ik schaamde me plotseling diep. 'Wat je maar wilt, Chris. Ik laat het helemaal aan jou over.' Ik keek hem na, terwijl hij naar de kleedkamer liep.
'Het spijt me dat ik zo tegen je tekeer ging, Chris,' trachtte ik mijn houding van straks weer goed te maken.
Hij keerde zich om en keek me aan. Zijn tanden schitterden in een brede lach. 'Het geeft niets, mijnheer Johnny,' zei hij vriendelijk. 'Ik wist wel dat u het niet zo kwaad meende. U hebt zorgen, dat is alles.'
Ik glimlachte nu tegen hem en hij verdween met een blij gezicht in de kleedkamer. Ik sloot mijn ogen en leunde weer achterover. Mijn hoofdpijn begon te zakken en ik was weer tot geregeld denken in staat.
Ik sprak mijn gedachten bijna hardop uit. Nu was ik aan de beurt. Eerst was Borden er aan gegaan, vervolgens Peter. Nu kwam ik. Een voor een waren we er uit gedrongen. Bestond er dan niet één mogelijkheid om ze van de kaart te vegen? Mijn vingers klauwden zich in het laken vast. Ik hoorde het linnen scheuren. Maar ze hadden me er nog niet uit! En ze kregen me er ook niet uit. Niet voordat ze mijn tanden hadden gevoeld. De greep van mijn vingers verslapte. Ik dacht er aan hoe het begonnen was.

Het begon in het voorjaar van '31. Peter was in New York, op een van zijn halfjaarlijkse bezoeken, en ik zat op mijn kantoor met een paar lui van het personeel. De kamer zag blauw van de rook, want we stonden voor grote problemen, die we druk aan het bespreken waren, maar over het geheel genomen mochten we toch niet ontevreden zijn. We werkten met grote verliezen, maar dat deden alle filmmaatschappijen behalve Metro en die kónden eenvoudig niets verliezen omdat ze een kanaal naar de Beurs hadden.
We waren nog steeds bezig weer op de been te komen van de klap die de geluidsfilm ons gegeven had en die ons een strop van negen miljoen had bezorgd. Onze nieuwe films waren niet slechter, maar ook niet beter dan die van de andere maatschappijen. We waren de geluidstechniek nog niet meester.
De toekomst was echter rooskleurig. We waren met een film bezig, waarvan we grote verwachtingen koesterden. Het was een oorlogsverhaal over een aantal Duitse soldaten, dat een heel goed beeld gaf van de waanzin van een oorlog. En er zouden nog meer goede films komen. Dat had Peter tenminste gezegd. Ik hoopte het van harte, maar in stilte twijfelde ik er aan.

Ik mocht me volstrekt niet meer met de produktie bemoeien. Toen we tot de produktie van geluidsfilms waren overgegaan, had ik er op aangedrongen dat we grammofoonplaten zouden gebruiken inplaats van geluid en beeld op één film. Peter was er met tegenzin toe overgegaan, nadat ik hem er met veel drukte op gewezen had dat ik het toch al van het begin af aan bij het rechte eind had gehad wat de geluidsfilm betrof.
Het had ons echter nog weer eens een miljoen gekost om die fout te herstellen. Peter had het me niet onder de neus gewreven, maar hij liet me toch duidelijk genoeg voelen dat het zijn wens was dat ik voortaan van de produktie afbleef.
In het begin had ik me daar geducht aan geërgerd, maar ik begon alweer bij te trekken. Als de zaak maar eenmaal weer rolde, dan zou Peter het mettertijd wel weer vergeten.
Ik weet niet meer wie er aan het woord was, toen de zoemer op mijn schrijftafel verwoed begon te brommen. Het was doodstil in het vertrek toen ik de hoorn van de haak nam en de antwoordknop indrukte. 'Ja, Peter.'
'Johnny, ik moet je onmiddellijk spreken,' kraakte Peters stem.
'Ja, Peter,' antwoordde ik gedwee.
'En zeg die lijntrekkers daar in je kamer dat ze weer aan hun werk gaan,' voegde hij er grinnikend aan toe. Hij verbrak meteen de verbinding.
De hele kamer barstte in lachen uit. 'Je hebt het gehoord, jongens,' zei ik, eveneens lachend. 'Terug naar de zoutmijnen!'
Ik keek hen na, terwijl ze het vertrek verlieten. Het waren stuk voor stuk beste jongens en ze waren goed voor hun werk. Sommigen van hen waren vóór de wereldoorlog al bij ons. Toen de laatste was heengegaan liep ik naar de deur, die mijn kamer met die van Peter verbond en stapte bij hem binnen.
Peter zat achter zijn enorme schrijftafel. Hij had een ware hartstocht voor grote schrijftafels, al was hij zelf maar een betrekkelijk klein mannetje, maar deze was zelfs naar zijn smaak groot genoeg. Achter dit enorme meubel leek hij niet veel meer dan een dwerg. Bij mijn binnenkomst hief hij het hoofd op en keek me ernstig aan. 'Johnny, ik zou Bill Borden graag anderhalf miljoen dollar willen lenen.'
'Anderhalf miljoen!' Ik verslikte me bijna in mijn woorden. Dat was onze gehele reserve voor het geval er iets mis ging. En in dit bedrijf was het een druppel op een gloeiende plaat.
Peter knikte nadrukkelijk. 'Anderhalf miljoen, zoals ik zeg.'
'Maar Peter,' protesteerde ik, 'wat moeten we dan als we op een of andere manier vastlopen?'
Achter me klonk een bescheiden kuchje. Ik keerde me bliksemsnel om.

Geheel weggedoken in een grote stoel zat Bill Borden. Ik had hem niet eens gezien toen ik binnenkwam. Zijn gezicht was ingevallen en doodsbleek en zijn eens zwarte haar was nu spierwit. Ik liep met uitgestoken hand op hem toe. 'Bill, ik zag je niet!'
Hij stond langzaam op en drukte me de hand. 'Dag Johnny.' Ik herkende zijn stem ternauwernood. Het was een hees gefluister.
'Het was niet mijn bedoeling je onaangenaam te zijn, Bill,' zei ik rustig.
Hij glimlachte flauwtjes. 'Dat begrijp ik wel, Johnny. Ik zou er net zo over denken als ik in jouw plaats was.'
Ik keek hem een ogenblik doordringend aan en keerde me toen weer om naar Peter. 'Misschien zou ik een minder onbeholpen figuur slaan als ik wist wat er aan de hand was.'
'Wel, dat zal ik je vertellen,' begon Peter. Borden viel hem echter in de rede.
'Laat mij het hem vertellen, Peter. Ik ben ten slotte degene die er mee aankomt.'
Peter knikte instemmend.
Bill ging langzaam weer zitten en keek me peinzend aan. Toen hij eindelijk sprak klonk zijn stem zacht en verlegen en ik begreep dat hij zich diep schaamde.
'Het moet wel een zonderlinge indruk maken, dat Willie Borden bij je komt met het verzoek hem een paar dollars te lenen, Johnny. Dat Willie Borden, de president van de grootste filmmaatschappij ter wereld, niet naar de bank kan gaan en zoveel geld halen als hij maar nodig heeft. Maar het is de bittere waarheid. Jullie zijn mijn enige hoop.'
Hij boog zich naar me toe en ik wachtte ademloos op wat er verder kwam. Deze man was bezig zijn ziel voor ons bloot te leggen. We waren de stille getuigen van de geleidelijke ondergang van zijn geestkracht en zijn trots.
'Vóór de catastrofe in 1929 beheerste ik de wereldmarkt. Toen ik die theaters van jullie kocht gingen mijn dromen in vervulling. Van alle bioscoopeigenaars bezat ik verreweg de meeste theaters en mijn omzet was groter dan die van welke maatschappij ter wereld ook. Maar het was te mooi om waar te kunnen zijn.' Hij lachte bitter. 'Ik vergat dat een man die het meeste verdient ook het meeste kan verliezen. Een jaar nadat de markt was stuk gegaan, waren onze theaters nog precies de helft waard van wat we er voor betaald hadden. Zelfs de theaters die we van jullie hadden gekocht. Je weet niet half hoe dankbaar je mag zijn dat je ze nog net op het laatste nippertje hebt verkocht.'
Ik wilde iets zeggen, maar hij hief afwerend de hand op. 'Dat is geen verwijt, Johnny,' zei hij haastig. 'Jullie wisten evenmin wat er zou gebeuren als ik. Ik wilde ze hebben en ik kocht ze. We eindigden 1929 met een ver-

lies van elf miljoen dollar. Ik hoopte dat 1930 beter zou zijn, maar het tegendeel was waar. We verloren bijna zestien miljoen dollar en de eerste zes maanden van dit jaar brachten ook al niet veel goeds: een verlies van zeven miljoen.' Hij keek me een beetje schuw aan. 'Waarschijnlijk verslijt je me voor idioot dat ik je om geld durf vragen na wat ik je zojuist heb verteld –' Hij wachtte even, maar toen ik geen antwoord gaf vervolgde hij: 'Ik vraag het geld niet voor de zaak, Johnny, ik vraag het voor mezelf.'
Hij zag dat ik er niets van begreep. 'Kijk eens, Johnny,' verklaarde hij, 'het is niet meer zoals vroeger, toen Bill Borden de baas was en met zijn zaak kon doen wat hij wilde. Het is nu heel anders. Bill Borden hééft de Borden Company helemaal niet meer. Zeker, hij is president van de maatschappij, maar in werkelijkheid heeft hij niets te zeggen. Een aantal directeuren heeft de touwtjes in handen, mensen die door de aandeelhouders gekozen zijn en die hoegenaamd niets van de zaken afweten geven de bevelen en Willie Borden mag ze ten uitvoer brengen. En als hij dat weigert kan hij vertrekken.'
Hij zweeg en liet zijn hoofd vermoeid tegen de leuning van zijn stoel rusten. Na enige tijd boog hij zich echter weer naar me toe. Hij sprak zacht, maar zijn stem was vol ironie. 'Zelfs de grote Borden Company kan het zich niet veroorloven vierendertig miljoen dollar te verliezen. Ook zij komt dan in moeilijkheden. Zeker, we hebben altijd nog twintig miljoen in kas en zeventig miljoen in andere ondernemingen, maar iemand moet toch de zondebok zijn. Iemand moet toch voor de aandeelhouders kunnen worden gevoerd met de woorden: 'Kijk, het is allemaal zijn schuld!' En wie kon die zondebok beter zijn dan de kleine Willie Bordanov, die met een handkar in Rivington Street is begonnen en die deze hele enorme maatschappij in leven heeft geroepen? En ze hadden het al gauw gevonden. Ze kwamen op het lumineuze idee nieuwe aandelen uit te geven en de oude terug te nemen. De waarde van die nieuwe aandelen zou vanzelfsprekend gelijk blijven aan die van de oude. Maar mij bakten ze intussen een gemene poets. Het aantal oude aandelen bedroeg twee miljoen. Ze zouden daarvoor in de plaats twee miljoen nieuwe aandelen uitgeven – dat was allemaal prachtig. Maar ze hadden nog een kleine verrassing in petto. Inplaats van twee miljoen aandelen gaven ze er vier miljoen uit.'
Hij haalde diep adem. 'Ze brachten dus nóg twee miljoen aandelen op de markt. Het maakte voor hen niets uit dat de markt die extra aandelen niet kon verwerken, want ze hadden een plannetje. Er bestond namelijk een overeenkomst tussen Willie Borden en de Borden Pictures Company, dat Willie Borden persoonlijk een aandeel van vijfentwintig procent in de maatschappij zou hebben en dat hij bij uitbreiding van het aantal aandelen als eerste de gelegenheid zou hebben nieuwe aandelen te kopen, zo-

dat hij in staat zou zijn deze vijfentwintig procent van het geheel te handhaven. Als hij echter geen gebruik maakte van zijn recht, zouden de aandelen op de markt worden gebracht. Dat was heel slim bekeken.' Hij schudde bedroefd het hoofd. 'Heel slim. Ze wisten namelijk dat Willie Borden de vijf miljoen dollar die hij nodig zou hebben om vijfentwintig procent van de extra aandelen te kopen niet had. En ze wisten precies hoeveel hij wél had. Daarom zouden ze zoveel aandelen op de markt brengen dat hij niet meer dan twaalf procent van het totaal in handen had en hem dan openlijk aan de kaak stellen. Door zijn gereduceerd percentage aan aandelen zou hij op de aandeelhoudersvergaderingen niet meer over voldoende stemmen beschikken om nog enig gewicht in de schaal te leggen. Zeker niet als alle andere stemmen op het tegenovergestelde van de zijne werden uitgebracht. Maar ze vergaten één belangrijk ding: Willie Borden was al in het filmbedrijf lang voordat zij er zelfs nog maar van gehoord hadden en hij had vele vrienden. Vrienden die niet zouden toelaten dat Willie Borden er eenvoudig uitgewerkt werd.'

Hij keek me ernstig aan. 'Met behulp van mijn vrienden heb ik drie en een half miljoen dollar bij elkaar weten te krijgen en nu kom ik bij jullie om de rest. Ik weet hoe jullie er voor staan, hoe precair de situatie ook voor jullie is, maar ik heb niemand anders tot wie ik me nog kan wenden.'

Het geluid van zijn stem stierf weg in de stilte. Lange tijd zwegen we alle drie. Eindelijk bewoog Peter zich achter zijn grote schrijftafel en zei enigszins verlegen: 'Wat denk je er nu van, Johnny?'

Ik keek hen beurtelings aan en glimlachte toen. 'Het is zoals je altijd zegt, Peter. Wat voor nut heeft geld als je het niet gebruikt om je vrienden te helpen?'

Borden sprong op, snelde op ons toe en lachte over zijn hele gezicht. 'Ik zal het nooit vergeten, jongens,' zei hij ontroerd. 'En het is maar een lening – ik betaal het jullie binnen een jaar terug.'

Borden verliet de kamer met onze cheque in zijn zak. Toen hij was heengegaan gingen Peter en ik weer zitten en keken elkaar lange tijd zwijgend aan. Eindelijk slaakte Peter een diepe zucht en haalde zijn horloge uit zijn zak. Nadat hij de wijzerplaat nauwkeurig had bestudeerd, borg hij het met veel omhaal weer weg en zei: 'Heb je al een afspraak voor de lunch, Johnny?'

Ik had een afspraak, maar die kon ik wel afzeggen. 'Nee,' antwoordde ik. 'Ik ben met een minuut terug. Ik moet nog even wat opbergen.'

Ik ging naar mijn kamer, belde op om mijn afspraak ongedaan te maken en voegde me toen weer bij hem.

Peter was erg zwijgzaam tijdens de lunch. Ik zag wel dat hij ergens diep over nadacht en ik stoorde hem niet. Hij kwam er pas mee voor den dag

toen onze koffie voor ons stond en hij een van zijn grote sigaren had opgestoken. En zelfs toen keek hij me eerst nog een tijdlang nadenkend aan voordat hij begon te spreken.
'Weet je wat dit alles betekent?' Hij wees met zijn sigaar in mijn richting. Ik schudde het hoofd en hij vervolgde: 'Het betekent dat er een nieuwe tijd voor het filmbedrijf gaat aanbreken. Ik zag het jaren geleden al aankomen en ik heb er Willie voor gewaarschuwd om met die lui van Wall Street in zee te gaan. Diep in hun hart kunnen ze ons namelijk niet zetten. Omdat we nieuwelingen zijn en omdat we kans hebben gezien om zonder hen op het paard te komen, en omdat we joden zijn.' Hij keek tersluiks naar mijn gezicht om te zien wat voor uitwerking zijn woorden hadden.
Ik trok een effen gezicht en gaf geen antwoord. Ik was het niet met hem eens, maar ik had geen zin er op dit moment over te gaan argumenteren. Volgens mij was het enkel een kwestie van geld. Het feit dat ze joden waren, was een toevallige bijkomstigheid.
Hij maakte uit mijn zwijgen op dat ik met hem instemde en hij boog zich over de tafel heen en vervolgde op gedempte toon: 'En nu, na datgene wat Borden en anderen is overkomen, weet ik zeker dat ik gelijk heb. De antisemieten zijn bezig ons de filmindustrie uit handen te wringen.'
Ik staarde hem sprakeloos aan; het drong plotseling tot me door dat hij eigenlijk diep te beklagen was. Zijn gehele levenshouding, zijn angst om iets nieuws te beginnen en zijn ongelooflijke felheid als hij eenmaal een beslissing had genomen, vonden hun oorsprong in eeuwen van onderdrukking en achtervolging, van leven in vuile, overbevolkte getto's. De geschiedenis van de joden was vol schrik en angst en benauwenis. Het was heel natuurlijk dat dit een stempel op hun karakter had gedrukt.
Maar als hij goed nadacht zou hij toch moeten inzien dat hij het mis had. De filmindustrie was geenszins een zuiver joods bedrijf, evenmin als het bankbedrijf of het verzekeringsbedrijf. Als onze eigen maatschappij een criterium mocht zijn, dan was het zoals ik het zag. Van de drie mensen die hem in leven hadden geroepen was alleen Peter een jood. Joe Turner was een Ier en katholiek en ik, voor zover ik wist, een methodist. En we waren er gekomen omdat een Italiaan ons het geld had geleend.
Peter betaalde de rekening en stond op. Terwijl we langzaam naar de uitgang van het restaurant liepen, fluisterde hij me toe: 'We zullen ons van nu af in acht moeten nemen, Johnny. Nu zullen ze óns proberen te krijgen!'
Ik kwam hevig verontrust over Peters ideeën op mijn kamer terug. Ik stak een sigaret op en leunde peinzend achterover in mijn stoel. Een dergelijke geesteshouding was zeer wel in staat iemand op een dwaalspoor te brengen en hem ernstig te benadelen. Ik wist echter niet hoe ik hem tot een beter inzicht zou kunnen brengen en besloot het daarom maar van me af

te zetten. Waarschijnlijk had Peter alleen maar zo gesproken omdat hij in de war was over wat zijn vriend was overkomen.
Borden beschaamde het vertrouwen dat wij in hem stelden niet. Binnen drie maanden had hij ons het geld terugbetaald. En de strijd werd voortgezet.
Het was langzamerhand zonneklaar waarom het eigenlijk ging. Het was de oude strijd om de macht. Wie moest de leiding hebben – het geld of de vakbekwaamheid? De ogen van de gehele industrie waren in gespannen verwachting op de strijd in de Borden Company gevestigd. De filmbladen wijdden dagelijks lange artikelen aan deze strijd, maar ze zorgden er wel voor, dat ze strikt onpartijdig bleven. Ze wisten niet met wie ze na afloop zaken zouden doen en ze voelden er niets voor hun dagelijks brood in gevaar te brengen.
Aan het einde van 1931 had de Borden Company nog weer zes miljoen dollar verloren en een aantal aandeelhouders maakte een proces aanhangig tegen William Borden en verscheidene andere leidende personen van de maatschappij, wegens wanbeheer en onrechtmatige toeëigening van gemeenschappelijke fondsen. Ze eisten dat er een beheerder zou worden aangewezen totdat de moeilijkheden overwonnen zouden zijn en de maatschappij tot een gezonde basis zou zijn teruggebracht.
Het was een publiek geheim dat verscheidene getuigen à decharge in stilte achter de tegenpartij stonden en eveneens wensten dat Borden uit zijn leidende functie zou worden verdrongen. In het voorjaar van 1932 kwam de zaak eindelijk voor.
Bill Borden was zelf een van de eersten die zijn verklaringen aflegde en nu kwam aan het licht, dat hij al twee jaar lang het presidentschap had bekleed zonder dat hij daarvoor één cent salaris had verlangd. Voorts onthulde hij dat hij gedurende die tijd geen enkele vergoeding had gehad voor de verschillende uitgaven die hij voor de zaak had gedaan en die hij allemaal uit zijn eigen zak had betaald. Verder legde hij het hof een lijst voor van de verschillende voorstellen die hij het bestuur van de Borden Company had gedaan en waardoor zij, als ze naar hem geluisterd hadden, de onkosten van het bedrijf aanzienlijk hadden kunnen verminderen en zich miljoenen hadden kunnen besparen. Het bestuur had deze voorstellen echter verworpen.
De aanklagers hadden van hun kant een lange lijst van bezwaren tegen zijn beleid. Een daarvan was de aankoop van onze theaters. Hij had dit gedaan zonder het bestuur eerst te raadplegen. Ik wist dat dit eenvoudig lariekoek was, want het bestuur had het jaar daarvoor de eventuele aankoop al goedgekeurd. Borden wees hen hier ook op. Ze brachten er echter tegenin dat die toestemming speciaal voor dat ene jaar had gegolden en

dat de zaak hun opnieuw voorgelegd had moeten worden.
Ik herinner me de dag van de uitspraak nog alsof het gisteren was, en wel om verschillende redenen. Het was de dag na de inhuldiging van president Roosevelt en vierentwintig uur nadat ik zijn stem door de radio had gehoord hoorde ik nog steeds zijn woorden in mijn oren klinken – dezelfde woorden die ik nu in het ochtendblad las: 'Het enige wat wij te vrezen hebben is de vrees zelf.'
's Morgens had ik nog een telefoongesprek met Peter, waarin hij mij verzekerde dat Borden niet kón verliezen. De telefoon op mijn schrijftafel begon te bellen en ik nam de hoorn van de haak.
'Hier is Peter voor je,' deelde Jane me mee.
'Okay, verbind me maar door.' Ik vroeg me af wat hij van me moest. Het was halftien, dat was dus halfzeven in Californië. Dat was zelfs voor Peter wel wat vroeg.
Peters stem kwam door. 'Hallo, Johnny.'
'Hallo, Peter! Je bent er al vroeg bij vandaag!'
'Ik wilde er zeker van zijn dat je me opbelt zodra de uitspraak in het proces tegen Borden bekend is.'
'Dat is toch vandaag, is het niet?'
'Ja,' antwoordde hij. 'Zorg dat je nauwkeurig op de hoogte blijft van wat er gebeurt en bel me zodra je iets weet.'
'Dat zal ik doen, Peter,' beloofde ik. Ik aarzelde even. 'Hoe denk je dat het zal aflopen?' vroeg ik toen.
'Willie wint het,' klonk het overtuigd.
'Hoe weet je dat zo zeker?' Ik was er zelf niet zo van overtuigd.
Ik hoorde aan zijn stem dat mijn vraag hem verbaasde. 'Wel, ik heb Willie Borden zojuist opgebeld en hij vertelde me dat hij het eenvoudig niet kán verliezen.'
We spraken nog even en hingen toen de hoorn op. Ik bleef in gedachten verzonken voor me uitstaren. Ik hoopte van harte dat Bill het zou winnen, maar de tegenpartij had hem het vuur wel heel na aan de schenen gelegd, zij het dan ook ten onrechte. En bovendien hadden ze betere connecties dan hij.
Ik belde Bannon op en droeg hem op voor een verslag van de zitting te zorgen. Ik behoefde er geen film van te hebben, maar wel een reportage van het ogenblik van de uitspraak.
Om twee uur 's middags was ik weer in gesprek met Peter, want de beslissing was gevallen.
'Hallo, Johnny!' klonk Peters stem opgewekt – ik zag hem gewoon glimlachen. 'Hoe is het afgelopen?'
Het kostte me moeite mijn stem bedaard te laten klinken. 'Hij heeft het

verloren,' zei ik kortaf. 'Gerard Powell, van Powell en Company, is als beheerder aangewezen.'
Ik hoorde Peter de adem inhouden van schrik. Verder bleef het stil aan de andere kant van de lijn. 'Peter,' riep ik angstig, 'ben je daar nog? Heb je me gehoord?'
Toen kwam zijn stem weer door. Hij klonk heel zacht, alsof het hem moeite kostte de woorden over zijn lippen te krijgen. 'Ik heb het gehoord,' zei hij, en toen werd de verbinding verbroken.
Ik belde de telefoniste. 'Werd mijn gesprek verbroken?'
'Nee, mijnheer Edge,' zei ze op die verontwaardigde toon, die alle telefonisten eigen is, zodra ze menen dat er aan hun bekwaamheid wordt getwijfeld. 'Mijnheer Kessler heeft de hoorn op de haak gelegd.'
Ik legde eveneens mijn hoorn op de haak en staarde naar het vloeiblad op mijn schrijftafel. Vanmorgen had Borden Peter nog verteld dat hij er zeker van was dat hij het zou winnen! Ik vroeg me af hoe hij er nu wel aan toe zou zijn. Maar ten slotte was het nog niet zo'n grote ramp – hij was altijd nog een welgesteld man. Ik behoefde hieromtrent niet lang in onzekerheid te verkeren. De volgende morgen pleegde hij zelfmoord.
Ik was net terug van de lunch toen mijn telefoon ging.
Het was Irving Bannon. 'Johnny!' riep hij opgewonden. 'Bill Borden heeft zelfmoord gepleegd!'
Ik werd ijskoud van schrik en het eerste ogenblik was ik niet in staat een woord uit te brengen. 'Weet je dat zeker, Irving?' stamelde ik ten slotte.
'De telex heeft het zojuist gemeld,' antwoordde hij.
'Waar? Hoe is het gebeurd?'
'Dat weet ik nog niet – het was maar een kort berichtje. Ze zeiden dat nadere berichten volgden.'
'Bel me zodra je meer weet.' Ik stond op het punt de hoorn neer te leggen.
'Wacht even,' klonk het haastig. 'De tikker gaat weer. Misschien is het over Borden.'
Ik hoorde hem de hoorn neerleggen. Even was het stil en toen hoorde ik het getik van de telex. Het duurde verscheidene minuten en toen werd het weer stil. Irving kwam weer aan de telefoon. 'Heb je iets?' vroeg ik ademloos.
'Ja – maar niet veel.'
'Lees het voor.'
Zijn stem klonk rustig en zakelijk, terwijl hij las: 'Het lijk van William Borden, een bekend filmmagnaat, werd hedenmiddag om een uur vijftien door de New Yorkse stadspolitie gevonden in een flat in Rivington Street, in het oostelijk gedeelte van New York. Hij stierf aan een kogelwond in

de slaap en naast het lijk lag een politierevolver, kaliber 38. De politie houdt het voor zelfmoord. Gisteren verloor de heer Borden een proces waarin hij gepoogd had zijn miljoenenmaatschappij voor zich te redden en de politie neemt aan dat dit het motief was voor zijn zelfmoord. Nadere berichten volgen.'

Ik zat heel stil. Peter moest het weten. Ik zag er tegen op het hem te vertellen, maar het moest. 'Okay, Irving,' zuchtte ik. 'Dank je wel.'

'Moet ik je bellen als ik meer weet?'

'Nee, doe maar geen moeite meer.' Ik had genoeg gehoord. Ik drukte op de zoemer van Jane's kamer.

'Ja, Johnny?'

'Verbind me met Peter,' zei ik op matte toon. Terwijl ik wachtte totdat Peter doorkwam, stelde ik me voor hoe Willies laatste dag zou zijn geweest. In de krant van de vorige avond had gestaan dat hij er opgewekt en allesbehalve verslagen had uitgezien en dat hij van plan was in hoger beroep te gaan. Wat had hem zijn plannen zo doen wijzigen en hem tot deze laatste, onherroepelijke stap gebracht?

Uit wat ik de volgende dag in de kranten las en uit wat Peter en anderen me vertelden, was ik ten slotte in staat me een beeld te vormen van wat er was gebeurd.

Willie Bordanovs laatste dag begon net als andere dagen. Hij was 's morgens al vroeg op en ontbeet met zijn vrouw. Ze vertelde dat hij die nacht niet erg goed had geslapen, maar na alles wat er de vorige dag gebeurd was, was dat heel begrijpelijk.

Hij liet zich zijn ontbijt echter goed smaken – zijn eetlust was altijd goed geweest. Ondanks zijn nederlaag was hij heel optimistisch en gedurende het ontbijt zal hij alweer druk plannen te maken om de leiding over zijn bedrijf weer in handen te krijgen. Hij zei dat hij even naar zijn kantoor ging en dat hij vervolgens naar zijn advocaat zou gaan om het een en ander te bespreken voor het hoger beroep.

Daarop belde hij zijn chauffeur en verzocht hem de wagen voor te rijden. En daarmee begon het. De chauffeur deelde hem mee dat beide auto's defect waren en dat er wel enige tijd mee heen zou gaan voordat hij er een gerepareerd had. Borden besloot daarom met de trein naar New York te gaan. Hij bestelde een taxi, die hem naar het station bracht.

De taxi zette hem om tien minuten over acht voor het station af. Willie ging eerst naar een krantenkiosk en kocht de New York Times. De trein kwam mooi op tijd binnen – dat wil zeggen voor de Long Island Railroad – en Willie Borden stapte in. Het was toen acht uur vijftien.

Met zijn krant onder de arm liep hij de trein door naar de laatste wagon. Deze wagon was onder de forensen bekend onder de naam van 'Bankers

Special'. Het was een luxueus uitgevoerde wagen, met gemakkelijke fauteuils en kleine tafeltjes. Voor het voorrecht hierin te reizen betaalden de reizigers vijfmaal het normale tarief, maar de bankiers en de schatrijke industriëlen van Long Island hadden dit er graag voor over. Ieder had zijn eigen, speciaal voor hem gereserveerde plaats in de wagon en daardoor behoefden ze nooit te dringen om een zitplaats. Wie een plaats in deze wagen wenste moest hem lang van tevoren bespreken. Willie Borden was heel trots geweest toen men hem meedeelde dat er een plaats voor hem in deze wagon was gereserveerd. Hij had het gevoel gehad dat hij er nu pas werkelijk was.

Hij ging in zijn fauteuil zitten en vouwde zijn krant open. Hij las de koppen, keek het verslag van de uitspraak van de vorige dag door en vouwde vervolgens de krant weer dicht. Daarop liet hij zijn hoofd tegen de leuning van zijn fauteuil rusten en sloot de ogen. Hij was moe.

Na een tijdje opende hij echter de ogen weer en keek om zich heen. De bekende pasagiers zaten op hun gewone plaatsen. Hij knikte hen vriendelijk toe. Zij beantwoordden zijn vriendelijke groet echter niet. Ze keken eenvoudig langs hem heen, alsof hij er niet was.

Hij vroeg zich verbaasd af wat er met hen aan de hand was. Gisteren waren deze mannen nog zijn vrienden. Ze spraken met hem en lachten om zijn grapjes en nu deden ze alsof ze hem niet kenden. Het behoorde voor hen toch geen verschil te maken dat hij dat proces verloren had! Hij was nog dezelfde Willie Borden.

Hij boog zich voorover en tikte de man die voor hem zat op de schouder. 'Mooi weer vandaag, Ralph!' glimlachte hij.

De man liet zijn 'Tribune' een beetje zakken en keek hem over het blad heen aan. Eén moment leek het of hij hem wilde antwoorden, maar hij deed het niet. Inplaats daarvan trok hij minachtend de mondhoeken neer en verschool zich zonder een woord te zeggen weer achter zijn krant. Een paar minuten later stond hij op en ging in een andere fauteuil zitten.

Ik heb me dikwijls afgevraagd of Willie zelfmoord gepleegd zou hebben als die man een vriendelijk woord tegen hem had gezegd. Willies gezicht werd strak als een masker. Het leek wel alsof hij ineenschrompelde in zijn stoel en gedurende de rest van de reis van veertig minuten hoorde niemand meer een woord van hem en zag niemand hem zich meer verroeren. Die veertig minuten moeten een nachtmerrie voor hem zijn geweest. Ik kende hem zo goed. Hij was altijd een vriendelijk, goedhartig mannetje geweest; hij hield van gezelligheid. Hij hield er van mensen om zich heen te hebben met wie hij kon lachen en praten en hij wist uitstekend met mensen om te gaan, onverschillig van welke rang of stand. Dat had veel bijgedragen tot zijn succes.

Op zijn kantoor ging het al bijna net als in de trein. Hij was plotseling een vreemde in zijn eigen huis geworden. De weinigen die bleven staan om een woord met hem te wisselen keken zo schuw om zich heen om te zien of niemand het zag, dat Willie de gesprekken maar gauw eindigde om hun verdere verlegenheid en verwarring te besparen.
Om twintig over elf stapte hij voor de negentien verdiepingen hoge Borden Pictures Company Building in een taxi en gaf de chauffeur een nummer op in Lower Pine Street. Het was het adres van zijn advocaat, maar hij is daar nooit aangekomen.
De taxi reed in zuidelijke richting langs de Park Avenue, nam de helling bij Grand Central en schoot toen in de Veertiende Straat de tunnel in. In de Tweeëndertigste Straat kwam hij er uit en reed weer langs de Park Avenue naar de Tweeëntwintigste Straat, waar de chauffeur linksom sloeg. Bij de Fourth Avenue gekomen ging hij rechtsaf en volgde deze tot aan Cooper Square, waar ook de Third Avenue op uit komt. Maar juist op het moment dat hij Delancey Street zou oversteken, hoorde hij achter zich op het ruitje kloppen. Hij verminderde vaart en keek achterom.
Willie Borden boog zich voorover en riep hem toe: 'Ik ben van gedachte veranderd, chauffeur; ik wou hier maar uitstappen.'
De chauffeur reed de wagen naar het trottoir en stopte. Willie stapte uit. De meter wees één dollar dertig. Willie gaf hem twee dollar en zei dat hij het wel kon laten zitten. Daarop sloeg hij Delancey Street in en verdween in de menigte.
Op de hoek van Rivington Street werd hij weer gezien. Hij bleef daar staan bij een handkar, waar hij twee appels kocht. Hij gaf de man een dime en stak de ene appel langzaam en plechtig in zijn zak, tegelijk met de nickel, die de oude man hem teruggaf.
Hij veegde de andere appel met zijn mouw af en beet er in. Onderwijl keek hij de oude man glimlachend aan. 'Wel, Schmulke,' zei hij in het Jiddisch, 'doe je nogal zaken?'
De oude man gluurde hem met zijn waterige oogjes aan. Zijn witte baard fladderde in de wind toen hij langzaam om de handkar heenliep om deze heer, die hem blijkbaar kende, beter te kunnen zien. Plotseling opende zijn tandeloze mond zich in een blijde lach. Hij stak Willie beide handen toe. 'Als dat niet de kleine Willie Bordanov is!' kakelde hij opgewonden. 'Hoe gaat het met jou?'
Willie glimlachte verheugd omdat de oude man hem herkende. 'Best,' antwoordde hij, terwijl hij weer een hap van de appel nam.
De oude man gaf hem een knipoogje. 'Het is wel een heel verschil met vroeger – nu kóóp je appels van me, inplaats dat je ze van me steelt!' grinnikte hij.

'Ik ben nu een beetje ouder dan destijds,' lachte Willie.
De oude schudde weemoedig het hoofd. 'Ach,' zei hij, met een peinzende blik in de ogen. 'Je was zo'n ondeugende rakker. Altijd op kattekwaad uit. Ik mocht wel duizend ogen hebben om je in de gaten te kunnen houden.'
'De tijden zijn veranderd.'
De oude man kwam nog dichter bij. Willie rook zijn stinkende adem en zag de natte slierten tabak in zijn baard. De oude betastte Willies overjas. 'Dat is een mooi stukje goed,' prees hij. 'Zo zacht als boter.' Hij gluurde Willie van terzijde aan. '*Mocht a Leben* in het filmbedrijf?'
'Ik kan me redden,' antwoordde Willie. Hij glimlachte nu echter niet meer. Hij keerde zich om en stak Rivington Street over. 'Tot ziens, Schmulke,' riep hij nog over zijn schouder.
De oude man keek hem na totdat hij het trottoir aan de andere kant had bereikt. Toen rende hij zo snel als zijn korte beentjes hem dragen konden naar de handkar een eindje verderop en greep de man die er bij stond opgewonden bij de arm. 'Hershel, kijk daar eens! Daar, aan de overkant! Daar gaat Willie Bordanov! Hij is nu een *grosse mocher* bij de film! Ik kwam met zijn vader op dezelfde boot naar Amerika. Zie je hem? Hij staat nu voor het huis waar hij heeft gewoond!'
De andere man tuurde in de richting die de oude hem wees.
'Zou hij zelf ook voor de film spelen?' peinsde hij hardop.
De oude man keek hem verontwaardigd aan. 'Natuurlijk, wat dacht jij dan?'
Ze keken weer naar Willie Bordanov. Hij stond nog voor het huis en keek naar de ramen op de bovenste verdieping. Na enige tijd zagen ze hem langzaam de stenen trap opgaan en in de vestibule verdwijnen.
Een vrouw kwam haastig de trap af, juist toen hij op het punt stond naar boven te gaan. Hij drukte zich tegen de muur om haar te laten passeren. Er kraakte een losse plank in de vloer toen zijn volle gewicht er op kwam te rusten en een verschrikte kat sprong van een vuilnisemmer achter de trap en schoot rakelings langs hem heen naar buiten.
Twee verdiepingen hoger bleef hij voor een deur staan. Hij hijgde een beetje. Eens was er een tijd dat hij deze trappen met drie treden tegelijk op stormde en er niets van merkte. Nu moest hij eerst op adem komen. Hij keek even naar de deur, die flauwtjes verlicht werd door een zwakke elektrische lamp aan de zoldering. Toen stak hij zijn hand in zijn zak en haalde een sleuteletui te voorschijn. Hij opende het langzaam en zocht de sleutel die op deze deur moest passen. Hij vond hem al gauw.
De deur piepte in zijn roestige scharnieren toen hij hem open duwde. Willie bleef nog even staan voordat hij de kleine woning binnentrad. Sedert de dood van zijn vader was hier niemand meer geweest. Willie had zijn

vader bij zich willen nemen, maar de oude man had niet gewild. Hij voelde zich hier gelukkig. Na zijn dood had Willie elke maand de huur van deze woning doorbetaald – waarom, dat wist hij zelf niet. Maar het was maar negentien dollar.

Hij sloot de deur achter zich en keek rond. De weinige meubels die er stonden waren half vergaan en met een dikke laag stof bedekt. Midden in de kamer stond een kist. Hij liep er naar toe en keek er peinzend op neer. Dit was de kist waar de oude man altijd op zat als hij *shiveh* hield voor Willies moeder. Hij had die kist nooit weggedaan, omdat het een soort herinnering aan haar was.

Willie keerde de kist met zijn voet om. Een muis schoot er hevig verschrikt onder vandaan en verdween in een gat in de muur. De vloer onder de kist was een blinkend wit vierkant in het zwartgrijze stof.

Willie liep de kamers door naar de voorkant van het huis. In de deur van het kamertje naast de voorkamer bleef hij staan. Dit was zijn slaapkamer geweest. Zijn bed stond er nog. Zijn handen gleden tastend over de muur boven het bed. Het was er nog!

Hij streek een lucifer af en boog zich voorover om beter te kunnen zien. In het schijnsel van het onrustige vlammetje kon hij de woorden nog juist lezen. Ze waren met grote, grove letters in de muur gekrast: William Borden.

Hij had ze er in gekrast de avond waarop hij besloot zijn naam te verkorten. Hij wilde een Amerikaanse naam hebben. De lucifer ging uit.

Hij richtte zich op en liep naar de voorkamer. Het vertrek had twee vensters. Het waren de enige ramen van het hele huis en de andere kamers kregen door deze ramen hun licht en lucht. 's Zomers stonden ze altijd open en dan sliep hij er vlak onder op de grond.

De ruiten waren met een laag stof bedekt. Hij probeerde er doorheen te kijken naar de straat, maar hij zag niets dan een grauw waas. Daarop probeerde hij het raam open te schuiven, maar het zat te vast. Hij keek rond naar een eind hout om daarmee tegen de lijsten te kloppen, maar er was niets dat tot dit doel kon dienen. Daarom bonsde hij er maar met zijn vuisten tegen en probeerde toen opnieuw het raam omhoog te krijgen. Het schoot met een schok los en vloog omhoog. De frisse buitenlucht stroomde binnen en hij hoorde plotseling het geschreeuw van de venters op straat.

Hij boog zich een eindje uit het raam en keek naar beneden. Het was druk in de straat. Ik weet niet hoe lang hij daar stond en ik weet evenmin wat er in hem omging. Niemand zal dat ooit weten. We weten alleen dat hij op een gegeven moment zijn hand in zijn stak stak en de appel die hij aan de handkar had gekocht er uit nam en begon op te eten. Maar de

appel smaakte hem blijkbaar niet, want na een paar happen legde hij hem op de vensterbank.
Toen ging hij een paar stappen bij het raam vandaan en haalde uit zijn andere zak een revolver. De politie is nooit te weten gekomen hoe hij aan dit wapen was gekomen.
Er klonk een knal in het lege vertrek en daarop een doffe bons van een vallend lichaam. Kleine stukjes kalk ritselden langs de muren omlaag. Beneden in de straat hieven de mensen luisterend het hoofd op. Het was een ogenblik vreemd stil in Rivington Street. Willie Borden was thuis gekomen om te sterven . . .

'Als u uw gestreepte pak eens aantrok, mijnheer Johnny?' Het was de stem van Christopher.
Ik staarde hem wezenloos aan. Mijn gedachten waren ver weg geweest.
'Het zal heel goed staan met uw blauwe das en uw bruine schoenen, mijnheer Johnny,' verzekerde hij me ernstig.
Ik haalde diep adem. 'Natuurlijk, Christopher, natuurlijk.'
Ik ging naar de badkamer om me te scheren en Christopher liet intussen het bad vollopen. Daarop stapte ik in het bad. Het water was goed op temperatuur en ik voelde de weldoende warmte diep in mijn lichaam dringen en mijn onrustige zenuwen kalmeren. Ik voelde me al gauw een stuk beter en een behaaglijke loomheid kwam over me. Na enige tijd kwam Christopher de badkamer weer binnen en keek met zijn brede lach op me neer. 'Bent u klaar, mijnheer Johnny?'
Ik knikte.
Hij stak me de hand toe en trok me overeind. Ik zette mijn handen op de speciaal daartoe aangebrachte stangen naast het bad, gaf mezelf een zetje en zwaaide mijn been over de rand. Hij sloeg een warme badhanddoek om me heen en wreef me droog. Mijn huid tintelde van de stevige bewerking en ik lachte hem dankbaar toe. Mijn hoofdpijn was over.
Even over drieën stond ik voor Peters huis. Het was een van die ongewoon warme dagen die de Californische lente kan brengen en ik wiste mijn voorhoofd met mijn zakdoek af toen ik de brede, stenen trap naar de voordeur op liep. Plotseling hoorde ik mijn naam roepen. Ik keerde me om. Het was Doris.
Ze kwam juist uit het water. De fijne druppeltjes schitterden als diamanten op haar zwarte badpak. Ze deed haar badmuts af en schudde haar bruine haren. 'Het water zag er zo aanlokkelijk uit,' zei ze, bijna verontschuldigend. 'Ik moest even een duik nemen.'
Zij hief haar gezicht naar me op en ik kuste haar. Ze sloeg snel een badmantel om en toen liepen we op het huis toe.

'Hoe is het met Peter?' vroeg ik.
Ze keek glimlachend naar me op. 'Hij lijkt vandaag veel beter,' antwoordde ze blij. 'Hij zit overeind in bed en hij is heel opgewekt. Hij heeft naar je gevraagd, want hij wil je spreken.'
'Daar ben ik blij om,' antwoordde ik rustig.
We gingen het huis binnen en liepen meteen rechtdoor de trap op. Doris bleef voor Peters deur staan.
'Ga jij maar vast naar binnen. Ik ga me eerst aankleden en dan kom ik ook.'
'Dat is best,' antwoordde ik. 'Is moeder ook binnen?'
'Ze ligt te rusten,' riep ze over haar schouder.
Ik opende de deur en stapte de kamer binnen. Hij hief glimlachend het hoofd op. Er lagen verschillende opengevouwen kranten op zijn bed en ik begreep meteen dat hij precies wist wat er de laatste dagen was gebeurd. De verpleegster zat bij het raam te lezen, maar bij mijn binnenkomst stond ze op.
'Vermoeit u hem niet teveel, mijnheer Edge,' vermaande ze me. Daarop verliet ze de kamer.
Peter stak me de hand toe toen ik het bed naderde. Zijn handdruk was krachtig en bemoedigend. 'Hoe is het er mee?' vroeg ik.
'Uitstekend. Ik zou wel op willen staan, maar ze willen het niet hebben.' Het klonk enigszins geërgerd.
Ik ging glimlachend op de stoel naast het bed zitten. 'Probeer nu geen *shtarker* te zijn, Peter,' waarschuwde ik. 'Doe wat je gezegd wordt, dan ben je des te eerder weer de oude.'
Hij lachte om mijn uitspraak van het joodse woord, dat zoveel als 'sterke man' betekende. 'Ze doen net of ik een baby ben,' mopperde hij.
'Je bent ernstig ziek geweest, Peter. Je moet het dus niet overhaasten.'
Hij keek een ogenblik peinzend naar de grond en hief toen het hoofd weer op. Zijn gezicht stond nu heel ernstig. 'Het is mijn straf, Johnny. Ik had de jongen niet zo mogen behandelen.' Dit was voor het eerst dat hij over Mark sprak.
'Je moet jezelf geen verwijten maken,' zei ik zacht. 'Het was geen kwestie van schuld. Niemand kan zeggen of je goed of verkeerd hebt gedaan. Het is zelfs geen kwestie van goed of verkeerd. Je hebt gedaan wat je voor het beste hield.'
Hij schudde bedroefd het hoofd. 'Ik had beter moeten weten.'
'Je moet het vergeten,' zei ik streng. 'Het is voorbij en je kunt de klok niet terugzetten.'
'Nee,' herhaalde hij mijn woorden met holle stem. 'Je kunt de klok niet terugzetten.' Hij streek in gedachten verzonken met zijn vingers over het

laken. Ik zag de blauwe aderen op de rug van zijn hand. Plotseling hief hij het hoofd op en keek me aan. Zijn ogen waren vochtig. 'Ik weet dat hij een grote egoïst was. Maar het was mijn schuld. Ik heb hem altijd teveel toegegeven. Ik heb hem altijd zijn gang laten gaan. 'Hij is nog zo jong,' dacht ik dan, 'hij heeft nog tijd genoeg om te veranderen.' Maar die tijd is nooit gekomen.'
Hij keek neer op zijn handen, die zich krampachtig vastklauwden in het laken. Ik zag de tranen langs zijn wangen rollen, maar er bewoog geen spier van zijn gezicht. Ik zweeg – wat had ik moeten zeggen?
Eindelijk hief hij het hoofd weer op en veegde zijn gezicht met de rug van zijn hand af. 'Ik huil eigenlijk niet zozeer om hem,' trachtte hij zijn tranen te verklaren. 'Het is om mezelf. Ik ben een grote dwaas geweest – ik heb hem geen gelegenheid gegeven het weer goed te maken. Hij was mijn zoon, mijn eigen vlees en bloed en ik heb hem in blinde razernij uit zijn ouderlijk huis gegooid. Ik was zélf de egoïst.' Hij slaakte een diepe zucht. 'Hij was mijn enige zoon en ik had hem lief.'
We zwegen beiden een ogenblik. Toen legde ik zacht mijn hand op zijn schouder. 'Ik weet het, Peter,' zei ik rustig, 'ik weet het.' Ik hoorde de wekker op het nachtkastje de seconden en minuten wegtikken, terwijl we daar roerloos zaten. Eindelijk bewoog Peter zich even. Hij keek me weer aan en ik zag dat zijn tranen waren gedroogd.
'Ze zitten nu achter jou aan,' zei hij toonloos, terwijl hij op de 'Reporter' wees, die voor hem op bed lag.
Ik knikte zwijgend.
Hij keek me doordringend aan. 'Hoe denk je er doorheen te komen?'
Ik haalde onverschillig de schouders op. Hij behoefde niet te weten hoezeer ik het me aantrok. 'Ik weet het niet,' bekende ik. 'Ik weet het werkelijk niet. Zij hebben het geld.'
Hij knikte toestemmend. 'Zo is het – zij hebben het geld.' Hij keek me openhartig aan. 'Ik zie nu in dat ik het verkeerd had. Jij had gelijk, toen je zei dat het geen kwestie van antisemitisme was. Het gaat om het geld. Datgene wat jou nu overkomt is er het beste bewijs van.'
'Hoe bedoel je dat?' vroeg ik nieuwsgierig.
Er kwam een eigenaardige uitdrukking op zijn gezicht – een zonderling mengsel van deernis en voldoening. 'Als het antisemitisme was, zouden ze niet proberen Farber en Roth er tegen jouw wil in te krijgen. Zij zijn joden en jij niet.'
Ik had daar nog niet over nagedacht, maar hij had gelijk, en ik was bijna blij dat het allemaal zo gegaan was, omdat hij nu tenminste duidelijk kon zien dat Borden en hij niet uit hun eigen zaak waren verdreven om het feit dat ze joden waren.

'En wat ben je nu van plan?' vroeg hij even later.
Ik streek met mijn hand over mijn voorhoofd. Ik begon langzamerhand moe te worden. De slapeloze nacht die ik had gehad deed zich gelden. 'Ik heb nog geen besluit genomen,' antwoordde ik. 'Ik weet nog niet of ik zal blijven totdat ik eenvoudig gedwongen zal worden om heen te gaan, of dat ik me nu maar terug zal trekken.'
'Je voelt er niets voor je terug te trekken, is het wel?'
Ik keek hem een ogenblik scherp aan en schudde toen het hoofd.
'Nee,' vervolgde hij peinzend. 'Ik had ook niet anders verwacht. We zijn te lang in dit bedrijf geweest om het zo maar te kunnen verlaten. Het is een deel van onszelf geworden, misschien zelfs wel een stukje van onze ziel. Jij voelt je nu net zoals ik me voelde toen ik er uit moest. Er is sindsdien altijd een leegte in mijn binnenste geweest.'
We zwegen weer, beiden verdiept in dezelfde sombere gedachten. Gelukkig kwam na korte tijd Doris de kamer binnen. Ze zag er fris en blozend uit en haar zijden japon ritselde toen ze glimlachend op ons toetrad. Ik rook de frisse geur van haar parfum toen ze naast me kwam staan en op het bed neerkeek. 'Uw bed is een puinhoop, papa!' riep ze.
Hij glimlachte tegen haar en ze vouwde de kranten op en maakte er een net stapeltje van, dat ze op het nachtkastje legde. Daarop trok ze de dekens recht en schudde zijn kussens op. 'Ziezo, nu is het toch beter, is het niet?'
Hij knikte, keek haar toen vragend aan en vroeg: 'Slaapt mama nog?'
'Ja,' antwoordde Doris, terwijl ze naast me ging zitten. 'Ze was zo moe. Ze heeft bijna niet geslapen sinds u ziek werd.'
Peter keek haar met een warme blik in de ogen aan. Er klonk een innige liefde in zijn stem toen hij tegen haar zei: 'Je moeder is een heel bijzondere vrouw. Jullie weten niet half hoe wijs en goed ze is. Ik zou haar niet kunnen missen.'
Doris gaf haar vader geen antwoord, maar ik zag aan haar gezicht dat ze zowel trots op hem als op haar moeder was.
Ze keek me aan. 'Heb je al geluncht?'
'Ja, voordat ik hier kwam,' antwoordde ik.
'Je hebt me misschien niet verstaan,' zei Peter weer, 'ik zei dat je moeder een heel bijzondere vrouw is.'
Ze schoot in de lach. 'Ik ga met u niet argumenteren! Ik ben van mening dat jullie allebei heel bijzondere mensen zijn.'
Peter wendde zich nu tot mij. 'Ik heb over die kwestie nagedacht, Johnny. Als het om het geld gaat zou Al Santos je misschien kunnen helpen.'
Ik verkeerde een ogenblik in verlegenheid. 'Maar Al heeft zich uit het zakenleven teruggetrokken,' wierp ik tegen. 'En bovendien, wat zou hij

voor me kunnen doen? Zij betrekken al hun geld van de Boston-banken.'
'Hun termijn moet nu langzamerhand verstreken zijn. Het is bijna twee jaar geleden dat ze hun lening sloten. Wat zal er gebeuren als ze geen verlenging kunnen krijgen? Hebben ze genoeg geld om hun schuld af te lossen?'
Ik keek hem bewonderend aan. Peter verraste je altijd weer. Altijd als ik meende dat hij met zijn gedachten ver weg was, kwam hij met een opmerking of een vraag die me deed beseffen dat hij nauwkeurig op de hoogte was van alle aspecten van het vraagstuk dat me bezig hield en dat hij het dikwijls al had opgelost voordat hij er ook nog maar een woord over had gezegd. Dit was ook nu weer het geval. 'Nee, Magnum heeft geen geld genoeg om het terug te betalen,' zei ik langzaam. 'Maar dat maakt niet veel uit. We hebben vorige maand al een verlenging aangevraagd en Konstantinov verzekerde ons dat we die zonder enige moeite zouden krijgen.'
Konstantinov was president van de Greater Boston Investment Corporation en Ronsen had van hem het geld geleend om Peter uit te kopen. Deze schuld was door de Magnum Picture Company overgenomen.
'Het kan toch geen kwaad eens met Al te gaan praten,' hield Peter vol. 'Vier miljoen is een macht geld en er kan van alles gebeuren als het om een dergelijk bedrag gaat. Ga toch naar hem toe en praat er over.'
'Weet je er soms meer van?' Ik had een gevoel dat hij een bepaalde reden had om zo aan te dringen.
Hij schudde het hoofd. 'Nee. Maar ik meen dat je niets ongedaan moet laten om de zaak te redden. Het kan geen kwaad om voorbereidingen te treffen.'
Ik keek op mijn horloge. Het was over vieren. Ik weet niet hoe het kwam, maar ik voelde me plotseling hoopvol gestemd. Al woonde nu op een ranch in de vallei, ongeveer driehonderdvijftig mijl van Los Angeles verwijderd. Ik zou zes uur nodig hebben om hem te bereiken en ik zou dus pas 's avonds laat bij hem kunnen zijn. Dat ging niet, want Al ging om acht uur naar bed. Ik hief het hoofd op en keek Peter aan. 'Misschien heb je gelijk,' erkende ik. 'Maar vandaag kan het niet meer.'
'Blijf hier dan slapen, dan breng ik je er morgen met de wagen heen!' bood Doris geestdriftig aan. 'Dan kun je heel vroeg in de morgen vertrekken.
Ik keek haar glimlachend aan. 'Dat is een goed idee,' zei Peter snel.
Voor de eerste maal sedert de vorige avond lachte ik hardop. 'Wel, het is blijkbaar al beslist!'
Peter keek me met schitterende oogjes aan. 'Natuurlijk is het beslist.' Hij wendde zich tot Doris. 'Liebe Kind,' zei hij opgewekt, 'doe je oude vader een plezier en breng hem het schaakbord uit de speelkamer.'

Hij was werkelijk een stuk beter. Ik was net bezig mijn tweede partij te verliezen toen de verpleegster terugkwam en Doris en mij uit de kamer joeg.
We togen welgemoed naar beneden om te dineren.

DERTIG JAREN 1936

Johnny nam het getypte vel van zijn schrijftafel en las het met een somber gezicht door. Hij vond het verschrikkelijk dergelijke brieven te schrijven, maar ook dit behoorde tot zijn werkzaamheden.
Weer een salarisvermindering. Ditmaal een van tien procent, voor het gehele personeel. Het was al de derde sedert 1932. Hij drukte driftig op de zoemer.
Jane kwam de kamer binnen en trad met een even somber gezicht op zijn schrijftafel toe.
'Geef de stencils aanstaande vrijdag uit,' beval hij kortaf, terwijl hij haar de brief overhandigde.
Ze nam hem zwijgend aan verliet het vertrek. Hij draaide zijn stoel om en keek met nietsziende ogen naar buiten. Het had volstrekt geen nut, dacht hij bitter. Salarisverminderingen konden een zaak niet redden. Als aanstaande vrijdag een kopie van deze brief op de schrijftafel van de employés werd gelegd, zouden de gezichten nog weer wat langer en nog weer wat zorgelijker worden. Ze zouden er slechts op gedempte toon met elkaar over praten, en sommigen zouden er in het geheel niet over spreken, maar ieder zou in stilte zitten berekenen hoe hij met dit nog grotere tekort in zijn levensonderhoud zou kunnen voorzien. Slechts weinigen zouden echter hardop durven klagen. Betrekkingen waren te schaars. En als ze hem in de corridors passeerden zouden hun ogen vol verwijt op hem rusten. Ze gaven Peter en hem de schuld. En misschien hadden ze wel gelijk.
Ze konden niet weten dat Peter en hij al bijna drie en een half jaar lang geen salaris hadden genomen. Ze konden ook niet weten dat Peter bijna drie miljoen in de kas van de maatschappij had teruggestort om de zaak draaiende te houden. En dat dit al het geld was dat Peter bezat.
Maar desondanks hadden ze misschien toch gelijk. Want Peter en hij hadden het ten slotte in de eerste plaats gedaan om hun eigen hachje te redden. Verscheidene andere filmmaatschappijen hadden zich al failliet laten verklaren, maar Peter had gezworen dat hij dat nooit zou doen.

Wie hadden er anders schuld dan Peter en hijzelf, vroeg hij zichzelf bitter af. De employés hadden de fouten niet gemaakt, die deze kritieke situatie ten gevolge hadden gehad. Peter en hij waren er verantwoordelijk voor. Hij dacht aan de vergissingen die ze de laatste tijd hadden gemaakt.
Hij kon Peter moeilijk verwijten dat hij niet eerder tot de produktie van geluidsfilms was overgegaan. Hijzelf had een verkeerde raad gegeven met betrekking tot de toepassingsmethode van het geluid. Hij wist nog heel goed hoe hij er op aangedrongen had grammofoonplaten te gebruiken, inplaats van beeld en geluid op één film. 'Kijk naar de fonograaf,' had hij gezegd. 'Het is de beproefde methode om geluid te reproduceren. Het kan niet missen.' Maar hij had zich lelijk vergist.
In de eerste plaats waren de grammofoonplaten lastig te vervoeren; vervolgens waren ze breekbaar; en tot overmaat van ramp waren ze uiterst moeilijk met het beeld te synchroniseren. Het kostte de maatschappij bijna een miljoen om de geluidsinstallatie, die ze hadden gekocht, door een andere te vervangen.
Sedertdien mocht hij zich niet meer met de produktie bemoeien. Peter had hem zijn eigenwijsheid in stilte erg kwalijk genomen, maar hij moest toegeven, dat Peter er ook wel reden toe had. Een miljoen dollar is geen kleinigheid. Hijzelf zou evenmin vriendelijk hebben gekeken. Ten slotte had Peter de leiding van de produktie en Peter was er voor opgedraaid.
Ze hadden nog veel meer fouten gemaakt. Maar wat had het voor nut er aan terug te denken? Ze bewezen alleen dat de mens nu eenmaal kan falen en Peter en hij evengoed als ieder ander.
Maar het ergste waren de films zelf. Als die goed waren geweest, zouden ze het nog een heel eind gered hebben. Maar de films waren slecht. Peter was de geluidstechniek nog steeds niet meester en daarmee waren de films onherroepelijk verloren.
Hij had maar één goede geluidsfilm gemaakt. En dat was lang geleden – in 1931, de oorlogsfilm. Dat was de enige goede geluidsfilm die hij ooit had gemaakt en dat kwam omdat hij er met hart en ziel aan had gewerkt. Zijn geweten liet hem namelijk nog altijd niet met rust over de oorlogsfilm, die hij jaren geleden had gemaakt en waarin hij een beeld had gegeven van de Duitse terreur in de bezette landen. In deze tweede oorlogsfilm zag hij een mooie gelegenheid om weer goed te maken wat hij naar zijn mening tegenover zijn vaderland had misdreven. Maar daarna raakte hij het spoor volkomen bijster.
Johnny hield het er voor dat Peter op een dwaalspoor was geraakt toen het idee bij hem post vatte dat er een soort godsdienstoorlog in de filmindustrie woedde en dat de joden van alle kanten werden belaagd. Hij wist natuurlijk niet zeker of dit de oorzaak was, maar het leek hem vrijwel

waarschijnlijk. Het maken van een film was een kunst die even hoge eisen stelde als welk ander scheppend werk ook en geen enkele kunstenaar kan het beste geven wat in hem is, als zijn innerlijke rust is verstoord.
Hij stak een sigaret op en liep naar het venster. Er waren ook nog andere oorzaken. Hij kon nog veel verder terug gaan – tot de tijd dat het bedrijf in de kinderschoenen stond en niemand durfde dromen dat het tot een dergelijke industrie zou uitgroeien. Het was in die dagen een betrekkelijk eenvoudig bedrijfje. Je maakte films en je verkocht ze. Maar nu was het iets heel anders.
Een filmproducent moest heden ten dage een financier, een econoom, een politicus en bovendien nog een kunstenaar zijn. Hij moest een balans kunnen opmaken en een draaiboek in elkaar zetten. Hij moest zowel beursberichten als scenario's kunnen lezen. En hij moest vandaag weten waar het publiek zich over een halfjaar voor zou interesseren; want zo lang duurde het voordat de film, waaraan hij begon, het publiek bereikte.
Johnny keerde zich om, nam het borstbeeldje van Peter van zijn schrijftafel en bekeek het aandachtig. Peters grote fout was dat hij altijd te veel hooi op zijn vork nam. Hij wilde altijd alles zelf doen en durfde nooit iets aan een ander over te laten. Zijn methoden waren nog dezelfde als toen hij jaren geleden begon.
Daar zat het hem voornamelijk in, dacht Johnny. Je moest buigzaam zijn om je te kunnen handhaven in de filmindustrie. Maar Peter was niet buigzaam. Hij was en bleef de baas; hij alleen wist hoe het moest.
Johnny zette het beeldje weer neer. Er was veel gebeurd dat hem sterkte in zijn overtuiging dat veel van de moeilijkheden waar ze mee te kampen hadden aan Peters beleid te wijten was. Daar had je bijvoorbeeld Peters houding in het geval Borden. Na Bordens zelfmoord had hij absoluut geweigerd verder nog zaken te doen met de Borden Company. Hij dreef geen handel met de antisemieten, had hij gezegd. Ze hadden zijn vriend vermoord.
Dat had hem ook veel kwaad gedaan. Ze raakten niet alleen de Bordentheaters kwijt als afnemers van hun films, maar ze misten nu ook de samenwerking met de Borden studio, die hun menige waardevolle tip had gegeven met betrekking tot acteurs en actrices en camerapersoneel.
De zaken waren nadien met de dag achteruitgegaan, maar als Peter al spijt had van zijn overijld besluit met betrekking tot de Borden Company, dan liet hij daarvan toch nooit iets blijken.
Maar het ergste van alles was wel datgene wat hij nu had gedaan. Hij had zijn zoon Mark met de leiding over de studio belast, terwijl hij zelf naar Europa was gegaan om daar het een en ander te regelen.
Mark was in 1932 uit Europa teruggekomen en er was besloten dat hij een

deel van Peters werkzaamheden over zou nemen om zo de zware last die op Peters schouders drukte wat te verlichten. Maar het enige waar hij volgens Johnny tot nu toe aan had meegewerkt, was de instandhouding van de nachtclubs in Hollywood. Mark was de lieveling van de journalisten. Er viel over hem altijd wel een kolommetje te schrijven; het enige wat ze te doen hadden was bij hem aan zijn tafeltje te gaan zitten en naar zijn uiteenzettingen te luisteren. Hij was altijd bereid hun te vertellen wat er allemaal verkeerd was in de filmindustrie in Hollywood. Dat leverde hun een overvloed van kopij. Johnny zou dat nog niet zo erg hebben gevonden, als Mark van tijd tot tijd ook nog eens iets had uitgevoerd, maar werken was iets dat Mark altijd met heel veel succes wist te vermijden. En toen vatte Peter het plan op een zakenreis te gaan maken – eerst door Amerika en vervolgens door Europa.

Tot dusver had iedereen altijd gedacht dat Peter, als hij zich nog eens genoopt zou zien de studio voor langere tijd te verlaten, Bob Gordon met de leiding zou belasten. Hij was daarvoor de aangewezen man. Hij kende het bedrijf door en door, want hij was geheel van onderaf begonnen en geleidelijk opgeklommen, en Johnny was er diep in zijn hart zelfs van overtuigd, dat de maatschappij er veel beter aan toe zou zijn als Peter de gehele produktie aan hem overliet, inplaats van alles zelf te doen.

Peters bericht kwam als een donderslag bij heldere hemel. Hij had Peter onmiddellijk opgebeld en hem gevraagd waarom hij Gordon niet in zijn plaats had gesteld. Peter had hem geërgerd medegedeeld dat hij Gordon niet vertrouwde. Bob was hem te vriendelijk tegen die antisemieten van de Borden Company. En Mark was zijn bloed-eigen zoon. Hij kon op hem vertrouwen als op geen ander. En bovendien was Mark een pientere jongen. Las je dat niet dagelijks in de krant? Hij wist zijn vinger precies op de zieke plekken in het filmbedrijf te leggen. Alles wat hij nodig had was een kans om te tonen wat hij waard was. En hij zou zorgen dat Mark die kans kreeg.

Johnny was moe. Zijn been deed hem pijn en hij begon de stomp werktuiglijk te masseren. Hoe zou dit alles aflopen? Hij wist het niet – maar hij maakte zich ernstig bezorgd. Er was veel veranderd sedert de tijd dat Peter zijn nickeldeon opende. Ze moesten mee veranderen, of anders . . . Er was hier een zonderlinge combinatie van ervaring en aanpassingsvermogen nodig. Maar hij zou niemand kunnen noemen, die deze twee eigenschappen in zich verenigde. Peter had ervaring, maar hij wist niet met zijn tijd mee te gaan. Mark was een zoon van deze tijd – zelfs wel een beetje al te veel – maar hij miste de ervaring. Dus bleef alleen hijzelf over.

Maar hij kon niets beginnen. Peter had de zaak geregeld en hij zag geen kans er een speld tussen te krijgen. En zelfs als hij daar wel kans toe zou

zien, betwijfelde hij of hij in staat zou zijn het karweitje op te knappen. Als je het goed wilde doen zou het verduiveld vuil werk zijn en je zou na afloop niet veel vrienden meer hebben. De hele maatschappij zou eenvoudig door de wringer gehaald moeten worden.
Hij haalde onverschillig de schouders op. Waarom maakte hij er zich eigenlijk zorgen over? Peter was er verantwoordelijk voor, niet hij. Peter had hem precies verteld wat zijn werkzaamheden waren en hoever zijn verantwoordelijkheid reikte en hem voldoende duidelijk gemaakt dat hij geen inmenging van zijn kant meer verwachtte. En Peter had hem al in vier jaar niet naar zijn mening gevraagd.
Hij slaakte een diepe zucht. Hij wist dat Peter desondanks buitengewoon op hem gesteld was en toch nog altijd een hoge dunk van hem had. Hoe kwam het dan toch dat er zo'n verwijdering tussen hen was ontstaan? Was Peter zich plotseling zijn macht bewust geworden en wilde hij nu zelfs zijn trouwste medewerker deze macht doen voelen? Of kwam het doordat hij besefte dat hij oud werd en bang was dat Johnny Mark van zijn erfdeel zou beroven?
Hij wist al deze vragen niet te beantwoorden, maar zijn hart was diep bedroefd. De jaren waarin ze samen hun gemeenschappelijk doel hadden nagestreefd stonden hem nog duidelijk voor de geest. Alles was toen zo heel anders. Hun enige zorg was de zaak. Ze waren toen niet bang om elkander te vertrouwen.
Hij schudde mistroostig het hoofd en nam de telefoon van de haak. 'Je moet die brief morgen maar doorgeven, Jane.' Hij legde de hoorn meteen weer neer.
Peter had gezegd dat hij die salarisvermindering meteen bekend moest maken en het duurde nog drie dagen voordat het vrijdag was. Peter zou dat uitstel niet goedkeuren.

Mark ledigde de champagnefles in hun glazen. De voorwerpen in het stemmig verlichte vertrek hadden voor hem al een zacht rode tint. Hij keek de vrouw tegenover hem bewonderend aan. Hemel, ze was nog mooier dan hij zich herinnerd had! Geen wonder dat Johnny haar niet vast had kunnen houden. Hij was niet mannelijk genoeg voor een dergelijke vrouw. De manier waarop ze hun kennismaking hadden hernieuwd was heel amusant geweest.
Hij zat met een paar vrienden aan zijn tafeltje in de Trocambo toen hij bij de bar een vriend zag staan, die hij wel even wilde spreken. Hij stond dus

op om naar hem toe te gaan, maar op hetzelfde ogenblik liep er een vrouw achter zijn stoel langs, die hij daardoor letterlijk in de armen liep. Hij greep haar arm om haar op de been te houden en putte zich uit in verontschuldigingen.
Ze keek hem met een geamuseerde glimlach aan. 'Het is helemaal niet erg,' stelde ze hem gerust.
Hij keek haar eveneens glimlachend aan. Haar blonde haar glansde geheimzinnig in het blauwe licht in de nachtclub. Ze wist niet hoezeer ze zich vergiste toen ze dat zei. De botsing had wel ernstige gevolgen, maar niet voor haar. 'Een zonderlinge manier om elkaar weer te ontmoeten, juffrouw Warren,' zei hij.
'Hollywood is maar een klein plaatsje, Mark,' merkte ze glimlachend op.
Hij was zichtbaar gevleid dat ze zich zijn naam herinnerde. De vriend bij de bar, die hij had willen spreken, was hij totaal vergeten. Hij nodigde haar aan zijn tafeltje om wat te drinken.
Dat gebeurde ongeveer zes weken geleden, vlak nadat zijn vader naar New York was vertrokken om de verkoopafdeling tot grotere activiteit aan te sporen.
Hij herinnerde zich met een glimlach hoe Johnny met zijn vader over zijn tijdelijke aanstelling als produktieleider had geargumenteerd. Johnny vond dat hij niet voldoende ervaring had en dat Gordon daarvoor moest worden aangewezen, maar de oude heer had zijn zin doorgezet. Hij vertrouwde Gordon niet, had hij onomwonden verklaard. Gordon was woest weggelopen toen hij het hoorde en Johnny zat met zijn mond vol tanden.
De vorige week was zijn vader naar Europa vertrokken, nadat hij in New York alles had gedaan wat hij maar kon. Door de resultaten die hij daar had behaald, meende hij ook in Europa de zaken nieuw leven in te kunnen blazen. De buitenlandse kantoren en filialen van Magnum behoorden tot de beste in de industrie.
Na de ontmoeting in de nachtclub had hij Dulcie verscheidene malen opgebeld en zij waren zelfs een keer samen uit geweest. En naarmate hij haar meer zag, geraakte hij meer en meer onder haar bekoring.
Jaren geleden, in Parijs, had hij geleerd dat er twee soorten vrouwen waren: vrouwen die het vlees bekoorden en vrouwen die de geest bekoorden. En hij had destijds al beseft dat de laatsten zijn soort niet waren. Hij gaf de voorkeur aan het tastbare en Dulcie voldeed uitstekend aan deze eis.
Dit was de eerste keer dat hij bij haar thuis was. Hij was aangenaam verrast geweest toen hij haar die middag had opgebeld en zij hem had verteld dat ze veel te moe was om die avond uit te gaan, maar dat het wel gezellig zou zijn als hij bij haar een borreltje kwam drinken.

Het borreltje was uitgedijd tot twee flessen champagne. Ze had hem verwelkomd in een zwart fluwelen visitejapon, met een breed, rood zijden lint bij wijze van ceintuur. Haar haar vormde een gouden omlijsting van haar even gebruinde, ovale gezichtje en haar witte tanden blonken hem tegen als ze glimlachte.
Hij dacht dat deze glimlach voor hem was, maar daarin vergiste hij zich. Ze amuseerde zich omdat de zoon van de man die haar zonder enig recht had ontslagen – de ontucht, zoals ze dat noemden, was immers niet in zijn studio gepleegd – nu hier bij haar op haar kamers was. En hij zou waarschijnlijk, precies zoals alle andere mannen, als was in haar handen zijn. Ze durfde niet over die contractbreuk te gaan procederen, omdat de hele zaak dan aan de grote klok zou komen, maar ze had zich stellig voorgenomen dat ze de een of andere dag de rekening zou vereffenen.
Ze sloeg Mark ongemerkt gade. Zijn ogen stonden al enigszins glazig – hij begon aardig dronken te worden. Misschien dat ze via hem wraak zou kunnen nemen. Hij had haar van allerlei over Magnum verteld. Het was hun de laatste jaren niet voor de wind gegaan en nu was Peter in Europa om geld gaan bedelen en Mark was belast met de leiding over de studio. Mark had getracht zijn vader er toe over te halen een paar ideeën van hem toe te passen, maar Peter had botweg geweigerd. Ze waren op het ogenblik onuitvoerbaar, had hij gezegd; ze zouden teveel geld kosten. Peter had hem opgedragen door te gaan met de films die op het programma stonden en Mark had hem met tegenzin gehoorzaamd.
Toen de alcohol vat op hem kreeg begon hij haar over die ideeën van hem te vertellen. Hij wist dat ze volslagen nieuw waren en tot veel betere resultaten zouden leiden dan die ze tot nu toe hadden behaald, maar hij zag geen kans ze in toepassing te brengen. Daarop vertelde hij haar over een van de films die hij zou willen maken.
Ze luisterde aandachtig naar hem. Het was zo erg dat ze niet eens in staat was in lachen uit te barsten. Het was niet alleen onpraktisch en veel te kostbaar, het was eenvoudig krankzinnig. Ze begreep meteen dat Mark evenmin benul had van het maken van een film als van een vlucht naar de maan. Misschien was dit haar kans.
Ze keek hem bewonderend aan. 'Maar Mark, wat een prachtidee! Wat dom van je vader dat hij dat niet ziet!' Toen haalde ze minachtend de schouders op. 'Maar wat kun je ook anders verwachten – subtiliteit is iets dat ze hier niet weten te waarderen en jouw idee bezit die in hoge mate. Het is maar al te waar dat een profeet in zijn eigen land niet wordt geeerd.'
Mark had langzamerhand moeite om zijn gedachten onder woorden te brengen. 'Dat is het juist.' Hij lispelde nu een beetje. 'Ze kunnen nieuwe

ideeën niet verdragen. Ze zijn altijd bang voor iets nieuws.' Hij staarde somber naar zijn glas.
Zij boog zich naar hem toe, waardoor er wat meer van haar buste te zien kwam. 'Misschien is er toch wel een manier te vinden om die film te maken,' zei ze op bemoedigende toon.
Zijn ogen rustten op de insnijding van haar boezem, die nu duidelijk zichtbaar was. 'Hoe dan? Er is maar net genoeg geld voor de films die hij wil maken.'
'Ik zou misschien toch wel een manier weten. Ik heb een geval gehoord over een studio, waar de produktieleider met een idee voor een film rondliep die ze hem niet wilden laten maken. Hij maakte die film ten slotte toch en vermeldde hem op het produktierapport onder de naam van de film die hij eigenlijk had moeten maken. Toen hij klaar was bleek het een enorm succes te zijn en iedereen vond hem een genie.'
'Denk je dat ik dat ook zou kunnen doen?' weifelde hij.
'Dat weet ik niet,' antwoordde ze voorzichtig. 'Het is alleen maar een voorstel. Jij bent ten slotte de baas, zolang je vader op reis is.'
Hij nam een nieuwe fles champagne, schonk zich met onvaste hand een glas vol en dronk het leeg. Daarop keek hij haar aan. 'Dat zou ik misschien ook kunnen doen.'
'Natuurlijk kun je dat, Mark,' zei ze zacht, terwijl ze haar lichaam verleidelijk tegen de leuning van de sofa liet rusten. 'Je bent schrander genoeg om een manier te vinden.'
Hij boog zich naar haar toe en kuste haar op de lippen. Zijn handen gleden tastend langs haar lichaam. Ze liet hem een ogenblik stil begaan, maar plotseling greep ze zijn beide handen en hield ze stevig vast.
'Hoe wil je die film maken zonder dat ze het weten, Mark?' vroeg ze, haar krullen met een ongeduldige beweging naar achteren schuddend.
Hij trok een sluw gezicht en schudde ernstig het hoofd. 'Ik zei niet dat ik het van plan was, ik zei alleen maar dat ik er over zou denken.'
Ze keek hem onderzoekend aan, terwijl hij zich nog eens inschonk. 'Ik dacht vast dat je het doen zou,' pruilde zij. 'Ik had je niet voor een lafaard gehouden.'
Hij stond lichtelijk zwaaiende op, maar zag toch nog kans zich in zijn volle lengte op te richten. 'Wie is er een lafaard?' bralde hij. 'Ik ben voor niemand bang!'
Ze keek glimlachend naar hem op. 'Je doet het dus?'
Hij begon weer een beetje heen en weer te zwaaien en er kwam een zweem van twijfel op zijn gezicht. 'Ik zou het graag willen,' lispelde hij met een dubbele tong, 'maar het rapport dat ik naar New York moet zenden zou het verraden.'

'Je kunt altijd zeggen dat het een verandering van titel is. Ze komen eenvoudig niets te weten voordat de film klaar is.'
Hij stond een ogenblik heel stil voor zich uit te kijken en begon toen luid te lachen.
'Dat is een goed idee, Dulcie!' riep hij verrukt.
Ze stond op en ging vlak voor hem staan. 'Natuurlijk is het een goed idee, Mark.' Ze drukte zich tegen hem aan en kuste hem.
Hij sloeg zijn armen om haar heen en verborg zijn gezicht in haar lange haar. Ze liet zich kussen totdat ze voelde dat zijn hartstocht elk ogenblik op kon laaien. Toen maakte ze zich met geweld uit zijn omhelzing los.
'Laat dat, Mark,' zei ze scherp.
Hij keek haar verbijsterd aan. 'Waarom, Dulcie?' vroeg hij angstig. 'Ik dacht dat je van me hield.'
Ze schonk hem een betoverende glimlach. 'Ik houd ook van je, lieveling,' zei ze zacht, terwijl ze weer op hem toetrad en hem vluchtig op de lippen kuste. 'Maar ik moet morgen weer werken en je weet zelf wel hoe scherp die camera's zien.'
Hij wilde zijn armen weer om haar heenslaan, maar ze greep hem bij de handen en duwde hem met zachte drang in de richting van de deur. Hij gehoorzaamde gedwee. Bij de deur keerde hij zich nog eens om en kuste haar weer. Zijn ogen waren troebel.
Ze deed de deur open en duwde hem zacht de kamer uit. Haar ogen waren vol belofte toen zij hem aankeek. 'Later, misschien.' Ze sloot de deur achter hem en leunde er glimlachend tegenaan. Ze verschikte afwezig de plooien van haar japon en liep toen langzaam de kamer door naar het rooktafeltje. In gedachten verzonken stak ze een sigaret op en keek toen met een flauwe glimlach naar de gesloten deur. Ze zag onbegrensde mogelijkheden . . .

Peter nam de man tegenover hem opmerkzaam op en deed onderwijl een poging zich wat gemakkelijker in zijn stoel te installeren. Die Engelsen wisten absoluut niet hoe belangrijk een gemakkelijke stoel was. Als je makkelijk zat kon je beter werken en beter denken. Hij wierp een blik om zich heen. Het zag er allemaal even saai en somber uit – typisch het kantoor van een Britse verkoopleider.
Hij keek weer naar de man die tegenover hem zat. Dit was Philippe X. Danvere. Een maand geleden had hij nog nooit van hem gehoord, maar bij zijn aankomst in Londen hadden de kranten vol van hem gestaan.

Philippe X. Danvere, een van de rijkste zakenlieden van Europa, had zich in de filmindustrie begeven. Hoe hij op dat idee gekomen was, scheen niemand te weten. Hij was een Zwitser van geboorte en zijn vader had hem voor het uitbreken van de wereldoorlog naar Engeland gezonden om zijn opvoeding te voltooien. Toen de oorlog uitbrak studeerde hij in Oxford en hij had dienst genomen in het Engelse leger. Zijn vader, de directeur van de wereldberoemde Danvere Textiel Maatschappij, een man met typisch Zwitserse neutraliteitsbegrippen, had zich hier met hand en tand tegen verzet, maar zonder resultaat. Tegen het einde van de oorlog stierf zijn vader en Philippe, die het tot kapitein had gebracht, keerde naar Zwitserland terug en nam de leiding van zijn vaders bedrijf op zich. Tot voor een maand terug was hij rustig in Zwitserland gebleven.
Het bericht dat hij belangrijke aandelen in verscheidene theaterbedrijven op het continent had gekocht en dat hij kort daarop het gehele Martin Theater Circuit, het grootste theaterbedrijf van Engeland, had overgenomen, had groot opzien gebaard in de filmwereld. Er werd druk gegist naar zijn motieven, maar Danvere liet niets los. Hij was een lange, slanke man, met grote, donkere ogen, een flinke neus en een wilskrachtige kin. Zijn spraak en zijn gehele houding waren meer Engels dan van menige geboren Brit.
Peter had onmiddellijk Charley Rosenberg, zijn Londense zaakwaarnemer, er op afgestuurd om te trachten de heer Danvere voor de Magnum films te interesseren. Het was voor Magnum van het grootste belang de Martin Circuit tot klant te krijgen, want dit betekende vierhonderd vaste afnemers van hun produkt in Engeland, terwijl Engeland de helft van de buitenlandse markt voor de Amerikaanse filmindustrie vertegenwoordigde.
De heer Danvere was uiterst voorkomend geweest tegen Rosenberg. Hij was echter ook uiterst voorzichtig geweest. Hij had de heer Rosenberg verklaard dat hij nog maar een beginner was op het gebied van de film en dat hij er niet toe kon overgaan in enige relatie te treden voor en aleer hij een Amerikaanse maatschappij haar oordeel over hun produkt had gevraagd.
Rosenberg had hem daarop uiteengezet dat Magnum al sedert 1910 bestond en dus een van de oudste zaken was.
Daarop had Danvere hem verteld dat hij hiervan al op de hoogte was, want dat zijn medewerkers een studie van de meest vooraanstaande maatschappijen hadden gemaakt. Hij vertelde hem ook dat hij eventueel graag onder bepaalde, bij hem gebruikelijke condities, handelsbetrekkingen zou aanknopen.
Toen Rosenberg hem vroeg wat hij daarmee bedoelde, vertelde Danvere hem dat hij in de textielindustrie, let wel, niet in de filmindustrie, had er-

varen dat de beste zaken te doen waren als de afnemer en de fabrikant elkaar persoonlijk kenden.
Rosenberg had zich daarop gehaast hem mede te delen, dat de heer Kessler, de president van Magnum Pictures, momenteel toevallig in Londen was en dat hij graag van deze gelegenheid, om de heer Danvere te leren kennen, gebruik zou maken. Daarop hadden ze afgesproken dat Peter en de heer Danvere elkaar de volgende week in het kantoor van Magnum zouden ontmoeten.
Deze ontmoeting was echter uitgesteld omdat Danvere plotseling ziek was geworden en Peter was in Londen gebleven totdat Danvere weer hersteld was. Maar nu zaten ze dan toch eindelijk tegenover elkaar, onder de goede zorgen van Rosenberg.
Danvere was nu aan het woord. 'Ik moet bekennen, dat ik sinds de wereldoorlog een meer dan gewone belangstelling voor uw zaak koester, mijnheer Kessler. Ik was destijds officier in Zijner Majesteits gewapende macht en ik herinner mij met grote dankbaarheid de films die u ons ten geschenke hebt gegeven.'
Peter lachte verheugd. Hij had met grote toewijding aan die films gewerkt, want hij had begrepen dat hij door de soldaten aan de fronten op deze wijze een kosteloos amusement te bieden, in alle lagen van het volk een levendige belangstelling voor de film zou wekken. 'Ik was heel dankbaar dat ik in staat was zoiets voor de mannen aan de fronten te doen, mijnheer Danvere.'
Danvere toonde zijn vrij grote tanden in een vriendschappelijke glimlach. 'Dat is ook de reden waarom ik mijnheer Rosenberg heb gezegd dat een persoonlijke ontmoeting voor ons van het grootste belang kon zijn. Ik zou graag openhartig en vriendschappelijk met u praten, als me dat is toegestaan.'
Peter keek Charley Rosenberg even aan en deze excuseerde zich terstond en verliet het vertrek. Daarop wendde hij zich met een belangstellend gezicht tot Danvere.
Deze ging er gemakkelijk bij zitten en stak van wal. 'Ik hoop dat u het me niet kwalijk neemt als ik me mocht vergissen, mijnheer Kessler, maar als ik het goed begrijp bent u de enige directeur van Magnum Pictures.'
'Dat is grotendeels juist, mijnheer Danvere,' verklaarde Peter. 'Ik bezit namelijk negentig procent van de aandelen; de overige tien procent heeft een zekere mijnheer Edge, die mij geholpen heeft de maatschappij op te richten en momenteel vice-president is.'
Danvere knikte. 'Juist, ik begrijp het.' Hij dacht even na en vervolgde toen: 'De heer Rosenberg heeft u zeker mijn standpunt met betrekking tot de vertoning van uw films in de Martin Theaters wel uiteengezet?'

'Het is me nog niet geheel duidelijk,' antwoordde Peter voorzichtig. 'Ik zou het op prijs stellen als u me nog eens persoonlijk het een en ander wilde verklaren.'
Danvere boog zich voorover in zijn stoel. Zijn gehele houding getuigde van rustig zelfvertrouwen. 'Kijkt u eens, mijnheer Kessler,' begon hij bedaard, 'ik ben maar een eenvoudig textielhandelaar en als zodanig heb ik me zekere stelregels eigen gemaakt, die ik altijd zoveel mogelijk tracht te volgen, daar ze me tot nu toe uitstekend hebben gediend. Een van deze stelregels heeft betrekking op de verkoop. Ik weet bij ervaring dat een artikel de meeste aftrek vindt als de afnemer persoonlijk geïnteresseerd is in de fabricatie van het produkt. Ik geloof dat dit evengoed bij de filmindustrie het geval is. Om een voorbeeld te noemen: de Martin Theaters zouden veel meer belang hebben bij een zo groot mogelijke afname van de Magnum films als ze zelf een aandeel hadden in het bedrijf. Het voordeel van hun handelsbetrekkingen met Magnum zou dan immers tweeledig zijn.'
Peter keek hem vast in de ogen. In eenvoudige bewoordingen bedoelde Danvere dit: 'Je neemt me in je bedrijf op en ik zal zorgen dat het je goed gaat.' In Amerika noemden ze dat protectie. 'Mag ik dit zo opvatten, dat u geïnteresseerd bent bij een aandeel in de Magnum Company?' vroeg hij vriendelijk.
Er speelde een flauwe glimlach om de lippen van Danvere, toen hij langzaam antwoordde: 'Zo zou je het kunnen noemen, mijnheer Kessler.'
Peter wreef nadenkend over zijn wang. 'En hoe groot zou dat aandeel dan moeten zijn, mijnheer Danvere?'
Danvere schraapte met een voornaam geluid zijn keel. 'Ik had gedacht een vijfentwintig procent.' Hij keek Peter onderzoekend aan.
'En hoeveel zouden die vijfentwintig procent u waard zijn?'
Danvere dacht even na. 'Vijfhonderdduizend pond.'
Peter rekende het in gedachten om in dollars. Dat was ongeveer twee en een half miljoen dollar. Daarmee zouden een massa problemen zijn opgelost. Hij was nieuwsgierig hoe Danvere aan dat getal gekomen was. 'Hoe komt u er toe juist dit bedrag te noemen, mijnheer Danvere?'
Danvere keek hem met een effen gezicht aan. 'Ik ben niet gewoon me blindelings in enige zaak te begeven, mijnheer Kessler. Voordat ik de Martin Theaters kocht hadden mijn medewerkers zich volledig op de hoogte gesteld van wat deze zaak inhield en toen ik besloot tot de koop over te gaan was het me volkomen duidelijk dat een compagnonschap met een Amerikaanse filmmaatschappij voor beide partijen zeer voordelig zou zijn. Uw maatschappij trok me daarbij het meest aan door uw hoge mate van onafhankelijkheid. U moet namelijk weten dat ook het bedrijf dat mijn

voorvaderen in het leven hebben geroepen gebaseerd was op het principe van een voortdurende strijd tegen het grootkapitaal. Het was daarom heel begrijpelijk dat ik u onwillekeurig met hen vergeleek.'
Peter was diep onder de indruk. Hij voelde zich erg gevleid dat deze man zijn strijd tegen de macht van het geld had opgemerkt en er waardering voor had. Zijn gezicht ontspande zich in een brede glimlach. 'Het is heel vriendelijk van u dit te zeggen, mijnheer Danvere,' merkte hij bescheiden op.
Danvere hief afwerend de hand op. 'Geen vriendelijkheid, mijnheer Kessler. Ik zeg het in volle ernst. Ik heb bewondering voor u, ongeacht uw besluit inzake mijn voorstel.'
Peter knikte tevreden. 'Ik zal ernstig over uw vriendelijk aanbod nadenken, mijnheer Danvere, maar er is één belangrijk ding dat ik u eerst moet vertellen.'
'En dat is, mijnheer Kessler?'
'Het is mogelijk dat u het niet weet en ik wilde u graag volledig op de hoogte stellen. U moet namelijk weten dat de laatste jaren zeer moeilijk voor Magnum zijn geweest en dat onze verliezen sedert 1929 meer dan tien miljoen dollar bedragen.'
Danvere knikte peinzend. 'Ik wist het, mijnheer Kessler, maar ik waardeer het ten zeerste dat u het onder mijn aandacht brengt. Ik geloof bovendien dat enkele van deze verliezen volstrekt onvermijdelijk zijn geweest en een gevolg waren van uw vrij moeilijke positie ten opzichte van de andere filmmaatschappijen – of, om duidelijk te zijn, ten opzichte van het grootkapitaal. Ik meen echter een plan te hebben dat Magnum zijn strijd om financiën aanzienlijk zou helpen verlichten.'
Peter trok vragend zijn ene wenkbrauw op. Hij had reeds een heel hoge dunk van deze man. Het gehele gesprek had hem er van overtuigd dat Danvere een degelijk, conservatief zakenman was. 'En wat is dat plan?' vroeg hij in gespannen verwachting.
Danvere sloeg zijn benen over elkaar. 'Het is in wezen heel eenvoudig. Ik ben bereid vijfentwintig procent van uw aandelen over te nemen. We heffen dan de huidige maatschappij op en vormen een nieuwe, waarvan wij de drie enige aandeelhouders zijn en wel op pari passu basis; dat wil zeggen: vijfenzestig procent van de winst komt u toe, vijfentwintig mij en tien procent de heer Edge. Om een algemeen vertrouwen in uw nieuwe maatschappij te wekken zou ik u verder willen voorstellen twintig procent van uw aandelen op de markt te brengen. Dan houdt u vijfenveertig procent over, waardoor u in elk geval zelf de leiding over uw maatschappij in handen houdt.' Hij wachtte even om te zien wat voor uitwerking zijn woorden hadden. Peter keek hem belangstellend, maar zonder zweem van op-

winding aan. Danvere vervolgde: 'De publieke verkoop van die aandelen zou u bijna vierhonderdduizend pond opleveren. Tezamen met wat u van mij krijgt zou dat in totaal negenhonderdduizend pond zijn, of ongeveer vier en een half miljoen dollar. Vervolgens zou de Martin Theaters Ltd. vierhonderdduizend pond kunnen voorschieten op te leveren films en u zou Magnum hetzelfde bedrag kunnen lenen. Dit zou Magnum ongeveer vier miljoen dollar bedrijfskapitaal verschaffen, wat voldoende is om de produktie te waarborgen. Het is bovendien niet uitgesloten dat het krediet van Magnum na de bekendmaking van zijn associatie met de Martin Theaters aanzienlijk zal toenemen zodat de zaak, indien nodig, op gemakkelijker voorwaarden zal kunnen werken.'

Peter zat heel stil. Als hetzelfde voorstel hem door een financier uit Wall Street was gedaan, zou hij het zonder meer van de hand gewezen hebben, maar deze man had niets met Wall Street te maken. Hij was maar een eenvoudig textielfabrikant, zoals hij het zelf noemde. Zijn voorvaderen hadden een even harde strijd tegen het kapitaal moeten voeren als hijzelf. Bovendien was hij hier in Londen, een heel eind van Wall Street vandaan, en het voorstel dat hem zojuist was gedaan was wel heel aanlokkelijk. Als hij het aannam betekende dat een aanzienlijke verbetering, zowel voor hem persoonlijk als voor de maatschappij.

Hij stond langzaam op, liep om de tafel heen en ging vlak voor Danvere staan. 'Natuurlijk zal ik de zaak eerst met mijn compagnon, de heer Edge, moeten bespreken, maar ik moet u wel bekennen, dat ik zeer onder de indruk van uw voorstel ben, mijnheer Danvere,' zei hij ernstig.

Danvere stond eveneens op en drukte Peter krachtig de hand. 'Het is me een waar genoegen geweest met u te spreken, mijnheer Kessler,' zei hij hartelijk.

'Het genoegen was geheel aan mijn kant, mijnheer Danvere.'

Danvere keek hem glimlachend aan. 'En dan had ik nog dit, mijnheer Kessler. Ik heb een aardig, klein landgoed in Schotland en als u het komende weekend niets beters te doen hebt, zou ik u willen uitnodigen daar een beetje met mij te komen jagen.'

Peter keek hem verrast aan. 'Ik neem uw uitnodiging graag aan,' glimlachte hij.

'Prachtig! Ik zal mijn chauffeur opdracht geven u vrijdagmiddag af te halen. Belt u mij maar naar mijn kantoor hoe laat het u het best gelegen komt.'

'Ik dank u zeer, mijnheer Danvere.'

'Maak er maar Philippe van,' lachte Danvere, Peter opnieuw de handen toestekend. 'We kunnen verdere plichtplegingen wel achterwege laten. We begrijpen elkaar volkomen.'

'Je hebt gelijk, Philippe,' lachte Peter, terwijl hij de hem toegestoken hand hartelijk drukte.
'Tot ziens dan, Peter,' zei Philippe X. Danvere, toen ze bij de deur stonden.
Peter liep langzaam terug naar de schrijftafel en ging weer zitten. Rosenberg kwam hevig opgewonden de kamer weer binnen en keek Peter nieuwsgierig aan. 'En, ben je tot zaken gekomen?'
Peter keek min of meer verbijsterd naar hem op. Hij scheen Rosenbergs vraag niet eens te horen. 'Wat moet ik nu met die schietpartij van dit weekend?' peinsde hij hardop. 'Ik weet de voorkant van een geweer niet van de achterkant te onderscheiden!'

Johnny keek met een verbaasd gezicht naar de studiorapporten, die voor hem op de schrijftafel lagen. Wat had die nieuwe film 'United We Stand' daar te beduiden? Hij krabde zich peinzend achter het oor. Hij kon zich niet herinneren, dat Peter die naam had genoemd voordat hij naar Londen vertrok. Hij had hem beslist nooit eerder gehoord.
Hij drukte op de zoemer op zijn schrijftafel en Jane kwam zijn kamer binnen. 'Ja, Johnny?'
'Heb jij Peter wel eens gehoord over een film 'United We Stand'?'
Bedoel je die film op het rapport van vorige week?'
'Ja.'
'Nee,' antwoordde ze, 'ik herinner me er niets van. Ik wilde juist aan jou vragen wat het te betekenen had.'
Hij verkeerde zichtbaar in verlegenheid. 'De duivel mag me halen als ik er iets van begrijp,' mompelde hij. Hij keek weer naar het papier op de schrijftafel. 'Volgens het rapport zit er al honderdduizend dollar in en er is pas zes dagen aan gewerkt. De begroting wordt niet vermeld.' Hij hief het hoofd naar haar op. 'Verbind me met Mark, Jane.'
Ze knikte en verliet het kantoor. Een paar minuten later ging zijn telefoon.
'Ja, Jane?'
'Peter belt op uit Londen. Moet ik Mark nog aanvragen?'
Hij dacht een ogenblik na. 'Nee. Ik zal Peter er naar vragen.' Hij legde de telefoon weer op de haak en bleef er in gedachten verzonken naar zitten staren. Wat zou Peter hebben? Het moest wel heel belangrijk zijn, anders zou Peter er in deze benarde tijd beslist niet het geld voor over hebben hem op te bellen. De telefoon ging weer.
'Hier is Peter, Johnny.'

'Okay – verbind hem maar door.'
'Hallo, Johnny,' klonk het onmiddellijk daarop van heel ver weg.
'Hoe gaat het, Peter? Wat is er aan de hand?'
Ondanks de grote afstand hoorde hij dat Peter hevig opgewonden was. 'Ik geloof dat we door de moeilijkheden heen zijn!'
'Hoe bedoel je dat?' Peters opwinding werkte aanstekelijk. Hij voelde zijn hart sneller kloppen.
'Herinner je je die Danvere, waar de kranten zo vol over stonden?'
'Bedoel je de Zwitserse textielkoning?'
'Ja, die,' zei Peter snel. 'Ik heb juist een onderhoud met hem gehad en hij deed me een heel interessant voorstel.'
'En wat was dat voorstel?' vroeg Johnny voorzichtig.
'Ik heb Charles Rosenberg naar hem toegestuurd om de Martin Theaters te krijgen en hij kwam terug met het bericht dat Danvere graag een persoonlijk onderhoud met me wilde hebben. Hij zal onze films afnemen op voorwaarde dat hij een aandeel van vijfentwintig procent in Magnum krijgt.'
'Wacht even,' viel Johnny hem in de rede. 'Ik dacht dat je onder geen enkele omstandigheid een derde in de maatschappij wilde opnemen.'
'Dat dacht ik ook. Maar dit lijkt me een zeer voordelig voorstel. Hij bood me twee en een half miljoen voor het percentage aan en hij zal ons twee miljoen voorschieten op onze films.'
'Ik snap er niets van,' merkte Johnny op. 'Wat is die kerel van plan?'
'Helemaal niets!' schreeuwde Peter terug. 'Hij gaat enkel van het principe uit dat een afnemer extra zijn best doet voor het bedrijf waar hij zelf geld in heeft zitten. En ik kan daar wel wat voor voelen.' Hij schraapte zijn keel. 'Wat denk jij er van?'
Johnny dacht een ogenblik ernstig na. 'Ik weet eerlijk nog niet wat ik er van denken moet – ik heb de man zelf niet gesproken, maar dat geld lijkt me prachtig.'
'En dat is nog niet alles,' kwam Peter weer hevig enthousiast. 'Hij heeft een idee dat ons nog twee miljoen kan verschaffen en bovendien ons krediet zal vergroten. Ik zeg je, Johnny, dat het een handige snuiter is. Hij weet precies wat hij zegt.'
'Wel, je hebt hem zelf gesproken, Peter. Jij kunt het het beste beoordelen.'
'Heb je er geen bezwaar tegen dat ik hem vijfentwintig procent geef?'
Johnny aarzelde even. Hij vond het maar matig, maar hij wist niet wat hij er tegenin moest brengen. Ten slotte was Peter de baas en hij had het volste recht een aandeel over te doen, als hem dat verstandig leek. Peter zou langzamerhand wel geen cent meer van zichzelf bezitten en dit was

misschien een mooie gelegenheid voor hem om weer wat bij elkaar te krijgen.
'Ik heb er geen bezwaar tegen,' antwoordde hij langzaam. 'Maar Peter – wees voorzichtig.'
'Natuurlijk,' antwoordde Peter, nog even opgewonden. 'Komt in orde.'
Johnny dacht ineens weer aan die film op het rapport. 'Weet jij iets van een film 'United We Stand'?'
'Nee, nooit van gehoord. Waarom?'
'Hij staat op het studiorapport van verleden week,' antwoordde Johnny.
Peter begon te lachen. 'Waar maak je je dan bezorgd over? Mark zal een van de films een andere titel gegeven hebben.'
'Maar . . .' wilde Johnny protesteren.
Peter viel hem scherp in de rede. 'Ik heb Mark alle instructies gegeven die ik nodig achtte. Hij heeft een titel veranderd, dat is alles. We moeten hem ten slotte toch ook een beetje vrijheid laten, is het niet?'
Johnny voelde dat hij boos werd en het kostte hem moeite het niet uit zijn woorden te doen blijken. Sedert dat fiasco met die grammofoonplaten kon hij geen woord over de studio zeggen of Peter snoerde hem onmiddellijk de mond. 'We hebben geen enkele film op het programma waarop die titel van toepassing zou kunnen zijn,' merkte hij effen op.
'Wat weet jij daarvan?' snauwde Peter bijna. 'Mark heeft de leiding over de studio – niet jij. Hij zal heus wel weten wat hij doet.' Hij kon het nog steeds niet zetten dat Johnny er bezwaar tegen had gehad dat hij Mark als zijn plaatsvervanger achterliet. Johnny kende de toon waarop Peter deze laatste woorden sprak maar al te goed. Hij wist dat hij verder zijn mond wel kon houden en hij besloot er voorlopig ook maar niet meer over te beginnen, temeer daar hij Peter niet van streek wilde maken nu hij midden in zijn onderhandelingen met Danvere zat. Johnny had zo'n vermoeden dat die Danvere een slimme baas was en dat Peter er zijn volle aandacht wel bij mocht hebben.
'Goed dan,' bromde hij. 'Wanneer kom je terug?'
'Dat weet ik nog niet,' antwoordde Peter. 'Als ik met Danvere tot een overeenkomst kan komen, wilde ik onze kantoren op het continent eens afreizen. Ik ben daar in meer dan twee jaar niet geweest. Daar zullen wel twee maanden mee heengaan.'
'Dat is een goed idee. Misschien kun je ze nog een beetje meer leven inblazen.'
'Ik zal het proberen.'
'Heb je soms nog een boodschap voor Esther?'
'Nee, dank je,' antwoordde Peter. 'Ik heb haar net aangevraagd en ik zal zelf met haar spreken zodra we klaar zijn.'

'Okay, dan zal ik je niet ophouden. Tot ziens dan.'
'Dag Johnny,' antwoordde Peter.
Johnny legde de hoorn weer op de haak en bleef er nog even in gedachten verzonken naar zitten staren. Hij hoopte maar dat Peter wist wat hij deed. Hij keek op zijn horloge. Het was elf uur. Dat was vijf uur 's middags in Londen en acht uur 's morgens in Californië. Ze kregen Peters telefoontje tijdens het ontbijt.

Doris zat aan tafel de krant te lezen en haar sinaasappelsap te drinken toen Mark de kamer binnenkwam. Ze keek op van haar krant.
Er lagen donkere kringen onder zijn ogen en zijn oogleden waren gezwollen. 'Morgen, zus,' zei hij, nog schor van de slaap.
'Goede morgen, Mark,' antwoordde ze, hem opmerkzaam aankijkend. 'Hoe laat ben je gisteren naar bed gegaan?'
Hij wierp een blik op haar gelaat. 'Hoezo?'
Ze haalde de schouders op. 'Pure belangstelling. Ik was over drieën nog op en ik heb je niet thuis horen komen.'
Haar woorden irriteerden hem. 'Ik ben geen klein kind meer. Je behoeft heus niet voor me op te blijven,' bromde hij.
'Ik ben niet voor jou opgebleven. Ik heb gewerkt,' antwoordde ze, terwijl ze haar krant neerlegde en hem opnieuw opmerkzaam aankeek. 'Wat heb je toch, Mark? Je bent de laatste tijd zo mopperig.'
Hij slaagde er in te glimlachen. 'Ik denk dat ik te hard heb gewerkt,' antwoordde hij op verzoenende toon.
Ze nam haar krant weer op. 'Je zou kunnen proberen wat vroeger naar bed te gaan,' opperde ze. 'Dat zou helemaal geen kwaad kunnen.'
Hij gaf geen antwoord, maar nam een grote teug van zijn sinaasappelsap. Even later hoorde hij haar zacht lachen. 'Wat is er zo grappig?'
'Dit stukje van Marian Andrews.' Ze las het hem voor. 'Een vooraanstaande zoon van een vooraanstaande vader in deze stad zal ruw uit zijn dromen worden opgeschrikt als papa binnenkort van zijn zakenreis terugkomt. Genoemde zoon schijnt zijn hart te hebben verloren aan een actrice, die door zijn vader is ontslagen wegens onzedelijk gedrag.' Ze begon weer te lachen. 'Wie zouden ze daar mee bedoelen?'
Hij keek verlegen neer op de tafel. Hij voelde een verraderlijke blos naar zijn wangen stijgen en hij hoopte maar dat ze het niet op zou merken. Waar had dat vervloekte wijf dat nu weer vandaan? Ze hadden zich na die eerste keer niet meer in het publiek vertoond. Hij was blij toen de telefoon ging.
'Blijf maar zitten,' zei Doris, 'ik zal hem wel aannemen.' Ze stond op en nam de hoorn van de haak. 'Met Doris Kessler.'

Hij zag dat haar ogen begonnen te schitteren van opwinding. Ze legde haar hand over de microfoon. 'Haal mama, vlug! Papa belt uit Londen op!'
Hij staarde haar verbijsterd aan. Had de oude heer al over die film gehoord? Nee, dat was onmogelijk – hij kreeg de rapporten niet eens te zien. Hij snelde naar de keuken.
Zoals gewoonlijk stond Esther bij het fornuis de eieren te bakken, terwijl de keukenmeid er bij stond te kijken. 'Mama! Kom gauw! Papa is aan de telefoon!'
Esther liet de eieren voor wat ze waren, veegde haastig haar handen aan haar schort af en vloog achter hem aan naar de eetkamer. Doris zag haar aankomen. 'In orde,' zei ze tegen de telefonist. 'Verbind hem maar door.' Ze gaf haar moeder de hoorn en bleef er met een kleur van opwinding bij staan.
'Hallo papa!' riep Esther. Haar hand beefde zo dat ze de hoorn nauwelijks kon vasthouden. 'Is alles goed?'
Ze hoorde het gekraak van haar vaders stem.
Esther zweeg een ogenblik en begon toen weer te spreken. 'Ik maak het uitstekend, pap, en Doris en Mark ook!' Ze keerde zich om en keek hen vol trots aan. 'Ja, papa. Mark werkt erg hard. Hij komt elke dag pas heel laat uit de studio terug. Vannacht was hij pas om vier uur thuis . . .'

Ze zag hem op het moment dat hij uit de trein stapte. Ze ging op haar tenen staan en wuifde enthousiast. 'Hierheen, Johnny!'
Hij wendde het hoofd om en lachte blij toen hij haar in het oog kreeg. Ze snelde hem tegemoet. 'O, Johnny, ik ben toch zo blij dat je gekomen bent!'
Hij keek glimlachend op haar neer en ze zag de grappige rimpeltjes bij zijn ooghoeken, die daar altijd zaten als hij in zijn schik was. 'Ik ben ook blij, lieveling. Maar vanwaar al die geheimzinnigheid?'
Er gleed plotseling een schaduw over haar gezicht. 'Het gaat over Mark.' Ze keek naar hem op en hij las angst in haar ogen. 'Er is iets aan de hand, Johnny, maar ik weet niet wat het is.'
Ook zijn gezicht stond ernstig toen hij haar bij de arm nam en met haar naar haar auto liep. Hij wachtte totdat ze zaten voordat hij weer sprak. 'Waar baseer je dat op?'
Ze bracht de wagen op gang en stuurde hem naar het midden van de weg. 'Er is iets niet in orde in de studio, Johnny. Die film waar hij aan werkt is niet wat hij lijkt.'

'Ik begrijp je niet, Doris.'
'Mama kreeg vorige week een brief van papa. Ze kon haar bril niet vinden en daarom las ik hem maar voor. Papa schreef dat hij wel dacht dat alles veel gemakkelijker zou worden als Mark de zes films, waar hij aan bezig was, maar eenmaal klaar had.' Ze hield de wagen in voor een verkeerslicht en keek hem van terzijde aan.
'Dat komt uit,' knikte hij. 'We verwachten allemaal dat die zes films ons weer een eind op dreef zullen helpen.'
'Maar er is iets niet in de haak,' zei ze snel. 'Ik moest de volgende dag in de studio zijn om iets voor mama uit papa's bureau te halen en toen vertelde zijn secretaresse, juffrouw Hartman, me, dat iedereen het zo druk had met de nieuwe film 'United We Stand', dat bijna al het andere werk stil lag.'
'Heb je haar gevraagd wat ze daarmee bedoelde?'
'Ja –. En ze vertelde me dat dit de duurste film is die Magnum ooit heeft gemaakt. Ze zei dat hij zoiets als twee miljoen dollar kost.'
'Twee miljoen dollar!' schreeuwde Johnny bijna. 'Ze is gek – die zes films kosten met elkaar nog niet eens zoveel.'
'Dat idee had ik ook. Ik had gehoord dat papa ongeveer twee miljoen van Danvere had gehad, maar ik kon niet geloven dat hij dat allemaal in één film zou steken.'
'Heb je er Mark naar gevraagd?' Johnny voelde zich plotseling koud worden van angst.
'Ja – ik begon er 's avonds onder het eten over en hij werd woedend en zei dat ik me maar liever met mijn eigen zaken moest bemoeien. Hij zei dat papa hem met de leiding van de studio had belast en niet mij en dat het zo langzamerhand tijd werd dat papa en jou eens duidelijk werd gemaakt hoe het nu eigenlijk moest.' Ze gluurde hem van opzij aan. Hij zat roerloos naast haar. 'Toen vroeg ik hem of het werkelijk waar was dat die film meer dan twee miljoen dollar zou kosten.'
'En wat zei hij daar op?'
'Eerst gaf hij geen antwoord, maar keek me heel boos aan. En toen vroeg hij op een heel geniepige toon: 'En als dat zo is, wat wou jij dan doen? Het gauw aan Johnny vertellen?' Ik zei hem dat ik helemaal niet van plan was te spioneren, maar dat papa's brief me een beetje nieuwsgierig had gemaakt. 'Papa was zeker een beetje verstrooid,' lachte hij. Toen keek hij me met zijn innemendste glimlach aan – je weet hoe charmant hij kan zijn als hij wil, en zei: 'Breek er je hoofdje maar niet over, zus. Je broer weet heel goed wat hij wil en bovendien heeft papa het goedgekeurd.' Ik zette het toen van me af, maar later op de avond begon ik er weer over te denken en het leek me goed jou op te bellen en je te vragen eens poolshoogte

te komen nemen. Ik durfde er natuurlijk niet telefonisch over te spreken, maar ik dacht wel dat je toch in elk geval komen zou. Mark kan jou geen rad voor ogen draaien.' Ze keek hem vragend aan en schrok van de grimmige uitdrukking van zijn gezicht.
Hij keek strak voor zich uit. Als het waar was wat ze hem daar vertelde, dan was er geen redden meer aan. Volgens hun overeenkomst met Danvere moesten ze de volgende maand zes films leveren. En bovendien had hij twee weken geleden, op de eerste vergadering van aandeelhouders, in gloeiende bewoordingen uitgeweid over de zes films die ze nu onder handen hadden.
Ze zouden dit beslist niet goedkeuren. Was Mark vergeten dat ze voortaan de goedkeuring van het bestuur moesten hebben bij alles wat ze deden? Het bestuur had het programma van die zes films al goedgekeurd en Ronsen, die Danvere vertegenwoordigde, was lang niet gek. Hij beschikte over een ruime ervaring, die hij bij de Borden Company had opgedaan. En bovendien was er iets in zijn houding dat Johnny in het geheel niet beviel. Johnny kon niet precies zeggen wat het was, maar hij had het gevoel, dat de man op iets loerde. Hij deed Johnny aan een havik denken, die hoog in de lucht steeds maar rondcirkelt, spiedend naar een prooi.
Hij zweeg zo lang dat ze hem ten slotte angstig aankeek en vroeg: 'Waar zit je toch zo over te denken, Johnny?'
Zijn ogen fonkelden boosaardig toen hij haar aankeek. 'Ik dacht er over dat we dat jongmens maar eens een bezoek moesten brengen in de studio en kijken wat daar gebeurt,' antwoordde hij grimmig.
Er was iets in zijn stem dat haar plotseling een hevige angst aanjoeg. Ze klemde haar handen krampachtig om het stuurrad. 'Johnny, zouden we in moeilijkheden komen als hij dat werkelijk heeft gedaan?'
De lach waarmee hij antwoordde was koud en hard.
'Als hij dat gedaan heeft, lieveling, dan zijn we er erger aan toe dan ooit te voren.'

Mark keek op zijn horloge. Het was even over tweeën. 'Ik moet weer naar de studio, Dulcie. Het is al laat.'
'En ik moet de hele middag maar weer alleen zitten,' pruilde ze.
'Ik moet die film klaar zien te krijgen, baby. Jij zou evenmin willen dat ik er te laat mee was.'
Er kwam een boosaardige blik in haar ogen. 'Nee, dat zou ik zeker niet willen,' zei ze snel, 'maar . . .'
'Maar wat?'
Ze keek hem uitdagend aan. 'Ik hoor er zoveel over – ik zou zelf wel eens willen zien hoe het gaat.'

Ze zag hem schrikken. 'Maar dat gaat niet, Dulcie!'
Ze trok haar ene wenkbrauw op. 'Waarom niet? Ben je bang?'
'Bang niet. Maar het lijkt me helemaal niet prettig voor je om in de studio te komen.'
'Dat kan me niet veel schelen; en ik zou jou zo graag eens aan het werk willen zien,' fleemde ze.
'Nee,' zei hij op besliste toon. 'Het gaat niet. Er zouden praatjes van komen en er wordt al genoeg gekletst.'
'Je bent bang.'
'Ik ben niet bang.' Hij stond op en keek weer op zijn horloge. 'Ik moet nu werkelijk gaan.' Hij liep naar de deur.
Ze wachtte totdat hij de kruk al in zijn hand had.
'Mark!'
Hij keerde zich om en keek haar vragend aan.
'Als je me niet meeneemt, behoef je nooit meer hier te komen,' deelde ze hem bedaard mee.
Ze moest zich geweld aandoen om niet luid te lachen om zijn verschrikte gezicht. Hij kwam haastig teruglopen en sloeg zijn armen om haar heen. 'Och Dulcie, begrijp toch dat het niet gaat!'
Ze maakte zich uit zijn omhelzing los. 'Ik begrijp niets. Ik weet alleen dat je niet wilt dat ik in de studio kom.'
Hij strekte zijn armen opnieuw naar haar uit. 'Maar Dulcie . . .,' smeekte hij.
Ze keerde zich minachtend van hem af. 'Het is me nu volkomen duidelijk, Mark,' zei ze op ijskoude toon. 'Je wilt niet met mij gezien worden, dat is alles.'
'Dat is niet waar, Dulcie! Heb ik je niet gevraagd of je met me wilde trouwen?'
Ze nam een sigaret uit de koker die voor haar op tafel lag en stak hem langzaam aan. Ze gaf geen antwoord op zijn vraag.
Hij sloeg haar enige tijd zwijgend gade. Ze keek met een onverschillig gezicht voor zich uit. Geheel onverwacht gaf hij toe. 'Nu goed dan, Dulcie, ga dan maar mee.'
Zij wendde hem haar gelaat weer toe. Er was een triomfantelijke blik in haar ogen, die hij echter niet opmerkte.
Hij voelde de verbaasde blikken van het studiopersoneel toen hij haar uit de auto hielp en met haar de studio binnentrad. Hij hoorde ook het opgewonden gefluister achter hun rug toen hij haar rondleidde en haar het een en ander met betrekking tot de film liet zien. 'Laat ze maar kletsen,' dacht hij nijdig, maar hij was toch blij toen hij eindelijk de deur van zijn kantoor achter zich kon sluiten.

'Ben je nu tevreden?' Hij was nog nooit boos op haar geweest, maar nu was hij er gevaarlijk dicht bij.
Haar voldoening was duidelijk op haar gezicht te lezen. Peter had gezworen dat ze nooit meer een voet in zijn studio zou zetten en hier stond ze nu. En het mooiste van alles was nog wel dat zijn eigen zoon haar hier had gebracht. Ze liep op hem toe en kuste hem vluchtig op de wang. 'Ja, lieveling, ik ben tevreden.'
Hij keek haar onderzoekend aan. In weerwil van zijn boosheid moest hij haar toch bewonderen. Je kon van haar zeggen wat je wilde, maar ze beschikte over een behoorlijke dosis moed. Er waren niet veel mensen die ergens durfden te komen waar ze niet gewenst werden en zich niets aantrokken van wat anderen van hen dachten. Hij glimlachte nu weer en sloeg zijn armen om haar heen. 'Je bent een zonderling ding, Dulcie, maar ik mag je wel. Je bent een vrouw naar mijn hart.'
Hij keek haar na terwijl ze naar de deur liep. Ze deed hem aan een panter denken, met haar lenige, gracieuze lichaam en haar lichte tred.
'Bel je me vanavond op?' vroeg ze over haar schouder heen.
Hij deed zijn mond open om haar te antwoorden, toen plotseling de deur openging en hij tot zijn onbeschrijfelijke schrik Doris en Johnny daar zag staan. Ze kwamen langzaam de kamer binnen en bleven toen staan, met hun blik onafgewend op zijn gelaat gevestigd.
Dulcie keek van Doris naar Johnny en toen weer naar Mark. Hij zag een flauwe glimlach om haar lippen komen. Daarop liep ze bedaard langs de onverwachte bezoekers heen en tikte Johnny in het voorbijgaan op de wang. 'Ik zal je niet storen, lieveling,' zei ze met haar eigenaardige, diepe stem. 'Ik stond juist op het punt weg te gaan.'

De krekels tjirpten in het gras op de helling van de heuvel. Het even rimpelende water van het zwembassin glansde zilverig in het licht van de halve maan. Johnny en Doris zaten zwijgend aan de kant van het water, beiden verdiept in dezelfde sombere gedachten. Na lange tijd hief Doris het hoofd op en keek hem vragend aan. 'Wat ben je nu van plan, Johnny?'
Hij schudde langzaam het hoofd. Hij wist nog niet wat hij zou doen – hij wist zelfs niet wat hij kón doen. Het was allemaal nog veel erger dan hij had gevreesd. Meer dan anderhalf miljoen van de twee miljoen die bestemd waren voor de produktie van zes films, waren door 'United We Stand' opgeslokt.
'Je mag het papa niet vertellen,' zei ze. 'Het zou . . .'

Hij keek haar van opzij aan. Zij zag in-bleek. 'Ik wil het hem ook liever niet vertellen,' zei hij aarzelend. 'Maar ik ben bang dat het wel zal moeten. We zijn betrekkelijk slecht bij kas en we hebben niet genoeg meer om die films nog te maken.'
'Maar Johnny,' riep ze hartstochtelijk uit, 'het zou zijn hart breken. Hij stelde zoveel vertrouwen in Mark!'
Hij glimlachte bitter. Dat was nu juist de oorzaak van alles. Als Peter niet zo vervloekt eigenwijs was geweest en Gordon met de leiding had belast, was er nu niets aan de hand geweest. Hij had er meer dan genoeg van, Peters fouten te herstellen. Hij sloot vermoeid de ogen. Hij kon het nu wel beu zijn, dacht hij toen, maar er bestond toch ook altijd nog zoiets als plicht. Hij mocht Peter niet in de steek laten. Peter had altijd alles voor hem gedaan wat maar in zijn vermogen lag. Nee, hij kon hem niet verlaten – er lag teveel achter hen.
Hij wendde zijn gezicht van haar af. 'Dat weet ik,' zei hij rustig. 'Daarom probeer ik juist een oplossing te vinden.'
Ze schoof wat dichter naar hem toe en stak haar arm door de zijne. 'Je weet dat ik een groot vertrouwen in je stel,' fluisterde ze.
Hij keek een ogenblik peinzend op haar neer. Ze hield het gezicht naar hem opgeheven en keek hem kalm en vol vertrouwen aan. Hij sloeg een arm om haar schouders. 'Ik begrijp werkelijk niet waarom.' Er was een zweem van ironie in zijn stem.
Ze keek hem ernstig aan. 'Je bent net als papa. Je hebt een innerlijke kracht die de mensen doet voelen dat ze op je kunnen vertrouwen. En die kracht deelt zich aan je omgeving mee.'
Hij wendde zijn gezicht weer van haar af en keek neer in de vallei. Hij wilde niet dat ze de twijfel, die plotseling in hem opkwam, in zijn ogen las. Hij zou zelf ook graag willen geloven dat ze gelijk had, maar hij kon het niet; hij voelde zich zo verward vandaag.
Het kwam door die ontmoeting met Dulcie in de studio. Hij was plotseling begonnen te beven en hij had niet de moed gehad iets tegen haar te zeggen, omdat hij niet wist wat hij dan zou gaan zeggen. En toen had ze hem ook nog aangeraakt. Het was alsof er plotseling een vuur oplaaide in zijn bloed, dat hem innerlijk verzengde. Een vage herinnering aan lange, hartstochtelijke nachten. Hij voelde nog de lichte aanraking van haar hand op zijn wang. Zou hij het wel ooit vergeten?
'Ik wou dat je gelijk had,' zei hij op bittere toon.
Ze legde haar handen om zijn gezicht en keerde het weer in haar richting. Hij zag aan haar ogen dat ze begreep wat er in hem omging. 'Ik weet dat ik gelijk heb, Johnny.'
Ze zwegen weer geruime tijd. Ze staarde in gedachten verzonken voor

zich uit. Het kwam door die onverwachte ontmoeting met Dulcie dat hij zich zo onzeker van zichzelf voelde. Er ging een steek door haar hart bij de gedachte aan Dulcie. Een steek van pijn omdat ze begreep wat hij had geleden en nog leed door zijn kwellende herinneringen. Zou ze het hem ooit kunnen doen vergeten? Ze wist het niet. Ze wist alleen dat ze hem liefhad. Haar hand slipte stilletjes in de zijne. Ze zou haar best doen de wond in zijn hart te helen. Het was zoals wanneer je een Chinese vaas moest lijmen, die in stukken was gevallen. In het begin zou het misschien heel moeilijk zijn, maar met heel veel geduld zou het misschien gelukken.
'Misschien is het mogelijk ergens geld vandaan te halen om daarmee die andere films af te maken, zonder dat Peter het weet,' dacht hij hardop.
'Weet je iemand die zoveel geld voor je heeft, Johnny?' Haar ogen schitterden hem plotseling tegen. 'O, Johnny, als dat toch eens mogelijk was!'
Hij keek peinzend op haar neer. 'Ik zou mijn aandeel in Magnum kunnen verkopen.'
'Maar dat kan niet, Johnny! Je hebt er je hele leven voor gewerkt!'
Hij deed een poging tot glimlachen. 'Wat zou dat? Misschien kan ik het terugkopen als de zaken beter gaan. Het lijkt me de enige oplossing.'
'Maar als je nu géén kans ziet het terug te kopen? Dan ben je alles kwijt!'
Diep in zijn hart wist hij dat hij het nooit terug zou krijgen. Er kwam plotseling een glimlach om zijn lippen. Zijn hart begon luid te bonzen en de woorden kwamen over zijn lippen nog voordat hij besefte dat hij ze uitsprak. 'Je zou het immers niet erg vinden met een arme man te trouwen, is het wel lieveling?'
Ze hief met een ruk het hoofd op. Ze bleef wel een minuut lang roerloos zitten en toen schoten haar ogen vol tranen. Ze sloeg haar armen om zijn hals en kuste hem. 'O, Johnny! Natuurlijk wil ik met je trouwen, wat er ook gebeurt! Ik houd van je!'
Hij drukte haar dicht tegen zich aan en sloot de ogen. Dit was het waar een man voor leefde – om dergelijke woorden te horen.

Mark zat vol ongeduld bij de telefoon. Hij keek op zijn horloge. Het was halfdrie. Een zoele bries deed de gordijnen ritselen. Hij stond op en schoof het raam onhoorbaar dicht. Ginds, bij het zwembassin, zag hij heel vaag de gestalten van Doris en Johnny. Hij vloekte binnensmonds. Daarop liep hij naar de deur en draaide het licht uit. Ze behoefden niet te weten dat hij nog wakker was. Hij ging weer bij de telefoon zitten en stak een nieuwe sigaret op. Waarom kwam dat vervloekte gesprek nu niet door? In Parijs was het nu elf uur in de morgen. Peter moest omstreeks die tijd toch op het kantoor zijn.
De telefoon begon te bellen. Hij greep de hoorn vliegensvlug van de haak.

Zijn hart bonsde in zijn keel. Wat een herrie maakte dat ding! Hij hoopte maar dat niemand het gehoord had. Hij dwong zich tot kalmte. 'Hallo, met Mark Kessler.'
De stem van de telefoniste klonk enigszins nasaal. 'Met mijnheer Mark Kessler?'
'Ja,' antwoordde hij.
'Hier is Parijs voor u. Spreekt u maar.'
'Hallo, papa?' zijn stem beefde.
Zijn vaders stem klonk hevig verschrikt. 'Wat is er aan de hand, Mark? Mama is toch niet ziek?'
'Er is niets met mama – we zijn allemaal gezond,' haastte hij zich zijn vader gerust te stellen.
Hij hoorde hem een zucht van verlichting slaken. 'Ik schrok al.'
Mark legde zijn sigaret in de asbak naast de telefoon, waar hij bleef liggen smeulen. Hij aarzelde even, maar toen hij weer sprak verried zijn stem niets van zijn nervositeit. 'Dat was mijn bedoeling niet, papa. Ik wilde u over zaken spreken.'
'Spreek dan op. Maar denk er om, het kost bijna twintig dollar per minuut.'
Zijn ogen gloeiden in het donker en er was een sluwe trek om zijn mond.
'Ik wilde even met u over Johnny spreken, papa.'
'Johnny?' vroeg Peter verbaasd. 'Wat is er dan met hem?'
'Hij kwam vandaag met een opgestoken zeil naar de studio en heeft hier een ontzettende scene gemaakt.'
'Wat zei hij dan?'
'Niets in het bijzonder, maar hij had letterlijk overal wat op aan te merken. Maar zijn ernstigste klacht gold wel de aflevering van de films. Hij staat er op dat we vóór alles eerst 'United We Stand' afmaken.'
Peter begon te lachen. 'Laat je niet overstuur maken, Mark. Je zult daar wel aan wennen. New York probeert ons altijd de wet te stellen. Je moet ze eenvoudig negeren.'
'Maar Johnny staat er op,' herhaalde Mark.
'Heb je hem ook gevraagd waarom?' vroeg Peter.
'Ja, maar hij wilde me geen rechtstreeks antwoord geven. Ik begrijp er niets van. Hij doet de laatste tijd erg raar.'
Peter zweeg een ogenblik. Daarop klonk het aarzelend: 'Misschien heeft hij er een bepaalde reden voor. Johnny is een gewiekste jongen.'
'Dan kan hij me dat toch zeggen?'
'Zo is Johnny nu eenmaal. Hij kan erg koppig zijn. Maak je er maar geen zorgen over. Je doet wat je kunt en daarmee basta. Ik zal wel met hem praten als ik terug ben.'

'Ik vertrouw het toch nog niet helemaal,' bleef Mark twijfelen. 'Hij doet zo zonderling. Ik hoorde toevallig dat hij een telefoongesprek met Bob Gordon had. Zoals u weet werkt die nu bij Borden. Hij lachte om iets dat Bob tegen hem zei en antwoordde toen: 'Je kunt nooit weten wat er gebeurt, Bob. Misschien werken we wel weer eerder samen dan je denkt.' '
Peters stem verried duidelijk zijn verbazing. 'Daar begrijp ik niets van.'
'Ik evenmin,' zei Mark snel. 'Maar door dat alles voelde ik me gedrongen u eens op te bellen.' Hij aarzelde even. Hij moest het laatste schepje er ook nog maar bij doen, dacht hij. 'Vergeet niet dat we joden zijn, papa,' voegde hij er veelbetekenend aan toe. 'Diep in hun hart haten ze ons allemaal. Ze zijn allemaal hetzelfde.'
'Maar Johnny is niet zo,' klonk het enigszins weifelend uit Parijs.
Mark glimlachte toen hij de twijfel in zijn vaders stem hoorde. 'Dat zeg ik ook niet, pa. Maar het kan geen kwaad om voorzichtig te zijn.'
Peters stem verried zijn onzekerheid. 'Dat is zo, Mark. We moeten voorzichtig zijn.'
'Daarom belde ik u ook op. Ik wilde uw mening over het geval weten.'
'Het beste is dat je rustig doorgaat met je werk. We spreken er wel verder over als ik terug ben.'
'Uitstekend, papa,' antwoordde Mark op eerbiedige toon. Hij veranderde van onderwerp. 'Voelt u zich goed, papa?'
'Uitstekend,' loog Peter. Mark hoorde aan zijn stem dat hij nog zat te piekeren over wat hij zojuist had gehoord.
'Fijn, papa. Zorg er voor dat u zich niet overwerkt.'
'Ja, daar zal ik voor zorgen,' antwoordde zijn vader afwezig.
'Het beste dan, papa.' Hij hoorde zijn vaders antwoord en hing toen de hoorn op de haak. Hij stak een nieuwe sigaret op en bleef geruime tijd roerloos zitten. Plotseling stond hij echter op, liep naar het raam en keek naar buiten.
In het flauwe schijnsel van de maan zag hij Johnny en Doris hand in hand naar het huis toe komen. Hij glimlachte flauwtjes. Hij zou voor Johnny op zijn hoede moeten zijn. En ook voor zijn zuster.

Vittorio Guido kwam met moeite uit zijn stoel overeind. Hij was een grote, zware man en hij bewoog zich liefst zo weinig mogelijk. 'Hallo, Johnny,' zei hij, met een poging joviaal te doen, die het gemis aan warmte in zijn stem nog sterker deed uitkomen.
Johnny drukte hem de hand. 'Hoe staat het leven, Vic?'

Vittorio knikte bedachtzaam. 'Goed.'
'En hoe maakt Al het?'
Vittorio keek hem onderzoekend aan. Hij vroeg zich af waarom Johnny naar zijn kantoor kwam. Hij begreep heel goed dat het geen belangstelling voor zijn persoon was – zulke dikke vrienden waren ze niet. 'Zijn leeftijd in aanmerking genomen maakt hij het heel goed,' antwoordde hij op gewichtige toon. 'De dokter zegt dat hij zich maar rustig moet houden en op de ranch moet blijven.' Hij nam een kistje sigaren van zijn schrijftafel en hield het Johnny uitnodigend voor. Johnny schudde echter het hoofd. 'Ga zitten, Johnny,' zei hij, zelf een sigaar opstekend.
Johnny bleef nog even staan. Hij wist dat Vittorio hem niet mocht lijden. Als Al hier was zou alles heel anders zijn. Er zou een hartelijke, kameraadschappelijke sfeer heersen, die nu geheel ontbrak. Hij ging langzaam tegenover Vittorio zitten.
Er gleed een tevreden glimlach over Vittorio's gelaat, terwijl hij de ijle rookspiraal, die van zijn sigaar naar de zolder kringelde, met de ogen volgde. 'Wat verschaft me de eer van je bezoek, Johnny?'
Hij had al spijt van zijn woorden voordat ze zijn mond hadden verlaten. Hij had Johnny moeten laten beginnen. Maar zijn nieuwsgierigheid had hem parten gespeeld.
'Ik heb geld nodig, Vic,' antwoordde Johnny met tegenzin. Hij had er liever helemaal niet met Vittorio over gesproken, maar hij had geen keus.
Vic leunde breed-uit achterover in zijn stoel en nam Johnny door half gesloten oogleden opmerkzaam op. Er was een zekere minachting in die blik. Die lui van de film waren allemaal hetzelfde. Ze wisten niet met geld om te gaan. Het deed er niet toe hoeveel ze verdienden, vroeg of laat kwamen ze allemaal bij hem. 'Hoeveel?'
Johnny keek hem strak aan. Hij zag wat Vittorio dacht. 'Een miljoen dollar,' antwoordde hij, wederom met tegenzin.
Vittorio antwoordde niet onmiddellijk. Hij perste een zuinig rookwolkje tussen zijn samengeknepen lippen door en keek het met voldoening na. Onderwijl zat hij snel te rekenen. Het was precies zoals hij gedacht had. Johnny was geen haar beter dan de rest, al gaf Al nog zo hoog van hem op. Eindelijk vestigde hij de blik weer op Johnny. 'Waar heb je al dat geld voor nodig?'
Johnny bewoog zich onrustig in zijn stoel. Vittorio maakte het hem niet gemakkelijk. 'Ik wil een aandeel kopen in een film die we aan het maken zijn. 'United We Stand' heet die film.'
Vittorio's ogen waren nog steeds half gesloten. Hij had over die film gehoord. 'Mark Kesslers grote stommiteit', noemden ze hem in Hollywood. Er werd verteld dat de film meer dan twee miljoen dollar zou kosten. Hij

vroeg zich verbaasd af waarom Johnny er geld in wilde steken. Naar wat hij gehoord had, deugde er niets van die hele film. Bovendien wist hij wel zeker, dat Magnum het zich niet veroorloven kon zo'n dure film te maken. Daar behoefde je geen accountant voor te zijn. Hun omzet was niet groot genoeg. 'Je kent onze reglementen, Johnny,' antwoordde hij op effen toon. 'Magnum is ons twee miljoen dollar verschuldigd voor de films die momenteel op het programma staan en er kunnen geen extra leningen voor dezelfde films gesloten worden.'
'Barst kerel,' dacht Johnny nijdig. Vittorio behoefde met dergelijke argumenten niet aan te komen. Hij wilde hem het geld niet lenen, dat was de kwestie. 'Is er dan een andere mogelijkheid om dat geld toch te krijgen?' vroeg hij vriendelijk.
Vittorio keek hem nieuwsgierig aan. Er moest wel iets heel bijzonders gaande zijn bij Magnum, als Johnny zo bleef aandringen. 'Heb je enig onderpand aan te bieden?'
Johnny aarzelde even. Hij vond het verschrikkelijk, maar er zat niets anders op. 'Wat denk je van mijn aandeel in de maatschappij?' stelde hij voor.
Vittorio's hart begon plotseling ongewoon snel te kloppen. Het enige wat deze lui nooit op het spel zetten waren hun aandelen. Verder waren ze bereid alles en iedereen te verhandelen: filmsterren, regisseurs, contracten. Hij kende er wel die zelfs in staat waren hun vrouw te versjacheren. Maar hun aandeel nooit. Johnny moest wel in een uiterst hachelijke situatie verkeren. Zijn aandeel in Magnum was momenteel een miljoen dollar waard. Het was een goede waarborg voor een lening van vijfenzeventig procent van de waarde. 'Ik zou je daarvoor geen lening op lange termijn kunnen geven, Johnny,' merkte hij voorzichtig op. 'De markt is niet vast genoeg. Maar ik zou je driekwart van de waarde op een termijn van drie maanden kunnen geven.'
Johnny keek hem nadenkend aan. Zevenhonderdvijftigduizend dollar was beter dan niets. En als alles goed ging had hij wel een kans dat hij het geld tegen die tijd terug had. Hij hield onwillekeurig de adem in, terwijl hij nadacht. 'Goed dan, Vic. Wanneer kan ik het geld krijgen?'
Vic glimlachte vriendelijk. 'Zodra je ons de papieren kunt overleggen.'
Johnny stond langzaam op en keek ernstig op Vittorio neer. 'Ik zal zorgen dat je ze morgen hebt.'
Vittorio stond eveneens op. 'Goed, dat is dus afgesproken.' Ze gaven elkaar een hand. 'Dank je, Vic,' zei Johnny op effen toon.
Vittorio glimlachte weer. 'Ik ben blij dat ik je van dienst kan zijn.'
Johnny keek hem wantrouwig aan. Vittorio's gezicht was echter ondoorgrondelijk.

'Tot ziens dan, Vic.' Hij keerde zich om en liep naar de deur.
'Tot ziens, Johnny.' Hij keek Johnny met zichtbare voldoening na. Daarop fronste hij peinzend het voorhoofd. Hij moest te weten zien te komen wat er bij Magnum aan de hand was.
Plotseling stond hij op en liep haastig naar het raam. Van hieruit kon hij de gehele benedenverdieping van de bank overzien. Het was daar een gekrioel van mensen, maar hij kreeg onmiddellijk Johnny in het oog, die zich met enige moeite een weg naar de uitgang baande. Hij verdween door de hoge, brede deur en Vic liep snel naar het andere raam, dat op de straat uitzag.
Johnny stapte juist in een auto, die voor het gebouw op hem had staan wachten. Het was een open wagen en achter het stuur zag hij een jonge vrouw zitten. Ze had donker haar en toen ze het hoofd omwendde om Johnny aan te zien, zag hij ook een glimp van haar gezicht. Het was Doris Kessler. Hij keek de wagen na totdat hij om de hoek verdween.
Hij liep langzaam terug naar zijn schrijftafel en ging met een zucht van voldoening zitten. Waarschijnlijk zou Santos wel anders over Johnny gaan denken als hij hem het een en ander over dit onderhoud had verteld.

Mark zat met een nors gezicht achter zijn schrijftafel. Hij was van bittere wrok vervuld. Wrok tegen Johnny en tegen Doris. Ze probeerden hem slechts te helpen, hadden ze gezegd. Wat een huichelaars. Ze probeerden hem onder de duim te krijgen! Hij moest inwendig toegeven dat ze van hun standpunt bezien gelijk hadden. Hij was schijnbaar ver over de schreef gegaan met deze film. Maar als hij eenmaal klaar was zouden ze grote ogen opzetten. Dan konden ze eens zien wie er uiteindelijk gelijk had! Hij hief het hoofd op. 'Ja, Johnny, ik begrijp het,' antwoordde hij.
Johnny's gezicht was spierwit en er was een harde, koude blik in zijn ogen. 'Laat het goed tot je doordringen, Mark,' zei hij op afgemeten toon. 'Ik doe dit niet alleen voor jou, ik doe het in de eerste plaats voor je vader. Zijn hart zou breken als hij te weten kwam wat er is gebeurd. We zullen hem dus het volgende vertellen als hij terugkomt en er voor zorgen dat we beiden hetzelfde zeggen, anders krijgt hij argwaan. Vertel hem dus precies wat ik je nu ga zeggen.'
Hij wachtte even, maar Mark bleef nors voor zich uit kijken en gaf geen antwoord.
'We zullen hem vertellen dat die film me zo goed beviel dat ik de helft van het geld er voor heb geleverd, en dat wij, aangezien de kosten toen nog boven het budget van de zaak gingen, overeengekomen zijn het verschil te delen. En vervolgens dat jij het eerst je geld terug zou krijgen zo-

dra de gelden binnenkomen.' Hij keek Doris vragend aan. 'Lijkt het je zo goed?'
Ze knikte.
Mark hief plotseling het hoofd op. Het kostte hem moeite zijn gezicht in de plooi te houden. De ezel speelde hem regelrecht in de kaart! Nu zou het helemaal een kleinigheid zijn, zijn vader er van te overtuigen dat Johnny de schuld van alle moeilijkheden was.

De sneeuw lag als een wollig tapijt over de stad. Beneden in de straat hadden honderden voertuigen het glanzende wit echter tot een glibberige, bruine brei gekneed. Johnny wendde zich van het raam af en keek Peter met sombere ogen aan.
'Ik begrijp niet waarom we nog geen antwoord hebben op ons telegram aan Danvere,' merkte Peter op.
Johnny keek op zijn horloge. 'We hebben niet veel tijd meer.'
Peter schudde het hoofd. 'Ik had graag antwoord willen hebben voordat de vergadering begint. Ik begrijp niet waarom hij ons het geld niet heeft gestuurd, zoals hij heeft beloofd.'
Johnny keek hem medelijdend aan. Alles had zo mooi geleken toen Peter die overeenkomst met Danvere sloot. Peter had er gouden bergen van verwacht. Maar nadien hadden ze niets dan tegenslag gehad. Mark had hun hele programma in de war gestuurd. Slechts twee van de zes films waren gereed en deze waren nog niet eens bijzonder goed. 'United We Stand' bezorgde hun, nadat hij al twee miljoen dollar had opgeslokt, nog altijd veel hoofdbrekens en het zag er naar uit dat er nog wel een paar honderdduizend dollar in zouden gaan.
Bovendien hadden ze al die tijd maar heel weinig zaken gedaan en hun banksaldo was als sneeuw voor de zon geslonken. Het geld dat Peter de maatschappij volgens zijn overeenkomst met Danvere had geleend en het geld dat Johnny had voorgeschoten, was bijna helemaal op. Nu had Peter een telegram aan Danvere gestuurd, met het verzoek hem het beloofde bedrag over te maken. Hij had hun het geld vier maanden geleden al beloofd, maar het was nog steeds niet gekomen.
Johnny keek weer op zijn horloge. 'Ik denk niet dat het nog voor de vergadering komt. We moesten maar beginnen.'
'Zeg tegen Jane dat ze me belt zodra het telegram er is,' zei Peter, terwijl hij zijn jas van de kapstok nam.

12 november 1936.

Magnum Pictures Inc.
New York City.
Notulen van de bestuursvergadering van 12 november 1936.
Plaats van samenkomst: Waldorf Astoria Hotel, New York City.
Tijd 2.30 n.m.
Directeuren: (aanwezig) Mijnheer Peter Kessler.
Mijnheer John Edge.
Mijnheer Laurence G. Ronsen.
Mijnheer Oscar Floyd.
Mijnheer Xavier Randolph.
Directeuren: (afwezig) Mijnheer Mark Kessler.
Mevrouw Peter Kessler.
Mijnheer Philippe X. Danvere.
De vergadering werd om 2.35 door de president geopend.
De notulen werden opgemaakt door mijnheer Edge, die als secretaris fungeerde.
De volgende voorstellen werden het bestuur ter goedkeuring voorgelegd:

GOEDGEKEURD
Verlenging van het huurcontract van de Albany Exchange Building.

GOEDGEKEURD
Overeenkomst met Loyal W-70, I.A.T.S.E., betreffende de aanstelling van studiotechnici volgens de vastgestelde salarisschaal.

GOEDGEKEURD
Het te sluiten contract met Marian St. Clais, actrice, voor een periode van zeven jaar, de gebruikelijke proeftijd inbegrepen. Gedurende het eerste jaar zal de gage 75 dollar per week bedragen, welk bedrag voor een tijdsduur van veertig weken is gegarandeerd. Het recht om het contract na afloop van elk jaar te beëindigen werd door de maatschappij voorbehouden.

Hierop volgde een algemene discussie.
De president verhief zich en zette zijn mening betreffende de vooruitzichten voor het komende jaar uiteen. Hij verklaarde dat hij zeer optimistisch was met betrekking tot de binnenlandse markt, aangezien de verkoopcontracten gedurende het verlopen jaar met zeshonderd vermeerderd zijn en er in het komende jaar nog duizend bij zullen komen. Voorts gaf hij een kort verslag van zijn laatste bezoek aan Europa en deelde de vergadering

mee dat de Europese markt zeer onvast is tengevolge van de politieke onrust op het Continent. Hij was evenwel zeer tevreden over de resultaten van zijn bezoek aan de Britse Eilanden, waar hij een overeenkomst heeft gesloten met de heer Danvere betreffende de levering van door Magnum geproduceerde films aan de Martin Theaters. Hij verklaarde dat de gevoerde besprekingen tot een nauwe samenwerking tussen Magnum en de Martin Theaters zullen leiden, waardoor Magnum van een regelmatige verkoop aan de Martin Theaters verzekerd kan zijn. Verder deelde hij de vergadering mede dat hij elk ogenblik bericht van de heer Danvere verwachtte met betrekking tot een voorschot van twee miljoen dollar op in de komende maanden te leveren films, hetgeen de financiële positie van de maatschappij terstond aanzienlijk zou verbeteren.

De heer Ronsen vroeg de president vervolgens waarom van de zes films die gereed hadden moeten zijn er nog maar twee voltooid waren.

De president antwoordde dat onvoorziene produktiemoeilijkheden deze vertraging veroorzaakt hadden, maar dat de opnamen in volle gang waren, zodat ze in staat hoopten te zijn de films binnen afzienbare tijd te leveren.

Daarop legde de heer Ronsen de vergadering een telegram voor, dat hij zojuist van de heer Danvere had ontvangen. Een afschrift van het telegram werd op verzoek van de heer Ronsen in de notulen opgenomen:

Geachte Heer Ronsen. De produktievooruitzichten van de Magnum Company verontrusten mij zeer. De heer Kessler verzekerde mij in ons laatste onderhoud dat mij vóór 15 september j.l. zes films zouden worden toegezonden en tot op heden heb ik slechts twee films ontvangen, beide pas laat in oktober. Zojuist ontving ik een telegram van de heer Kessler met het verzoek hem de twee miljoen dollar te zenden, die hem volgens onze overeenkomst zouden worden voorgeschoten. Ik verzoek u hierbij de heer Kessler er op te wijzen dat genoemd voorschot nog moet worden goedgekeurd door het bestuur van Martin Theaters Ltd. In weerwil van mijn persoonlijke wens de heer Kessler ter wille te zijn, weigert genoemd bestuur een dergelijk voorschot te verlenen, voordat de zes films gereed zijn. Getekend: Philippe X. Danvere.

Hierop verhief de president zich en verklaarde dat hij hoogst onaangenaam verrast was door het bericht dat het bestuur van de Martin Theaters zijn verzoek om een voorschot had afgewezen. Hij zei dat de heer Danvere hem persoonlijk had verklaard dat genoemde goedkeuring slechts een for-

maliteit was. Hij deelde het bestuur tevens mee dat hij het betreurde dat de heer Danvere zijn telegram niet aan hem persoonlijk had gericht, maar dat hij het zich anderzijds kon voorstellen, want dat hij zich in zijn plaats waarschijnlijk eveneens over een dergelijk bericht zou schamen.

Daarop deed de heer Ronsen het volgende voorstel:

Dat er een commissie zou worden benoemd om een onderzoek in te stellen in de studio, met het doel na te gaan welke fout er in onze huidige werkmethode schuilt en waarom de films niet volgens het programma kunnen worden afgeleverd.

De president zei hierop dat deze motie niet voor indiening vatbaar was, daar er niet voldoende gronden waren een dergelijke commissie van onderzoek in te stellen.

De heer Ronsen verzocht de vergadering te beoordelen of de motie al dan niet kon worden ingediend. Er werd gestemd en de motie werd vervolgens ingediend.

Genoemde motie werd met drie tegen twee stemmen aangenomen.
Op verzoek van de heer Ronsen werd de stemming in de notulen opgenomen.
Voor de motie: Mijnheer Ronsen.
Mijnheer Floyd.
Mijnheer Randolph.
Tegen de motie: Mijnheer Kessler.
Mijnheer Edge.

Hierop werd de heer Ronsen aangewezen een onderzoek in de studio in te stellen en een rapport op te stellen, dat het bestuur bij de eerstvolgende vergadering zal worden voorgelegd.
Aangezien door geen der aanwezigen verder nog iets naar voren werd gebracht, werd de vergadering om 5.10 n.m. gesloten.

Peter liep opgewonden in zijn bureau heen en weer. Het was buiten geheel donker en de klok op zijn schrijftafel wees tien minuten over zeven. De vergadering was twee uur geleden gesloten en al die tijd liep hij nu al te ijsberen.
Eensklaps wendde hij zich om naar Johnny en keek hem met fonkelende ogen aan. 'Die vervloekte schurken!' brulde hij. 'Waarom heb je ze toch in godsnaam de kans gegeven, Johnny?'

Johnny's mond viel open van verbazing; hij kon zijn oren niet geloven. 'Ik? Wat voor kans zou ik ze dan gegeven hebben? Jij hebt die overeenkomst met Danvere gesloten, ik niet!'
'Overeenkomst? Wat overeenkomst? Als jij je neus niet in de studio had gestoken zou er niets gebeurd zijn. Dan hadden we die zes films prachtig op tijd klaar gehad!' Hij liep met boze stappen naar het raam en keek naar beneden. 'Maar nee,' vervolgde hij bitter. 'Mijnheer moest weer eens een genie zijn, een *mocher*. Mijnheer wist het natuurlijk weer beter! Mark heeft me verteld hoe jij naar de studio kwam en hem maar niet met rust liet over die film. Die film moest hij maken en verder kwam het er niet op aan!' Hij keerde zich weer om en keek Johnny diep bedroefd aan. 'Johnny, waarom heb je dat gedaan? Om het geld dat je er in hebt gestoken? Was dat een reden om ons hele bedrijf in de waagschaal te stellen?'
Johnny gaf geen antwoord. Zijn gezicht had alle kleur verloren en zijn vingers klemden zich krampachtig om de rand van de schrijftafel. Zijn blik boorde zich diep in die van Peter.
Peter keerde zich weer om naar het raam. Zijn rug was plotseling gebogen, als van een oud man. 'Waarom heb je dat gedaan, Johnny?' herhaalde hij met verstikte stem. Zo stond hij lange tijd. Plotseling liep hij echter op Johnny toe en ging vlak voor hem staan. Zijn ogen stonden vol tranen. 'En dan te denken dat jij al die tijd dat ik het zo nodig had geld genoeg had om me te helpen en het niet deed! Als ik geld had gehad en jij zou me er om gevraagd hebben, dan zou ik het je gegeven hebben, Johnny.'

Iedereen merkte onmiddellijk de verwijdering, die tussen Peter en Johnny was ontstaan, maar zelf dachten ze dat ze er uitstekend in slaagden het voor de buitenwereld verborgen te houden. Jane voelde het al direct de volgende dag, en ze maakte zich ernstig bezorgd. Het deed haar pijn dat deze twee mannen, die hun leven lang vrienden waren geweest, nu bijna als vijanden tegenover elkaar stonden. Het bleek haar uit allerlei kleinigheden, zoals bijvoorbeeld het volgende. Op de morgen volgend op de vergadering ging de telefoon op haar schrijftafel.
'Jane,' hoorde ze Peter zeggen, 'zeg tegen Johnny, dat ik hem wil spreken.'
Peter stelde zich anders nooit op deze wijze met Johnny in verbinding. Hij belde Johnny altijd rechtstreeks op, door middel van de huistelefoon, of hij stak zijn hoofd om de deur van Johnny's kamer en vroeg hem even

bij hem te komen. Dat was gemakkelijk genoeg, want de vertrekken grensden aan elkaar en stonden door een tussendeur met elkaar in verbinding. Ze drukte op de zoemer en hoorde onmiddellijk daarop zijn stem. 'Ja, Jane?'
'Peter wil je spreken, Johnny.'
Het bleef even stil. Toen hoorde ze hem zuchten. 'Dank je wel, ik zal naar hem toe gaan.'
'Johnny?' zei ze vlug, voordat hij de hoorn weer had neergelegd.
'Ja?'
'Is er iets niet in orde tussen Peter en jou?'
Hij lachte. Het was een harde, schelle lach, die haar pijn deed in de oren. 'Doe niet zo dwaas,' antwoordde hij en hing meteen de hoorn op. Het betekende zoveel als: 'Bemoei je met je eigen zaken.'
Langzaam legde ze de hoorn weer neer. Johnny kon zeggen wat hij wilde, ze wist wel zeker dat er iets gaande was.

Hij kwam met lome schreden in zijn kamer terug. Als Peter er nu toch maar eens over ophield! Hij was het meer dan moe. Telkens en telkens weer wierp Peter hem voor de voeten dat hij de schuld van alle narigheid was en hij kon er niets tegen inbrengen. Hij had Doris beloofd dat hij zou zwijgen.
De telefoon op zijn schrijftafel ging.
'Wat is er, Jane?'
'Mijnheer Ronsen is hier. Hij zou je graag een ogenblik willen spreken.'
De mededeling verbaasde hem. 'Stuur hem maar hierheen, Jane.'
De deur ging open en Ronsen stapte zijn kamer binnen. Er gleed een vluchtige glimlach over zijn gezicht toen hij Johnny aan de andere kant van het vertrek in het oog kreeg. 'Ik zou u graag even willen spreken, voordat ik naar de kust vertrek, mijnheer Edge,' zei hij, op Johnny toetredend.
Ze drukten elkaar de hand en Johnny verbaasde zich over de kracht in Ronsens korte, mollige handjes. 'Ik ben zeer vereerd, mijnheer Ronsen. Gaat u zitten.'
Ronsen nam plaats in de stoel tegenover Johnny's schrijftafel en keek hem doordringend aan. 'U zult zich wel afvragen wat de reden van dit onverwachte bezoek is, mijnheer Edge.'
Johnny knikte. 'Inderdaad,' gaf hij onomwonden te kennen.
Ronsen boog zich voorover in zijn stoel. Johnny zag een eigenaardige fonkeling achter de dikke, vierkante brilleglazen. 'Ik had het gevoel dat er iets was dat u graag zou willen vertellen.'
Johnny keek hem verwonderd aan. 'Waarover?' vroeg hij voorzichtig.

Er gleed opnieuw een vluchtige glimlach over Ronsens gelaat. 'Over de studio. Zoals u weet ga ik daar morgen heen.'
Johnny glimlachte eveneens, maar er was evenmin iets op zijn gezicht te lezen als op dat van de man tegenover hem. 'Ik vrees dat u zich vergist, mijnheer Ronsen,' antwoordde hij op zeer beleefde toon. 'Ik kan u slechts verzekeren dat de studio in goede handen is. En wat de leiding betreft, daarvoor is Mark Kessler verantwoordelijk, niet ik, en ik geloof wel dat hij weet wat hij doet.'
Ronsens gezicht bleef glimlachen, maar hij hield een ogenblik de adem in, alsof hij plotseling op een idee kwam. 'Misschien zit de fout niet in de studio. Het is heel goed mogelijk dat hij ergens anders schuilt.'
Johnny's stem klonk ineens zeer zakelijk. 'Waar zinspeelt u op, mijnheer Ronsen?' vroeg hij op de man af.
'Larry,' verbeterde Ronsen zachtzinnig.
'Goed, Larry,' stemde Johnny in. 'Maar dat is geen antwoord op mijn vraag.'
Ronsen schatte hem met de ogen. Edge wist meer van deze maatschappij dan wie ook, met uitzondering van Kessler zelf. Hij zou van heel veel nut kunnen zijn als ze kans zagen hem voor zich te winnen. 'Misschien is mijnheer Kessler zelf voor al deze moeilijkheden verantwoordelijk.' Hij sloeg de uitwerking van zijn woorden gespannen gade.
Johnny had zijn gezicht echter volkomen in bedwang. 'Wat geeft je aanleiding dat te denken, Larry?'
Ronsen ging er gemakkelijk bij zitten. Hij vouwde zijn handen over zijn buik en strekte zijn korte beentjes voor zich uit. 'De man wordt oud. Ik geloof dat hij over de zestig is. Het is best mogelijk dat zijn leeftijd zo langzamerhand een rol begint mee te spelen.'
Johnny schoot in de lach. 'Dat is je reinste dwaasheid, Larry. Jij kent hem niet zoals ik hem ken. Ik geef toe dat hij niet jong meer is, maar zijn ondernemingsgeest en zijn doorzettingsvermogen zijn groter dan van menige jongeman, om over zijn inzicht maar te zwijgen.'
'Groter dan van jou, bijvoorbeeld?' kwam Ronsens vraag er bot bovenop.
Johnny glimlachte fijntjes. 'Hij is de president, is het niet? Hij is de eigenaar van het bedrijf.'
Ronsen dacht er een ogenblik over dit laatste te corrigeren, maar hij besloot het maar te laten zoals het was. 'Geloof je niet dat jij het er minstens net zo goed af zou brengen als jij president was, Johnny?'
'Ik betwijfel het,' antwoordde Johnny op effen toon. Er was een harde blik in zijn ogen.
Ronsen begon hartelijk te lachen. 'Kom, Johnny, je moet niet al te bescheiden zijn!'

Johnny keek hem doordringend aan. Wat moest die kerel van hem? Hij was beslist niet hier gekomen om hem complimentjes te maken. 'Het is geen bescheidenheid wat me tot dit antwoord noopt, Larry,' antwoordde hij nadrukkelijk. 'Ik ben bijna dertig jaar lang mijnheer Kesslers compagnon geweest en ik ken geen betere zakenman dan hij.'
Ronsen klapte zacht in de handen. 'Bravo! Je loyaliteit is werkelijk lofwaardig.'
'Misschien in de ogen van de man die mij er toe inspireert, mijnheer Ronsen. Ik beschouw het als iets vanzelfsprekends. Loyaliteit is het meest waardevolle ter wereld. Het is iets dat voor geen geld te koop is.'
Ronsen was het ook met dit laatste niet eens, maar hij ging ook hier niet op in. Hij sloeg Johnny enige tijd zwijgend gade.
Johnny keek hem strak aan en bewoog geen spier van zijn gezicht. Als Ronsen raadseltjes wilde opgeven dan was hij bereid hetzelfde te doen.
Ronsen boog zich weer naar hem toe. Er was nu een dringende klank in zijn stem. 'Ik zou graag in vertrouwen met je willen spreken, Johnny.'
Johnny's stem verried niet de minste nieuwsgierigheid. 'Zoals je wilt, Larry.'
Ronsen aarzelde even. 'Een aantal personen heeft me laten weten, dat ze eventueel geïnteresseerd zouden zijn bij de overname van mijnheer Kesslers aandeel in de maatschappij.'
Johnny trok zijn ene wenkbrauw op. Nu kwam de aap dus uit de mouw! Hij had het ook eigenlijk wel kunnen raden. 'En wie zijn dat?'
Ronsen keek hem vast in de ogen. 'Het staat me niet vrij hun namen te noemen, maar ik mag je wel onthullen dat ze bereid zouden zijn jou als president aan te wijzen, ingeval ze tot een overeenstemming met de heer Kessler zouden kunnen komen.'
Johnny glimlachte gevleid, maar binnensmonds vloekte hij. Ronsen was toch niet zo dwaas om te denken dat hij zich op een dergelijke manier zou laten omkopen? 'Ik voel me zeer gevleid, maar het is aan de heer Kessler om te beslissen of hij eventueel tot de verkoop van zijn aandeel zou willen overgaan, is het niet?'
'Jij zou van zeer grote invloed op zijn besluit kunnen zijn.'
Johnny keek peinzend voor zich uit. Het was maar goed dat Ronsen niet wist hoe de verhouding tussen Peter en hem op het ogenblik was. 'Ik zou me niet durven vermeten om zelfs maar te trachten de heer Kessler bij een dergelijk besluit te beïnvloeden. Mijnheer Kessler heeft in dit opzicht zijn eigen ideeën.'
Ronsen begon weer te lachen. 'En die zijn nogal vrij dwaas voor de eeuw waarin we leven, is het niet?'
'Het is wederom aan de heer Kessler dit te beoordelen. Hij zal zijn redenen

hebben voor deze houding. Ik acht me niet bevoegd een oordeel te vellen in zaken waar ik geheel buiten sta.'
Ronsen keek hem scherp aan. 'Wat zou jij dan willen voorstellen?'
Johnny gaf hem zijn blik terug. Die man was óf volslagen krankzinnig, óf hij verwachtte dat hij zich op een of andere wijze zou compromitteren. 'Ik zou je willen voorstellen er met de heer Kessler persoonlijk over te spreken, Larry. Hij is de enige persoon die je antwoord op die vraag kan geven.'
'De mensen waarover ik spreek zouden bereid zijn hem een goede prijs voor zijn aandeel te betalen, de huidige toestand van de maatschappij in aanmerking genomen.'
Johnny stond op, ten teken dat hij het onderhoud als geëindigd beschouwde. 'Ook dit zal mijnheer Kessler zelf moeten beoordelen, Larry.'
Ronsen kwam langzaam overeind. Hij ergerde zich er geducht over dat hij eigenlijk als een kwajongen werd weggestuurd, maar hij liet niets blijken. 'Misschien zal ik met hem spreken als ik uit Californië terug ben, Johnny. Misschien zal hij dan bereid zijn het voorstel in overweging te nemen.'
Johnny wierp snel een blik op zijn gelaat. De stellige toon waarop deze woorden gesproken waren, maakte ze bijna tot een dreigement. Je kon horen dat deze man gewoon was de lakens uit te delen. 'Wie zitten hier nog meer achter, behalve Danvere en jij, Larry?' Hij vuurde zijn vraag op Ronsen af.
Ronsen lachte hem vriendelijk toe. 'Het is me niet toegestaan je dit nu al te vertellen, Johnny. Ik geloof dat ik dat al eerder heb gezegd.'
Johnny keek hem peinzend aan. 'Floyd en Randolph zijn het niet,' viste hij. 'Dat zijn maar figuranten – ze tellen niet mee.' Hij wachtte even. Ronsens gezicht bleef ondoorgrondelijk. 'Het zou Gerard Powell van de Borden Company kunnen zijn,' vervolgde Johnny. 'Dit is net zo'n zaakje voor hem.'
De uitdrukking van Ronsens gezicht zei hem dat het ditmaal raak was. Johnny glimlachte even en stak Ronsen de hand toe. 'Ik zal je niet langer met mijn vermoedens plagen, Larry. Ik ben blij dat we eens gepraat hebben. Ik wilde je graag beter leren kennen.'
Ronsen glimlachte. 'Ik had dezelfde wens, Johnny.'
Johnny deed hem uitgeleide tot in de hal. 'Goede reis, Larry,' glimlachte hij, terwijl ze elkaar nog eens de hand schudden.
Hij zag niet dat Peter hen in de deur van zijn bureau met grote ogen stond na te staren. Toen Johnny zich omkeerde deed hij de deur zacht weer dicht en liep langzaam terug naar zijn schrijftafel. Wat had Johnny met die kerel te bespreken gehad? En vanwaar die hartelijkheid? Of ze de beste vrienden waren!

Hij ging met zijn handen op zijn rug voor het raam staan en wipte in gedachten verzonken van zijn hielen op zijn tenen en weer terug. Hij kon het haast niet geloven, maar het zag er naar uit dat Mark toch gelijk had Johnny deed de laatste tijd eigenaardig.

Dulcie luisterde nauwelijks naar wat Mark zat te vertellen. Ze begon genoeg van hem te krijgen en het werd langzamerhand tijd dat ze van hem af kwam. Hij was verder van geen enkel nut meer.
Zo was het voortdurend met haar geweest sinds Warren haar had verlaten. Ze was vol onrust en stortte zich blindelings van het ene avontuur in het andere, steeds maar op zoek naar een man die haar zou boeien zoals hij dat had gedaan. Maar ze kon er geen vinden. Vroeg of laat werden ze allemaal haar slaaf en dan had ze genoeg van hen.
Met Warren was het heel anders geweest. Dat kwam omdat hij eigenlijk net was als zij. Hij was te trots om haar om haar gunst te smeken. Hij had iets uitdagends en dat was het nu juist wat zij nodig had. Hij hield haar lichamelijk en geestelijk tot het uiterste gespannen, ze voelde dat ze leefde als hij in haar nabijheid was en ze had die constante prikkeling nodig om gelukkig te zijn.
Maar hij was teruggegaan naar zijn vrouw Cynthia! Ze lachte schamper. Die bleke, magere schim van een vrouw! Hoe zag die in hemelsnaam kans een man als Warren vast te houden? Maar ze hield hem vast en nu waren er twee kinderen. Het was allemaal begonnen in die nacht dat Johnny was thuisgekomen en haar met Warren gevonden had.
Toen Johnny weg was, was ze weer naar de slaapkamer gegaan. Warren was zich haastig aan het aankleden. Ze sloeg haar armen om hem heen. 'Wat ga je doen?'
Zijn ogen waren heel donker toen hij haar aankeek. 'Ik ga hem achterna. De man is ziek. Hij kan met zulk weer niet op straat zwalken.'
'Doe niet zo onwijs. Laat hem lopen. Hij vermoordt je als je in zijn buurt komt. Dat probeerde hij mij toch ook al te doen?'
Hij knoopte haastig zijn overhemd dicht en keek haar met haat in de ogen aan. 'Wat had jij dan verwacht? Dat hij luid in de handen zou klappen voor de mooie voorstelling?' Hij rukte het laatste knoopje met geweld door het knoopsgat. 'Wat moet dat een gewaarwording voor die man zijn geweest!' vervolgde hij op bittere toon. 'Mijn God, wat een thuiskomst!'
Ze vlijde zich tegen hem aan en drukte zijn armen naar achteren. 'Ik wist niet dat je zedelijk bewustzijn zo groot was,' treiterde ze.

Hij keek woedend op haar neer. 'De man is ziek – een klein kind kan het zien.'
Ze bleef naar hem opzien. 'En wat zou dat? Hij weet waar hij terecht kan,' stelde ze op koele toon vast.
Hij kon niet nalaten haar in de ogen te zien. Ze waren groot en donker en in de zwarte diepte van haar pupillen zag hij de weerspiegeling van zijn eigen gelaat. Hij greep haar plotseling in het haar en trok haar hoofd met geweld achterover. Hij zag dat hij haar pijn deed, maar er was geen angst in haar ogen. Ze keek vol vertrouwen naar hem op, terwijl ze zich nog dichter tegen hem aanvlijde.
Zo stonden ze enige seconden in schier ondraaglijke spanning.
'Dulcie, je bent een duivelin!' Het klonk als een kreet.
Hij zag de hartstocht in haar oplaaien. Haar lippen openden zich en haar witte tanden blonken. 'Dan ben ik maar een duivelin,' fluisterde ze. 'Maar kom weer in bed.'
Het was daarna nooit meer zo geweest als vóór die nacht en toen ze op zekere avond laat uit de studio thuiskwam, was hij vertrokken. Er lag een briefje op tafel. Het was heel kort en liet aan duidelijkheid niets te wensen over:
'Dulcie – ik ben teruggegaan naar Cynthia Warren.'
Ze had zelfs een beetje gehuild en gezworen wraak te zullen nemen. Maar het was voorbij en er was niets meer aan te doen. Maar sinds die tijd had ze zich altijd eenzaam gevoeld. Met wie ze het ook probeerde, er was geen enkele man die haar lichamelijk en geestelijk zo boeide als Warren Craig had gedaan.
Ze keek Mark minachtend aan. Wat een zeldzaam vervelend mispunt was hij toch met zijn eeuwig gekwijl over haar mooie oogjes en haar lieve handjes! In het begin had ze het wel grappig gevonden hem een beetje op te winden, maar als hij dronken was begon hij te lispelen als een klein kind. En dat beschouwde zichzelf nog wel als een man van de wereld! Hij was in Europa geweest, in Parijs en in Wenen, waar de mannen volgens het zeggen zo goed wisten hoe ze met een vrouw moesten omgaan. Ze zou eigenlijk wel zin hebben om zelf eens een kijkje te gaan nemen in Europa. Ze zou daar beslist het middelpunt van de belangstelling zijn. Haar films waren daar buitengewoon gewild.
Ze luisterde plotseling aandachtig.
Waar had hij het nu over? Het ging over iemand die door het bestuur van Magnum naar de studio zou zijn gezonden om daar een onderzoek in te stellen. Mark vertelde haar hoe hij die man op allerlei manieren om de tuin wist te leiden. Het was grappig om te zien hoe hij overal rondneusde, zonder iets te ontdekken. 'Hoe zei je ook weer dat die man heette?'

Hij keek trots op haar neer. 'Laurence Ronsen. Men zegt dat het een bijzonder pientere baas is, maar ik ben hem toch te slim af.'
Plotseling was ze er helemaal bij. 'En wat zit er achter dat bezoek?'
Hij haalde de schouders op. 'Ik vermoed dat er een paar lui zijn, die de oude heer een kool willen stoven. Nu, dan zijn ze bij mij in goede handen!'
Ze lachte hem vriendelijk toe. 'Vertel me er eens wat meer van.' Ze wilde alles precies weten. Misschien zat hier een kans in om de rekening te vereffenen.

Ronsen zat op het puntje van zijn stoel alsof hij wel zo zou willen opspringen en weglopen. Hij voelde zich ook volstrekt niet op zijn gemak. Zijn blik gleed van tijd tot tijd langs haar blanke hals, die door de diep uitgesneden japon ver werd bloot gelaten, maar hij wendde hem telkens weer met een schuldig gevoel af.
Ze boog zich naar voren en nam de Silex op. 'Nog een kopje koffie, mijnheer Ronsen?' vroeg ze met haar liefste glimlachje. Ze had hem in stilte al geklassificeerd. Een echte geldman. Niets te beleven. Waarschijnlijk een vrouw en vier kinderen, in een geriefelijk huis in New York.
Hij sloeg de blik neer. 'Nee, dank u, juffrouw Warren,' antwoordde hij beleefd. Hij schraapte zijn keel. 'Wat die zaak betreft, waar we het door de telefoon over hadden . . .'
Ze zette de Silex weer neer en viel hem in de rede. 'Juist, mijnheer Ronsen. Als ik het goed begrijp bent u naar Hollywood gekomen met het doel een onderzoek in te stellen in de Magnum Studio's?'
Hij knikte zwijgend. Hij voelde zich hoe langer hoe minder op zijn gemak. Dit was wel een heel eigenaardige manier om inlichtingen in te winnen. Maar hij was hier in Hollywood, niet in Wall Street. Het hele leven was hier een beetje anders. En deze vrouw – ze maakte hem zenuwachtig, ze was zo – zo – hij zocht moeizaam naar het juiste woord. Plotseling wist hij het. Zo beangstigend vrouwelijk. Er steeg een blos naar zijn wangen, die geleidelijk dieper werd.
'Misschien kan ik u van dienst zijn,' veronderstelde ze.
'Ik zou u zeer dankbaar zijn, juffrouw Warren,' antwoordde hij stijfjes.
Daarop begon ze hem tot in de kleinste bijzonderheden te vertellen wat Mark Kessler had gedaan. Terwijl haar melodieuze stem hem in de oren zong, maakte een steeds grotere opwinding zich van hem meester. Hij kon zich nauwelijks weerhouden haar in de rede te vallen. Op een gegeven moment kón hij echter niet langer zwijgen.
'U bedoelt dat de beschikbare gelden niet werden gebruikt voor de op het studiorapport vermelde films?'

Ze knikte. 'Ja. Dat ging allemaal maar rustig door totdat Johnny Edge op een gegeven moment de studio kwam binnenvallen en er een eind aan maakte.'
'Maar hoe was hij in staat het geld dat al aan die film was besteed terug te storten?'
Ze keek hem ernstig aan. Mark had haar nog geen uur geleden verteld wat Johnny gedaan had. 'Dat was heel eenvoudig. Hij leende het geld van de Bank of Independence en gaf zijn aandeel in Magnum als onderpand. Daarop kocht hij een aandeel van vijftig procent in die film, waardoor hij in staat was het geld in de kas van de maatschappij terug te storten.'
'En hoe groot was de termijn van die lening?' vroeg hij in hevige spanning. Eindelijk scheen het lot hem dan toch eens gunstig te zijn. Misschien zou alles ten slotte toch nog eenvoudiger zijn dan hij gedacht had.
Ze fronste nadenkend de wenkbrauwen. 'Als ik me goed herinner drie maanden. Mijnheer Kessler was nog in Europa toen Johnny het geld leende.'
'Dan moet die lening nu ongeveer verlopen zijn.'
'Dat denk ik wel,' stemde ze in.
'Zou hij in staat zijn het terug te betalen?' peinsde hij hardop.
'Ik vrees van niet,' antwoordde ze bedaard. 'Hij moest het eenvoudig terugverdienen door middel van die film en de film is nu nog maar amper klaar.'
Ze zag zijn blozend gelaat plotseling glimlachen. Hij leunde achterover in zijn stoel, nam zijn bril af en begon verwoed de glazen te poetsen. Daarop zette hij hem weer op zijn neus en keek haar aan. 'Buitengewoon!' Hij had geen andere woorden om zijn emoties te beschrijven.
Ze knikte hem vriendelijk toe. 'Het lijkt me een heel interessant geval. U niet, mijnheer Ronsen?'
Hij knipperde verscheidene malen achtereen met de ogen. 'Buitengewoon interessant.' Hij vouwde zijn handen over zijn buik en glimlachte tegen haar.
Ze glimlachte eveneens. Ze begrepen elkaar.

De telefoon op Johnny's schrijftafel belde luid en dringend – zo leek het Johnny althans op dat ogenblik. Hij haastte zich naar het toestel.
'Vittorio Guido is voor je aan de telefoon, Johnny,' deelde Jane hem mee.
Johnny aarzelde even. Wat moest Vic van hem? De termijn verliep pas de volgende week. Hij haalde de schouders op. Hij kon evengoed nu met-

een uitstel vragen. Hij kon het geld toch niet terugbetalen voordat de film uitkwam en het zag er naar uit dat dat nog wel anderhalve maand zou duren. 'Okay, verbind hem maar door, Jane.'
Hij hoorde een klik en daarop Vittorio's zware stem. Voor de verandering klonk deze eens een keer echt hartelijk. 'Hallo, Johnny?'
'Hallo Vic, hoe staan de zaken?'
'Prachtig. En bij jou?'
'Okay,' antwoordde Johnny. Hij wachtte totdat Vic begon, maar het bleef stil aan de andere kant van de lijn. Plotseling kwam er een afschuwelijke gedachte bij hem op. Al. Was er iets met hem gebeurd? Hij wilde het juist vragen, toen Vittorio's stem weer doorkwam.
'Ik wilde je even herinneren aan onze afspraak betreffende die lening, Johnny. De termijn is volgende week verstreken, zoals je weet.'
Johnny zonk in zijn stoel terug. Hij wist niet of hij blij of teleurgesteld moest zijn, maar het was in elk geval een opluchting dat het niet over Al ging. 'Dat weet ik, Vic. Ik was juist van plan je er over op te bellen.'
'En heb je het geld?' Er was een eigenaardige klank in Vittorio's stem; het was alsof hij in hevige spanning verkeerde.
'Nee, Vic,' antwoordde Johnny. 'Daar wilde ik juist met je over spreken. Ik zou graag uitstel hebben.'
Het leek wel of Vittorio een zucht slaakte en zijn stem klonk ineens weer hartelijk en vrolijk. 'Het spijt me, Johnny, maar het gaat niet. We zitten hier de laatste tijd in grote moeilijkheden en het bestuur zal geen uitstel verlenen zonder een extra onderpand.'
'Wel verduiveld!' barstte Johnny uit. 'Wat voor onderpand wensen de heren dan? Is honderddrieëndertig procent nog niet genoeg?'
'Ik ben niet degene die die eis stelt, Johnny,' protesteerde Vittorio.
'Maar Vic, ik mag dat aandeel niet verliezen! Het is op het ogenblik belangrijker dan ooit!'
'Kan je niet ergens anders geld krijgen?'
'Onmogelijk. Ik zou niet weten wie ik om al dat geld zou moeten vragen.'
'Probeer het toch in elk geval,' ried Vittorio hem aan. 'Ik vind het een afschuwelijke gedachte dat aandeel onder je handen vandaan te moeten verkopen, ofschoon je er natuurlijk financieel niets bij zou verliezen. Als we er meer voor krijgen dan jij ons hebt geleend, maken we het verschil natuurlijk op je rekening over.'
'Het gaat me niet om het geld – ik wil alleen het aandeel behouden.'
Er was weer een eigenaardige klank in Vittorio's stem – alsof de woorden die hij zei een dubbele betekenis hadden. 'Ik zal zien wat ik voor je kan doen, Johnny. Stel je onmiddellijk met me in verbinding zodra je iets nieuws weet.'

'Dat zal ik doen, Vic.'
'Het beste, Johnny!' riep Vittorio opgewekt.
'Het beste, Vic,' antwoordde Johnny koeltjes. Hij bleef met niets ziende ogen naar de nu zwijgende hoorn in zijn hand staren. Vic zou zien wat hij voor hem doen kon. Hij wist precies wat die belofte waard was. Eén ogenblik dacht hij er over Al op de ranch op te bellen. Maar zijn trots weerhield hem. Hij kon zijn hele leven niet naar Al blijven lopen als hij in moeilijkheden zat. Hij was langzamerhand oud genoeg om op eigen benen te staan. Hij legde de hoorn op de haak. Misschien liep alles nog wel goed af. Mark had verteld dat Ronsen niets te weten was gekomen in de studio. Hij hoopte maar dat Mark het eens één keer bij het rechte eind had. Maar diep in zijn hart wist hij dat hij evengoed de maan van de hemel kon wensen.

Vittorio legde de hoorn op de haak en glimlachte tegen zijn bezoeker. 'Het ziet er naar uit dat u het aandeel te pakken zult krijgen, mijnheer Ronsen.'
Ronsen glimlachte. 'Daar ben ik blij om, mijnheer Guido.' Hij keek Vittorio strak aan. 'Ik moet u eerlijk bekennen dat het een grote geruststelling voor me zal zijn als Magnum eindelijk eens op de wijze geëxploiteerd zal worden waarop een dergelijke maatschappij nu eenmaal moet worden aangepakt. Ik kan het niet aanzien dat een dergelijk bedrijf eenvoudigweg wordt mishandeld.'
'Ik ben het volkomen met u eens, mijnheer Ronsen,' stemde Vittorio met hem in. 'Als het niet om mijnheer Santos was, kregen ze geen cent meer van ons te leen.'
Ronsen stond op. 'U kunt er van verzekerd zijn dat Magnum, als het maar eenmaal weer onder bekwame leiding staat, weldra in staat zal zijn aan zijn verplichtingen jegens u te voldoen. Ik zal daar persoonlijk zorg voor dragen.'
Vittorio boog. 'Ik zal u de volgende week dus opbellen, mijnheer Ronsen.'
Ronsen knikte. 'Dat is uitstekend.'
Vittorio deed hem tot de deur uitgeleide. Misschien zou Al hem nu eindelijk geloven als hij zei dat Johnny heus niet zo iets bijzonders was.

Johnny lag met wijd open ogen in het donker te staren. Hij kon de slaap niet vatten. Zijn gesprek met Vittorio had hem meer van streek gemaakt dan hij aanvankelijk had gedacht. Hij draaide het lampje naast zijn bed aan en keek verlangend naar de telefoon. Daarop draaide hij een nummer.

Het gesprek kwam gelukkig snel door. Een paar minuten later hoorde hij Doris' stem. 'Johnny!' riep ze. 'Ik ben zo blij dat je me opbelt!'
Hij glimlachte om haar verrukking. 'Ik moest iemand hebben om eens even bij uit te huilen, lieveling, en ik dacht dat ik jou daar toch wel het beste voor zou kunnen nemen.'
'Is er iets aan de hand, Johnny?'
Hij vertelde haar van zijn telefoongesprek met Vittorio.
'Betekent dat, dat hij je aandeel zal verkopen?' vroeg ze ademloos van schrik.
'Niets meer en niets minder, lieveling.'
'Wat een gemene streek!' barstte ze uit. 'Als hij even wacht krijgt hij zijn vuile geld tot de laatste cent terug!'
'Ik denk dat Vittorio dat evengoed weet als wij,' antwoordde Johnny op bittere toon. 'Maar het is juist zijn bedoeling het me zo moeilijk mogelijk te maken.'
'Wat een beest! Ik heb zin hem eens even op te bellen en hem te vertellen hoe ik over hem denk.'
Hij moest bijna hardop lachen om haar woede. Hij voelde zich ineens een stuk opgewekter. Er was wel niet de minste reden toe, want er was in feite niets veranderd, maar het was alsof ze ineens vlak bij hem was en dat nam althans zijn gevoel van eenzaamheid weg. 'Dat moest je maar niet doen, lieveling. We schieten er toch niets mee op. Het enige wat we kunnen doen is afwachten.'
'O, Johnny, het spijt me zo.' Hij hoorde aan haar stem dat ze tegen haar tranen vocht.
'Tob er maar niet over, lieveling,' troostte hij haar. 'Het is jouw schuld niet.'
'Maar Johnny, alles loopt verkeerd! Papa is woedend op je. Vic wil je aandeel niet teruggeven. Het hele bedrijf is in gevaar.' Ze snikte nu.
'Huil nu niet, lieveling. Alles komt terecht.'
Ze zweeg even. 'Denk je dat werkelijk, Johnny?' vroeg ze met een weifelend stemmetje.
'Natuurlijk, kindje,' loog hij manmoedig.
Ze scheen plotseling op te leven. 'Zodra papa dus weer goed op je is, kunnen we trouwen!'
Hij glimlachte teder. 'Ook nog wel een beetje eerder, als jij dat wilt, lieveling.'

Het telegram lag op zijn schrijftafel toen hij terugkwam van de lunch. Hij nam het op en scheurde het haastig open. Terwijl hij het las, zonk hij echter achterover in zijn stoel. Hij was plotseling ijskoud. Het was dus

gebeurd. Vittorio had hem uitgekocht. Hij balde de vuisten in machteloze woede. De schoft! Hij had niet kunnen geloven dat hij het doen zou. Maar hij had het gedaan, de vervloekte ellendeling!
Hij las het telegram opnieuw:

'Beste Johnny, ik zag me tot mijn leedwezen gedwongen je waarborg heden te verkopen voor een miljoen dollar, plus de interest van de gesloten lening. Balans van tweehonderdvijftigduizend ter beschikking. In afwachting van je orders, Vic.'

Hij verfrommelde het telegram en wierp het woedend in de papiermand. In afwachting van je orders! Hij zou hem vertellen dat hij er mee naar de duivel kon lopen.

Mark kwam de kamer binnen juist op het moment dat Doris de brief dichtvouwde. Hij keek glimlachend op haar neer. 'Van je grote vriend?' plaagde hij.
Ze keek hem aan alsof ze hem nog nooit eerder had gezien. 'Ja,' antwoordde ze op doffe toon.
'En wat heeft hij te vertellen?' vroeg hij nieuwsgierig.
Ze wendde het hoofd af. 'Vittorio Guido heeft hem gisteren uitgekocht,' antwoordde ze met dezelfde toonloze stem.
'Wát zeg je?' Mark was werkelijk verbaasd.
Ze knikte slechts.
'Dat is verschrikkelijk,' zeiden zijn lippen. Zijn hart juichte echter.
Doris staarde hem plotseling met brandende ogen aan. 'Het is allemaal jouw schuld!' Het was niet meer dan een hees gefluister.
Mark sloeg de ogen niet neer. 'Ik heb hem toch niet gevráágd of hij het doen wou?'
Het was gebeurd voordat ze er zelf erg in had. Het gaf een harde, kletsende klap toen ze hem met de vlakke hand midden in het gezicht sloeg.
Hij greep onwillekeurig naar zijn wang. De klap deed hem geen pijn, maar hij voelde dat hij vuurrood werd van schaamte.
Ze staarden elkaar een ogenblik vol haat aan. Toen werden haar ogen verblind door tranen. 'Dat is voor Johnny,' slingerde ze hem in het gezicht. Toen begon haar stem haar te begeven. 'Hij – hij heeft alles verloren wat hij bezat en dat is jouw schuld! Jij – jij schurk!' Ze keerde zich om en vloog de kamer uit, haar zakdoek tegen haar ogen gedrukt.

Peter stond voor het hoge raam van zijn kamer en keek somber neer op de Plaza. De grote kerstboom, die 's morgens was neergezet, schitterde met honderden lichtjes. De ijsbaan lag daar als een vlakte van crème-kleurig ivoor in het zachte licht van de boom en de enkele kunstrijders die er nog waren bewogen zich langzaam en gracieus, in wijde cirkels en bogen. Het was bijna zes uur en dichte drommen mensen spoedden zich huiswaarts.
Peter had alweer een miljoen ter beschikking van de maatschappij gesteld, toen Danvere geweigerd had hem het voorschot te geven. Er zat niets anders op.
Hij keerde met slepende tred naar zijn schrijftafel terug en keek naar het telexbericht dat zojuist was binnengekomen. 'United We Stand' was ten langen leste gereed gekomen en de voorvertoning zou morgen plaats vinden in een kleine bioscoop in een van de voorsteden van Los Angeles.
Hij ging in zijn stoel zitten en sloot de ogen. Was hij maar thuis! Hij was nu al zes maanden in New York – er was zoveel te doen geweest. Goddank behoefde hij zich over de studio geen zorgen te maken. Mark was een harde werker. Je kon toch op niemand zo vertrouwen als op je eigen zoon.
Hij richtte zich op in zijn stoel en keek naar buiten. Als het niet zo'n strenge winter was zou hij Esther over hebben laten komen. Dan zou het allemaal nog niet zo erg zijn geweest. Maar dat kon hij niet van haar verlangen; ze had al last genoeg van haar jicht.
De deur ging open. Hij keek op en zag tot zijn verbazing een vreemdeling, die vriendelijk tegen hem glimlachte. 'Mijnheer Kessler, als ik me niet vergis?' Er was een eigenaardige dreigende klank in zijn stem.
Peter staarde hem nog steeds verbaasd aan. Hoe kwam die man daar? Het was een privé-deur, die alleen door hemzelf werd gebruikt. Het personeel en de bezoekers kwamen altijd door de kamer van zijn secretaresse. 'Ja,' antwoordde hij op matte toon.
De man trad het vertrek binnen en nam een groot vel papier uit zijn binnenzak, dat hij voor Peter op de schrijftafel legde. Er gleed een glimlach over zijn gezicht, die echter het volgende ogenblik weer verdwenen was. 'Vrolijk Kerstfeest,' zei hij. Toen keerde hij zich om en haastte zich weg.
Peter boog zich langzaam voorover en nam het papier op. Daarop keek hij naar de man. Deze was echter verdwenen. Was hij niet goed wijs? Hij keek weer naar het papier in zijn hand. Aan de achterkant was met grote zwarte letters een woord gedrukt:

DAGVAARDING

De betekenis van het woord drong niet meteen tot zijn vermoeide hersens

door. Hij opende het met een versuft gezicht en begon te lezen. Plotseling kwam hij tot leven. Zijn gezicht werd vuurrood en hij sprong op, liep met grote stappen naar de deur en rukte die open. Hij keek snel van links naar rechts, maar de man was verdwenen. De hal was leeg.
Hij deed de deur weer dicht en liep het vertrek door naar Johnny's kamer. Johnny zat Jane een brief te dicteren en ze keken allebei verschrikt op toen de deur zo plotseling openging. Het was lang geleden sedert Peter door die deur was binnengekomen. Peters gezicht was bijna purper toen hij met grote stappen op Johnny toetrad en hem het papier onder de neus duwde. 'Daar! Lees dat maar eens – dan kun je zien wat je vrienden hebben uitgehaald,' bracht hij met half verstikte stem uit.

Het was laat in de avond en de miljoenen lichten van New York gaven de stad een sprookjesachtige aanblik. Peter zag er niets van. Hij zat met zijn rug naar het raam, tegenover de advocaat die met zijn slanke vingers een langzame roffel op het opgevouwen papier trommelde. Hij keek Peter ernstig aan.
'Zoals ik het zie, Peter,' zei hij peinzend, 'is de film 'United We Stand' hun ernstigste aanklacht. Er zijn ook nog andere beschuldigingen – onbekwaamheid, verduistering, wanbeheer – maar die zijn maar heel vaag. Als deze film dus goed blijkt te zijn, hebben ze geen ernstige gronden voor hun aanklacht. Dan wordt het eenvoudig een kwestie van opvatting – de jouwe tegenover de hunne. Als de film echter niet goed is, dan wordt het veel moeilijker. Dan zul je op de vergadering van aandeelhouders voor je zaak moeten vechten. Maar er zijn veel manieren om de zaak uit te stellen en bijna tot in het oneindige te rekken – tenminste, als je genoeg stemmen op je hand hebt om de meerderheid te behouden.'
Peter knikte. 'Ik heb voldoende stemmen.' Johnny en hij hadden samen vijfenvijftig procent.
'Dan is de film onze enige zorg,' vervolgde de advocaat. Hij keek Peter scherp aan. 'Is hij goed?'
'Ik weet het niet,' bekende Peter. 'Ik heb hem nog niet gezien.'
'Het zou van veel belang zijn als we dat wisten,' merkte de advocaat nadenkend op. 'Dan wisten we precies waar we aan toe zijn.'
Peter hief het hoofd op. 'We zouden het overmorgen kunnen weten. Morgen vindt de voorvertoning plaats.' Hij hield de adem in. Hij kreeg plotseling een idee. 'Ik vlieg er heen en ga zelf kijken. Dan hebben we absolute zekerheid!'
'Dat is een goed idee,' vond de advocaat. Hij keek op zijn horloge. 'Maar dan zit u de hele nacht in het vliegtuig.'
'Dat geeft niet,' zei Peter haastig. 'Het is de enige manier om de schurken

op de eerstvolgende vergadering behoorlijk van repliek te kunnen dienen.'
'Wanneer is dat?'
'Volgende week woensdag.' Peter dacht even na. Hij had geen gelegenheid meer Esther te laten weten dat hij thuiskwam, maar dat was niet zo erg. Hij zou in de namiddag aankomen.

Dulcies stem klonk vrolijk en hartelijk. 'Natuurlijk kom ik bij je voorvertoning, Mark!' Ze lachte. 'Ik zou dat voor geen geld willen missen!'
Hij glimlachte vertederd. 'Zal ik je om halfzeven komen halen?'
'Dat is goed. Dan dineren we bij mij en gaan vervolgens naar de voorstelling.'
'Heerlijk!' glimlachte hij. Hij legde de hoorn op de haak en draaide zich fluitend om in zijn stoel. Misschien zou ze nu met hem willen trouwen, nu die film klaar was.

Ze wilden juist aan tafel gaan toen Peter kwam binnenvallen. Hij was in één adem uit de taxi gesprongen, de hoge stoep opgerend en de hal doorgestormd en zijn gezicht zag rood van deze ongewone inspanning. Hij was nog geen uur geleden in Los Angeles geland.
Esther sprong met een kreet van verrassing op en lag het volgende ogenblik in zijn armen. 'Peter! Jij hier! Ik kan het haast niet geloven!'
Zijn ogen werden verdacht vochtig, terwijl hij op haar neerkeek. Haar hoofd lag tegen zijn borst en hij zag dat er nog altijd een diepe glans over haar donkere haar lag, in weerwil van het even oplichtende grijs. 'Nou, mama,' bromde hij met hese stem. 'Je ziet toch dat ik thuis ben!'
Doris was eveneens op hem toegesneld. Ze kuste hem hartelijk op de wang. 'Dag papa,' fluisterde zij hem in het oor. 'Ik had al zo'n vermoeden dat u met Kerstmis thuis zou zijn.'
Met zijn arm om Esthers schouders stapte hij op de tafel toe. Het deed hem goed weer thuis te zijn. Hij vroeg zich soms wel eens af of de zaken het wel waard waren er zoveel voor op te offeren. Je was nooit je eigen baas. Nu was hij meer dan zes maanden weg geweest. Hij keek de kamer rond. 'Waar is Mark?' vroeg hij verbaasd.
'Hij dineert bij kennissen,' antwoordde Doris.
Hij keek haar ongelovig aan. 'Is hij uit?'
Esther knikte. 'Hij zei dat hij een belangrijke kwestie te bespreken had.'
Hij keek haar verwonderd aan. Het was een vaste gewoonte dat ze, wanneer ze naar de voorvertoning van een film gingen, allemaal tezamen di-

neerden en er daarna ook tezamen naar toe gingen. 'Gaan jullie dan niet naar de voorvertoning?' vroeg Peter.
Nu was het Esthers beurt verbaasd te kijken. 'Wat voor voorvertoning?'
'Nou, de voorvertoning van 'United We Stand' natuurlijk.'
'Daar weten we niets van,' mengde Doris zich in het gesprek. 'Wanneer vindt die dan plaats?'
Peter keerde zich naar haar om. 'Vanavond om halfnegen, in Rivoli.'
'Daar heeft Mark ons niets van verteld,' antwoordde Doris.
Peter keek Esther met opgetrokken wenkbrauwen aan. 'Bij tijden begrijp ik niets van die jongen! Waarom heeft hij je dat niet verteld? Hij weet toch dat we altijd allemaal naar de voorvertoning gaan.'
'Misschien heeft hij het vergeten – hij heeft het zo druk gehad,' verdedigde Esther haar zoon.
'Dat behoort hij niet te vergeten!' riep Peter verontwaardigd uit.
Ze nam hem glimlachend bij de hand. 'Waarom zou je je er zo over opwinden, papa? We zijn er nu allemaal en er is niets verloren. De jongen heeft zo hard gewerkt – het is toch niet zo erg dat hij eens iets vergeet.' Ze trok hem mee naar de tafel. 'Ga nu rustig zitten en eet eens flink. Je zult wel moe en hongerig zijn van de reis.'

Mark verkeerde al in het lispel-stadium. Zijn gezicht zag roze-rood en er parelden kleine zweetdruppeltjes op zijn bovenlip. Hij gebaarde druk met zijn handen. 'En na de film gaan we uit en vieren mijn overwinning. We gaan de hele stad door. Dan zal iedereen eindelijk eens weten wie ik ben.'
Dulcie sloeg hem glimlachend gade. Ze amuseerde zich kostelijk. Hollywood wist al lang wie en wat hij was. Ze wisten hier instinctief wie succes zou hebben en wie niet. Succes was net zo iets als een magneet. Je wist altijd al lang van tevoren of iemand succes zou hebben of niet door het soort mensen waar hij mee omging. Als je werkelijk iets te betekenen had, waren de meest vooraanstaande figuren van Hollywood je vrienden en anders trok je een hele zwerm klaplopers en avonturiers tot je, die er alleen maar op uit waren zichzelf te bevoordelen ten koste van jou. Al Marks vrienden behoorden tot de laatste soort. Ze zou niemand weten te noemen die werkelijk achting voor hem had. Achter zijn rug lachten ze hem allemaal uit.
Ze ging niet mee omdat ze zo nieuwsgierig naar die film was. Ze wist allang dat hij slecht was. Dat wist de hele stad trouwens al. Maar ze wilde met eigen ogen zien hóé slecht hij was. Ze kon zich deze triomf niet laten ontgaan. En als ze straks weer thuis kwam zou ze van hem af zijn. Voor altijd.

Ze keek op haar horloge. 'Het is al laat, Mark. We moesten nu maar gaan.'
Hij keek haar min of meer uilig aan. 'We hebben een zee van tijd!'
Ze knikte hem glimlachend toe. 'Kom nu, Mark,' zei ze op een toon alsof hij een klein kind was. 'Je wilt toch niet te laat komen bij de voorvertoning van je eigen film?'
Hij knikte met een gewichtig gezicht. 'Heel juist opgemerkt. Ik behoor daar nu eenmaal persoonlijk bij aanwezig te zijn.'
De voorvertoningen van films hadden in die dagen hun oorspronkelijk karakter geheel verloren. Het was vroeger gewoonte een nieuwe film onaangekondigd in een of ander klein theater af te draaien om te zien hoe een zaal toeschouwers, die volkomen onbevooroordeeld tegenover de film stond, er op reageerde. Na afloop van de voorstelling werden er briefkaarten onder de toeschouwers verdeeld, met het verzoek aan de achterzijde hun mening over de film die ze zo juist hadden gezien, te schrijven. De briefkaarten waren geadresseerd aan de studio waar de film gemaakt was. Op die manier meende de producent te weten te kunnen komen of zijn film goed was of niet.
Mettertijd was het verrassende element echter verloren gegaan. Op een of andere manier wist heel Hollywood lang voor de voorvertoning dat een film van die en die inhoud op die en die avond in dat en dat theater zou worden vertoond en op de vastgestelde avond stond er dan een lange file van toeschouwers voor de kassa van het genoemde theater. De attractie van zo'n voorvertoning was tweevoudig. Je kon in de eerste plaats met een verwaand gezicht tegen je buurman zeggen: 'O, dié film? Ik heb de voorvertoning er van gezien. Het was niet veel bijzonders.' En in de tweede plaats kreeg je de kans allerlei beroemdheden te zien, daar die in de regel de voorvertoningen bijwoonden.
De vestibule van het theater was vol mensen, toen Peter daar met Esther en Doris aankwam. Het hoofd van de reclameafdeling stond bij de kassa. Goede avond, mijnheer Kessler,' groette de man beleefd. 'De voorstelling gaat juist beginnen. Ik zal een goede plaats voor u zoeken.'
Ze volgden hem in de zaal, waar hij hen langs het zijpad voorging. Het was donker en ze konden de toeschouwers, die in gespannen verwachting naar het doek tuurden, maar flauwtjes onderscheiden. Midden in de zaal waren een paar rijen stoelen gereserveerd voor de studio-vertegenwoordigers. Ze zochten een plaats op de achterste van deze twee rijen.
Toen Peter gezeten was keek hij eerst eens om zich heen. Zijn ogen waren weldra aan de duisternis gewend en hij herkende verscheidene mensen. De spanning was in dit gedeelte van de zaal nog groter dan elders. Hier zaten de mensen voor wie de film die ze binnen enkele minuten te zien zouden

krijgen overwinning of ondergang betekende. Peter voelde dat het zweet hem uitbrak. Het kwam niet doordat het zo warm was in de zaal – hij had dat altijd bij een voorvertoning.
Zijn hand zocht die van Esther. Toen hij hem vond was de zijne al klam. Ze glimlachte tegen hem. 'Zenuwachtig?' fluisterde ze.
Hij knikte. 'Nog meer dan anders.'
Ze knikte begrijpend. Ze wist precies hoe hij zich voelde – het was met haar al niet veel anders gesteld. Ten slotte was het hun zoon die deze film had gemaakt. Zoals alle ouders, maakten ze zich bezorgder om hem dan om zichzelf.
Peter keek rond of hij Mark niet zag. Plotseling hoorde hij zijn stem vlak voor zich. Hij fluisterde tegen een meisje, dat rechts van hem zat. Haar profiel kwam hem bekend voor, maar het was toch te donker om met zekerheid te kunnen zeggen wie ze was. Hij boog zich juist voorover om Mark op de schouder te tikken toen de herkenningsmelodie van Magnum klonk. Hij leunde glimlachend achterover in zijn stoel. Hij zou Mark na afloop van de voorstelling verrassen. Daarop keek ook hij in gespannen verwachting naar het doek.
Het licht op het doek was donkerblauw. In de rechter benedenhoek zag hij een glanzend groene fles met een gouden etiket. De fles bewoog zich snel naar het midden van het doek en werd intussen al groter en groter totdat de rode letters op het etiket duidelijk leesbaar waren: 'A Magnum Picture'.
Plotseling klonk er een knal en de kurk vloog van de fles. De fonkelende vloeistof spoot schuimend uit de hals. Daarop werd een slanke mannenhand zichtbaar, die de fles greep, terwijl de hand van een vrouw een kristallen kelk omhooghield. De champagne vloeide fonkelend in de kelk. Daarop was het alsof de fles en het glas zich geleidelijk van de toeschouwer verwijderden, totdat ze ten slotte geheel verdwenen waren en toen verschenen in majestueuze Gothische letters de volgende woorden:

Mark G. Kesler, vice-president en produktieleider van Magnum Pictures, presenteert:

UNITED WE STAND

Peter greep Esther opgewonden bij de arm. 'Wat heeft dat te betekenen? Hoe komt die G daar?'
Ze schudde het hoofd, maar plotseling ging haar een licht op. 'Hij zal er Greenburg mee bedoelen – mijn meisjesnaam.'
Iemand tikte hem driftig op de schouder. Hij keerde zich verbaasd om en

een stem fluisterde hem woedend toe: 'Al hebben jullie nu vrije toegang, daarom behoef je nog niet zo'n lawaai te maken!'
'Neemt u me niet kwalijk,' fluisterde hij terug. De man had groot gelijk. Het kwam niet te pas betalende klanten te hinderen.
Naarmate de voorstelling vorderde scheen Peter meer en meer in zijn stoel ineen te krimpen. Hij wist na een paar minuten al dat er niets, maar dan ook niets van de film deugde. Hij behoefde niet eens naar het doek te kijken om dat te weten. Hij hoorde het aan de opmerkingen van de toeschouwers achter zich, aan het gekuch en gegiechel in de zaal. Volslagen wanhoop maakte zich van hem meester en hij dook al dieper weg achter Marks stijve, rechte rug.
Nu werd hem plotseling alles duidelijk. Je moest eerst een ander de fouten zien maken die je zelf altijd had gemaakt, in de vaste overtuiging dat je het goed deed, voordat je inzag hoe volkomen verkeerd je alles altijd had gedaan. En pas nu hij Marks film op het doek zag, begon hij zijn eigen fouten te zien. Nu realiseerde hij zich plotseling dat het filmbedrijf hem boven het hoofd was gegroeid en dat hij nooit het geluid naar behoren had weten toe te passen.
Hij staarde verbijsterd naar het doek. Johnny had gelijk gehad – hij had Gordon de leiding moeten geven. Had hij maar naar hem geluisterd! Hij keek even opzij, naar Esther. Haar gezicht was doodsbleek en vertrokken van smart. Een tomeloze woede laaide plotseling in hem op. Hoe had Johnny het in Godsnaam in zijn hoofd kunnen halen Mark tot het maken van deze film aan te sporen!
Vóór hem boog Mark zich naar het meisje toe. Hij zag dat hij haar iets toefluisterde en hij hoorde haar beheerste lach. Dat lachje kwam hem ook al zo bekend voor. Eensklaps wenste hij vurig te weten waar Mark het zo druk met haar over had. Hij boog zich ver naar voren en hield zijn hoofd een beetje schuin. Nu hoorde hij duidelijk Marks stem en plotseling had hij een gevoel alsof zijn bloed in z'n aderen stolde. Wat bedoelde Mark toch? Hij had het er over dat hij iedereen zo mooi beet had gehad en dat de oude heer zelfs Johnny hiervoor aansprakelijk stelde. 'Ben ik handig, baby, of ben ik het niet?' Het meisje lachte met hem mee en stak haar arm door de zijne; zijn verhaal scheen haar bijzonder te amuseren.
Peter zonk achterover in zijn stoel. Hij beefde over zijn gehele lichaam. Hij zag verder niets meer van de film, want zijn ogen stonden vol tranen, brandende tranen. Zijn eigen zoon. Zijn eigen vlees en bloed. Als je eigen kind je dit kon aandoen, wie ter wereld kon je dan nog vertrouwen?
De voorstelling was afgelopen, de lichten flitsten aan. Hij zat roerloos in zijn stoel, met zijn ogen stijf gesloten. Het duurde geruime tijd voordat hij de moed had ze te openen.

Mark was opgestaan en hielp het meisje met haar avondcape. Peter keek met doffe ogen toe hoe hij tussen de twee rijen stoelen door naar het zijpad schoof, waar hij onmiddellijk door mensen omringd werd. Hij zag het meisje zich naar hem omwenden en plotseling duizelde het hem.
Dulcie Warren! Wat moest Mark met die vrouw? Hij wist drommels goed hoe zijn vader over haar dacht! Hij zag nog net hoe ze Mark vluchtig op de wang kuste. Toen dromden de mensen om hen heen.
'Deze film is te goed voor de grote massa – ze begrijpen hem niet, Mark!' hoorde hij iemand zeggen, toen hij zich woedend door de menigte heendrong, om zijn zoon te bereiken. Dulcie had haar arm weer door die van Mark gestoken en keek met een geamuseerde glimlach om de lippen naar hem op.
'Ik was er al bang voor,' antwoordde Mark. 'De gemiddelde bioscoopbezoeker is nu eenmaal niet al te schrander . . .' Toen viel zijn blik op zijn vader.
Peter stond vlak voor hem. Zijn gezicht was spierwit van woede.
'Peter!' trachtte Mark te glimlachen. Zijn poging mislukte echter deerlijk. 'Hoe komt u hier?' Hij voelde hoe Dulcie haar arm bedaard uit de zijne trok. 'Ik wist niet dat u hier was!'
Het eerste ogenblik kon Peter geen woord uitbrengen en toen hij eindelijk weer geluid kon geven klonk het als een schrille kreet. 'Je wist niet dat ik hier was!' Zijn stem werd nog luider. 'Welnu, ik wás hier. Ik heb de hele avond vlak achter je gezeten en ik heb elk woord gehoord dat je tegen die – tegen die –' Hij keek naar Dulcie, die nog altijd naast Mark stond en zocht verwoed naar de juiste benaming. 'Tegen die goedkope *courveh* zei! Ik heb alles gehoord!'
Mark keek schuw om zich heen. Er vormde zich al een kring belangstellenden die zich nieuwsgierig om hen verdrongen. 'Papa!' prevelde hij met bleke lippen, terwijl hij met de hand op de mensen om hen heen duidde.
Maar Peter was te woedend om enige aandacht aan zijn smekende blik te schenken. 'Wat is er aan de hand, Marcus?' Hij was niet meer in staat zijn accent te beheersen. 'Moghe de mense niet weten wat je hebt ghedaan? Je film is toch te goed voor de massa?' Hij richtte zich zo hoog mogelijk op en schudde zijn vuist onder de neus van zijn zoon. 'Wel, ik zal je eens wat vertellen! Die film van je is maar amper goed genoeg foor de mesthoop!'
Er klonk een zacht gelach onder de toeschouwers; één van hen klapte in de handen. Mark voelde dat zijn gezicht bloedrood werd. Hij had wel in de grond willen zinken van schaamte. Hij keek hulp zoekend naar Dulcie, maar ze stond niet meer naast hem en toen hij het hoofd ophief zag hij haar juist achter de gordijnen achter in de zaal verdwijnen. 'Maar, papa . . .' begon hij, bijna huilend.

'Waar kijk je naar, Marcus?' brulde zijn vader. 'Naar die hoer van je? Wou je soms achter haar aan?'
Mark keek naar de grond en gaf geen antwoord.
'Nou, waar wacht je nog op?' brulde Peter weer. 'Ga maar achter haar aan. Je hebt hier al het kwaad gedaan dat je maar doen kon. Mijn zaak heb je me al gekost! Je hoort in dezelfde goot als zij!' Zijn stem begaf hem plotseling toen hij Esther door de menigte heen zag dringen.
Mark keek zijn ouders smekend aan. De ogen van zijn moeder stonden vol tranen toen ze Peter bij de arm nam en hem trachtte mee te tronen. Mark deed een stap in haar richting, maar ze schudde het hoofd en knikte in de richting van de uitgang. Mark maakte dat hij wegkwam.
Plotseling keerde zijn vader zich echter om en schreeuwde hem na: 'En heb het hart niet dat je me nog ooit onder de ogen komt, jij – jij smerige bloedzuiger – jij . . .'
Mark strompelde blindelings naar de uitgang. Hij hoorde iemand lachen en een ander merkte boosaardig op: 'Dat was een heel wat betere voorstelling dan de film. Dit was alleen al de toegangsprijs waard. Ik zeg je dat al die lui van de film zo zijn. Er deugt er niet één van!'
Een blinde woede laaide in hem op. Zijn keel was kurkdroog. Morgen zou heel Hollywood het weten en hem met de vinger nawijzen. Hij rukte het portier van zijn auto open en stapte in. Hij legde zijn hoofd op zijn armen over het stuur en begon te huilen.

Peter en Esther zaten nu achter in de wagen en Doris stuurde. Peters hoofd rustte tegen de kussens en hij hield de ogen gesloten, maar hij praatte aan een stuk door. Doris kon echter niet verstaan wat hij zei.
Na enige tijd opende hij de ogen en wendde Esther zijn gelaat toe. Hij sprak nu vlak bij haar oor. Zijn stem was volkomen toonloos. Alle gevoel scheen hem verlaten te hebben, hij was lichamelijk en geestelijk uitgeput. 'Onze enige hoop zijn onze aandelen. Als Johnny voor mij stemt kunnen we de zaak misschien nog redden.'
Esther trok zijn hoofd tegen haar schouder. 'Tob nu maar niet meer,' zei ze zacht. 'Je kunt op Johnny vertrouwen.' Ze zat daar heel kalm en haar hand streelde troostend zijn haar. Maar haar hart schreide en hield maar niet op te roepen: 'Mark, Mark, je was toch zo'n lieve, kleine baby. Hoe heb je je vader dit aan kunnen doen?'

'Breng je me niet thuis?' vroeg Dulcie, die op de achterbank zat, rustig.

Toen ze de bioscoop was uitgegaan had ze geen taxi kunnen vinden en dus was ze in Marks wagen gestapt. Dan was ze tenminste uit het zicht van de haar aangapende mensen.
Langzaam hief hij zijn hoofd op, draaide zich om en keek naar haar. De punt van haar sigaret gloeide helderrood toen ze diep de rook inzoog en bij het licht daarvan zag hij haar ogen, die donker en onverstoorbaar keken.
Ze reden naar huis zonder een woord te spreken. Van tijd tot tijd keek hij zijdelings naar haar, maar er was niets op haar gezicht te lezen. Zo te zien scheen er niets gebeurd te zijn dat haar had opgewonden en toch wist hij dat ze opgewonden was. Hij zag het aan de manier waarop ze de ene sigaret met de andere aanstak.

Ze stak haar sleutel in het slot en draaide hem om. De deur ging op een kier open en ze keerde zich naar hem en keek hem aan. 'Welterusten, Mark,' zei ze kalm.
Hij keek op haar neer, recht in haar ogen, en er stond woede op zijn gezicht te lezen. 'Is dat alles wat je, na al wat er vanavond gebeurd is, te zeggen hebt? 'Welterusten, Mark'?' Zijn stem was schor.
Rustig haalde ze haar schouders op. 'Wat valt er nog meer te zeggen?' vroeg ze op die kalme toon, die hem razend maakte. Ze deed een stap de hal in. 'Het is voorbij en afgelopen.' Ze wilde de deur sluiten.
Hij zette zijn voet er voor en keek haar met vlammende ogen aan.
Nog steeds kalm en volkomen zeker van zichzelf keek ze hem aan. 'Ik ben moe, Mark. Laat me gaan slapen.'
Hij antwoordde niet. Een paar seconden stond hij bewegingloos, dan legde hij een arm op haar schouder, duwde haar naar de kamer en sloot de deur. Haar ogen waren wijd open en er was geen spoor van angst in. 'Wat ben je van plan, Mark?' vroeg ze snel. 'Waarom ga je niet naar huis? 't Is voor ons allemaal een tamelijk vermoeiende dag geweest.'
Hij ging naar een kast en haalde er een fles whisky uit. Hij opende hem en dronk zo uit de fles. Hij voelde de scherpe drank in zijn keel branden. 'Heb je niet gehoord wat mijn vader zei?' vroeg hij schor.
'Daar is hij morgenochtend wel weer overheen,' antwoordde ze rustig. Ze kwam op hem toe. 'Toe, ga nu naar huis.'
Hij stak zijn handen uit en rukte haar ruw naar zich toe en kuste haar zo hard dat haar mond pijn deed.
Ze probeerde zich uit zijn omhelzing te bevrijden. 'Mark,' – er begonnen tekenen van angst in haar stem door te klinken – 'je weet niet meer wat je doet.'
'O nee?' vroeg hij spottend terwijl zijn armen haar bleven omklemmen.

'Ik had dit al lang geleden moeten doen!'
Ze begon nu werkelijk bang te worden. Er lag een waanzin in zijn ogen die ze daar nog nooit had gezien. Haar handen krabden naar zijn gezicht en ze probeerde zich los te rukken. Plotseling had ze zich vrijgemaakt uit zijn greep. 'Ga weg!' gilde ze.
Traag glimlachte hij. 'Je ziet er werkelijk schattig uit als je boos bent, Dulcie,' zei hij, terwijl hij op haar toeliep. 'Maar dat weet je wel, hè? Heel wat mannen hebben je dat natuurlijk al verteld!' Plotseling greep hij haar weer bij haar schouder.
Ze probeerde zich los te wringen, maar hij hield haar bij haar jurk vast en de dunne stof scheurde in zijn handen. Weer greep hij haar vast. Haar handen klauwden naar zijn gezicht, krabden naar zijn ogen. 'Laat me los, laat me los, maniak!' gilde ze.
Plotseling sloeg hij haar midden in haar gezicht, zodat het haar duizelde. Weer sloeg hij haar en ze viel op de grond, waarbij de rest van haar japon in zijn handen achterbleef. Hij boog zich over haar heen en weer trof zijn hand haar.
Wild sloeg ze haar handen voor haar gezicht. 'Niet op mijn gezicht,' gilde ze in panische angst. 'Niet op mijn gezicht!'
Zijn gelaat was nu heel dicht bij het hare en hij grinnikte traag. 'Wat is er, Dulcie? Bang voor je uiterlijk?'
Ze voelde hoe zijn handen de rest van haar kleren van haar lichaam scheurden en plotseling voelde ze dat ze naakt was. Langzaam nam ze haar handen van haar gezicht weg en keek naar hem op. Uit de hoek van haar mond liep een dun straaltje bloed, ze proefde de zoute smaak op haar tong.
Hij deed zijn jasje uit. Dof, als verdoofd, zag ze hoe hij de rest van zijn kleren uit deed. Plotseling had ze het koud en trok een ijskoude rilling door haar lichaam. Ze keek naar haar lichaam, op het blanke vlees waren donkerblauwe plekken. Ze begon te rillen van angst.
Hij knielde, krankzinnig lachend, over haar heen. Ze keek naar hem op, hevig trillend, haar ogen wijd open van angst. Hij staarde haar aan. Weer hief hij zijn hand op en sloeg haar in het gezicht. Alles draaide voor haar ogen en ze kon nauwelijks meer horen wat hij zei.
'Jammer dat er hier geen goot is,' zei hij, zo gewoon alsof hij een normaal babbeltje hield. 'Maar dan maar op de grond.'
Toen viel hij over haar heen.

De vergaderzaal in Waldorf zag al blauw van de rook toen Johnny in zijn stoel plaats nam. Ronsen zat tegenover hem. Er stonden kleine zweetdruppeltjes op zijn voorhoofd en hij fluisterde druk met Floyd en Randolph. Johnny keek op zijn horloge. Peter kon er nu elk ogenblik zijn. Zijn vliegtuig was een uur geleden geland. Zijn blik gleed langs de mannen, die rond de lange tafel zaten.

Ronsen sloeg de blik neer toen hij merkte dat Johnny's ogen op hem rustten. Sedert de korte groet die ze een half uur geleden hadden gewisseld hadden ze niet meer met elkaar gesproken. Het wachten was nu nog op Peter, die de vergadering moest openen. Plotseling stierf het rumoer weg en een merkbare spanning maakte zich van de aanwezigen meester.

In de hal klonken stemmen. De deur ging open en Peter trad binnen, gevolgd door Esther en Doris.

Johnny keek verrast op. Hij wist niet dat Doris mee zou komen. De vergadering kwam een beetje stommelig overeind. Allen keken min of meer verlegen naar de twee vrouwen.

Peter stelde zijn vrouw en dochter voor en ieder van de aanwezigen mompelde een onverstaanbare groet, toen hij vervolgens de bestuursleden aan Esther en Doris voorstelde.

Johnny knikte Doris ongemerkt toe en ze glimlachte tegen hem. Peter wierp zijn jas en hoed op een lege stoel en nam plaats op de voorzittersstoel. Esther ging naast hem zitten en Doris ging op enige afstand op een stoel tegen de muur zitten.

Peter keek de tafel rond. 'Zijn alle leden aanwezig?' Hij wachtte hun antwoord niet af. 'Als voorzitter van deze vergadering verklaar ik hiermede de vergadering geopend.' Hij nam een zilveren hamertje van de tafel en gaf er een scherpe tik mee op het blad.

Johnny nam zijn pen, keek op zijn horloge en schreef de tijd in het notitieboek. Toen hij weer opkeek was Ronsen al opgestaan. Johnny lachte grimmig. Ze lieten er geen gras over groeien!

'Mijnheer de voorzitter,' zei Ronsen met een lichte buiging tegen Peter.

Peter knikte. 'Mijnheer Ronsen.'

Ronsens dikke, met schildpad omrande brilleglazen lieten Peters gelaat geen moment los. Hij sprak in neutrale bewoordingen, maar het was duidelijk dat alles wat hij zei tot Peter persoonlijk gericht was. Er heerste een schier ademloze spanning toen hij zijn betoog besloot. 'En daarom heb ik mij afgevraagd of de geachte voorzitter, met het oog op de betreurenswaardige toestand in de studio en de grote moeilijkheden waarmee de maatschappij in het algemeen te kampen heeft – feiten die voor ieder van de hier aanwezigen van het allergrootste belang zijn – niet genegen zou zijn zijn aandeel in de maatschappij te verkopen.'

Peter keek hem vast in de ogen. Zijn stem klonk effen en koud. 'Nee.'
Johnny sloeg hem ademloos gade. Hij hoorde aan Peters stem dat hij woedend was. Ronsen zou een zware strijd hebben. Plotseling was hij heel trots op Peter. Hij dacht aan die morgen, jaren geleden, toen Peter op het kantoor van de Combinatie tegenover Segale had gestaan en hem had gezegd hoe hij over hem dacht. Peter had toen over een flinke dosis moed beschikt en de tijd had dit niet veranderd. Zijn pen kraste haastig over het papier.
Ronsen stond nog steeds. Ook om zijn mond lag een grimmige, vastberaden trek. 'Ik zou de geachte voorzitter er op willen wijzen dat door enige aandeelhouders een proces tegen hem aanhangig is gemaakt, dat hem in zeer grote verlegenheid zou kunnen brengen.'
Peter schudde bijna onmerkbaar het hoofd. 'In dit bedrijf hebben we al lang verleerd verlegen te zijn, mijnheer Ronsen. We zijn er aan gewend dat het oog van de wereld op ons rust en we zijn daar volstrekt niet bang voor.' Hij rees langzaam uit zijn stoel op en keek Ronsen over de tafel heen aan. 'Zolang ik de leiding heb in deze maatschappij, denk ik er niet over mijn aandeel te verkopen. Ik laat me door niemand intimideren en bezeker niet door mensen die een overeenkomst sluiten met het doel hun beloften bij de eerste de beste gelegenheid te breken. Ik beschouw dergelijke lieden als bedriegers en ze zijn me het aanzien niet waard.'
Ronsen keek Peter strak aan. Johnny zag zijn ogen onheilspellend fonkelen. 'Zou de voorzitter er bezwaar tegen hebben dat de aandeelhouders hun stem uitbrengen over deze beslissing?'
'De voorzitter heeft geen bezwaar,' antwoordde Peter.
Ronsen keek de tafel rond. Er was een zegevierende klank in zijn stem. 'Ik geloof dat alle aandeelhouders aanwezig zijn. Zou de voorzitter genoegen nemen met een mondelinge stemming? Een schriftelijke stemming kan desgewenst later nog plaats vinden.'
Ronsen ging weer zitten en Peter wendde zich tot Johnny. 'De motie geldt de vraag of ik mijn aandeel zal verkopen of niet. Wil de secretaris de namen afroepen?' Hij ging weer zitten en keek Johnny uitnodigend aan.
Johnny's bloed hamerde plotseling in zijn slapen en hij staarde Peter verbijsterd aan. Wist Peter niet dat hij geen aandeel meer had? Had Doris het hem niet verteld? Zijn blik zocht de hare. Ze had haar beide handen voor haar mond geslagen en staarde hem met grote, verschrikte ogen aan. Haar gezicht zag spierwit. Hij stond langzaam op. 'Ik geloof niet dat momenteel een dergelijke motie kan worden ingediend,' bracht hij met hese stem uit.
Peter keek hem verbaasd aan. 'Wees geen *schlemiel,* Johnny. Vooruit, roep de namen af!'
Johnny bleef aarzelen.

Peter sprong woedend op. 'Goed dan, dan zal ik het zelf doen!'
Johnny zonk langzaam in zijn stoel terug. Hij nam zijn pen weer op, maar zijn hand beefde zo dat hij nauwelijks kon schrijven.
Peters stem klonk krachtig en zelfbewust. 'Ik zal het u gemakkelijk maken, heren. De voorzitter stemt tegen de motie. Dat is vijfenveertig procent van alle aandelen.' Er speelde een glimlach van voldoening om zijn lippen, toen hij zich tot Johnny wendde. 'Vooruit, Johnny, nu jij!'
Johnny keek hem aan, maar gaf geen antwoord. Hij opende zijn mond, maar er kwam geen geluid uit. Hij deed opnieuw een poging om te spreken en nu gelukte het hem een paar woorden uit te brengen, maar hij herkende zijn eigen stem niet eens, zo hees en gebroken klonk zij. 'Ik – ik kan niet stemmen, Peter.'
Peter keek hem ongelovig aan. 'Hoe bedoel je dat? Doe niet zo raar, Johnny. Breng nu je stem uit, dan is het achter de rug.'
Johnny's antwoord was bijna een kreet van wanhoop. 'Ik heb geen aandeel meer in Magnum!'
Peter keek hem nog steeds ongelovig aan. 'Als jij je aandeel niet meer hebt, wie heeft het dan?'
Ronsen rees langzaam op. Eerst keek hij zegevierend de tafel rond. 'Dat heb ik, mijnheer Kessler,' zei hij toen, met een stem die tot in de verste hoeken van de kamer klonk.
Johnny wendde het gelaat met een ruk in zijn richting. Dat had hij toch wel kunnen vermoeden! Ronsen was in Californië toen Vittorio het aandeel verkocht.
De kleur trok langzaam weg uit Peters gelaat. Hij leunde een ogenblik zwaar op de tafel en zonk toen langzaam in zijn stoel terug. Zijn ogen rustten vol bitter verwijt op Johnny's vertrokken gezicht. 'Jij hebt me dus uitgekocht, Johnny. Jij hebt me uitgekocht.'

Hij drukte op de bel en luisterde naar de nagalm van het heldere geluid in de ruime hal. Even later klonken er voetstappen en de deur werd geopend. Doris stond voor hem.
Hij trad de hal binnen en kuste haar. Ze keek hem met grote, angstige ogen aan. 'Heb je al gelegenheid gehad met Peter te spreken?' vroeg hij.
Ze nam zijn hoed van hem aan en ging hem voor naar de huiskamer. 'Nee. Hij wil je naam niet meer horen. Ik heb het mama verteld, maar hij wil zelfs niet naar haar luisteren. Hij zegt dat jij en Mark voor hem hebben afgedaan.'

Hij liet zich in een stoel vallen en stak een sigaret op. 'Die koppige oude idioot! Hij wil eenvoudig niet begrijpen dat het allemaal zijn eigen schuld is!' Hij deed een paar driftige trekken aan zijn sigaret en keek Doris toen vragend aan. 'En hoe moet het nu met ons?'
Ze keek verdrietig op hem neer. 'Hoe bedoel je dat, Johnny?'
'Gaan we nog trouwen of gaan we niet trouwen?' blafte hij bijna.
Ze streelde hem over de wang. 'We zullen nog wat moeten wachten, Johnny,' zei ze zacht. 'Het zou het allemaal nog erger voor hem maken.'
Hij greep haar hand. 'Ik heb genoeg van het wachten.'
Ze gaf geen antwoord, maar haar ogen smeekten hem geduld te hebben.
'Wat doe jij hier?' brulde plotseling Peters stem uit de open deur.
Johnny hief ontzet het hoofd op. Peter staarde hem met de ogen van een waanzinnige aan.
'Ik wilde proberen of ik niet wat gezond verstand in je harde Duitse kop kon stampen!'
Peter kwam met grote stappen op hem toe. 'Uit mijn huis, Judas!' schreeuwde hij.
Johnny stond langzaam op en strekte verzoenend de handen naar hem uit. 'Peter, waarom wil je niet naar rede luisteren? Je moet toch begrijpen dat ik...'
Peter viel hem in de rede. 'Hou je mooie praatjes maar voor je. Ik weet nu wie en wat je bent!' Hij keerde zich woest om naar Doris. 'Heb jij hem gevraagd hier te komen?'
'Nee,' antwoordde Johnny, voordat zij iets kon zeggen, 'ik ben uit eigen beweging gekomen. We hadden het een en ander te bespreken.'
'Zo, hadden jullie iets te bespreken – je wilt haar dus ook nog tegen mij opstoken. Is het nog niet genoeg wat je mij hebt geleverd? Ben je nog niet tevreden?'
'We willen met elkaar trouwen,' deelde Johnny hem onomwonden mee.
Peter staarde hem met glazige ogen aan. 'Wil Doris met jou trouwen? Met jou? Jij smerige antisemiet! Ik zag haar nog liever dood! Maak dat je wegkomt, voordat ik je er uit gooi!'
'Papa!' Doris legde haar hand op Peters arm. 'Je móét naar Johnny luisteren! Hij hééft je niet uitgekocht. Hij moest zijn aandeel belenen om...'
'Hou je mond!' brulde Peter. 'Als je met hem meegaat, ben jij mede schuldig aan mijn ondergang! Dan keer je je tegen je eigen volk, je eigen vlees en bloed! Dacht je dat ik niet wist dat hij al die jaren werd opgevreten van afgunst omdat ik meer had dan hij? En dat hij daarom dat mooie plannetje maakte om de maatschappij van me af te gappen? Als ik bedenk wat een blinde idioot ik al die jaren geweest ben, zou ik wel kunnen

schreeuwen! Op die man heb ik vertrouwd alsof ik het zelf was! Ze haten de joden! Allemaal! En hij is al geen haar beter dan de rest en nu probeert hij jou ook nog tegen me op te stoken!'
Ze keek haar vader smekend aan. Haar ogen stonden vol tranen. Daarop keek ze weer naar Johnny. Zijn gezicht was strak als een masker en zijn lippen bewogen nauwelijks toen hij sprak. 'Je wilt niet luisteren,' zei hij tegen Peter, 'en als je dan al luisterde, dan zou je me niet willen geloven. Je bent een oud, verbitterd mens en je hebt je hart vergiftigd met je eigen koppigheid. Maar je bent nog niet te oud om op zekere dag te leren inzien dat je mij verkeerd hebt beoordeeld!' Hij nam zijn hoed op en liep langzaam naar de deur. Daar keerde hij zich nog eens om en keek Doris aan. Esther kwam op hetzelfde moment de kamer binnen, maar hij zag haar niet eens. De tranen brandden achter zijn oogleden en zijn stem trilde. 'Doris, ga je met me mee?' Het was een wanhopige smeekbede en ze had zijn stem nog nooit zo gehoord.
Ze schudde langzaam het hoofd en deed een stap in de richting van haar vader en moeder. Haar moeder nam haar bij de hand.
Hij stond daar lange tijd, met zijn ogen onafgewend op haar gelaat gevestigd. Plotseling trof Peters stem weer zijn oor.
'Ga!' riep die stem woedend. 'Ga! Waar wacht je nog op? Je ziet toch dat ze niet meegaat? Ga terug naar je vrienden, je gemene, geniepige handlangers! Je denkt immers dat je ze kunt vertrouwen? Je zult het wel ondervinden! Op zekere dag gooien ze jou er ook uit – als ze je niet meer nodig hebben! Net zoals je met mij hebt gedaan!'
De tranen verduisterden Johnny's ogen nu geheel, maar de stem raasde meedogenloos verder. 'Je hebt in je vuistje om me gelachen, hè? Jij zou dat eenvoudige ijzerhandelaartje uit Rochester eens netjes in een filmmagnaat omtoveren! Hij was als was in je handen en je kon met hem doen wat je maar wilde en toen je hem niet meer nodig had gooide je hem weg – is het zo niet gegaan? En ik ben al die jaren ziende blind geweest. Ik vertrouwde je alsof je mijn eigen zoon was en al die tijd heb je me stiekum uitgelachen. Omdat je me zo mooi deed denken dat het mijn zaak was, terwijl het in werkelijkheid de jouwe was! Zo heb je je leven lang met dat kleine joodje uit Rochester gespeeld. Maar nu is het voorbij. Je kunt trots op jezelf zijn – je hebt me mooi een rad voor ogen gedraaid. Maar nu is het afgelopen en je kunt gaan. Er is niets meer van me te halen!' Peters stem eindigde in een snik.
Johnny deed een paar stappen in zijn richting en bleef toen weer staan. Peter sprak weer, maar zijn stem was nu bijna onhoorbaar.
'Waarom heb je dat gedaan, Johnny? Waarom? Waarom heb je maar gewacht en gewacht en het ten slotte op deze manier gedaan, terwijl je al die

tijd slechts naar me toe had behoeven te komen en te zeggen: 'Peter, ik heb je niet langer nodig. Het bedrijf is je boven het hoofd gegroeid.' Denk je dat ik dat zelf niet wist?' Hij sloot vermoeid de ogen. 'Als je bij me was gekomen, zou ik het hele bedrijf aan jou hebben overgelaten. Ik had het geld niet meer nodig en ik was de strijd meer dan moe. Ik had er voor de rest van mijn leven genoeg van.'
Zijn stem werd weer krachtiger. Hij klonk nu koud en bitter. 'Maar nee! Jij moest het op jouw manier doen! Met een dolk in mijn rug!'
Ze keken elkaar lange tijd diep in de ogen. Het leek wel alsof ze alleen in de kamer waren. Johnny zocht wanhopig naar een glimp van warmte op Peters gelaat, maar dat was hard en onverzoenlijk. Zijn blik gleed naar Doris en vervolgens naar Esther. Er sprak innig medelijden uit hun ogen. 'Geef hem de tijd,' schenen ze te zeggen. 'Geef hem de tijd.'
Hij keerde zich langzaam om en liep naar de deur. Zijn hart lag als lood in zijn borst toen hij de deur onhoorbaar achter zich sloot en de hal door liep naar de lift. Daar keek hij nog eens om naar Peters appartementen en hij voelde de tranen achter zijn oogleden branden.
Het gesuizel van de lift schrikte hem op. De smartelijke uitdrukking van zijn gezicht maakte plaats voor grimmige vastberadenheid. Hij perste de lippen opeen en zette zijn hoed op.
De liftdeur schoof geruisloos open en hij stapte binnen. Dertig jaren. Dertig lange jaren. Een half mensenleven lang hadden ze samen geploeterd en dit was het resultaat.

ZONDAG EN MAANDAG 1938

We vertrokken 's morgens om halfzeven en ontbeten en lunchten onderweg. Om twee uur sloegen we de smalle landweg in, die naar de ranch leidde. De zon brandde al urenlang onbarmhartig op ons neer.
De mensen die op de akkers werkten richtten zich op toen ze onze auto hoorden passeren en keken ons nieuwsgierig na. Hun gezicht was bruingebrand en ze hadden grote strohoeden op het hoofd tegen de verzengende zonnegloed. Een paar minuten later stopte de auto voor het huis.
Er kwam een man de veranda op om te zien wie de onverwachte bezoekers waren. Het was een grote, zware man, met een rond gezicht en donker haar. Ik kende hem. Het was Vittorio Guido.
Ik stapte uit en liep op de veranda toe. 'Hallo, Vic!' riep ik hem toe.
Hij nam een bril – met een breed, zwart montuur – uit de borstzak van zijn shirt, zette hem langzaam op zijn neus en keek me onderzoekend aan. 'Johnny Edge!' riep hij zonder enig enthousiasme. 'Hoe kom jij hier?'
Ik liep terug naar de auto en hield het portier voor Doris open. 'Ik kom eens zien hoe de zaken hier staan,' antwoordde ik luchtig. 'Waar is Al?'
Hij keek een ogenblik nadenkend op ons neer voordat hij antwoordde. 'Hij is achter het huis bij de oude circuswagen. Moet ik je de weg wijzen?'
'Nee, dank je wel,' glimlachte ik, 'ik weet het wel te vinden.'
Hij keerde zich zwijgend om en verdween weer in het huis.
'Ik word al koud als ik die man zie,' rilde Doris.
'Trek je maar niets van hem aan,' lachte ik, terwijl ik haar bij de hand nam en met haar om het huis heen liep. 'Hij doet altijd een beetje eigenaardig als ik in de buurt ben. Ik denk dat hij een beetje jaloers op me is omdat zijn baas zo op me gesteld is.'
We waren nu aan de achterkant van het huis en hoorden plotseling een serie aanmoedigingskreten, gevolgd door een luid gejuich.
De wagen stond ongeveer tweehonderd yards achter het huis en hij maakte een eigenaardige, eenzame indruk op de wijde vlakte, die zich achter de ranch uitstrekte. Hij was helrood geschilderd en op de zijkant stond in grote, gele letters: 'Circus Santos'. Voor de wagen stond een twintigtal mannen, ter weerszijden van de bocca-baan.
Bocca is een oud Italiaans spel, dat gespeeld wordt met zware, houten ballen. Een van de spelers rolt een kleinere bal zover mogelijk over de baan en de andere spelers proberen de grote ballen er zo dicht mogelijk naar toe te rollen. Ik begreep niet wat hen zo opwond, want ik heb nooit veel aan het spel gevonden.

Al zat op het trapje van zijn wagen, met een lange, zwarte stogie nog onaangestoken in zijn mond, en sloeg het spel aandachtig gade. Toen kreeg hij ons in het oog. Zijn bruin, gerimpeld gezicht was plotseling één brede lach; hij sprong overeind, nam zijn sigaar uit zijn mond en liep me met uitgestrekte armen tegemoet. 'Johnny!'
Ik voelde me wel een beetje verlegen bij deze uitbundige vreugde over het onverwachte weerzien, omdat ik voortdurend aan de reden waarom ik was gekomen moest denken. Ik vermoed dat ik een nogal onnozele indruk moet hebben gemaakt zoals ik daar voor hem stond en hem een beetje slungelachtig de hand toestak.
Hij duwde mijn hand echter opzij, sloeg zijn armen om me heen en kuste me op beide wangen. Vervolgens deed hij een stap achteruit en keek me onderzoekend aan. 'Ik ben blij dat je eens naar me toe komt,' zei hij eenvoudig. 'Ik zat juist over je te denken.'
Ik voelde dat ik bloosde en keek schuw om me heen of de andere mannen soms naar ons keken. Maar ze gingen volkomen op in hun spel. 'Het was een mooie dag om er eens op uit te trekken,' zei ik op matte toon.
Hij wendde zich nu glimlachend tot Doris. 'Ik ben blij dat ik je weer eens zie, lieve kind.' Hij drukte haar hartelijk de hand.
Ze kuste hem op de wang. 'U ziet er best uit, oom Al,' lachte ze.
'Hoe is het met je vader?'
Haar glimlach werd nog zonniger. 'Veel beter, oom Al. Ik geloof dat we het ergste gehad hebben. Alles wat hij nodig heeft is rust.'
Hij knikte instemmend. 'Dat denk ik ook. Over een poosje is hij weer geheel de oude.' Hij wendde zich nu weer tot mij. 'En hoe maak jij het?'
Ik nam mijn zakdoek en wiste mijn voorhoofd af. Het was gloeiend heet hier op het open veld. 'Ik voel me uitstekend,' antwoordde ik.
Hij keek me bezorgd aan. 'We zullen in de wagen gaan – de zon is vrij scherp, vooral als je er niet aan gewend bent.'
Hij liep het trapje op en opende de deur. De zon scheen op zijn verschoten, blauw katoenen werkhemd, en het zitvlak van zijn donkerblauwe overall glom als een spiegel. In de wagen was het koel en donker. Al streek een lucifer aan en hield het vlammetje bij de pit van een oude olielamp. Het spetterde even, maar weldra vatte de pit vlam en verspreidde een zacht geel schijnsel, waardoor het interieur van de wagen zichtbaar werd.
Ik keek nieuwsgierig om me heen. Alles was nog precies zoals ik het me herinnerde. Het grote cilinderbureau stond nog op dezelfde plaats tegen de wand en de britsen achter in de wagen waren keurig opgemaakt. Zelfs de oude stoel, waarin Al vroeger altijd zijn krant las, was er nog. Ik knikte Al glimlachend toe en hij glimlachte trots terug.

'Ik ben blij dat ik hem heb teruggekocht,' zei hij. 'Een man moet iets uit zijn jeugd bewaren, om hem er aan te herinneren, wat hij in werkelijkheid is.'
Ik keek hem doordringend aan. Het klonk heel grappig wat hij daar zei, maar het was waar. In weerwil van zijn enorm succes had hij zichzelf nooit als bankier beschouwd.
Terwijl ik zo om me heen keek, kwamen er talloze herinneringen bij me op, maar het was bij mij toch anders dan bij hem. Ik was geen circusman; waarschijnlijk was ik dat ook nooit geweest. Ik hoorde in het filmbedrijf. Zijn volgende woorden verrasten me.
Hij liep terug naar de deur en sloot hem zorgvuldig af. Daarop keerde hij zich weer om. Zijn gezicht stond nu heel ernstig.
'Wat is er aan de hand, Johnny? Zijn er moeilijkheden?'
Ik keek van hem naar Doris. Haar ogen waren heel groot en donker, maar haar lippen glimlachten. 'Je kunt het evengoed meteen zeggen, Johnny,' zei ze zacht. 'Voor degenen die je liefhebben is je gezicht een open boek.'
Ik haalde diep adem, wendde me weer tot Al en begon mijn verhaal. Zijn vriendelijke ogen keken me scherp aan en zijn gezicht was een en al aandacht. Hij viel me niet één keer in de rede.
Zoals we daar tegenover elkaar zaten, moest ik aan jaren geleden denken, toen we hier bijna elke avond na afloop van de voorstelling zo zaten. Hij was de laatste jaren niet veel veranderd. Ik kon bijna niet geloven dat hij minstens zevenenzeventig was.
Toen ik uitgesproken was, streek hij een lucifer af tegen de hak van zijn schoen en stak de sigaar aan, die nog steeds in zijn mondhoek bungelde. Het vlammetje groeide en kromp beurtelings, terwijl hij puffend de brand in zijn sigaar zoog. Toen de stogie naar genoegen brandde, zwaaide hij de lucifer zorgvuldig uit en wierp hem op de grond. Daarop keek hij me met zijn schrandere ogen onderzoekend aan. Hij sprak echter niet.
We zaten daar zo lang dat er een schier ondraaglijke spanning begon te heersen. Plotseling voelde ik iets tegen mijn hand. Ik keek bijna verschrikt omlaag en zag Doris' hand, die tastend de mijne zocht. Ik keek haar aan en glimlachte flauwtjes.
Al zag het ook; er was maar heel weinig dat zijn scherpe ogen ontging. Eindelijk begon hij te spreken.
'En wat moet ik nu voor je doen?' vroeg hij bedaard.
Ik dacht een ogenblik na voordat ik antwoordde. 'Ik weet het zelf niet,' weifelde ik. 'Ik vrees dat je niets voor me kunt doen. Maar toch was je mijn laatste hoop en moest ik er met je over spreken.'
Hij keek me doordringend aan. 'Je wilt die maatschappij behouden, is het niet?' vroeg hij heel zacht.

Ik moest plotseling denken aan wat Peter gisteren had gezegd. Hij had gelijk. 'Ja,' antwoordde ik eenvoudig. 'Er zitten dertig jaren van mijn leven in dit bedrijf en het is een deel van mezelf geworden, dat ik niet wil verliezen.' Ik aarzelde weer even en begon toen te lachen, maar ik denk dat het een beetje bitter klonk. 'Het is al net zoals met het been dat ik in Frankrijk verloor. Waarschijnlijk kan ik er best buiten. Misschien zal ik te zijner tijd ook wel iets vinden dat even goed is, maar het zal altijd net zo iets blijven als dit.' Ik klopte op mijn kunstbeen. 'Je redt je er mee en het voldoet aan de eisen, maar diep in je hart ben je je toch altijd bewust dat je niet meer dezelfde bent. En dat ben je dan ook niet meer.'
'Toch is het wel mogelijk dat je je vergist, Johnny. Ik had ongeveer jouw leeftijd toen ik het bedrijf verliet, dat ik met hart en ziel was toegedaan en daarna werd ik een schatrijk man. Misschien is ook voor jou de tijd gekomen er mee uit te scheiden.'
Ik haalde diep adem en liet mijn ogen langzaam door de wagen dwalen. De woorden kwamen vanzelf over mijn lippen. 'Als ik dat deed,' zei ik langzaam, 'dan zou ik me geen studio kunnen kopen om die in mijn achtertuintje te planten.'
Hij zat heel stil en alleen het gloeiende puntje van zijn sigaar herinnerde er aan dat hij geen verweerd houten beeld was. Na enige tijd nam hij de sigaar uit zijn mond en beschouwde hem aandachtig; daarop slaakte hij een diepe zucht. Hij stond op en opende de deur van de wagen. 'Kom mee, dan praten we in huis verder.'
Buiten brandde de zon weer op ons neer. De mannen waren nog geheel verdiept in hun spel toen we langs hen heen liepen en Al in de farm volgden. We traden door een achterdeur de keuken binnen.
Een dikke oude vrouw, met zwart haar en een donkere huid, was aan het deeg rollen op een grote tafel. Ze keek op toen we de keuken binnenkwamen en zei een paar woorden in het Italiaans tegen Al. Hij antwoordde haar in dezelfde taal en ging ons voor naar de voorzijde van het huis.
Hij bracht ons in een groot, ouderwets gemeubileerd vertrek en verzocht ons te gaan zitten. Daarop verdween hij in de hal. Doris en ik keken elkaar eens aan. We vroegen ons beiden af wat hij ging doen.
'Vittorio!' hoorden we hem even later roepen. 'Vittorio!'
In een van de vertrekken boven ons hoofd gaf iemand antwoord en daarop hoorden we Al in het Italiaans een kort bevel schreeuwen. Even later kwam hij weer terug in de kamer. 'Vittorio komt er aan,' zei hij, terwijl hij in een stoel tegenover ons ging zitten.
Ik zat me juist af te vragen wat Vittorio hiermee te maken had, toen Al plotseling vroeg: 'Wanneer gaan jullie trouwen? Het begint me knap te vervelen maar steeds te wachen totdat jullie het eens zijn geworden.'

We bloosden als een paar jongejuffrouwen en keken elkaar verlegen aan. Doris antwoordde voor mij. 'We zijn zo in de war door die plotselinge ziekte van papa, dat we er nog maar nauwelijks aan gedacht hebben er over te spreken.'
'Om er over te spreken? Wat valt daar dan over te spreken?' blafte Al plotseling, terwijl hij vervaarlijke rookwolken naar de zolder joeg. 'Weten jullie dan nóg niet wat je wilt?'
Ik wilde juist antwoorden toen ik de brede lach op zijn gezicht zag en begreep dat hij ons maar een beetje zat te plagen. Op hetzelfde moment kwam Vittorio de kamer binnen.
Hij negeerde Doris en mij en wendde zich meteen tot Al. 'Wat is er, Al?'
Al keek hem doordringend aan. 'Vraag Constantin Konstantinov in Boston voor me aan.'
Vittorio wierp een blik op mij en overlaadde toen zijn baas met een stortvloed van verwijten. Hij deed het in het Italiaans, maar ik begreep uit zijn toon dat hij hevig protesteerde.
Al liet het even bedaard over zich heengaan en hief toen de hand op. Vittorio's mond klapte meteen dicht. 'Ik vroeg je om Boston voor me aan te vragen, Vic. En je moet je voortaan wat fatsoenlijker gedragen. Als er mensen bij zijn, die onze taal niet verstaan, dan spreek je Engels. Begrepen?' Hij sprak op rustige, vriendelijke toon, maar er was desondanks een klank in zijn stem die aan vlijmscherp staal deed denken. 'Ik heb Johnny grootgebracht en hij is zoveel als mijn eigen zoon. Ik weet dat hij met niemand zal spreken over wat hij hier hoort.'
Vittorio keek me met moordlust in de ogen aan, maar hij deed zwijgend wat hem gevraagd werd.
Ik keek Al nieuwsgierig aan. Ik wist niet dat hij Konstantinov kende en ik vroeg me af wat hij van plan was. Het was vandaag zondag en Konstantinov zat helemaal in Boston. En bovendien was Konstantinov een zeer belangrijk persoon die er voor bekend stond dat hij alleen volgens zijn eigen inzichten handelde. Hij gold voor een van de rijkste bankiers van Amerika, ofschoon niemand ooit van hem had gehoord voordat de Greater Boston Investment Corporation in 1927 geld begon te lenen aan de filmindustrie.
'Denk je dat het enig nut heeft met hem te spreken, Al? Ik vrees dat hij toch niet naar je zal luisteren.'
Al knikte me lachend toe. 'Hij luistert naar me,' antwoordde hij vol zelfvertrouwen en ik voelde plotseling dat hij precies wist wat hij zei.
Vic, die bij de telefoon stond, keerde zich om. 'Hier is Constantin, Al.'
Al stond op en nam de hoorn van Vittorio aan. Hij glimlachte nog even tegen ons en begon toen te spreken. 'Hallo, Constantin, hoe maak je het?'

Ik hoorde het gekraak van een mannestem in de hoorn, die hij losjes tegen zijn oor hield.
'Mijn leeftijd in aanmerking genomen, heel goed,' zei Al luchtig, in antwoord op een vraag. Daarop hoorden we weer het gekraak van de stem in de hoorn. Toen de stem zweeg begon Al weer te spreken.
'Ik wilde je eens even spreken over de situatie bij Magnum,' zei hij rustig. 'Ik maak me een beetje ongerust over de gang van zaken daar.' Hij wachtte even, terwijl de stem weer ratelde. 'Ik meen dat we ons standpunt ten opzichte van die kwestie eens uiteen zullen moeten zetten. Ik geloof dat die Faber daar alleen maar een hoop verwarring sticht.'
De stem in de hoorn hield een opgewonden betoog. Al luisterde geduldig. Toen hij eindelijk weer sprak, klonk zijn stem nog altijd vriendelijk, maar er was dezelfde bevelende klank in als toen hij tegen Vittorio sprak.
'Het kan me niets schelen wat Ronsen heeft gezegd. Farbers enig oogmerk is een conflict te veroorzaken en de zaak nog meer in het honderd te sturen. Daarom verzoek ik je Ronsen mee te delen dat de lening niet hernieuwd of verlengd zal worden als Farber als deelgenoot in Magnum wordt opgenomen.'
De stem begon weer te spreken, maar nu klonk hij kalm en gedwee. 'Dat is uitstekend,' zei Al, toen de stem weer zweeg. 'Zeg hem dat wij ons er onder geen enkele omstandigheid mee verenigen dat vreemden zich met de leiding van het bedrijf bemoeien.'
De stem zei weer een paar woorden. 'Dat is goed, Constantin,' antwoordde Al. 'Waarschijnlijk bel ik je over een paar dagen nog wel even op.' Terwijl hij dit zei, keek hij mij glimlachend aan. 'Het beste, Constantin.'
Hij legde de hoorn weer op de haak, kwam langzaam bij ons terug en keek glimlachend op ons neer. 'Dat is dus in orde, Johnny,' zei hij tegen me. 'Ik denk niet dat ze je verder nog iets in de weg zullen leggen.'
Ik keek hem met open mond aan. 'Hoe kon je hem dat maar zo eenvoudigweg bevelen?' bracht ik uit.
Ik zag dat Al van mijn verbazing genoot. 'Dat is heel eenvoudig,' lachte hij. 'Ik ben namelijk directeur van de Greater Boston Corporation.'
Daarop vertelde hij me iets dat me nog meer verbaasde.

Gedurende de terugreis was ik bijzonder zwijgzaam. Het kleine, gerimpelde mannetje in het verschoten blauwe hemd en de glimmende overall, dat wij daar op de ranch hadden achtergelaten, was in wezen de machtigste man in de filmindustrie. Hij beheerste het kapitaal, onverschillig welke maatschappij men ook nam.
Nu ik dit wist, bewonderde ik de oude man, die zichzelf eigenlijk nog altijd als een circusdirecteur beschouwde, meer dan ooit om zijn scherp-

zinnigheid en zijn vooruitziende blik. Lang voordat het zover was, had hij al begrepen dat de industrie zich zo uit zou breiden dat de methode om de films stuk voor stuk te financieren in onbruik zou raken en in 1925, toen de filmmaatschappijen met jaloerse blikken naar Wall Street begonnen te kijken, opende hij een klein kantoor in het oosten van de Verenigde Staten. Op de glazen deur werden de volgende woorden geschilderd: 'Greater Boston Investment Corp.'.
Het kantoor bestond uit twee vertrekken: een wachtkamer en het eigenlijke kantoor en op de deur van dit laatste vertrek stonden de volgende woorden: 'Constantin Konstantinov, vice-president – leningen en beleggingen'. Voordien was Konstantinov bediende op de bank in Los Angeles geweest.
In twee stormachtige jaren, waarin de ene filmmaatschappij na de andere zich tot het oosten wendde om geld, breidde het eenvoudig kantoortje zich uit tot een gehele verdieping in een imposant kantoorgebouw in het hartje van Bostons conservatieve zakenwijk.
Ik moest lachen toen ik er goed over nadacht. Grossierderij en detailhandel in leningen. Wenst u één film te financieren? Wend u tot de Bank of Independence in Los Angeles. Wenst u uw gehele bedrijf te financieren? Wend u tot de Greater Investment Corporation.
Ik dacht met leedvermaak aan de vele filmproducenten, die er prat op gingen dat zij zich uit Santos' klauwen hadden weten te bevrijden en die nooit zouden weten dat ze nog altijd met dezelfde Santos zaken deden, alleen onder een andere naam. Ik vroeg me af hoeveel Al eigenlijk precies waard zou zijn. Vijftig miljoen? Misschien nog wel meer. Wat kon het me ook schelen. Het was goed zoals het was. Geen mens die zijn geld zo waard was als hij.
Het was bijna tien uur toen we de bibliotheek van Peters huis binnenstapten. Doris maakte vlug een cocktail en we wilden elkaar juist toedrinken, toen de verpleegster binnenkwam.
'Mijnheer Kessler wil u vanavond nog spreken.'
Ik keek haar verbaasd aan. 'Is hij dan nog wakker?'
Ze knikte. 'Hij wilde niet gaan slapen voordat hij u gesproken had,' zei ze op afkeurende toon. 'Maar maakt u het zo kort mogelijk. Hij heeft een vrij slechte dag gehad en hij moet nodig wat rusten.'
We zetten onze cocktail onaangeroerd weer neer en haastten ons de trap op. Esther zat naast zijn bed en hield zijn hand in de hare. 'Dag, *Kinder,*' begroette ze ons opgewekt.
Doris trad op haar moeder toe en kuste haar op de wang. Daarop gaf ze haar vader een kus. 'Hoe is het met u?'
Misschien dat het door het licht in de kamer kwam – er brandde alleen

maar een klein lampje op het nachtkastje – maar het leek me alsof zijn gezicht sedert gisteravond was vermagerd. 'Uitstekend,' antwoordde hij; toen hief hij het hoofd op en keek me vol spanning aan. 'En?'
Ik glimlachte. 'Je had gelijk, baas. Hij heeft ons geholpen. Alles komt in orde.'
Zijn hoofd zonk vermoeid terug in de kussens en hij sloot de ogen. Zo bleef hij een paar minuten liggen en toen opende hij de ogen weer. Weer dacht ik dat het misschien door het licht kwam, maar het was alsof er diepe schaduwen om zijn ogen lagen en alsof zijn blik fletser was dan anders. Het scheen hem ook moeite te kosten zijn blik op een bepaald punt te richten. Maar zijn stem was vrij krachtig en er klonk een grote voldoening uit. 'En nu gaan jullie zeker gauw trouwen?'
Ik schrok bijna. Dit was de tweede keer die dag dat ik dit hoorde en weer was het Doris die antwoordde. Ze boog zich over haar vader heen en kuste hem vluchtig op het voorhoofd. 'Zodra u weer beter bent, papa,' zei ze zacht.
Hij glimlachte tegen haar en ik meende tranen in zijn ogen te zien, maar hij sloot ze gauw. 'Wacht niet te lang, *Kinder,*' zei hij langzaam. 'Ik zou nog graag kleinkinderen op mijn knie willen zien.'
Doris keek glimlachend naar me. Ik kwam wat dichter bij het bed staan en nam Doris' hand in de mijne. 'Maak je daar maar niet bezorgd over, Peter,' zei ik. 'We zullen je niet lang laten wachten.'
Hij glimlachte weer, maar gaf geen antwoord en bewoog zijn hoofd onrustig op het kussen.
Toen de verpleegster dat zag joeg ze ons de kamer uit. 'Goedenacht, Peter,' zei ik.
Zijn stem klonk eigenaardig hoog en ijl. 'Goedenacht, Johnny.'
Doris kuste hem weer en keerde zich toen om naar haar moeder. 'Ga je mee, mama?'
Esther schudde het hoofd. 'Ik blijf hier totdat hij slaapt.'
Ik weet nog goed dat ik nog eens omkeek voor we de kamer verlieten. Esther zat nog altijd op de stoel naast het bed. Peters hand lag op het laken over zijn borst en ik zag juist dat Esther hem met de hare bedekte. Ze knikte ons nog eens glimlachend toe. Toen deed ik de deur dicht.
We keerden zwijgend naar de bibliotheek terug. Toen we het grote vertrek waren binnengetreden en ik de deur achter ons had gesloten, keerde Doris zich plotseling naar me om. Haar ogen waren wijd van angst en ze huiverde alsof ze het koud had. 'Johnny,' fluisterde ze, 'ik ben zo bang.'
Ik nam haar in mijn armen. 'Waarvoor, lieveling?' vroeg ik zacht.
Ze schudde het hoofd. 'Ik weet het niet,' fluisterde ze. 'Ik weet het niet, maar ik heb een gevoel alsof er iets niet in orde is. Er gaat iets verschrik-

kelijks gebeuren.' Haar ogen vulden zich met tranen – tranen van angst en wanhoop.
Ik legde mijn handen om haar gezicht en dwong haar me aan te zien. 'Maak je maar niet ongerust, lieveling. Het is de reactie op alles wat er deze week is gebeurd. En vergeet niet dat we een vermoeiende dag hebben gehad. Je hebt bijna twaalf uur lang achter het stuur gezeten. Alles komt in orde.'
Zij keek naar me op. Er lag een bijna bovenaardse glans op haar gezicht en haar ogen rustten vol vertrouwen op me. 'Geloof je dat werkelijk, Johnny?'
Ik glimlachte. 'Ik weet het,' antwoordde ik op besliste toon.
Maar ik vergiste me. Het was de laatste keer dat ik Peter in leven had gezien.

De volgende morgen ging ik al vroeg naar de studio. Ik wilde er zijn voordat het personeel het slechte nieuws uit New York hoorde. Het was een stralende dag. De zon scheen, de vogels zongen en ik floot lustig met hen mee toen ik het hek van de studio binnenstapte.
De portier kwam uit zijn huisje toen hij me zag aankomen. 'Een mooie dag, mijnheer Edge!'
Ik bleef glimlachend staan. 'Een prachtdag, portier!'
Ik vervolgde mijn weg naar mijn kantoor. Mijn voetstappen klonken luid op de platgetreden grindweg. Achter me begon het personeel het hek binnen te stromen. Ze gingen allen naar hun werk. Allerlei soorten mensen: acteurs, actrices en figuranten; regisseurs en hun assistenten, scenarioschrijvers, camerapersoneel, elektriciens en ander technisch personeel, boekhouders, secretaressen, typistes en kantoorbedienden, boodschappenjongens en de frisse, jonge meisjes die net van de middelbare school kwamen en op de stenoafdeling werkten. Allen gingen ze aan het werk. Allerlei soorten mensen. Mijn mensen. Filmmensen.
Ik stapte monter mijn kamer binnen. Gordon was er al. Hij keek me verbaasd aan. 'Wat ben jij vrolijk vandaag!'
Ik gooide lachend mijn hoed op de sofa en ging achter mijn schrijftafel zitten. Toen duidde ik met een weids gebaar op de blauwe hemel. 'Het is een stralende dag, waarom zouden we het hoofd laten hangen?' Ik keek hem even aan en knikte toen goedkeurend. 'Je ziet er werkelijk aanbiddelijk uit, met die hemelsblauwe das, Robert!'
Hij staarde me aan alsof hij met een volslagen idioot te doen had en misschien was ik die morgen ook wel een beetje getikt; maar het kon me niets schelen. Als je je zo voelde als je niet goed wijs was, dan wilde ik nooit van m'n leven meer goed wijs zijn. Ik voelde me er best bij.

Ik zat hem in aangename gedachten verzonken aan te staren, totdat ik plotseling bemerkte dat hij stilletjes zat te lachen. Hij stond op en kwam op me toe. 'Je hebt er een teveel op,' verweet hij me lachend.
Ik hief plechtig mijn rechterhand op. 'Waarachtig niet,' bezwoer ik. 'Ik heb nog geen druppel gehad!'
Hij bekeek me wantrouwig van alle kanten en grinnikte toen. 'Nu dan, neem mij in vertrouwen. Waar heb je die jankende teef begraven?'
Ik schoot in een luide lach. 'Maar Bob, hoe kun je nu zo over onze achtenswaardige voorzitter spreken?' verweet ik hem op mijn beurt.
Hij stak zijn handen in zijn zakken en keek van zijn hoogte op me neer. 'Toen ik je vrijdagavond door de telefoon sprak, klonk je stem alsof je een klap met een voorhamer had gehad. En vanmorgen straal je als een bakvis die haar eerste liefdesverklaring heeft gehad. Dronken ben je blijkbaar niet, dus blijft er maar één mogelijkheid: namelijk dat je hem hebt vermoord.'
Hij glimlachte bemoedigend. 'Kom, Johnny, je kunt me vertrouwen. Misschien kunnen we hem samen begraven.'
Ik keek hem nu ernstig aan. 'Ik heb je vorige week gezegd dat ik een plannetje had.'
'Inderdaad,' knikte hij.
'Wel, het is heel eenvoudig.' Ik maakte een paar geheimzinnige handbewegingen en vervolgde: 'Je zegt maar hocus, pocus, pilatus, pas, en op hetzelfde ogenblik krijgt onze vriend een telefoontje van zijn bankiers uit New York en phfft! Farber vliegt het raam uit en zijn aardige, kleine neefje vliegt achter hem aan.'
'Werkelijk, Johnny?' Zijn gezicht was nu een en al lach.
Ik stond langzaam op en keek hem dreigend aan. 'Twijfel je aan het woord van John Edge, de eerlijkste koopman aan deze zijde van Las Vegas?'
'Ik kan het bijna niet geloven! Hoe heb je dat klaargespeeld, Johnny?'
'Beroepsgeheim, mijn zoon,' zei ik op dezelfde hoogdravende toon. 'Eens, als je oud genoeg bent, zal papa je vertellen waar de kindertjes vandaan komen, maar nu –' Ik wees met een weids gebaar naar de deur. 'Aan het werk. Je plicht roept, Robert, en je weet dat ik lijntrekkers haat!'
Hij liep lachend naar de deur en maakte daar, met zijn handen over zijn borst gekruist, een diepe buiging. 'Uw slaaf, o meester!'
Ik schoot in de lach en hij deed de deur zacht achter zich dicht. Ik draaide me met stoel en al naar het open raam en keek naar buiten. Wat een dag! Het soort dag dat je op de reclameplaten van vakantie-oorden ziet. Een aardig, jong meisje in een fleurig japonnetje liep juist voorbij mijn venster. Het paste precies in het beeld. Er stond altijd een aardig meisje op die

platen, dat je vrolijk toeriep: 'Welkom in Californië!' Ik stond op, liep naar het raam en ging in de vensterbank zitten. Voordat ik het me bewust was had ik gefloten.
Het meisje keerde zich om en keek naar mijn raam. Ze herkende me onmiddellijk en er gleed een glimlach over haar gezicht toen ze haar hand opstak en tegen me wuifde. Ik wuifde vrolijk terug. Haar jonge stem kwam licht en helder met de morgenwind mee. 'Hallo, Johnny!'
Ze keerde zich om en vervolgde haar weg. Ik keek haar na totdat ze om de hoek verdween. Een pienter, pittig ding. Een van de weinigen die zich van een eenvoudig figurantje tot een echte actrice had weten op te werken. Een vrouw met spirit, een van mijn mensen. Filmmensen.
Ik ging weer in mijn stoel zitten en stak een sigaret op. Ik had me nog nooit zo prettig gevoeld.

Het was bijna tien uur toen de telefoon op mijn schrijftafel ging. Het was Larry. Zijn stem klonk niet bijster vrolijk. 'Blijf je nog even op je kamer? Ik zou je graag een ogenblik spreken.'
Ik lachte in mijn vuistje. 'Welzeker, Larry. Kom maar meteen! Voor jou ben ik altijd thuis!'
Hij was een toonbeeld van verwarring toen hij mijn kantoor binnenkwam. Ik behoefde hem maar aan te zien om te weten wat er was gebeurd. Konstantinov had hem opgebeld.
'Johnny, er is een verschrikkelijke fout gemaakt!' waren zijn eerste woorden. Hij kon niet eens wachten totdat hij mijn schrijftafel had bereikt.
Ik hield me van den domme, trok één wenkbrauw op en keek hem vragend aan. 'Een fout?' herhaalde ik op honingzoete toon. 'Wat voor fout?'
Zijn mond viel half open en hij staarde me wel een minuut lang aan. 'Heb je de kranten van dit weekend niet gelezen?'
Ik knikte zwijgend. Ik zag de drie miljoen dollars in kleine druppeltjes op zijn voorhoofd parelen.
'Mijn telegram van vorige week heeft dat van het bestuur gekruist,' verklaarde hij. 'Ze dachten dat jij het ook goed vond dat Farber en Roth er in kwamen.'
Ik antwoordde niet meteen. Ik schepte er een wreed genoegen in hem te zien rondspartelen. Hij had het dubbel en dwars verdiend. Toen deed ik er nog een schepje bij. 'Dat is heel naar,' merkte ik langs mijn neus weg op.
Hij werd nog bleker. 'Hoe bedoel je dat?'
'Weet je nog wat ik vrijdag heb gezegd? Als Farber en Roth er in komen, ga ik er uit. Welnu, ik ben er dus uit.'
Ik durf er een eed op te doen dat hij op het punt stond flauw te vallen.

Zijn gezicht was asgrauw en hij opende zijn mond alsof hij naar lucht hapte. Ik moest me geweld aandoen om niet in lachen uit te barsten.
'Maar Johnny,' – het klonk bijna onhoorbaar – 'ik zei je toch dat de telegrammen elkaar gekruist hebben! Het is allemaal een ellendige vergissing!'
'Dat klopt,' bromde ik in mijn baard. De ellende was alleen als een boomerang bij hemzelf teruggekeerd, inplaats dat ik er door was getroffen. Ik was plotseling misselijk van zijn gedraai en gefleem. Waarom bekende hij niet eerlijk dat hij me een poets had willen bakken en dat het hem erg speet dat het mislukt was. Dan konden we tenminste als mannen met elkaar spreken. We waren toch geen kleine kinderen. We wisten drommels goed dat we elkaars bloed wel konden drinken.
Maar hij kon dat natuurlijk niet doen. Dat zou eerlijk geweest zijn en in het filmbedrijf bestaat een ongeschreven wet dat men niet eerlijk mag zijn, omdat het geen geld in het laatje brengt. Het is eenvoudig ongebruikelijk.
Ik keek hem onverschillig aan. 'En wat ben je nu van plan?'
Hij staarde me lange tijd zwijgend aan. Ik zag de kleur langzaam op zijn gezicht terugkeren. 'Ik heb onmiddellijk naar alle kranten geschreven en het bericht ontkend.' Er klonk weer een zweem van hoop in zijn stem. Hij boog zich naar me toe en keek me smekend aan. 'Het spijt me ontzettend dat dit allemaal is gebeurd, Johnny.'
Ik geloofde hem graag. Ik wist maar al te goed hoezeer het hem speet. Ik stond op. 'Okay, Larry,' zei ik op luchtige toon, 'een vergissing is menselijk. We praten er niet meer over.' Ik kon het me veroorloven edelmoedig te zijn. Ik had het gewonnen.
Het eerste ogenblik durfde hij amper te glimlachen, maar plotseling brak de zon door op zijn gezicht. Ik zag de drie miljoen dollar wegdrijven als een sombere regenbui. Toen hij het vertrek verliet was hij bijna weer Laurence G. Ronsen. Ik had honger. Het was tijd om te gaan lunchen.
Toen ik terugkwam van de lunch had een behaaglijke loomheid zich van me meester gemaakt. Ik had mezelf op een paar borrels getrakteerd om mijn overwinning te vieren. Maar ik voelde me nog altijd kiplekker en het was nog steeds een stralende dag.
Er lag een briefje op mijn schrijftafel. Ik nam het nieuwsgierig op en las het. 'Wilt u juffrouw Kessler even opbellen?' stond er. Ik nam de hoorn van de haak en verzocht de telefoniste me met Peters huis te verbinden.
Ik neuriede zacht voor me heen terwijl ik wachtte totdat de verbinding tot stand kwam. Even later hoorde ik Doris' stem. Hij klonk vermoeid en afwezig, alsof ze uit een diepe slaap was gewekt. 'Hallo?'
'Hallo, lieveling!' juichte ik. 'Wat wou je me vertellen?'

'Johnny,' zei ze langzaam, 'papa is dood.' Het was alsof ik de echo van haar stem nog hoorde lang nadat ze de woorden had gesproken.
Ik was plotseling ijskoud. Ik bewoog mijn lippen, maar er kwam het eerste ogenblik geen geluid. 'Kindje!' stamelde ik eindelijk. 'Wanneer is het gebeurd?'
'Een uur geleden,' antwoordde ze mat.
'Ik kom direct bij je,' beloofde ik. 'Hoe is mama er onder?'
'Ze is nog bij hem.' Ze begon te huilen.
'Niet huilen, lieveling,' zei ik. 'Peter zou dat helemaal niet prettig vinden.'
Ze deed een dappere poging zich te beheersen. 'Nee, dat is zo,' antwoordde ze. 'Hij kon geen tranen zien. Als ik als klein kind iets wilde hebben, behoefde ik alleen maar te gaan huilen.'
'Houd je dus goed, kindje,' zei ik op bemoedigende toon. 'Ik kom direct.'
Ik legde de hoorn langzaam weer op de haak en bleef er lang naar staren. Toen keerde ik me weer om naar het raam en keek naar buiten. Het was nog steeds een stralende dag, maar hij had voor mij iets van zijn glans verloren. Mijn ogen waren plotseling verblind door tranen. Ik weet nog goed dat ik dacht: 'Vooruit, Johnny, doe nu niet als een klein kind. Geen mens heeft het eeuwige leven en zijn leven is vol schoonheid en geluk geweest.' Maar hij had ook een massa zorgen en verdriet gehad. Dus keerde ik me om, legde mijn hoofd op mijn schrijftafel en deed als een klein kind. Voor de drommel, ik had evenveel recht om hem te huilen als wie dan ook!

Ik hief het hoofd op toen ik de deur hoorde opengaan en iemand de kamer hoorde binnenkomen. Het was Bob. Hij stond stil naar me te kijken. 'Je weet het dus al van de oude baas,' zei hij zacht.
Ik stond langzaam op en liep om mijn schrijftafel heen. Ik nam mijn hoed van de sofa, waar ik hem die morgen fluitend had neergegooid en bleef Bob toen zwijgend aan staan kijken.
Zijn ogen rustten vol sympathie op mij. 'Ik begrijp hoe je je voelt, Johnny,' zei hij zacht. 'Het was een beste, brave oude baas.'
'Hij was een groter man dan de meesten van ons ooit hebben beseft,' zei ik.
Hij knikte zwijgend.
Plotseling drong het tot me door hoe stil het was. Het was alsof er een deken over ons was uitgespreid, die alle geluid buitensloot. Ik keek Bob aan. 'Wat is het akelig stil.'
Hij knikte. 'Het hele personeel weet het al. Niemand heeft nog zin om te werken.'
Ik knikte instemmend. Zo behoorde het ook te zijn.

Ik liep langs hem heen en verliet het vertrek. Overal in de gangen stonden groepjes mensen die me zwijgend gadesloegen als ik hen passeerde. Hun blik was vol deernis. Een paar kwamen er zelfs op me toe en drukten me zwijgend de hand.
Ik kwam buiten, in het volle zonlicht. Hier was het al precies hetzelfde. Overal stonden mensen, die op gedempte toon met elkaar spraken. Hun medeleven deed me wonderlijk goed. Ik kwam langs studio nummer drie. Ook hier heerste doodse stilte. Bij studio twee en vier precies hetzelfde. Voor elk gebouw stonden mensen, wier vriendelijke blik me volgde totdat ik uit het gezicht verdween.
Plotseling hoorde ik muziek. Ik bleef als door de bliksem getroffen staan. Mijn oren waren gewend geraakt aan de stilte. Studio nummer één was in volle actie. Mijn hart begon stormachtig te bonzen. Wat voor recht hadden ze om maar gewoon door te gaan met hun werk?
Ik liep naar de deur en ging naar binnen. De muziek schetterde op me in. Mijn oren deden er pijn van. Maar toen stierven de klanken weg tot een zacht gemurmel en plotseling hoorde ik een jonge, heldere vrouwenstem zingen. Ze stond midden op het toneel voor een microfoon en het lied jubelde uit haar keel als de juichende zang van de leeuwerik, die dronken van zonlicht naar de blauwe hemel klimt. Ik keerde me om en wilde zacht de studio verlaten.
Een hand greep me opgewonden bij de arm. Ik keerde me om. Het was Dave. Zijn ogen schitterden. 'Hoor eens hoe die lijster daar zingt, Johnny! Hoor toch eens!'
Ik keek naar het toneel. Het meisje kon zingen, dat stond vast. Maar ik voelde me niet in staat er naar te luisteren. Toen zag ik Larry en Stanley op ons toekomen. Ik vroeg me een ondeelbaar ogenblik af of Larry het hem nog niet had verteld. Maar zelfs dat kon me niet schelen. Mijn enige wens was hier zo snel mogelijk vandaan te komen.
Dave hield me vast totdat ze bij ons waren. Toen schalde zijn opgewonden stem weer in mijn oren. 'Ik zeg je dat dat vrouwtje geld op de bank betekent! Bij elke noot die ze zingt hoor je de kassa's gewoon rinkelen!' Hij keek de anderen aan. 'Is het waar of niet?'
Ze knikten glimlachend.
Ik keek van de een naar de ander. 'Hebben jullie niet gehoord dat Peter Kessler dood is?'
Larry knikte. 'Ja, ik heb het gehoord. Ontzettend jammer, maar het was te verwachten. Het was een oud man.'
Ik staarde hem met grote ogen aan. Hij had gelijk. Het was ontzettend jammer. Hij wist alleen niet hoe jammer het was. Ik rukte me uit Dave's greep los en vluchtte weg.

Achter me hoorde ik Dave verwonderd vragen: 'Wat is er met hem aan de hand?'
Ik hoorde hun antwoord niet, omdat ik de deur al achter me had dichtgetrokken.

Ik was alleen in mijn kamer toen ik achter mijn schrijftafel ging zitten en een blad papier voor me nam. Mijn pen kraste over het papier. Na de eerste regel hield ik even op en keek naar de woorden die ik juist geschreven had:
'Aan het Bestuur van de Magnum Pictures Company, Inc.'
Ik hief het hoofd op en keek door de open deur de gang in. Toen boog ik me weer over mijn papier. Ik dacht aan wat Al me verteld had nadat hij me had meegedeeld dat hij directeur van de Greater Boston Investment Corporation was, al wist niemand dat.
Hij keek op me neer met die kalme, vriendelijke glimlach, die ik zo goed van hem kende. 'Peter heeft me gezegd dat je op zekere dag naar me toe zou komen,' zei hij.
Ik keek hem verbaasd aan. 'Werkelijk? Hoe kon hij dat weten? We hebben er gisteren pas toe besloten!'
Hij schudde het hoofd. 'Nee, Johnny,' antwoordde hij bedaard. 'Het is bijna twee jaar geleden. Toen hij zijn aandeel in Magnum verkocht.'
Nu begreep ik er helemaal niets meer van. Ik keek van hem naar Doris en toen weer naar hem. 'Hoe kon hij dat toen al weten?' vroeg ik ongelovig.
Al keek Vittorio even aan. Deze staarde me een ogenblik woedend aan en verliet toen met boze stappen de kamer. Al ging tegenover me zitten.
'Je herinnert je zeker nog wel die dag dat je ruzie met hem had en hij je zijn huis uit joeg?'
Ik knikte. Ik voelde dat Doris me ademloos gadesloeg.
Al stak een nieuwe stogie in zijn mond. 'Vlak nadat je wegging, belde hij me op.' Hij keek Doris aan. 'Dat is juist, is het niet?'
Haar ogen waren heel groot. 'Dat herinner ik me. Het was vlak voordat ik de kamer verliet. Ik heb niet gehoord wat hij tegen u zei.'
Al wendde zich weer tot mij. 'Zijn eerste woorden waren: 'Johnny heeft me uitgekocht!' Toen vroeg hij me, hem geld te lenen om de leiding over de maatschappij terug te kopen.
Ik had juist van Vic gehoord wat hij had gedaan en je kunt je wel voorstellen dat ik duivels op hem was. Maar het was gebeurd en er was niets meer aan te doen. Ik zei dat ik graag bereid was hem het geld te lenen, maar vroeg hem ook of hij dat nu werkelijk wel wilde.
'Hoe bedoel je dat?' informeerde hij.
'Ze bieden je vier en een half miljoen voor je aandeel,' zei ik tegen hem.

'Waarom zou je jezelf weer opnieuw in de zorgen steken als je dat aardige sommetje kunt krijgen en je rustig uit de zaken kunt terugtrekken en als een vorst leven?'
Hij gaf niet onmiddellijk antwoord. Ik begreep dat hij over mijn woorden nadacht. Toen vertelde ik hem wat Vittorio jou had geleverd. Hij bleef zwijgen. Toen hij eindelijk sprak hoorde ik aan zijn stem dat hij volkomen kapot was.
'Het is Johnny's schuld dus niet?' vroeg hij.
'Nee,' antwoordde ik.
'Dan moet ik het geld hebben!' zei hij.
'Waarom?' vroeg ik.
'Omdat Johnny geen cent meer heeft. Ik moet hem helpen. Als ik er niet meer in zit, verliest hij zijn baantje ook nog.'
'Johnny zal zijn baantje niet verliezen,' zei ik tegen hem. 'Ze hebben hem veel te hard nodig. Hij is de enige die het bedrijf door en door kent.'
Peter twijfelde er nog steeds aan en ik zei dat hij zich daarover niet bezorgd moest maken.
'Maar de dag komt dat hij in grote moeilijkheden zal zitten,' zei Peter. 'Ze zullen met hem hetzelfde proberen te doen als ze met mij hebben gedaan. En wat moet Johnny dan beginnen? Er is niemand tot wie hij zich kan wenden, behalve tot jou of tot mij.'
'Als hij ooit in moeilijkheden komt,' zei ik, 'dan zal ik hem helpen. Maar ik wil dat jij het je nu verder makkelijk maakt. Je hebt je leven lang hard gewerkt om dit bedrijf op te bouwen. Het is nu tijd dat je gaat rusten. Geniet nog wat van je leven. Je hebt je vrouw, je kinderen. Laten zij ook nog wat aan je hebben. Met vier en een half miljoen behoef je je over je boterham niet bezorgd te maken.'
Toen liet hij me plechtig beloven dat ik je, als je ooit in moeilijkheden mocht komen, zou helpen. Ik beloofde dat meteen, want ik zou je toch te allen tijde helpen, wat er ook was. Toen zei hij dat hij zijn aandeel zou verkopen.'
Het was doodstil in de kamer, terwijl hij langzaam zijn sigaar aanstak. Mijn hart was zo vol dat ik geen woord kon uitbrengen. Mijn leven lang hadden deze twee mensen over me gewaakt. Nooit zou ik hun kunnen vergoeden wat ze voor mij hadden gedaan. Ik was lang niet zo pienter geweest als ik zelf altijd gedacht had.

Wij van het filmbedrijf waren altijd zo druk met dromen weven in celluloid, dat we nooit beseften dat wij de enigen waren die er werkelijk in geloofden. We leefden in een droomwereld die we ons zelf geschapen hadden, en telkens als de harde werkelijkheid er binnendrong werden we door

paniek bevangen en wisten we niet waarnaar we het eerst moesten grijpen om de bres in onze vestingmuur van celluloid te dichten.
Ikzelf was al niet anders dan de rest. Ik leefde in een schone droomwereld, die ik mezelf had gemaakt. Evenals de anderen had ik me een huis van celluloid gebouwd.
Maar celluloid heeft de eigenschap dat het zacht wordt als het aan de zonnehitte wordt blootgesteld en evenals de anderen was ik dit vergeten. Ik dacht dat mijn huis sterk genoeg was om me tegen de wereld te beschermen. Maar dat was niet zo.
Het was slechts zo sterk als de mensen in mijn naaste omgeving het me hielpen te maken en nu besefte ik plotseling dat Peter mijn grootste kracht was geweest. Hij was het fundament en de muren. Zonder hem was er geen huis.
Zonder hem was er geen droomwereld meer.
Nu wist ik dat, maar ik had het lang geleden in moeten zien.
Mijn pen kraste weer over het papier, toen ik me op de woorden concentreerde, die er uit schenen te vloeien:
'Hierbij deel ik u mede, dat het mijn wens is af te treden als president en bestuurslid van uw maatschappij.'
'Dat kun je niet doen, Johnny!' Haar stem was een kreet van verontwaardiging, vlak bij mijn oor.
Ik keek verschrikt op. Doris stond naast me. Haar gezicht was spierwit en haar ogen vlamden me tegen. Gedurende een fractie van een seconde kon ik geen woorden vinden. Toen blafte ik: 'Waarom ben je niet thuis, bij je moeder?'
Ze negeerde mijn vraag. 'Dat kun je niet doen, Johnny!' herhaalde ze, terwijl haar blik zich diep in de mijne boorde. 'Je kunt er zo niet tussen uit trekken!'
Ik stond op. Mijn handen beefden. Ik liep naar het raam en gooide het wijd open. De muziek uit studio één golfde naar binnen. Ik keerde me woest naar haar om. 'Zo, kan ik dat niet? Luister daar dan eens naar. Ik wil niet dat ze in mijn huis maar gewoon doorgaan met hun werk als ik gestorven ben! Ik wil dat ze hun werk dan laten rusten. Al is het dan maar voor één dag, voor één minuut. Maar ik wil dat ze stil zijn en mij gedenken!'
Ze trad langzaam op me toe. Er was een verre blik in haar ogen, alsof ze een andere wereld zagen dan die welke ons omgaf. Ze hield haar hoofd een beetje schuin, zoals altijd als ze scherp naar iets luisterde. Ook nu luisterde ze. Ze luisterde naar haar herinnering. Zo stond ze lange tijd zwijgend voor het open raam en toen ze eindelijk sprak, klonk haar stem gedragen, als bij een gedicht. 'Bestaat er voor een mens een heerlijker ge-

denkteken dan de schoonheid die hij zijn medemensen door zijn werk heeft gebracht? De uren van verpozing die hij hun door zijn leven heeft geschonken en waardoor hij het hun heeft mogelijk gemaakt hun zorgen en verdriet een ogenblik te vergeten en op te gaan in een droomwereld die hij voor hen heeft geschapen?'
Ik gaf geen antwoord.
Haar ogen zagen nu weer. Ze stonden plotseling vol tranen, maar haar stem had nog die zangerige klank toen ze verder ging. 'Daarom kun je niet heengaan, Johnny. Lang geleden heb je met papa een overeenkomst gesloten, al was je het je zelf niet bewust. Hij heeft zijn taak volbracht, maar jij leeft nog om je tot het einde toe aan je belofte te houden. Hij wil niet dat jij je werk neerlegt omdat hij er toe gedwongen werd. Daarom heeft hij je naar Santos gestuurd. En er zijn nog meer redenen waarom je moet blijven, Johnny.' Ze wees naar buiten. 'Al die mensen daar. Ze hebben jou nodig. Om hun werkkring, hun huis, hun gezin te redden. Het zijn jouw mensen, Johnny. Filmmensen. Je zou nooit meer gelukkig kunnen zijn als je dit alles nu verliet. Denk aan wat je zelf tegen Santos hebt gezegd: je kunt geen studio in je achtertuintje zetten. Maar boven alles kun je niet heengaan, omdat je dertig jaar geleden in een klein stadje een overeenkomst sloot met een man die daar vreedzaam boven zijn ijzerwinkeltje woonde. Een overeenkomst die jullie ver heeft weggevoerd van die kleine stad, drieduizend mijl ver, naar de plaats waar je nu staat.'
Ze nam mijn hand en keek me diep in de ogen. 'Nu ben jij alleen overgebleven om je aan die overeenkomst te houden en de belofte na te komen, die jullie elkaar toen hebben gedaan. Begrijp je, Johnny,' – haar stem was nog slechts een gefluister – 'dat is de reden waarom je niet heen mag gaan.'
Plotseling vulden mijn longen zich weer met lucht. Ze had gelijk. Ik wist dat al bij het eerste woord dat ze sprak. Wat was ik voor een man dat ik maar direct van het leven wilde wegvluchten, zodra het me maar even pijn scheen te doen?
Haar vader was zojuist gestorven en hier stond zij nu en troostte mij inplaats van dat ik haar troostte! Ik boog langzaam het hoofd en kuste haar handpalm. Ik voelde haar vingers tegen mijn wang. Koel en zacht.
Ik greep het papier van mijn schrijftafel en samen verlieten we mijn kantoor. Het warme zonlicht buiten deed me wonderlijk goed. De muziek deed mijn oren geen pijn meer. Ze had gelijk. Het was een gedenkteken waar een man trots op kon zijn. We liepen samen naar de uitgang van de studio.
Ik hoorde het heldere geklater van het water dat altijd door uit de grote stenen fles boven de poort stroomde. Ik keerde me om en keek omhoog.

Het water fonkelde in het zonlicht als champagne en het viel met een helder, tinkelend geluid in de grote, kristallen kelk er onder.
Mijn ogen waren plotseling door tranen verblind. Ik sloot ze en toen hoorde ik, als van heel ver weg, Esthers stem. Het was ook zo lang geleden. 'Laten wij het Magnum noemen.' Magnum, naar de grote fles champagne die Peter besteld had op de avond dat wij ons bedrijf begonnen.
Ik opende de ogen weer. Vele jaren waren sindsdien verstreken. En vele mensen waren heengegaan.
We liepen naar haar auto. Hij stond vlak voor de ingang van de studio. Ik hield het portier voor haar open en ze stapte in en ging achter het stuur zitten.
Ik stond daar nog met mijn voet op de treeplank op haar neer te zien, toen het plotseling tot me doordrong dat ik het vel papier nog steeds in de hand had. Ik keek er een ogenblik verbaasd naar en scheurde het toen in kleine stukjes, die vrolijk wegfladderden op de lichte wind. We keken ze zwijgend na.
Toen hief Doris het hoofd naar me op en nam mijn hand in de hare. Haar ogen schitterden.
Mijn hart bonsde plotseling van vreugde. Ik boog me over haar heen. 'Je hebt mijn vraag nog niet beantwoord,' zei ik zacht. 'Waarom ben je niet thuis, bij je moeder?'
Haar ogen keken me vol liefde aan. Er was een wijsheid in die blik, die ik als man nooit zou bezitten. 'Ze zei dat ik naar je toe moest gaan en je halen,' antwoordde ze. 'Ze zei dat jij me op dit ogenblik meer nodig had dan wie ook.'
Ik keek nog even peinzend op haar neer en ging toen naast haar zitten. 'Goed, Doris,' zei ik langzaam, 'laten we naar huis gaan.'